Dühren, Eug

Der Einfluss äußerer F
Geschlechtsleben in England

(Fortsetzung und Schluss)

Dühren, Eugen

Der Einfluss äußerer Faktoren auf das Geschlechtsleben in England

(Fortsetzung und Schluss)

Inktank publishing, 2018

www.inktank-publishing.com

ISBN/EAN: 9783747702765

Das Geschlechtsleben * *

* * * in England

mit besonderer Beziehung auf London.

Von

Dr. Eugen Dühren.

III.

Der Einfluss äusserer Faktoren auf das Geschlechtsleben in England.

(Fortsetzung und Schluss).

Berlin NW. 7.
M. Lilienthal, Verlag
1903.

Vorrede.

Mit dem vorliegenden dritten Bande ist ein Werk, in welchem ich die Hauptzüge der Sittengeschichte Englands nach den Quellen zu schildern versucht habe, zum Abschlusse gelangt. Da ein solches Unternehmen in der Art seiner Anlage und Ausführung bisher ohne Vorbild ist, so darf ich wohl die Nachsicht der Kritiker billigerweise in Anspruch nehmen und mit dem nochmaligen Hinweise mich begnügen, dass es sich hier um die Frucht einer vierjährigen ernsten, ehrlichen, quellenkritischen Forschung handelt, deren auf so verschiedene Gebiete sich erstreckender Gegenstand: die englische Sittengeschichte (im umfangreichsten Sinne des Wortes) naturgemäss eine nicht lückenlose Darstellung erfahren konnte. Für ernsthafte Verbesserungen, aufrichtige Kritiken wird der Verfasser daher stets dankbar sein. Nach den mir in grosser Zahl zugegangenen schriftlichen und mündlichen Aeusserungen des Beifalls und der Anerkennung darf ich hoffen, dass das nun vollendete Werk, dessen dritter Band insbesondere an Umfang die beiden ersten beträchtlich übertrifft, und eine noch bei weitem grössere Fülle des Materials als jene enthält, eine dauernde Bereicherung der kulturgeschichtlichen Litteratur darstellt.

Was die am Schlusse beigegebene Bibliographie betrifft, so empfahl es sich, den grössten Teil derselben, besonders die auf die Flagellomanie, Kunst, erotische Litteratur und Bibliophilie und Bibliographie sich beziehenden Schriften, in den Text selbst einzuschalten. Man wird also eine genaue Bibliographie der Erotika z. B. im zehnten Kapitel, welches die Litteratur behandelt, finden, ebenso die der anderen Gegenstände in den betreffenden Kapiteln.

In der am Schlusse beigegebenen Bibliographie sind daher nur die in sämtlichen drei Bänden häufiger benutzten Schriften zusammengestellt worden.

Dankbar muss ich zum Schlusse der gelegentlichen Nachweisungen und Mitteilungen gedenken, mit welchen Herr stud. jur. Erich Bogeng mich bei der Arbeit an diesem dritten Bande gefördert hat.

Berlin W, den 26. April 1903.

Der Verfasser.

Inhaltsübersicht.

Zweites Buch.

Der Einfluss äusserer Faktoren auf das Geschlechtsleben in England.

(Fortsetzung und Schluss).

Der Prozess gegen Major Weir — Die Geschichte von Sawney Beane — Der Incest in der Litteratur — Incestroman — Die Onanie und ihre Litteratur.

Achtes Kapitel.
Theater, Musik und Tanz.

Seite 115—284

Allgemeines über das Theater und seine Beziehungen zum Geschlechtsleben — Der englische Puritanismus und die Bühne — Geschichtliches über das englische Theater — Die „Miracle Plays" und „Morals" des Mittelalters — Die englischen Komödianten — Unsittlichkeit der englischen Bühne im 17. Jahrhundert — Erstes Auftreten von Schauspielerinnen — Maskierung der Zuschauerinnen — Theaterprostitution — Die Orangenmädchen — Rochester's „Sodom" — Die Komödien der Restaurationszeit (Wycherley, Congreve, Farquhar u. A.) — Collier's Schrift gegen das Theater — Klage der Jury von Middlesex — Covent Garden und Drury Lane im 18. Jahrhundert — Galanterien des englischen Theaters im 18. Jahrhundert — Samuel Foote — Das „Sensationsdrama" des 19. Jahrhunderts — Die Theaterplakate — Scene aus einem Vorstadttheater — Obscönitäten in den Theatern — Die „Penny Theatres" — Theaterprostitution — Die „Salons", der Theater — Schilderungen der Prostitution in denselben.

Musik und Erotik — Eigenartige Musikleidenschaft der Engländer — Drastische Beispiele — Die italienische Oper — Das Kastratenwesen — Die deutschen Komponisten in London — Die „Music Halls", eine englische Spezialität — Das Musikschiff auf der Themse — Die Musikhäuser im 17. Jahrhundert — Des 18. und 19. Jahrhunderts — Das „Tingel-Tangel" eine englische Schöpfung — Die schwarzen Sänger in den Variétés — Schilderungen Londoner Musikhallen (Thackeray u. A.) — Obscöne Lieder fast in allen Musikhallen — William West Hauptverfasser solcher Liederbücher — Strassenmusik und Strassengesang in London — Die altenglische Ballade — Die „Minstrels" — Geschichte der englischen Ballade — Thomas D'Urfey — Die „Balladenweiber" — Obscöner Charakter der Bänkelsängerlieder — Verschiedene Schriftsteller über dieselben — Die „Cries of London".

Neuntes Kapitel

Die Kunst.

Zwölftes Kapitel.

Soziologische Theorieen.

Der Einfluss äusserer Faktoren

auf das

Geschlechtsleben in England.

Siebentes Kapitel

Die Homosexualität,
der Sadismus, Masochismus und
andere sexuelle Perversitäten.

1. Homosexualität.

Obgleich, wie wir sehen werden, die englische Sittengeschichte interessante Materialien und Beispiele für das Vorkommen der gleichgeschlechtlichen Liebe oder Homosexualität (Uranismus, Päderastie und Tribadie[1]) liefert, so soll doch nach den Erfahrungen von Pisanus Fraxi[2]) die Zahl der Homosexuellen in England in Vergleichung mit derjenigen der anderen, besonders romanischen Länder eine sehr geringe sein.

---

[1]) Der englische Terminus technicus für Homosexualität ist „sexual inversion" oder „homosexuality." Die Päderastie heisst gewöhnlich „sodomy", seltener „pederasty". Der Päderast heisst auch „bugger", (gleich dem französischen „bougre" von der päderastischen Sekte der „Bulgaren" im 11. Jahrhundert abgeleitet), oder „catamite", der effeminirte passive Päderast wird auch mit dem Namen „miss Nancy" (vergl. H. Baumann „Londinismen" Berlin 1887, S. 109) oder „madge cove" (vergl. John Bee „Sportsman's Slang, A new dictionary of terms etc." London 1825, S. 5) bezeichnet. Andere Bezeichnungen weiter unten.

[2]) Pisanus Fraxi „Index librorum prohibitorum," London 1877, S. XXXIV.

1*

Havelock Ellis wagt über die Zahl der englischen Homosexuellen keine bestimmteren Angaben zu machen und erklärt selbst eine Schätzung derselben unter den höchst kultivierten Elementen des Mittelstandes auf 5%/₀ für „kühu"[1]), so dass er uns mit Recht schliesslich in völliger Unwissenheit über die angebliche grosse Frequenz der Homosexualität in England belässt. Wäre diese wirklich vorhanden, dann würde auch eine genauere Schätzung möglich sein.

Sicher ist, dass überhaupt unter den germanischen Völkern die Homosexualität weniger verbreitet ist, als unter den südeuropäischen Nationen (Romanen und Südslaven). Gegenüber den früheren übertriebenen Angaben ist eine Stelle in der neuerdings vom „Wissenschaftlich-humanitären Komitée" anlässlich der Anschuldigungen gegen Krupp veröffentlichten „Erklärung"[2]) bedeutsam, in welcher dieses Komitée, das sicherlich über die Zahl der Homosexuellen in Deutschland auf das genaueste orientiert ist, von „1500 ihm bekannten" Homosexuellen spricht. Da anzunehmen ist, dass das Komitée, welches den reformbedürftigen § 175 des Reichsstrafgesetzbuchs (Bestrafung des homosexuellen Verkehrs mit Gefängnis) gänzlich abgeschafft wissen will, den grössten Teil der in Deutschland lebenden Homosexuellen für seine Bestrebungen herangezogen hat, so ist daraus wenigstens der Schluss erlaubt, dass bei einer Bevölkerung von 55 Millionen die wirkliche Zahl der Homosexuellen in Deutschland eine verschwindend geringe ist, wobei auch die von Havelock Ellis hervorgehobene Thatsache berück-

---

[1]) Havelock Ellis „Studies in the Psychology of Sex. Sexual Inversion" Philadelphia 1901, S. 80.
[2]) Abgedruckt u. a. in der „Welt am Montag" No. 48 vom 1. Dezember 1902.

-sichtigt werden muss, dass die Grossstädte Sammelplätze für grössere Vereinigungen von Homosexuellen bilden, die zum Teil aus der Provinz dorthin kommen.

Auch in England lässt sich wie in anderen germanischen Ländern eine gelegentliche Zunahme der Homosexualität in bestimmten Kreisen beobachten. Es handelt sich dann jedesmal um die Wirkung äusserer Einflüsse, seien diese nun höfische Corruption (wie zur Zeit Karls II.) oder gewisse Ausartungen der Mode, wie sie uns im 18. Jahrhundert entgegentreten. Solche Zeiten wie sie z. B. Rochester's berüchtigtes Päderasten-Drama „Sodom" sehr anschaulich schildert, sind einer förmlichen epidemischen Verbreitung homosexueller Gefühlsrichtungen ausserordentlich günstig, die bald nur leise, nur unbestimmt in weiteren Kreisen zu Tage treten, bald aber mächtiger sich regen und zu völliger Perversion der natürlichen Empfindungen führen können. Diese Genesis der Homosexualität, welchen eine nur sehr geringe Zahl von Fällen sogenannter „angeborener" konträrer Sexualempfindung gegenübersteht, lässt sich bei der Mehrzahl der Homosexuellen nachweisen.[1] Nur durch ein Erworbensein dieser Perversion durch psychische Contagion und Verführung ist die unleugbare plötzliche Zunahme der Homosexualität in gewissen Perioden einer grösseren Corruption des Hof- und Gesellschaftslebens oder zu Zeiten einer effeminierten Mode- und Kunstrichtung zu erklären, welche die Differenzen zwischen den Geschlechtern verwischt, in der psychisch-hermaphroditischen Vorstellung eines „dritten Geschlechts"

---

[1] Vergl. darüber die näheren Darlegungen von J. Bloch „Beiträge zur Aetiologie der Psychopathia sexualis. Mit Vorrede von Geh. Medicinalrath Prof. Dr. A. Eulenburg", Dresden 1902. Teil I, S. 214 ff.

schwelgt oder auch statt der Anbetung der Weibes-
schönheit diejenige des Mannes einführt.

In England dürfte ausserdem noch die eigenartige
Einrichtung der „Clubs", die nur von Männern frequentiert werden, der Entwickelung homosexueller Beziehungen einigen Vorschub leisten. Vielleicht kommt auch
der in England so stark kultivierte gymnastische
Sport in Betracht, in ähnlicher Weise wie derselbe von
den alten Griechen als ursächliches Moment für die Entstehung der Homosexualität betrachtet worden ist.

Auf der anderen Seite haben wir ein starkes Hinder-
nis für eine grössere Verbreitung der Homosexualität
in England in dem Umstande zu erblicken, dass wohl
kein Volk die Bethätigung dieser Perversität mit solchem
Widerwillen betrachtet und so streng verurteilt, wie das
englische. Archenholtz bemerkt: „Da das englische
Frauenzimmer so schön, und der Hang sich mit ihm
zu vergnügen, so gemein ist, so übersteigt auch der Abscheu dieser Insulaner gegen die Päderastie alle Grenzen.
Der Versuch wird mit dem Pranger und mehreren Jahren
Gefängnis bestraft, die wirklich begangene That mit
dem Galgen. Die Pilori ist so gut wie der Tod."[1]

Dieser Abscheu kommt sogar bisweilen in erotischen
Schriften zum Ausdruck. So ist es bezeichnend, dass
die Herausgeberin des „Voluptarian Cabinet", Mary
Wilson, in der Vorrede zum dritten Bande des Werkes,
der eine Uebersetzung von Mirabeau's, „le Rideau levé"
enthält, bemerkt, dass sie sich erlaubt habe, eine päder-
erastische Szene des Originals durch eine Flagellations-

---

[1] J. W. v. Archenholtz „England und Italien" Leipzig 1787,
Bd. II, S. 267; vergl. auch dessen „Annalen der britischen Geschichte" Hamburg 1791 Bd. V, S. 352.

szene zu ersetzen. „Es ist sehr zu bedauern, dass einige
der besten französischen Werke durch Beschreibungen
der sokratischen Liebe entstellt sind. Aber es ist noch
mehr zu beklagen, dass solche Ideen sogar in unsere
Sprache übertragen werden. Ich spreche nicht nur mit
den Gefühlen einer Frau über diesen Gegenstand, sondern
würde auch als Mann es für höchst verbrecherisch halten,
Lehren zu verbreiten, deren Annahme von so verderblichen Folgen begleitet ist."[1])

Allerdings schreibt dies eine — Bordellwirtin, die
a priori die Männerliebe als ihrem Geschäfte schädlich,
verdammen muss.

Doch bekunden schon die ausserordentlich strengen
Strafen, dass die Päderastie in England als ein höchst
fluchwürdiges Verbrechen betrachtet wird. „Numa
Praetorius" hat im ersten Bande des Jahrbuches für
sexuelle Zwischenstrafen die betreffenden Bestimmungen
des heutigen englischen Strafgesetzbuches zusammengestellt[2]) Danach wird unterschieden 1. Buggery (widernatürliche Unzucht) und zwar a) Sodomie (jedoch nur
immissio penis in anum damit gemeint, aber ohne Rücksicht, ob zwischen Personen gleichen, oder verschiedenen
Geschlechts begangen), b) Bestialität. Hierauf steht
lebenslängliches Zuchthaus (!!) bei vollendeter,
Zuchthaus bis zu 10 Jahren bei versuchter That;
2., blosse unzüchtige Handlungen zwischen Personen
männlichen Geschlechts (mutuelle Onanie, beischlafähn-

[1] Vergl. Pisanus Fraxi „Catena liborum tacendorum" London
1885 S. 296—297.

[2] Numa Praetorius „Die strafrechtlichen Bestimmungen
gegen den gleichgeschlechtlichen Verkehr" in: „Jahrbuch für sexuelle Zwischenstrafen" herausgegeben von Dr. M. Hirschfeld,
Leipzig 1899 Bd. I, S. 142.

Nach Havelock Ellis soll der zweite normännische König von England, William Rufus (1087—1100) „unzweifelhaft homosexuell" gewesen sein.[1]) Welche Beweise er dafür hat, sagt er nicht. Deshalb muss die Behauptung mit Vorsicht aufgenommen werden.[2]) Ein anderer der Homosexualität verdächtiger englischer König war Eduard II. (1307—1327), der des vertrauten Umganges mit seinen Günstlingen, insbesondere mit dem Franzosen Gaveston beschuldigt wird.[3]) Christopher Marlowe hat in seinem berühmten Drama „The troublesome reign and lamentable death of Edward the Second" (London 1593) dieses Verhältnis dargestellt. In der That kann man sich aus der Lektüre des Dramas leicht überzeugen, dass der Dichter mit Bewusstsein den homosexuellen Charakter der Beziehungen zwischen dem König und Gaveston hervorgehoben hat. So lässt er Letzteren[4]) gleich am Anfange (Akt I, Szene 1) sagen:

> Ja, London! Du bist des Verbannten Auge
> Was der erstandnen Seel' Elysium!
> Nicht, dass ich diese Stadt und Menschen liebte,
> Nur, weil sie ihn birgt, der so teuer mir —
> Den holden König! Lieg' ich ihm am Busen,
> So mag die ganze Welt mir feindlich sein!

aselbst spricht er von dem „weichen König" und terisiert seine Liebe zu schönen Knaben folgender-

---

Havelock Ellis a. a. O. S. 22.

[2]) Vielleicht finden sich nähere Angaben in dem Werke von man „The reign of William Rufus and the accession of ry 1". Oxford 1882, 2 Bände.

Vergl. Ellis a. a. O. S. 22; W. P. Dodge „Piers Gaveondon 1898.

Die Citate sind der Uebersetzung des Dramas von Robert in seinem „Altenglischen Theater" Leipzig (Bibliographisches ut) Bd. I S. 161—280 entnommen.

Musik und Poesie sind seine Lust.
Drum lall' ich nachts ihn ein mit welschen Masken,
Komödien, mit Gekos' und Mummenschanz,
Und tags, sobald er sich ergehet, sollen
Als Nymphen schmucke Pagen ihn zerstreu'n,
Auf grünem Plan, als Satyrn, meine Diener
Mit Bocksbeinsprüngen alte Tänze winden.
Hier soll ein schöner Knabe, dessen Haar
Vom Wasser, das er netzt, vergoldet scheint,
Dianen gleich in einem Springquell baden,
Um seine nackten Arme Perlenschnüre,
In Händen tändelnd einen Oelzweig, der
Reizvoll verbirgt, wonach das Auge lüstert.

Und Jsabella, die Gemahlin des Königs, klagt, dass der
König ihr seine Liebe zu Gunsten des Gaveston entzogen habe (Akt I Scene 2):

Denn keinen Blick mehr hat mein Herr für mich,
Der ganz im Banne Gavestons nur lebt.
An seinem Halse hängt er, kost die Wang' ihm,
Lacht ihm in's Auge, flüstert ihm in's Ohr, —
Indessen mir sein Stirnerunzeln sagt:
Was willst du noch, du, neben Gaveston!

was Mortimer I. zu der Frage veranlasst:

Wie seltsam. Welcher Zauber that's ihm an?

Eduard selbst bekennt sich offen zu seiner schmählichen
Liebe (Akt I Scene 5):

Wenn nur ein Winkel für mich übrig bleibt,
Um meinen liebsten Gaveston zu herzen!

und hat sich während einer Trennung wie ein Mann
nach der Geliebten nach Gaveston gesehnt (Akt II
Scene 2):

Denn wie dereinst die Freier Danaë's,
Als sie im eh'rnen Thurm gefangen sass,
Nur mehr nach ihr verlangten, mehr sie liebten
So gings auch mir! O wie viel süsser ist
Des Wiedersehens Glück, als meinem Herzen
Das Scheiden bitter und bedrückend war.

Lancaster nennt zwar den Gaveston „sein (des König) Mignon" (Akt I, Scene 5), was die Königin bestätigt (ebendaselbst):

> Denn nie hat Zeus auf Ganymed die Liebe,
> Wie er auf diesen Gaveston gehäuft.

Aber es geht aus anderen Aeusserungen der Königin (ebendaselbst):

> Ist's nicht genug den König zu verderben,
> Indem du seiner Lüste Kuppler bist,
> Musst du auch Schande häufen auf sein Weib?

deutlich hervor, dass Gaveston dem Könige auch andere männliche Geliebten zuführte, wie er denn selbst ebensowenig als der König als originär homosexuell geschildert wird. Wie der König vor der Entstehung seiner Leidenschaft für schöne Männer und Knaben sein Weib innig geliebt hat, so bestehen bei Gaveston heterosexuelle Neigungen fort. Marlowe hat sein Liebesverhältnis mit der Nichte des Königs (Akt II, Scene 1) ausführlich geschildert, und der König selbst will den Günstling mit ihr vermählen (Akt II, Scene 2). Es kann also aus des Dichters Schilderung keineswegs auf sogenannte „angeborene" Homosexualität bei Eduard II. geschlossen werden.

Dass Marlowe (1564—1593) selbst, wie Havelock Ellis annimmt, homosexuelle Neigungen hatte, ist unerwiesen. Thatsache ist nur, dass er mit Vorliebe die Bordelle frequentierte und zahlreiche leidenschaftliche Liebesverhältnisse mit Weibern hatte[1]), wie er dann auch zuletzt wegen einer Soldatendirne, der er nachstellte,

---

[1]) Prölss hat die sonstigen Schandthaten, die man Marlowe zur Last legt, als Erfindung nachgewiesen (a. a. O. S. 144 ff.)

erstochen worden sein soll [1]). Das schliesst natürlich nicht aus, dass er gelegentlich auch der gleichgeschlechtlichen Liebe gefröhnt hat.

Mit anscheinend grösserem Rechte stand vor Marlowe ein anderer englischer Dichter des 16. Jahrhunderts in dem Rufe, homosexuellen Neigungen zu huldigen. Es ist dies Nicholas Udall († 1557), der Verfasser der ersten englischen Komödie „Ralph Royster Doyster." In dem ihm gewidmeten Artikel des „Dictionary of National Biography" wird mitgeteilt, dass er als Lehrer in Eton wegen seiner Vorliebe für die Austeilung von körperlichen Züchtigungen an die Knaben berüchtigt war. Tusser berichtet, dass er einst von Udall 53 Hiebe wegen eines geringen oder gar keinen Vergehens bekam. Es handelte sich dabei wohl um mit Sadismus verknüpfte Homosexualität. Denn im Jahre 1541 wurde Udall wegen widernatürlicher Unzucht angeklagt und bekannte seine Schuld vor Gericht. Er wurde aus Eton entfernt und kurze Zeit eingekerkert. Diese Affäre scheint seinen Ruf nicht wesentlich beeinträchtigt zu haben, denn er erhielt später die Vikarstelle in Braintree und stand bei Eduard VI. und der Königin Maria in hoher Gunst. Ersterer verlieh ihm eine Präbende in Windsor, letztere ernannte ihn zum Direktor von Westminster School. [2])

Nach Ellis soll auch Richard Barnfield, ein Lyriker zur Zeit der Elisabeth, in seinen Gedichten leidenschaftliche homosexuelle Neigungen kundgegeben haben, so dass der Inhalt dieser an seine Freunde

---

[1]) Vergl. H. Taine „Geschichte der englischen Litteratur" Leipzig 1878, Bd. I S. 378.

[2]) Vergl. H. Ellis a. a. O. S. 23.

gerichteten Lieder selbst bei toleranten Zeitgenossen Anstoss erregte. Barnfield, der ein Gutsbesitzer in Shropshire war, starb anscheinend als Hagestolz.[1]

Unter den homosexuellen Persönlichkeiten des 17. Jahrhunderts wird besonders König Jakob I. (1603—1625) genannt, auf den der Spruch geprägt wurde: „Rex fuit Elisabeth, nunc est regina Jacobus"[2], und den Havelock Ellis als einen unzweifelhaften Urning bezeichnet[3]. Nach Becker's und Weber's Angaben in ihren Werken über Weltgeschichte soll Jakob stets ein ausserordentliches Wohlgefallen an schönen jungen Männer gefunden und seine Günstlinge nach dieser Richtung ausgewählt haben[4]. Auf die Homosexualität Jakobs I. spielt H. A. Schaufert in seinem Lustspiel „Schach dem König" (Wien 1869) an, in welchem geschildert wird, wie der König sich durch die Schönheit eines als Jüngling verkleideten Mädchens bestechen lässt.

In einer höchst seltenen englischen Schrift aus dem Jahre 1643, die auf Veranlassung des Parlamentes veröffentlicht wurde und die Laster verschiedener Priester brandmarken sollte, wird unter No. 94 gegen John Wilson, Vikar in Arlington (Sussex) die Beschuldigung erhoben, dass er „in der tierischesten Weise mehrere Male den Versuch machte, mit Nathaniel Browne, Samuel Andrews und Robert Williams, Angehörigen seines Kirchspiels, Päderastie zu treiben und durch

---

[1] Vergl. H. Ellis a. a. O. S. 23.
[2] Jahrbuch für sexuelle Zwischenstufen, Leipzig 1900 Bd. II, S. 68.
[3] H. Ellis a. a. O. S. 22.
[4] Vergl. Moll „Konträre Sexualempfindung". 3. Auflage S. 112—113.

Ueberredung und Gewalt sie zu dieser abscheulichen Sünde verleitete, damit, wie er sich nicht schämte zu gestehen, sie seine 18 vollmachten. Auch habe er erklärt, dass er lieber den Akt mit Männern als mit Weibern ausübe, um die Schande und Gefahren zu vermeiden, die oft aus der Erzeugung von Bastarden entsprängen. Ferner habe er den Versuch der Sodomie mit einer Stute gemacht — — — und öffentlich bebehauptet, dass Päderastie keine Sünde sci." [1]

Die Zeit der Restauration, deren Ausschweifungen auf geschlechtlichem Gebiete ich im zweiten Bande dieses Werkes (S. 1—87) geschildet habe, musste eben vermöge dieser Zügellosigkeit in sexueller Beziehung auch der Ausbreitung der Päderastie sehr günstig sein. Wir erfahren denn auch aus zahlreichen Anspielungen aus der zeitgenössischen Litteratur, wie gross die Frequeuz päderastischer Verhältnisse unter Karl II. war. Vor allem hat Rochester mit seinem berüchtigten Päderasten-Drama „Sodom", welchem weiter unten (in Kapitel 10) eine ausführliche Besprechung gewidmet wird, eine furchtbare Satire auf das wirkliche Treiben der Päderasten zu seiner Zeit geliefert, die bezeichnender Weise den homosexuellen Geschlechtsakt als ein neues Raffinement gegenüber den bis zum Ueberdrusse genossenen heterosexuellen Liebesfreuden auffasst.

Die Zahl der Homosexuellen hatte sich in der zweiten

---

[1] „The First Century of Scandalous, Malignant Priests etc.", London 1649. Vergl. Pisanus Fraxi „Centuria librorum absconditorum" London 1879 S. 40—41. — Am 5. Dezember 1640 wurde Atherthon, Bischof von Waterford, in Dublin wegen Päderastie hingerichtet. Vergl. „The Crimes of the Clergy etc. with an Appendix, entitled the Scourge of Ireland", London 1823 S. 25. Dasselbe Schicksal traf 1640 den Päderasten J. Childe, ibidem.

Hälfte des 17. Jahrhunderts so sehr vermehrt, dass sie
sich sogar zu eigenen Klubs vereinigen konnten. Jedenfalls ist der erste dieser Klubs am Ende des 17. Jahrhunderts nachweisbar. Er hiess: „The Mollies Club".
Edward Ward berichtet darüber in seiner 1709 erschienenen Geschichte der Londoner Klubs: „Es giebt
eine besondere Rotte von Kerlen in der Stadt, die sich
„Mollies" (Effeminati, Weichlinge) nennen und die so
sehr alles männlichen Betragens bar und aller männlichen Kraft beraubt sind, dass sie sich lieber für Weiber
halten und alle kleinen Eitelkeiten nachahmen, welche
die Sitte dem weiblichen Geschlecht beilegt, indem sie
ganz nach Art der Weiber sprechen, gehen, schwatzen,
schreien, schelten und sonst weibliches Gebahren nachäffen. In einer gewissen Taverne der City, deren Ab-
zeichen ich nicht nennen will, weil ich kein Odium
auf das Haus laden möchte, haben sie feste und beständige
Zusammenkünfte. Sobald sie dort zusammengekommen
sind, ergehen sie sich gewöhnlich in echt weiblichem
Geschwätz und veranstalten all den impertinenten
Klatsch (Tittle Tattle), wie ihn eine lustige Gesellschaft
echter Frauen liebt. Darauf verkleideten sie einen ihrer
Brüder oder vielmehr „Schwestern" (nach ihrem weiblichen Jargon), indem sie ihm ein Nachtgewand anlegten
und eine Taffet-Haube aufsetzten, damit er eine Frau
darstelle und ein (zu diesem Zwecke vorhandenes künst-
liches) Kind gebäre, das nachher getauft wurde, während
ein zweiter Mann mit einem grossen Hute als Land-
hebamme, ein dritter als Amme fungierte und alle
übrigen die unziemlichen Gäste einer Taufe bildeten.
Jeder musste zur weiteren Förderung des unanständigen
Vergnügens von einem „Gatten" und Kindern reden und

die Tugenden der ersteren und das Talent der letzteren rühmen, oder auch als „Witwe" seiner Trauer über den Verlust des Gatten Ausdruck geben. So äfft Jeder in seiner Weise die kleinen Schwachheiten der Weiber nach, die beim Kaffee schwatzen, um dadurch die natürlichen Neigungen (des Mannes) zum schönen Geschlecht zu ersticken und die Begierde auf unnatürliche Befleckung zu lenken. Sie setzten diese Praktiken fort, bis sie von einigen Agenten der Reformgesellschaft entdeckt und aus ihrem Schlupfwinkel vertrieben wurden, so dass mehrere von ihnen öffentlich bestraft wurden, was glücklicher Weise ihren skandalösen Orgien ein Ende machte."[1]

Die mit der Restauration beginnende Ausbreitung der Päderastie hielt auch im 18. Jahrhundert an, wo sie durch einige Ausartungen der Mode besonders begünstigt wurde. Der Kulturhistoriker darf die durch Mode und Sitte gegebenen Ursachen der Depravation nicht vernachlässigen, und muss jene verhängnisvolle Wechselwirkung zwischen jener und dem Geschlechtsleben deutlich hervorheben. Wie die Mode einen sexuellen Ursprung hat, so wirkt sie ihrerseits auch wieder auf die geschlechtlichen Verhältnisse ihrer Zeit zurück, um ihnen den ihr eigentümlichen Charakter aufzuprägen.

In Band II (S. 245—247) ist bereits die Verweichlichung und Effemination der Männer durch die Mode des 18. Jahrhunderts geschildert worden. Es ist sehr bezeichnend, dass in einer gegen die Päderastie gerichteten Schrift jener Zeit dieser weibische Luxus in

---

[1] „The History of the London Clubs etc. By the Author of the London Spy, Printed by J. Detton, Near Fleet Street 1709" Neudruck, London o. J. S. 28—29.

der Kleidung als eine Ursache der Neigung zur widernatürlichen Unzucht gegeisselt wird. Der Verfasser
sagt: „Ich bekenne, dass kein Zeitalter etwas so Perverses
hervorbringen kann, wie es die gegenwärtige Kleidung
der Männer ist, die sich „pretty Fellows" nennen. Ihre
Haartracht insbesondere bedarf nur noch einer Reihe
von Nadeln, um sie völlig zu Weibern zu machen. Das
lässt sich leicht erklären, da sie so sanft als möglich
vor einander zu erscheinen pflegen, und alle Männlichkeit
diesem unnatürlichen Betragen diametral entgegengesetzt
ist. Daher können sie gar nicht genug die Kleidung
des Geschlechts, welches sie darstellen, nachahmen. Durch
alles dies ist die gegenwärtige Tracht unserer jungen
Herren höchst gemein und unziemlich. Es ist schwer,
bei der heutigen Kleidung einen Gentleman von einem
Bedienten zu unterscheiden. Der Schuh mit dem niedrigen
Absatze ist ein Emblem ihres niedrigen Geistes; die
grosse Schnalle darauf ist die Höhe der Affektation.
Die silberfarbige, ganz mit Spitzen besetzte Weste mit
einem gewöhnlichen blauen Rock wie eine Livree, hat
etwas so ärmlich Perverses, dass es mich geradezu em-
pört. Ich schäme mich, wenn ich sie den laufenden
Bedienten nachäffen sehe, beschwert mit einem grossen
eichenen Stocke, der sich eher für einen Gerichtsdiener als für einen Gentleman eignet. Aber das Un-
erträglichste ist das vorn in die Höhe gestrichene und
hinten zusammengelegte Haar mit einem Kamm darin,
als wenn es gerade eine Coiffüre empfangen sollte. Ja,
man hat mir erzählt, dass einige unserer „Tip top Beaus"
gefältelte Hauben auf dem Kopf tragen, um ihn noch
weiberähnlicher zu machen, so dass „Master Molly"
weiter nichts zu thun braucht, als in seine Haube zu

schlüpfen, um als fahrendes Weib zu gelten, abgesehen von seinem kläglichen Gesicht. Aber selbst dieses kann durch Schminke verbessert werden, welch letztere jetzt ebenso sehr von unseren Herrchen gebraucht wird, wie von den Damen in Frankreich.

Es giebt nichts Amüsanteres als ihre neumodischen Scherzhüte (Joke Hats), die lächerlich geckenhaft sind. Aber sie im Ball- oder Gesellschaftskostüm, nämlich in einem verschiedenfarbigen seidenen Rock zu sehen, steigert meine Aversion zu ihrer vollen Höhe. Sie sollten lieber gleich ein Frauenkleid und einen Unterrock anziehen, als die Sache so klein zu hacken oder nur zur Hälfte auszuführen."

Dann geisselt der Verfasser die damals sehr verbreitete Unsitte, dass die Männer sich unter einander küssen, welcher er mit Recht eine ursächliche Bedeutung für die Entstehung homosexueller Neigungen beimisst.

„Von allen Gebräuchen, welche die Effemination mit sich gebracht hat, ist keiner hassenswerter, vorherrschender und verderblicher als das Küssen der Männer unter einander. Diese Mode wurde von Italien, der Mutter und Pflegerin der Päderastie herübergebracht, wo der Herr öfter mit seinem Pagen ein Liebesverhältnis anknüpft als mit einer schönen Dame. Und nicht nur in jenem Lande, sondern auch in Frankreich, welches ersteres nachahmt, ist die Pest verbreitet, und die Frauen in den Klöstern entbrennen in verbrecherischer Liebe zu einander, auf eine für die Beschreibung zu unanständige Weise. Ich muss insoweit die Partei meiner eigenen Landsmänninnen ergreifen, dass ich behaupte oder wenigstens die Hoffnung ausspreche, dass sie von dieser Beschuldigung nicht getroffen werden. Aber ich muss gestehen, dass ich im höchsten Grade entsetzt bin, wenn ich zwei Damen sich zu einander neigen und in einer lasciven Weise wiederholt einander küssen sehe. Doch immer noch nicht so entsetzt, als wenn ich zwei widrige Burschen jedes Mal, wenn sie sich treffen, einander begeifern, sich die Hand drücken und andere indecente Liebkosungen sich geben sehe. Und obgleich viele würdige Gentlemen nur der Sitte wegen dies ebenfalls thun müssen, wird doch das Land nicht eher von jenen Schändlichkeiten befreit werden, als bis dieser unmännliche, unnatürliche Gebrauch beseitigt worden ist. Denn er ist der erste Einlass (inlet) zu der abscheulichen Sünde der Päderastie. — Unter diesem Vorwande machen feile Catamiten ihre perversen Anerbietungen sogar auf offener Strasse. Auch giebt es nichts Abstossenderes als den Anblick eines Paares von Männern, welche sich küssen und begeifern in dem Grade, wie täglich auf unserem volkreichsten Plätzen geschieht und natürlich ohne dass man ihnen einen Vorwurf daraus machen kann, da sie ja die Entschuldigung dafür haben: Das ist jetzt Mode! Verfluchte Mode! Von Italien mit anderen widernatürlichen Lastern herübergebracht. Haben wir nicht genug eigene Sünden, um sie auch noch durch diejenigen fremder Völker zu vermehren und so das Mass unserer Schändlichkeiten voll und uns noch mehr für das göttliche Gericht reif zu machen?" [1]

---

[1] Satan's Harvest Home, or the Present State of Whorecraft, Adultery, Fornication, Procuring, Pimping, Sodomy, and the Game at Flatts, and other Satanic Works, daily propagated in this good Protestant Kingdom. Collected from the Memoirs of an intimate Comrade of the Hon. Jack S..n..r etc. London 1749 S. 50 ff.

2*

Sehr richtig wird in dieser bemerkenswerten Schilderung die Effemination der Männer und ihr Küssen untereinander, wie es die Mode vorschrieb, nicht etwa als ein generelles Symptom der Homosexualität aufgefasst, so dass man z. B. aus dem Nachweise, dass irgend eine Persönlichkeit diese Mode mitgemacht hat, einen bündigen Schluss auf deren homosexuelles Empfinden ziehen könnte, was ausdrücklich zurückgewiesen wird, sondern es wird nur die Begünstigung der Verbreitung gleichgeschlechtlicher Neigungen durch jene Unsitte betont. Nur unter diesem Gesichtspunkte kann letztere als ein Massstab für das Vorhandensein urnischer Liebe in einer bestimmten Zeit betrachtet werden. Es geht also nicht an — wie man dies vielfach in den Schriften Homosexueller findet — die einfache Thatsache, dass Männer in weibischer Kleidung erscheinen oder sich küssen, als Symptom ihrer Homosexualität hinzustellen. Wohl aber begünstigt eine solche Mode die Entwickelung derartiger Neigungen und gestattet vor allem den bereits vorher urnischen Individuen, ihre Gefühle auch ungeniert und straflos öffentlich zu bethätigen.

Jedenfalls muss die innige Begrüssungsart der Männer solche unangenehmen Folgen gehabt haben. Denn schon am Ende des 18. Jahrhunderts war sie nicht mehr gebräuchlich. A. v. Schütz bemerkt: „Nur unter Mannspersonen ist die Umarmung nicht im Gebrauch, und man würde sich dadurch dem Gelächter aussetzen, da man ausser einer Verbeugung und Händedruck keine andern Höflichkeits- und Freundschaftsbezeugungen kennt."[1] Nach Bornemann wurde am Anfange des 19. Jahr-

---

[1] v. Schütz „Briefe über London" S. 122.

hunderts jener Zusammenhang zwischen Küssen und Homosexualität deutlich erkannt. „Der Freundschaftskuss unter Männern wird, als hinneigend zu in England äusserst verabscheueten Sünden, durchaus vermieden."[1]) Als Amirau in „London wie es ist" den Doktor mit Umarmung und Kuss begrüssen will, hielt jener ihn sanft zurück und begnügte sich, ihm die Hand zu reichen und kräftig zu schütteln. „Ich bitte, Freund", sprach er ruhig, „gewöhne Dir ab, Deines gleichen zu küssen. In England ist nicht Sitte, dass sich die Männer küssen. Das gebürt nur den Weibern."[2])

Die Ausbreitung der Päderastie im 18. Jahrhundert dürfte mit jener Unsitte in einem nicht zufälligen Zusammenhang stehen. Sie bekundet sich in der Einrichtung von veritablen Knabenbordellen und der Existenz mehrerer geheimer paederastischer Klubs.

Aus den Prozessberichten des Gerichtshofes Old Bailey, namentlich der Jahre 1720 bis 1730, ergiebt sich, dass es eigene Bordelle für Päderasten gab, in denen Knaben sich ihren männlichen Liebhabern prostituierten. Darüber finden sich merkwürdige Einzelheiten in einer wahrscheinlich in Paris gedruckten seltenen Schrift „A Free Examination into the Penal

---

[1]) W. Bornemann „Einblicke in England und London im Jahre 1818" Berlin 1819 S. 179.

[2]) „London wie es ist u. s. w. Von Santo Domingo". Leipzig 1826 S. 15. — Thackeray bemerkt: „In Shadwell, Higgons, Congreve und den komischen Dichtern ihrer Zeit, fallen die Gentlemen, begegnen sie sich, einander in die Arme: „hör' Jack, ich muss Dich herzen" heisst es: „Bei Gott, George, Harry, ich muss Dich küssen, mein Junge! Und in ähnlicher Weise begrüssten die Dichter ihre Brüder. Man küsst sich nicht mehr unter den literarischen Herren, ich bezweifle, ob man sich mehr liebt." England's Humoristen, Hamburg 1854, S. 79.

Statutes, XXV Henr. VIII, cap. 6. and V Eliz., c. 17., addrest to Both Houses of Parliament by A. Pilgrim. London 1833".[1])

Ueber geheime päderastische Klubs berichten mehrere Schriftsteller des 18. Jahrhunderts. So erzählt uns Archenholtz[2]) die Geschichte eines solchen, der sich in einem Wirtshause nahe dem Clare Market in London zu versammeln pflegte.

„Im Oktober 1794 erhielt das Polizeigericht der Strasse Bowstreet zu London einen anonymen Brief, in welchem gemeldet wurde, dass jeden Montag Abend sich ein Klub von Männern zu den abscheulichsten und widernatürlichsten Zwecken versammle, und dass dieser Klub in einem Wirtshaus, die Traube genannt, nahe bei Clare Market gehalten werde. Ferner ward gemeldet, dass die Mitglieder dieses Klubs fast alle Diebe und falsche Münzer wären.

Die Mitglieder des Polizeigerichts hielten es für Pflicht, die Wahrheit dieser Angabe zu untersuchen. Sie sandten daher zwei Polizeirichter an dem nächstfolgenden Montag nach diesem Hause, mit dem Auftrage, sich unter die Mitglieder des Klubs zu mischen.

Diese kamen dahin, blieben eine Zeit lang da und sahen den Abscheulichkeiten zu, welche vor ihren Augen vorgingen.

Hierauf sandte der Polizeirichter Bond an dem nächstfolgenden Montage die Polizeiwache nach dieser Versammlung. Diese sprengte die Thür auf, besetzte

---

[1]) Pisanus Fraxi „Index librorum prohibitorum" London 1877 S. XXXIV.

[2]) „Originalzüge aus dem Charakter englischer Sonderlinge" Leipzig 1796 S. 158—160 (nach Archenholts).

Fenster und Thüre, um das Entwischen dieser Unmenschen zu verhüten und bemächtigte sich derselben.

Beim Eintritt der Wache in das Zimmer fand dieselbe zwei Kerls in Weiberkleidern, mit Muffen und breiten Schawls, mit Weiberhauben nach der neuesten Mode in Form eines Turbans, mit seidenen Schürzen u. s. w. bekleidet. Beide waren weiss und rot geschminkt und tanzten zusammen ein Menuett in der Mitte des Saales, während die übrigen in den unanständigsten Stellungen rund herum an der Wand sich befanden.

Alle, 18 an der Zahl, wurden in Verhaft genommen, und am folgenden Morgen in den Weiberkleidern, in denen man sie gefunden hatte, vor das Polizeigericht gebracht und ausgefragt. Es fand sich, dass ein jeder dieser Männer in dem Klub einen Weibernamen hatte, unter welchem er den übrigen Mitgliedern dieser schändlichen Gesellschaft bekannt war, z. B. Lady Golding, Gräfin Papillon, Miss Fanny u. s. w.

Es versammelte sich vor dem Hause des Polizeirichters eine ausserordentliche Menge Volks, welches die Gefangenen zu ermorden drohte. Die Gefangenen wurden je zwei und zwei aneinander gefesselt, und alle miteinander an einer Kette befestigt. So führte man sie nach dem Gefängnisse unter Begleitung einer starken Wache von Soldaten, welche die Gefangenen vor der Wut des Pöbels schützen sollte. Indess war sie doch nicht vermögend, diesen zu hindern, dass er nicht Steine und Kot auf dem ganzen Wege nach den Verbrechern warf."

Ein anderer Urningsklub hielt um 1785 in Clementslane nahe der Kirche im Strand seine Zusammenkünfte ab. Obgleich auch hier die schlimmsten geschlechtlichen Ausschweifungen vorkamen, war doch bei der Entdeckung ein sehr komisches Moment wirksam, welches mehr die Heiterkeit als die Wut des Pöbels erweckte. Man betraf die Päderasten nämlich gerade dabei, wie sie ihren im Kindbett liegenden „Weibern" zu essen gaben, während die neugeborenen Kinder durch grosse Puppen dargestellt wurden! Die männlichen Wöchnerinnen spielten ihre Rolle so gut, dass eine derselben in ihrem wahren Charakter dem Scharfblicke der Polizei verborgen blieb und als Frau entlassen wurde.[1]

Zur selben Zeit existierte in der Stadt Exeter eine päderastische Vereinigung, welcher Männer von Rang und Besitz angehörten. Auch sie wurden bei ihren Orgien entdeckt, und es wurde gegen fünfzehn Mitglieder der Prozess eingeleitet, der freilich mit ihrer Freisprechung endete. Jedoch war die erbitterte Volksmenge so sehr von ihrer Schuld überzeugt, dass sie ohne Respekt vor ihrem Range die einzelnen in effigie verbrannte.[2]

Einen dritten Beweis für die grosse Verbreitung der Päderastie im 18. Jahrhundert liefern die zahlreichen Prozesse gegen Päderasten. In „Satans Harvest Home" heisst es: „Früher war die Päderastie ein unserem Volke fast unbekanntes Laster. Und in der That sollte man glauben, dass da, wo es so engelhaft schöne Frauen giebt, eine so hässliche Verirrung niemals sich der Phantasie aufdrängen könnte. Jetzt dagegen sind unsere Gerichtszeitungen häufig mit den Verbrechen dieser tierischen Individuen angefüllt, und obgleich viele Exempel statuirt worden sind, haben wir allen Grund zu der Befürchtung, dass noch mehr unentdeckt geblieben sind und dass dieses abscheuliche Laster von

---

[1] The Phoenix of Sodom etc." London 1818 S. 27.
[2] Ibidem.

Tag zu Tag mehr Wurzel fasst." Die grosse Mehrzahl der gerichtlichen Prozesse richtete sich gegen Personen der niederen Volksklassen, was wohl aus der geringeren Vorsicht, mit welcher diese zu Werke gingen, sich erklären lässt. Jetzt mussten auch wiederholt Männer von höherem Range sich wegen Päderastie vor Gericht verantworten. Relativ häufig endete die Verhandlung mangels genauer Beweise mit Freisprechung.

Den Verlauf eines solchen Päderasten-Prozesses schildert uns Archenholtz: „Zwei Engländer, Leith und Drew, wurden der Päderastie angeklagt, oder wie es nach dem englischen Formular hiess: „des abscheulichen, verfluchten Verbrechens, das unter Christen nicht genannt werden kann." Die Richter waren so behutsam bei der delikaten Sache, die zufolge der Gerichtsordnung durch deutliche umständliche Erklärungen erörtert werden muss, alle Frauenzimmer sowie alle Jünglinge aus dem Gerichtshof zu entfernen. Die Beweise der Kläger waren wie bei solchen Scenen gewöhnlich, sehr unvollkommen; die Verklagten hingegen leugneten die That und stellten Zeugen auf, die ihre Neigung gegen das weibliche Geschlecht beschworen. Sie wurden nun als unschuldig freigelassen."[1]

Bekannte Prozesse dieser Art waren die gegen Briggs und Bacon im Jahre 1790[2]), gegen den Schauspieler Samuel Foote[3]) den wir bezeichnender Weise früher als Liebhaber des schönen Geschlechts und eifrigen Bordellbesucher kennen gelernt haben[4]), gegen

---

[1]) J. W. v. Archenholtz „Brittische Annalen" Bd. III S. 13 (Jahr 1789).
[2]) ibidem, Bd. V. S. 150.
[3]) Archenholtz „England und Italien", Bd. II, S. 268.
[4]) Vergl. Bd. II dieses Werkes S. 182—183.

Lehrer an den Colleges wegen päderastischer Angriffe auf ihre Schüler wie z. B. gegen den Reverend Dr. Thistlethwayte und Mr. Swinton vom Wadham College in Oxford[1]), endlich gegen andere gesellschaftlich hochstehende Persönlichkeiten wie Mr. Beckford, Richard Heber, Grey Bennet, Jocelyn, Bischof von Clogher, Bankes und Baring Wall.[2])

In Mrs. Manley's „Atalantis" (S. 723) wird Sir William Cowper als Päderast bezeichnet, in der Schrift „The Crimes of the Clergy" (London 1823) werden Lord Courtney (S. 230), der nach Frankreich floh, John Fenwick, Vikar von Bryall in Northumberland (S. 8), der 1797 nach Neapel floh, der Methodistenprediger John Holland alias Dr. Saunders (S. 124), der Earl of Leicester (S. 230), Saudelands, Rektor von Five Fields Chapel, Chelsea (S. 223), Kapitän Sawyer, der wegen „indecenter Vertraulichkeiten mit Männern" verurteilt wurde, u. A. als Päderasten genannt.

Die Geschichte der Päderastie in England im 19. Jahrhundert beginnt mit der Entdeckung der berüchtigten „Vere Street Coterie", die im ersten Decennium des Jahrhunderts in einem Gasthause der Vere Street bei Clare Market in London ihr Unwesen trieb, wie denn die Gegend des Clarc Market hauptsächlich

---

[1]) Darüber berichtet die Schrift „A Faithful Narrative of the Proceedings in a late Affair between the Rev. Mr. John Swinton, and Mr. George Baker etc. To which iss prefix'd, A Particular Account of the Proceedings against Robert Thistlethwayte, Late Doctor of Divinity etc. for a sodomitical attempt upon Mr. W. French, Commoner of the same college." London 1739, 8°, 82 S.

[2]) P. Fraxi „Index" S. 840.

von solchen päderastischen Vereinigungen bevorzugt worden zu sein scheint.[1])

Ein ausführlicher Bericht über den Päderastenklub der Vere Street findet sich in folgendem seltenen Buche, von welchem ein Exemplar im Britischen Museum vorhanden ist:

„The Phoenix of Sodom, or the Vere Street Coterie. Being an Exhibition of the Gambols Practised by the Ancient Lechers of Sodom and Gomorrah, embellished and improved with the Modern Refinements in Sodomitical Practices, by the members of the Vere Street Coterie, of detestable memory. Sold by J. Cook, at   [2]) And to be had at all the Booksellers, 1813. Holloway, Printer, Artillery Lane, Tooley Street." (gr. 8°, 71 Seiten).

Diese Schrift wurde von einem Advokaten Holloway (wohnhaft 6, Richmond Buildings, Soho) verfasst, wahrscheinlich einem Verwandten des Druckers. Sie ist zum Nutzen und zur Verteidigung von James Cook, dem Besitzer des Gasthaus zum Weissen Schwan in Vere Street, Clare Market verfasst, wo der Päderastenklub sich versammelte. Cook war, während er im Newgate-Gefängnis sass, von einem Anwalt Wooley unter dem Vorwande, ihn „durchzubringen", arg geschröpft worden und hatte auch in anderer Beziehung, wie Holloway meinte, als Sündenbock dienen müssen. Es scheint, dass Cook des Hauptverbrechens nicht schuldig war und sein Vergehen sich darauf beschränkte, sein Haus

---

[1]) Baker („Stories of the Streets of London", London 1889 S. 154) nennt den Clare Market „the once notorious haunt of vice."

[2]) Hier scheint eine Stelle für Cook's genauere Adresse freigelassen worden zu sein, die er vielleicht selbst ausfüllen sollte.

für diesen Zweck hergegeben zu haben. In der Hoffnung auf Milderung der Strafe erbot er sich zur Angabe der Namen der vornehmen und reichen Besucher seines Hauses. Aber das erbitterte die Richter noch mehr, und er wurde sogleich zum Pranger verurtheilt. Wären Cook's Enthüllungen zugelassen worden, so würden ohne Zweifel viele Männer von Rang compromittiert worden sein. Denn „selbst Männer im Priesterrock sind von der Kanzel zu der Kloake der Infamie in der Vere Street und anderen Orten ähnlichen Lasters herabgestiegen." [1])

Einrichtung und Treiben in dem Lokal des Vere Street - Klubs werden von dem Verfasser der obengenannten Schrift folgendermassen geschildert:

„Das in Frage stehende berüchtigte Haus war in einer für die Zwecke, denen es diente, höchst geeigneten Weise eingerichtet. Ein Zimmer war mit vier Betten versehen; ein anderes war als Damenankleidezimmer eingerichtet, mit einem Toilettentisch und jedem Zubehör, wie Schminke u. s. w. Ein drittes Zimmer hiess die Kapelle, wo die Trauungen stattfanden, bisweilen zwischen ein „weiblichen" Grenadier von sechs Fuss Höhe und einem „petit maître," der noch nicht halb so gross war wie seine „geliebte Frau!" Diese Hochzeiten wurden mit allem falschen Schein von Brautjungfern und Brautführern gefeiert, und die „Brautnacht" wurde oft von zwei, drei oder vier Paaren in demselben Zimmer und vor den Augen der anderen absolviert. So unglaublich diese Thatsache erscheint, kann sich doch der Leser auf ihre Richtigkeit verlassen. — Der obere Teil des

---

[1]) „The Phoenix of Sodom etc." S. 27.

Hauses war für die Kerle bestimmt, welche beständig für gelegentliche Besucher zur Verfügung standen, welche alle Anlockungen, die in einem Bordelle von weiblichen Prostituierten aufgeboten werden, in Anwendung brachten, wobei der einzige Unterschied in dem Mangel an Decenz bestand, der zwischen den verworfenen Männern und verderbten Weibern zu Tage tritt. — Man konnte Männer vornehmen Standes und angesehener Berufe mit Burschen niederster Sorte in oder supra lectum sehen. Aber die Vollziehung eines solchen abscheulichen Aktes war dennoch bei weitem erträglicher als die höchst widerwärtige Unterhaltung, welche denselben begleitete und die, wie Cook uns erklärt, zum Teil so obscön war, dass er sie weder schriftlich noch mündlich wiedergeben könne. Es scheint, dass viele dieser Burschen verheiratet sind und dass sie oft, wenn sie zusammen sind, ihre Frauen, die sie „Tommies" nennen, lächerlich machen und sich rühmen, sie zu Akten gezwungen zu haben, die zu ekelhaft sind, um sie zu nennen. Ein Beispiel muss ich anführen, weil die Geschichte unseres Landes einen Präcedenzfall kennt, der einen Peer des Reiches und seine infame Genossin an den Galgen brachte. Ich meine Lord Audley's Fall, der der Vergewaltigung und des päderastischen Missbrauches seines eigenen Weibes überführt wurde. [1] Der Fall, den ich berichte, wurde in Vere Street von dem Gatten selbst vielen der Besucher erzählt, wobei die Genossin seiner Schuld gegenwärtig war und sich an der Erzählung beteiligte, als ob es ein verdienstlicher Akt gewesen wäre. Dieses unglückliche Weib war so tief gesunken, dass sie häufig

---

[1] Vergl. über diesen Fall Bd. I dieses Werkes S. 174—175.

sich diesem Akte als einem durchaus zulässigen unter-
warf! Der elende Bursche, von dem hier die Rede ist,
ist einer von den drei Verworfenen, die in demselben
Hause der City zusammen wohnen. Einer von ihnen
ist unter dem Beinamen „Venus" bekannt.

Die Mehrzahl dieser Reptile scheint fictive Namen
anzunehmen, obgleich dieselben meist wenig zu ihrem
Berufe passen. Zum Beispiel ist „Kitty Cambric" ein
Kohlenhändler, „Miss Selina" ein Bote bei einem Polizei-
büreau, die „schwarzäugige Leonore" ein Trommler, die
„hübsche Harriet" ein Schlachter, „Lady Godina" ein
Kellner, die „Herzogin von Gloucester" der Bediente
eines Gentleman, die „Herzogin von Devonshire" ein
Grobschmied und „Miss Süsslippe" ein Landkrämer. —
Es ist eine allgemein verbreitete und sehr natürliche
Ansicht, dass diese Leidenschaft vorherrschend effeminierte
Individuen zum Gegenstande hat. Aber dies scheint
nach Cook's Bericht eine falsche Annahme zu sein und
das Gegenteil liegt in vielen Fällen so greifbar am Tage,
dass Fanny Murray[1]), Lucy Cooper[2]) und Kitty
Fisher[3]) jetzt von einem athletischen Bootsmann, von
einem herkulischen Kohlenträger und einem tauben
Schmied dargestellt werden. Das letztere dieser Ungeheuer hat zwei Söhne, beide sehr schöne junge Männer,
die, wie er sich rühmt, völlig so verderbt sind wie
er selbst.

Das ist nur ein Teil des gewöhnlichen Bestandes
des Hauses. Aber die gelegentlichen Besucher waren

---

[1]) Vergl. über diese berühmte Hetäre Bd. II. dieses Werkes
S. 145.

[2]) Vergl. ebendaselbst S. 146.

[3]) Ebendaselbst S. 148.

zahlreicher und, wenn möglich, noch lasterhafter, weil sie eine höhere Stellung im Leben einnahmen. Und „diese Damen" haben, wie die wirklichen Damen, ihre Lieblingsmänner. Einer von diesen war White, ein Trommler der Garde, der vor einiger Zeit wegen eines verabscheuungswürdigen Verbrechens mit einem Fähnrich Hebden hingerichtet wurde.[1]) White war als allgemeiner Liebling sehr bewandert in den Geheimnissen der fashionablen Mitglieder des Klubs, über welche er unmittelbar vor seiner Hinrichtung einen sehr ausführlichen schriftlichen Bericht erstattete, dessen Wahrheit er bis zu seinen letzten Augenblicken behauptete. Aber es ist unmöglich, denselben wirklich wiederzugeben, denn die Person, welche denselben in Gegenwart eines richterlichen Beamten aufnahm, sagte, dass die Erzählung ihn so krank machte, dass er nicht habe weiterschreiben können."[2]) Cook erzählt ferner, dass ein Gentleman aus einem respektablen Hause der City häufig zu einem Gasthaus-Bordell kam und mehrere Tage und Nächte dort blieb, während welcher Zeit er sich gewöhnlich mit acht, zehn und bisweilen einem Dutzend verschiedener Knaben und Männer vergnügte![3])

Der Sonntag war der grosse, allgemeine Tag der Rendezvous, zu welchem viele Teilnehmer oft aus grosser Entfernung, bis zu 30 Meilen von London, herreisten, um an der Festlichkeit und den eleganten Vergnügungen

---

[1]) Der Fähnrich John Newball Hepburn, nicht „Hebden", und Thomas White wurden im Dezember 1810 in Old Bailey eines am 27. Mai desselben Jahres begangenen unnatürlichen Verbrechens überführt, schuldig befunden und beide zum Tode verurteilt.

[2]) „The Phoenix of Sodom" S. 10—14.

[3]) ibidem S. 17.

mit Grenadieren, Bedienten, Kellnern, Trommlern und
der ganzen Brut der Catamiten in menschlicher Gestalt vom Kehricht von Sodom bis zum Unrat von Gomorrah, teilzunehmen. [1)]

Pisanus Fraxi teilt nach einer Tageszeitung aus
jener Zeit die näheren Einzelheiten der Entdeckung
jenes Päderastenklubs und der Verhaftung seiner Mitglieder mit. [2)] Die Existenz einer solchen Vereinigung
konnte nicht ganz verborgen bleiben. Die Polizeibeamten
von Bow Street hatten schon lange vor der wirklichen
im Juli 1810 erfolgten Auflösung Verdacht geschöpft. Ueber
letztere wird in einem Journal der Zeit berichtet: „Um
11 Uhr am letzten Sonntag Abend wurden drei Abteilungen der Patrouille in Begleitung von Konstablern
von Bow Street zu diesem Zwecke ausgeschickt. Das
Geheimnis war so sehr gewahrt worden, dass der Gegenstand der Razzia selbst dann noch allen unbekannt war,
ausser den Vertrauten des Herrn Read, welche die betreffenden Abteilungen führten. Die Recherchen waren
vollständig erfolgreich." — Dreiundzwanzig Individuen
wurden verhaftet und nach der Wache von St. Clement's
Danes gebracht, von wo sie in Kutschen am Montag
Morgen zwischen zehn und elf Uhr zum Verhör nach
Bow Street transportiert wurden, inmitten einer „rasenden Volksmenge, die zum grössten Teil aus Frauen bestand", und die so ergrimmt und aggressiv war, dass die
Gefangenen „nur mit der grössten Schwierigkeit vor der
Ermordung geschützt werden konnten."

Vor dem Middlesex Gericht in Clerkenwell fand am
Sonnabend, den 22. September, gegen sieben von ihnen,

[1)] „The Phoenix of Sodom" S. 22.
[2)] P. Fraxi „Index librorum prohibitorum" S. 333—338.

nämlich William Amos, alias Sally Fox, den Gastwirt James Cook, Philipp Kett, William Thomson, Richard Francis, James Done und Robert
Aspinal die Verhandlung statt. Alle wurden schuldig
befunden. Amos, der schon zwei Mal vorher wegen
ähnlicher Vergehen verurteilt worden war, wurde zu
drei Jahren Gefängnis und zur Schaustellung am Pranger
auf dem Haymarket, gegenüber Panton Street verurteilt.
Aspinal, der weniger aktiv gewesen zu sein schien
als die übrigen, erhielt ein Jahr Gefängnis, alle anderen
zwei Jahre Gefängnis und Prangerstehen an demselben
Orte.

Der Prangerscene gestaltete sich zu einem fürchterlichen Martyrium für die unglücklichen Verurteilten.
Eine Zeitung giebt davon die folgende Schilderung:

„Der Abscheu, den alle Gesellschaftsschichten über
die verabscheuenswerten Handlungen dieser Elenden
empfanden, veranlasste viele Tausende, als Zuschauer
bei ihrer Bestrafung gegenwärtig zu sein. In einer
frühen Stunde wurde Old Bailey förmlich blockiert und
das Gedränge des Pöbels um 12 Uhr, machte der
Thätigkeit des Gerichts ein Ende. Die Läden von Ludgate Hill bis zum Haymarket waren geschlossen und die
Strassen mit Leuten besetzt, welche die Verbrecher vor-
beipassieren sehen wollten. Vier von ihnen waren vom
Korrektionshause am Mittwoch Abend nach Newgate
überführt worden, wo sich Cook und Amos zu ihnen
gesellten, so dass alle zusammen den Weg nach dem
Platze der Strafe antreten konnten.

Kurz nach zwölf Uhr setzten sich die „Munitions-
wagen" von den benachbarten Marktplätzen aus in Bewegung. Sie bestanden aus einer Reihe von Karren,

die von Schlächterjungen gezogen wurden, welche vorher Sorge getragen hatten, sie mit dem Abfall und Dung aus ihren Schlachthäusern zu füllen. Auch eine Anzahl von Hökern wurden in Bereitschaft gesetzt, die Körbe mit Aepfeln, Kartoffeln, Rüben, Kohlstrünken und anderen Gemüsearten zusammen mit den Überresten von Hunden und Katzen auf dem Kopfe trugen. Alle diese Dinge wurden der Bevölkerung zu einem hohen Preise verkauft, die keine Kosten scheuten, um sich mit dem nötigen Material zum Bewerfen zu versorgen.

Eine Anzahl Fischweiber waren mit stinkenden Flundern und den bereits mehrere Tage faulenden Eingeweiden anderer Fische zur Stelle. Diese wurden jedoch nicht verkauft, da ihre Eigentümerinnen, mit Leib und Seele bei der Sache, erklärten, dass sie sie für „ihren eigenen Gebrauch" zu behalten wünschten.

Um halb ein Uhr kamen die Sheriffs und City-Vorsteher mit mehr als hundert berittenen und mit Pistolen bewaffneten Konstablern und mit hundert Polizisten zu Fuss an. Diese Mannschaft wurde nach dem Old Bailey Yard beordert, wo ein Wagen, der gelegentlich für den Transport Gefangener von den Londoner Gefängnissen zu den Galeeren benutzt wurde, für die Aufnahme der Verbrecher bereit stand. Der Wagen wurde von zwei Pferden gezogen, welche von zwei mit einem Paar Pistolen bewaffneten Männern geführt wurden. Die Thore von Old Bailey wurden geschlossen und alle Fremden entfernt. Die Verbrecher wurden dann herausgebracht und auf den Wagen gesetzt. Amos schlug ein Gelächter an, weshalb er von seinen Leidensgefährten getadelt wurde. Sie sassen alle aufrecht im Wagen, anscheinend sehr gefasst. Aber als

-sie nach oben blickend die Zuschauer oben auf den Häusern gewahrten, schienen sie doch von Furcht und Schrecken ergriffen zu werden. In dem Augenblick, als die Kirchenuhr halb eins schlug, wurden die Thore geöffnet. Der Pöbel versuchte in demselben Augenblick mit Gewalt hereinzudringen, wurde aber zurückgedrängt. Ein grosses Aufgebot der Polizei, ungefähr 60 Offiziere, bewaffnet und beritten wie oben beschrieben, eröffneten den Zug mit den Vorstehern der City. Dann folgte der von ungefähr 40 Offizieren und Sheriffs eskortierte Wagen. Der erste den Verbrechern dargebrachte Gruss war eine Salve von Schmutz und eine Serenade von Zischen, Zurufen und Verwünschungen, wodurch sie genötigt wurden, sich mit dem Angesicht auf den Boden des Wagens zu werfen. Der Pöbel, insbesondere die Weiber, hatten grosse Mengen Strassenkot aufgehäuft, um den Gegenständen ihrer Indignation einen warmen Empfang zu bereiten. Diese Depots sahen an vielen Stellen wie Pyramiden von Patronen auf einem Schiessplatze aus. Sie waren bald erschöpft, und als der Wagen das alte, einst dem berüchtigten Jonathan Wild gehörige Haus passierte, glichen die Gefangenen einem Schmutzpfuhl entstiegenen Bären. Der Schmutzregen hielt während der Fahrt zum Haymarket an. Bevor sie noch den halben Weg zum Orte ihrer Ausstellung zurückgelegt hatten, waren sie schon nicht mehr als menschliche Wesen erkennbar. Wenn der Weg noch länger gewesen wäre, würde der Wagen vollkommen über ihnen mit Unrat angefüllt worden sein. Der Gastwirt, der etwas abseits von den übrigen sass, ein grosser, starker Bursche, konnte sich nicht so leicht wie die anderen kleineren Männer verbergen. Daher, und auch weil er

3*

sehr bekannt war, wurde er mit doppelter Wut bombardiert. Tote Katzen und Hunde, Abfälle, Kartoffeln, Rüben u. s. w. regneten von allen Seiten auf ihn nieder, wobei seine anscheinend männliche Haltung ihm besondere Verwünschungen eintrug, und nur das Weiterfahren des Karrens seine sofortige Ermordung verhinderte. Um ein Uhr wurden vier von ihnen an einem neuen Pranger ausgestellt, welcher eigens für diesen Zweck angefertigt wurde. Die beiden übrigen, Cook und Amos genossen die Ehre, allein am Pranger zu stehen. Sie wurden demgemäss auf dem Wagen nach der St. Martins-Wache zurückgebracht. Bevor sie den Platz des Prangers erreichten, waren ihre Gesichter durch Schläge und Kot völlig entstellt und beim Besteigen (des Prangers) sahen sie wie ein Dreckhaufen aus. Etwa 50 Weiber erhielten die Erlaubnis, sich im Kreise herumzustellen und bewarfen sie unaufhörlich mit Schmutz, toten Katzen, faulen Eiern, Kartoffeln und mit Blut, Abfall und Dünger enthaltenden Eimern, die von einigen Schlachtern vom St. James's Markt herbeigebracht worden waren. — Diese Verbrecher wurden sehr roh behandelt, aber da sie vier waren, hatten sie nicht so sehr zu leiden, als wenn ihre Zahl eine geringere gewesen wäre. Nach Ablauf der Stunde wurden sie wieder auf den Wagen gesetzt und durch St. Martins Lane, Compton Street und Holborn zum Cold Bath Fields-Gefängnis transportiert, wobei sie während der Fahrt ähnlich begrüsst wurden, wie auf ihrem Wege von Newgate. Als sie vom Pranger entfernt wurden, wurden die Schlachtergesellen und die Weiber, die so aktiv gewesen waren, reichlich mit Branntwein und Bier bewirtet, wofür das Geld durch eine an Ort und Stelle veranstaltete Sammlung beschafft wurde.

Wenige Minuten später wurden die beiden Letzten, Cook (der Gastwirt) und Amos (alias Fox) zum Betreten des Prangers genötigt. Cook hielt die Hand vors Gesicht und beklagte sich über die schon erhaltenen Schläge und Amos jammerte in gleicher Weise und zeigte einen grossen Ziegelstein, den man ihm ins Gesicht geworfen hatte. Der Untersheriff verkündete ihnen, dass das Urteil vollstreckt werden müsste, und zögernd gingen sie hinauf. Cook sagte nichts, aber Amos erklärte beim Anblick der Vorbereitungen in der feierlichsten Weise seine Unschuld, bekam aber von allen Seiten Zurufe zu hören, dass er überführt worden sei und in einigen Minuten glichen sie beide einem Kothaufen und ihre Gesichter wurden noch mehr verletzt als die der vier anderen. Cook bekam mehrere Schläge ins Gesicht und. eine eigrosse Beule über der Augenbraue. Amos' beide Augen wurden vollständig verklebt, und als sie losgebunden wurden, war Cook beinahe ohnmächtig und man musste ihnen beiden herunter und auf den Wagen helfen, worauf sie auf demselben Wege nach Newgate zurückgebracht wurden, ebenso „begrüsst" wie bei ihrer Hinfahrt. Cook lag wieder auf dem Wagensitz, aber Amos lag mitten im Schmutz, bis ihre Einfahrt in Newgate die Elenden vor den weiteren Wutausbrüchen des erbittertsten Pöbels, den wir je gesehen haben, schützte. Als sie am Ende von Catherine Street, Strand, vorbeikamen, stand ein Kutscher auf seinem Wagen und versetzte Cook fünf oder sechs Hiebe mit seiner Peitsche.

Es ist für die Sprache unmöglich, auch nur annähernd die allgemeinen Schimpfworte wiederzugeben, mit welchen diese Monstra auf ihrem Wege über-

schüttet wurden. Es war für sie ein Glück, dass das
Wetter trocken war, da sie sonst erstickt wären. Von
dem Augenblick an, wo der Wagen sich in Bewegung
setzte, begann die Wut des Pöbels sich in wahren
Schauern von Dreck und Kot zu ergiessen. Ehe der
Wagen Templebar erreichte, waren die Elenden so dick
mit Unrat bedeckt, dass kaum eine Spur der menschlichen Gestalt übrig blieb. Sie wurden gefesselt und
so hingesetzt, dass sie sich nicht hinlegen und höchstens
ihre Köpfe durch Bücken vor dem Hagel schützen konnten.
Dies war jedoch nur in geringem Maasse möglich.
Einige von ihnen wurden durch Ziegelsteine im Gesichte
verletzt und bluteten stark. Die Strassen, die sie pas-
sierten, hallten wieder von dem allgemeinen Geschrei
und den Verwünschungen des Pöbels."

Auch derjenige, welcher ein staatliches Einschreiten
gegen die Verbreitung der Päderastie billigt, wird
dennoch solche Scenen, wie die eben geschilderte, die
ja durch die staatlichen und gerichtlichen Behörden
selbst provoziert wurde, aufs schärfste verdammen und
kann nur darin einen freilich recht zweifelhaften Mil-
derungsgrund erblicken, dass das Prangerstehen mit
seinen widerwärtigen und rohen Begleiterscheinungen
auch bei anderen Verbrechen eine bis in die ersten
Decennien des 19. Jahrhunderts in England übliche
Strafe war, die den Verbrecher völlig der Wut des
Pöbels preisgab. — Jedenfalls waren schon um 1830
die Strafe gegen die Päderastie bedeutend mildere geworden. Adrian bemerkt: „Das Laster (der Päderastie),
macht hier reissende Fortschritte und ich hörte mehr-
mals öffentliche Verhandlungen deshalb vor den Ge-
richten. So wurde ein Mann, der einen Knaben hinter

die St. Giles-Kirche gelockt hatte, aufgefangen, überführt und zu sieben Monaten strenger Haft verurteilt. Ein Tapeziergeselle, der Frau und Kinder hatte, und einen seiner Arbeitsgenossen zu berühren versuchte, erhielt eine zwölfmonatliche Gefängnisstrafe, obgleich ihm alle seine Bekannten das beste Zeugnis gaben. Drei Knaben, welche desselben Lasters angeklagt wurden, mussten auch acht Monate in abgeschlossene Haft wandern."[1]

Noch einige andere Skandale aus jener Zeit verdienen eine Erwähnung.

Mr. Greenfield, einer der angesehensten Prediger in Edinburgh, hatte, wie viele schottische Geistliche mit kleinem Einkommen, dasselbe durch Gründung eines Pensionates für junge an der Universität studierende Männer vermehrt. Man betraf ihn bei widernatürlichem Geschlechtsverkehr mit einigen dieser Jünglinge. Wegen des Ansehens der Beteiligten wurde die Sache vertuscht, weil die That angeblich auf Geisteskrankheit zurückzuführen sei. Greenfield legte sein Amt nieder und brachte den Rest seines Lebens in Zurückgezogenheit unter nomineller Aufsicht zu. Seine Familie veränderte ihren Namen in den der Mutter: Rutherfurd. Der Sohn, ein schottischer Advokat wurde später Richter am obersten Gerichtshofe und erhielt den Titel eines Lord Rutherfurd.[2]

Der letzte Earl von Findlater und Seafield starb um 1820; er war ein Mann von Talent und Bildung. Als aber seine sonstigen eigentümlichen Neigungen bekannt geworden waren, musste er den grössten Teil seines Lebens auf dem Kontinent zubringen, wo er

---

[1] Adrian „Skizzen aus England", Frankfurt a. M. 1889. Bd. II S. 11.
[2] P. Fraxi „Index" S. 340.

ihnen leichter Befriedigung verschaffen konnte. Nach seinem Tode erlosch der Titel Findlater, dagegen ging derjenige eines Earl von Seafield auf den Colonel Grant über. Fast das gesamte Vermögen war aber einer sächsischen Familie, namens Fischer, insbesondere einem jungen Manne aus derselben, der ihm zuerst als Page und später als Privatsekretär gedient hatte, vermacht worden. Die Verwandten des Earl verweigerten die Auszahlung dieser Legate, so dass die Fischer bei den schottischen Gerichtshöfen auf Zahlung klagen mussten. Letztere wurde von den Verwandten deshalb verweigert, weil das Legat „ob turpem causam" zu Stande gekommen sei. Der Prozess dauerte einige Zeit, und zwei Kommissionen wurden nach Sachsen geschickt, um den Thatbestand festzustellen. Aber der Skandal, dass eine vornehme Familie einem Verwandten aus pekuniären Gründen ein solches Schandmal aufzuladen suchte, war so gross, dass Freunde sich ins Mittel legten und ein Vergleich zu Stande kam, durch welchen die Fischer die grosse Summe von 60000 Pfund, fast ihre ganzen Ansprüche, ausbezahlt bekamen. [1]

Einige Jahre später musste Mr. Grosset Muirhead, ein Grossgrundbesitzer in Lanarkshire bei Glasgow, wegen päderastischer Vergehen aus dem Lande fliehen. [2]

Mr. John Wood, ein Edinburgher Advokat, der in der besten Gesellschaft verkehrte und als Philanthrop ein grosses Ansehen genoss, verwendete einen grossen Teil seiner Zeit auf die Förderung von Schulen und brachte mehrere Jahre lang täglich einige Stunden in denselben als Lehrer zu. Er wurde dabei ertappt, dass

[1] ibidem S. 341.
[2] ibidem.

er verbrecherische Praktiken mit seinen Schülern vornahm. Er benutzte einen ihm zugehenden Wink und floh nach Amerika, von wo er niemals zurückkehrte.[1] Hiernach scheint die Päderastie besonders in Schottland zahlreiche Liebhaber gefunden zu haben. Nach dem englischen Gerichtsarzt Taylor ist ferner die sokratische Liebe in der englischen Grafschaft Lancashire ausserordentlich häufig. Sowohl in Manchester als auch in Liverpool vergeht kaum eine Gerichtssession, ohne dass ein oder mehr solche Fälle zur Verhandlung kommen. Vielfach kommen auch Fälle bei englischen Seeleuten vor.[2]

Das Treiben der Londoner Päderasten am Beginne der zweiten Hälfte des 19. Jahrhunderts wird sehr anschaulich in einer um 1850 oder 1860 erschienenen Schrift „Yokel's Preceptor" geschildert, in dem Abschnitte „Einige Worte über Margeries, die Art, diese tierischen Wesen und ihre Schlupfwinkel u. s. w. kennen zu lernen."

„Die in den letzten Jahren in der Hauptstadt beobachtete Zunahme dieser Ungeheuer in Menschengestaltt die man gewöhnlich „Margeries", „Pooffs" u. s. w. nennt, macht für die Sicherheit des Publikums ihre genauere Kenntnis notwendig. Die gegen diese Elenden verhängte Strafe ist lange nicht streng genug, und ehe nicht das Gesetz gegen sie mit äusserster Strenge zur Anwendung gebracht wird, kann man nicht auf Vernichtung dieser Bestialität hoffen. Die Kerle werden zu gut bezahlt, da sie hauptsächlich, wie es allgemein

---

[1] ibidem S. 341—342.
[2] „Untrodden Fields of Anthropology" Bd. II, S. 356.

bekannt ist, von ihren reichen Kumpanen unterhalten werden, um sich auch nur ein Jota um ein paar Monate Gefängnis zu kümmern. Warum ist der Pranger abgeschafft worden? Würde der für solche Bestien nicht sehr heilsam sein? kann man sie denn überhaupt genug der öffentlichen Erniedrigung und Strafe preisgeben? Der Leser möge es glauben, dass es eine Thatsache ist, dass diese Ungeheuer wirklich genau wie die Huren die Strassen auf und ab laufen und nach einer Gelegenheit sich umsehen.

Ja, der Quadrant, Fleet Street, Holborn, der Strand u. s. w. sind reichlich voll von ihnen! Vor noch nicht langer Zeit hing man sogar in den Fenstern mehrerer respektabler Gasthäuser in der Nachbarschaft von Charing' Cross Zettel aus, mit der Inschrift: „Nehmt euch vor Päderasten in Acht!"

Sie versammeln sich gewöhnlich bei den Bilderläden und sind an ihrem effeminierten Aussehen, ihrer modischen Kleidung u. s. w. erkennbar. Wenn sie jemanden sehen, in dem sie einen Fang vermuten, so stecken sie ihre Finger in einer eigentümlichen Weise unter ihre Rockschösse und bewegen sie dort. Das ist ihre Methode, ihren Dienst anzubieten.

Sehr viele von ihnen treiben sich in den Salons und Logen der Theater und in den Kaffeehäusern u. s. w. umher.

Wir könnten viele Beispiele der ekelhaft bestialischen Praktiken dieser Elenden erzählen, wollen aber nicht die Zeit des Lesers für ein so abstossendes Thema in Anspruch nehmen, können uns jedoch nicht enthalten, ein oder zwei Anekdoten hier wiederzugegeben.

Der Quadrant wird von einer grossen Zahl der berüchtigsten Päderasten besucht, die bei Tag und Nacht dort in ähnlicher Weise wie die Prostituierten ihre Beute suchen. Einer von ihnen führte den Beinamen „Die schöne Elise" (Fair Eliza). Dieser Bursche wohnt in Westminster und hat eine Maitresse, die sich nicht scheut von dem Ertrag seiner ekelhaften Thätigkeit zu leben. Ein anderer Kerl, genannt „Betsy H—", der den Strand, Fleet Street und St. Martins-Court auf und ab geht, ist ein sehr berüchtigter und höchst schamloser Päderast. Häufig sieht man ihn auch in Variétés, wo er obscöne Gedichte deklamiert. Sein Vater war ein notorischer Männerkuppler; er selbst ist mehrere Male im Gefängnis gewesen, aber setzt trotzdem sein viehisches Treiben fort.

Viele Individuen dieser Art haben dem Schauspieler-beruf angehört und haben in der Gesellschaft Ansehen genossen. Wir könnten die Namen von mehreren nennen, wollen sie aber aus Mitleid verschweigen. Ein reicher Theaterdirektor soll mit einem seiner Schauspieler der-artige Beziehungen unterhalten haben, und es ist all-gemein bekannt, dass ein anderer Schauspieler, der in einem Zirkus jenseits der Themse französische Rollen darstellte, auch einer von derselben abscheulichen und widerwärtigen Brüderschaft war." [1])

Ob der unter dem Beinamen „Fair Eliza" erwähnte Päderast mit dem homosexuellen Schauspieler Eliza Edwards, über den Tarnowsky nach dem englischen

---

[1]) „Yokel's Preceptor: or, More Sprees in London etc. London (o. J.) Printed and Published by H. Smith, 87, Holywell Street, Strand." S. 5 ff.

Arzt Taylor Näheres berichtet [1]), identisch sei, ist mir nicht bekannt.

Eine Schilderung der Päderastie in London vor etwa 20 Jahren ist in einer 1881 erschienenen Schrift „The Sins of the Cities of the Plain; or The Recollections of a Mary-An. With short Essays on Sodomy and Tribadism" London 1881 (4⁰, 95 S.) enthalten. Der Verfasser bemerkt im Anhang, dass, als er an einem sonnigen Nachmittage im November 1880 durch Leicester Square ging, seine Aufmerksamkeit besonders durch einen effeminiert aussehenden hübschen Burschen gefesselt wurde, der vor ihm herging, ab und zu in die Ladenfenster sah, dann aber wieder um sich blickte, um die Passanten auf sich aufmerksam zu machen. Dieser effeminierte Jüngling, Namens Jack Saul, ist ein „Mary Ann" wie die Volksbezeichnung für Päderasten in neuerer Zeit auch lautet. Seine Abenteuer und Praktiken werden dann erzählt, so dass das Werk recht interessante Enthüllungen über das übrigens keineswegs auf das eigene Geschlecht beschränkte Treiben der Päderasten bringt. Insbesondere beschäftigt sich der Verfasser offenbar nach persönlicher Kenntnis mit den 1874 verhafteten vornehmen Päderasten Bolton und Park, die als Damen verkleidet zahlreiche Liebesabenteuer mit Männern hatten, vor Gericht mit einem blauen Auge davonkamen und später in Lissabon ihr Treiben fortsetzten. [2])

Eine Ergänzung zu der in diesem Buche ent-

---

[1]) B. Tarnowsky „Die krankhaften Erscheinungen des Geschlechtssinnes". Berlin 1886. S. 15—16.

[2]) Vergl. auch „Jahrbuch für sexuelle Zwischenstufen" 1900. Bd. II, S. 63.

haltenen Darstellung des modernen Urningtums in London bilden F. Rémo's Schilderungen, ebenfalls aus dem Anfange der 80iger Jahre.[1]

Vielleicht beruht auch die folgende Stelle aus Johannes Schlafs „das dritte Reich" (1900 S. 73) auf eigener Beobachtung. Er sagt in einer Schilderung des nächtlichen London: „Da waren alte Herren, welche mit jungen Soldaten, die für ein Pfund Sterling schon ein übriges zu thun bereit waren, schönen, strammen, rotblütigen Jungen, Verhältnisse anknüpften, und weiss der Teufel, was noch alles für Raritäten."

Wie in anderen Ländern, so sind auch in England die Convikte, Colleges und Alumnate Brutstätten der päderastischen Unzucht, in welchen zahlreiche Individuen für ihr ganzes Leben Einflüssen dieser Art unterliegen, die manchmal bereits vor der Pubertät auf sie eingewirkt haben und viele dauernd in diese Richtung der Befriedigung ihres Geschlechtstriebes drängen. In einem Artikel der „New Review" vom Juli 1893 („Our Public Schools, their Methods and Morals") vergleicht der anonyme Verfasser die Moral in den grossen englischen Erziehungsanstalten mit den Zuständen in Sodom und Gomorrah[2]), und W. F. Stead sagt in der „Review of Reviews" vom 15. Juni 1895: „Wenn man jedermann im Gefängnis steckte, der sich der Vergehungen Oscar Wilde's schuldig gemacht hat, so würde eine sehr überraschende Auswanderung von den Schulen zu Eton und Harrow, Rugby und Winchester nach

---

[1]) F. Rémo „La vie galante en Angleterre". Paris 1887. S. 14—15; S. 260—261.

[2]) Vergl. „Jahrbuch für sexuelle Zwischenstufen" Bd. III S. 494.

den Gefängnissen in Pentonville und Holloway statt-
finden . . . Bis dahin lässt man Knaben in öffentlichen
Schulen ungestraft Gewohnheiten nachhängen, die sie,
wenn sie die Schule verlassen, der Zwangsarbeit über-
liefern würden."[1])

Gegenüber den verhältnismässig milden Strafen, die
um die Mitte des Jahrhunderts den Päderasten zudiktiert
wurden, hat sich in den letzten Decennien wieder eine
strengere Beurteilung solcher Delicte geltend gemacht,
wie einige Prozesse aus neuester Zeit lehren. So soll
am 5. Juli 1886 ein 17 jähriger Bursche, John Osborne,
der von einem jungen Manne Namens Marling, unter
der Drohung, ihn eines unnatürlichen Verbrechens zu
bezichtigen, Geld und eine wertvolle Uhr erpresst hatte,
vom Zentral-Kriminalgericht in London zu lebensläng-
licher Zuchthausstrafe verurteilt worden sein! (?)[2])

Der berühmteste Sensationsprozess dieser Art war
der gegen den Dichter Oscar Wilde im Jahre 1895.[3])
In Wilde, der, wie sein jüngst in Berlin aufgeführtes
Drama „Salome" bewies, ein bedeutendes dichterisches
Talent besass, verkörperte sich ganz besonders eine

---

[1]) ibidem S. 506.

[2]) ibidem S. 565.

[3]) Vergl. den ausführlichen Nekrolog von Numa Praetorius
im „Jahrbuch für sexuelle Zwischenstufen" Bd. III, S. 265—274;
ferner O. Sero „Der Fall Wilde und das Problem der Homosexualität" Leipzig 1896; Handl „Der Wilde-Prozess", in: Die
Zeit, Wien, 15. Juni 1895 No. 37; H. Rebell „Défense d'Oskar Wilde"
in: Mercure de France 1895; Tybald in: Echo de Paris vom
29. Mai 1895; Paul Adam, „L'assaut malicieux" in: Revue blanche
vom 15. Mai 1895; Henry de Régnier „Souvenirs sur Oscar Wilde"
in: Revue blanche vom 15. Dezember 1895; W. F. Stead in der:
Review of Reviews vom 15. Juni 1895 S. 491—492; Notiz in: Jahrbuch für sexuelle Zwischenstufen III S. 550 und 608; Bernstein
in: Die neue Zeit 1895 No. 32 und No. 34; Havelock Ellis
a. a. O. S. 212.

einer ausschliesslich ästhetischen Betrachtung des Lebens huldigende Richtung der neueren englischen Dichtung. Dieses moderne Aesthetentum tritt in seinen Schriften, besonders dem Romane „Picture of Dorian Gray" deutlich zu Tage[1]. Es scheint, dass Wilde, der verheiratet war, aus ähnlichen Gründen wie die alten Griechen die Vorliebe für die Bethätigung homosexueller Neigungen in sich entwickelte. Zu Anfang des „Dorian Gray" schildert er die Liebe des Malers Hallward zu dem Jünglinge Dorian Gray, welche Zuneigung „ganz ideal und geistig, rein künstlerisch ästhetisch verklärt gehalten, aber nichts destoweniger homosexuell" ist (Gaulke). In dieser idealen Form schilderte der Dichter sie auch seinen Richtern: „Die Liebe, die in unserem Jahrhundert ihren Namen nicht nennen darf, die Zuneigung eines älteren Mannes zu einem jüngeren, wie sie zwischen David und Jonathan bestand, wie sie Plato zur Grundlage seiner Philosophie machte und wie wir sie in den Sonetten Michelangelos und Shakespeare's finden — jene tiefe geistige Neigung, die ebenso rein wie vollkommen ist und die grössten Künstler zu ihren bedeutendsten Werken begeistert hat — jene Liebe wird in unserem Jahrhundert so missverstanden, dass sie mich vor die Schranken des Gerichts geführt hat. Aber dennoch ist sie schön und hoheitsvoll, die edelste Form jedweder Zuneigung. Sie ist nur geistig, und sie besteht allein zwischen einem älteren Mann und einem jüngeren, wenn der ältere geistvoll ist und der jüngere noch seine unberührte, frische Hoffnungs- und Lebensfreudigkeit besitzt. Dass es so sein muss, will die Welt nicht ver-

---

[1] Vergl. J. Gaulke „Oskar Wilde's „Dorian Gray" " in: Jahrbuch für sexuelle Zwischenstufen Bd. III S. 275—291.

stehen. Sie höhnt und stellt bisweilen den an den Pranger, der sie ausübt."

Leider hatte, wie schon im alten Hellas, diese Theorie bei der Umsetzung in die Wirklichkeit Schiffbruch gelitten, da eine rein aesthetische Auffassung des Sexuellen unmöglich ist und ebensowenig eine wirklich edle Männerfreundschaft irgendwelche geschlechtliche Beimischung verträgt. „Numa Prätorius" kann nicht leugnen, dass Wilde das „Leben eines Genusssexualen geführt und seiner Sinnlichkeit allen freien Lauf gelassen habe." Er verkehrte in aristokratischen Kreisen, wo er mit jungen Männern zweifellos sexuelle Beziehungen anknüpfte. Auch mit männlichen Prostituierten liess er sich ein. Sein Verhältnis mit dem 20 jährigen Lord Douglas führte auf die Denunciation des Vaters des Letzteren die Verhaftung Wilde's herbei, der hierauf im Jahre 1895 wegen der Vornahme unzüchtiger Akte mit Männern zu zwei Jahren Zwangsarbeit verurteilt wurde. Nach Verbüssung dieser Strafe begab sich der unglückliche, von allen seinen Freunden im Stich gelassene Dichter nach Paris, wo er am 7. Dezember 1900 starb.

Wenn auch Wilde nicht von jeder Schuld freigesprochen werden kann, so muss zugegeben werden, dass die Strafe überaus hart war und keineswegs dem Vergehen des Angeklagten entsprach. Diese Zwecklosigkeit von Gefängnisstrafen bei homosexuellen und anderen sexuellen Delikten beleuchtet ein neuerer Autor in eingehender Weise.[1]

---

[1] J. Bloch „Beiträge zur Aetiologie der Psychopathia sexualis" Dresden 1902 und 1903 Bd. I S. 254; Bd. II S. 868—873.

Auch der Arzt und Schriftsteller John Addington
Symonds, der bekannte Renaissanceforscher und Mitarbeiter an Havelock Ellis' Werke über Homosexualität, soll trotz seiner Heirat homosexuelle Neigungen
bekundet haben. [1] Das vorzügliche Kapitel in dem Buche
von Ellis über die Homosexualität in Griechenland rührt
ganz von ihm her. Nähere Aufschlüsse über die Persönlichkeit Symonds gibt Horatio Brown in seiner
Biographie desselben. [2]

Nach dem folgenden Bericht im „Jahrbuch für
sexuelle Zwischenstufen" [3] scheint auch der Marquis
von Anglesey homosexuelle Neigungen zu haben oder
doch mindestens im hohen Grade effeminiert zu sein.

„Die soeben von der schönen jungen Marquise
von Anglesey angestrengte Ehescheidungsklage erregt
nichts weniger als Verwunderung. Man hat es ja schon
seit langem erwartet, dass die Lady, die sich bereits
während der Flitterwochen von ihrem Gatten trennte,
sich bemühen würde, ihre volle Freiheit zurückzugewinnen.
Die geborene Miss Chetwynd, Tochter von Sir George
Chetwynd und der Marquise von Hastings, zählte
erst achtzehn Lenze, als sie vor zwei Jahren dem damaligen Earl of Urbridge die Hand zum Lebensbunde
reichte. Das fein geschnittene, von goldroten Haarmassen
umrahmte Gesicht der jungen Aristokratin gilt mit seinen
grossen veilchenblauen Augen für eines der schönsten
in ganz England. Auf die von zahlreichen Bewerbern
umschwärmte Miss Chetwynd machte das fast sanft

---

[1] Moll „Konträre Sexualempfindung" 3. Aufl. S. 143.
[2] H. Brown „The Life and Letters of J. A. Symonds"
London 1894.
[3] Bd. III S. 543—544.

Dühren, Das Geschlechtsleben in England.*** 4

zu nennende Wesen des Earl einen so günstigen Eindruck, dass sie ihm vor allen andern Freiern den Vorzug gab. Sie ahnte aber nicht, in welchem Masse ihr Erwählter einem verzärtelten, excentrischen Weibe glich und dass er alle Launen und Schwächen eines solchen besass. In der That hat der jetzt 25jährige Nobleman, der bald nach seiner Eheschliessung durch den Tod des Vaters fünfter Marquis von Anglesey wurde, das Aussehen einer schönen Frau in Männerkleidung. Seidenweiche dunkle Locken umgeben ein rosiges Gesicht mit weichen, sympathischen Zügen. Um blasser und interessanter zu erscheinen, verschmäht er weder die Puderschachtel noch bleichmachende Toiletten-Wasser. Er ist immer stark parfümiert, und seine zarten schlanken Finger sind mit Ringen überladen. Man sieht ihn bei seinen Promenaden durch Piccadilly oder auf den Pariser Boulevards meist mit einem schneeweissen, schleifengeschmückten Pudel unter dem Arm, der ebenso wie sein Herr nach Patchouli und L'eau d'Espagne duftet... An dem adeligen Krösus ist eigentlich eine Serpentintänzerin verdorben. Die Lieblingszerstreuung des Herrn Marquis besteht nämlich darin, sich auf wirklichen — Spezialitätenbühnen als Imitator der graziösen Loïe Fuller zu produzieren."

In ähnlicher Weise soll nach Spitzka[1]) der unter der Königin Anna lebende englische Gouverneur von New York, Lord Cornbury, ein schrecklicher Wüstling, trotz seiner hohen Stellung in Weiberkleidern koket-

---

[1]) Spitzka in: Chicago medical Review 20. August 1881 zitiert nach v. Krafft-Ebing „Psychopathia sexualis" 10. Aufl., Stuttgart 1899 S. 275.

tierend und mit allen Allüren der Courtisane in den
Strassen herumgegangen sein.

Eines der frühesten Dokumente über homosexuelle
Praktiken zwischen Weibern (Tribadie) findet
sich in dem am Ende des 16. Jahrhunderts von Sir Philip
Sidney verfassten Schäferroman „Arkadia“. Es heisst
dort von zwei mit einander zu Bett gehenden Prinzessinnen:

„Sie schmückten das Bett mit ihren schönsten
Kleidern, so dass es in dieser Nacht das Lager der Venus
übertraf. Dann liebkosten sie einander mit zärtlichen,
obgleich keuschen Umarmungen und süssen, wenn auch
kalten Küssen. Es schien, als ob der Liebesgott
mit ihnen ohne Pfeil spielte oder dass er, seines
eigenen Feuers müde, dahin kam, um sich zwischen ihren
süssatmenden Lippen zu erfrischen.“ [1]

An dem üppigen Hofe Karls II. fand auch die lesbische Liebe einen günstigen Boden für ihre Verbreitung.
Es scheint, dass besonders von einer bestimmten Hof-
dame Verlockungen dieser Art ausgegangen sind. Dies
war Miss Hobart. Hamilton[2] berichtet in den „Memoiren des Grafen Grammont“:

„Miss Hobart war von einem damals in England
noch unbekannten Charakter, wie auch ihre Gesichtszüge in einem Lande auffallend erscheinen mussten, wo
es die Ausnahme bildet, wenn man jung und nicht einiger-
massen hübsch ist. Sie hatte einen guten Wuchs, in
ihrer Miene lag viel Entschlossenheit, sie besass einen
gebildeten Geist, doch ohne die gehörige Vorsicht. Ihre

[1] Taine a. a. O. Bd. I S. 264.
[2] „Memoiren des Grafen Grammont“ Deutsche Ausgabe,
Leipzig 1858 S. 189; S. 196—197; S. 209.

4*

Phantasie war bei grosser Lebhaftigkeit etwas ungezügelt und ihre sehr feurigen Blicke nahmen nicht ein. Ihr Herz war zärtlich, aber man behauptete, nur zu Gunsten des schönen Geschlechts.

Miss Bagot zog zuerst ihre Sorgfalt und Zärtlichkeit auf sich und erwiderte sie harmlos und ohne Arg; da sie aber bald gewahrte, all' ihre Freundschaft genüge der Innigkeit einer Hobart nicht, so überliess sie diese Eroberung der kleinen Nichte der Gouvernante, welche sich dadurch sehr geehrt fühlte.

Bald verbreitete sich das wahre oder falsche Gerücht von dieser Seltsamkeit am Hofe. Man war dort so unkultiviert, von dieser Verfeinerung des Geschmacks in zärtlichen Neigungen, wie sie das alte Griechenland kannte, niemals gehört zu haben, und man bildete sich ein, die erhabene Hobart sei mit ihrem Sinn für die Schönen etwas ganz andres, als sie scheine.

Wegen dieser neuen Begabung fingen die Spottliederchen an, ihr Komplimente zu machen, und auf Grund der Sticheleien zogen sich ihre Gefährtinnen von ihr zurück . . . . .

Als die Damen eines Tages zu Pferde gewesen waren, stieg Miss Temple bei der Rückkehr von dem galanten Spazierritte bei Miss Hobart ab, um sich mit Hülfe der Erfrischungen von der Anstrengung zu erholen. Doch ehe sie sich daran machte, bat sie um Erlaubnis, ihre Wäsche wechseln zu dürfen, d. h. in ihrer Gegenwart sich zu entkleiden. Man war weit entfernt, ihr diesen Wunsch abzuschlagen. „Ich wollte es Ihnen eben anbieten", sagte Miss Hobart, „Sie sind in dieser Tracht zwar reizend wie ein Engel; aber es geht nichts über frische Wäsche und Bequemlichkeit! Sie glauben nicht", setzte sie, sie umarmend, hinzu, „welchen Gefallen Sie mir thun, liebe Temple, wenn Sie sich hier ganz wie zu Hause benehmen; besonders entzückt mich dieser Sinn für Reinlichkeit. Sie sind in dieser Hinsicht, wie in mancher andern, sehr verschieden von dieser kleinen Närrin, der Jennings. Haben Sie wohl bemerkt, wie alle Gecken am Hofe sie wegen ihres Teints bewundern, der vielleicht nicht einmal ganz natürlich ist, und wegen so mancher Tollheiten, die allerdings bei ihr Natur zu sein scheinen, die man aber für geistreich ausgiebt. Ich habe mit ihr nicht genug verkehrt, um ihren Geist entdecken zu können; wenn es aber damit nicht besser steht, als mit ihren Füssen, so hat er nicht viel zu sagen. Man hat mir hübsche Dinge von ihrer Unreinlichkeit erzählt. Keine Katze soll das Wasser so fürchten wie sie. Was denken Sie! Sie wäscht sich nie ganz zur Erfrischung, sondern spült nur gerade ab, was man zu sehen bekommt, Brust, Gesicht und Hände!"

Das behagte der Temple noch besser als das Konfekt, und um keine Zeit zu verlieren, entkleidete die Hobart sie vor Ankunft des Kammermädchens! Anfangs machte das Fräulein einige Umstände, weil sie einer Dame von ihrer Stellung bei Hofe diese Last nicht zumuten wollte; allein sie wehrte sich umsonst; die Hobart zeigte ihr, dieser kleine Dienst mache ihr Vergnügen. Als das Schmausen vorüber und Miss Temple entkleidet war, sprach die Wirtin: „gehen wir in das Badezimmer, wir können dort plaudern, ohne durch einen langweiligen Besuch gestört zu werden". Sie willigte ein, und Beide setzten sich auf ein Ruhebett. „Sie sind noch zu jung, meine liebe Temple;" sprach jene, „als dass Sie den schändlichen Charakter der Männer überhaupt kennen sollten u. s. w."

Hierauf wird sehr anschaulich geschildert, wie Miss Hobart der jungen Temple die Männer im denkbar schlechtesten Lichte darstellt, um sie dadurch desto gefügiger und hingebender für die Liebe zu Frauen, insbesondere zu sich selbst (Miss Hobart) zu machen. Besonders wird Rochester von ihr mit den schwärzesten Farben gemalt. Dieses ganze Gespräch wird aber von einem Kammermädchen belauscht und Rochester hinterbracht, der durch Killegrew und in Gegenwart der Temple der Hobart die Leviten lesen lässt. Dabei sagt Killegrew u. a. zu ihr: „Ihre Neigungen und Leidenschaft für die junge Temple sind ausser ihr selbst vor Niemand mehr ein Geheimnis; denn, wie Sie auch ihrer Unschuld nachstellen, man lässt ihr die Gerechtigkeit widerfahren, zu glauben, sie würde Sie behandeln, wie Lady Falmouth einst gethan — wenn das arme Mädchen überhaupt ahnte, was Sie von ihr wollen. Ich rate Ihnen also, die Dinge nicht weiter zu treiben gegen ein Wesen, das zu sittsam ist, um es Ihnen zu gestatten; ferner empfehle ich Ihnen, Ihr Kammermädchen wieder in Dienst zu nehmen, um ihrem anstössigen Gerede ein Ende zu machen. Sie sagt überall, sie sei schwanger, schreibt Ihnen die Ursache zu (sic) und klagt Sie der gröbsten Undankbarkeit bei leerem Verdacht an. Sie sehen wohl, dass ich diese Dinge nicht erfinde; damit Sie jedoch nicht zweifeln, dass ich die Nachrichten aus ihrem Munde habe, sage ich Ihnen: sie hat mir von Ihrem Gespräch im Badezimmer erzählt, wie Sie dort Skizzen von allen Hofmännern entwarfen, und wie sie endlich dem schönsten

Mädchen ein so unpassendes Kouplet zuwendeten — wie dann
die arme Temple in die Falle ging, die Sie ihr nur gestellt,
um ihre Reize durch den Augenschein kennen zu lernen."

Aus dem 18. Jahrhundert berichtet der Verfasser
von „Satans Harvest Home" (London 1749) über die
Londoner Tribaden. Die lesbische Liebe führte damals
den Namen „Game at Flats", womit wohl eine eigentümliche Art des geschlechtlichen Verkehrs zwischen
Weibern bezeichnet werden sollte. Diese „neue Art
der Sünde", die unter Frauen von Stande sehr verbreitet
sei, werde sowohl in Twickenham als in der Türkei geübt. [1]

Hüttner erwähnt das Vorkommen homosexueller
Praktiken in weiblichen Kostschulen [2] und Archenholtz macht sogar Mitteilungen über die Existenz geheimer tribadischer Klubs. [3]

„Da in London Ueppigkeit und Wollust keine anderen Grenzen als die der Möglichkeit kennen, so giebt
es auch hier Frauenzimmer, die allem vertrauten Um-
gange mit dem männlichen Geschlechte entsagen, und
sich bloss zu dem ihrigen halten. Solche Frauenzimmer
werden Tribaden genannt. Sie formieren auch kleine
Sozietäten, die man Anandrinische Gesellschaften heisst,
wovon Mrs. Y . . . [4], eine vor einigen Jahren berühmte

---

[1] „Satan's Harvest Home" S. 51.

[2] „Dazu kommt noch, dass man diese unerfahrenen Geschöpfe,
die noch ganz Sinnlichkeit sind, ohne Aufsicht beieinander seyn
lässt, vorzüglich um die Zeit, da sie im Bett seyn sollten, wo sie
sich dann mit dem Lesen schlüpfriger Romane, oder andern die
Sinne noch mehr empörenden Belustigungen, die man nicht ohne
Erröten nennen kann, und welche die ersten Quellen der Gesundheit
des Geistes und Körpers vergiften, beschäftigen." Hüttner
„Sittengemälde von London" S. 183—184.

[3] J. W. v. Archenholtz „England" Bd. I, S. 269—270.

[4] Es ist dies wohl Mrs. Yates vom Drury Lane-Theater
(† 1787).

Schauspielerin der Londoner Bühne, eine Vorsteherin war. Hier bringen diese Tribaden ihre unreinen Opfer, aber ihre Altäre sind nicht würdig jenes Hains, wo sich Dioneus Tauben gatten, sondern verdienen, dass eine dicke Finsternis sie vor den Augen der Menschen verdecke."

Am 5. Juli 1777 wurde in London eine Frau zu 6 Monaten Kerker verurteilt, die sich, als Mann verkleidet, schon drei Mal mit verschiedenen Frauen verheiratet hatte.[1]

Gegenwärtig ist nach Havelock Ellis die Tribadie besonders unter den Londoner Theaterdamen und Prostituierten verbreitet. Ein Freund machte ihm über die betreffenden Verhältnisse in den grossen Theatern und Singhallen Londons die folgende Mitteilung:

"Leidenschaftliche Freundschaften zwischen Mädchen, von den unschuldigsten Beziehungen bis zu den ausgebildetsten Formen lesbischer Liebe, sind unter dem Bühnenpersonal sehr häufig, sowohl bei den Schauspielerinnen, wie auch bei den Choristinnen und Ballettänzerinnen, die wohl besonders dazu neigen. Das Durcheinander in den Ankleideräumen, in denen die eng zusammengepferchten Mädchen oft stundenlang Pausen abwarten müssen, aufgeregt und unbeschäftigt, giebt reichliche Gelegenheit zur Entwickelung solcher Spielarten des Gefühls. In fast allen Theatern findet man einen Kreis von Mädchen, die von den anderen gemieden werden oder sich von ihnen isolieren und die für einander die grenzenloseste Anhänglichkeit zeigen. Die meisten kokettieren auch gern mit dem anderen Geschlecht, aber ich kenne ein paar unter ihnen, die nie

---

[1] P. Mantegazza „Anthropologisch-kulturhistorische Studien über die Geschlechtsverhältnisse des Menschen" Jena o. J. S. 98.

mit einem Manne sprechen und nie ohne ihre bestimmte Freundin zu sehen sind, die sie, wenn sie einem anderen Theater angehört, abends am Ausgange erwarten. Aber nur selten gehen diese Verhältnisse sehr weit. Das englische Mädchen der Unter- und Mittelklasse ist — mag es nun seine Unschuld verloren haben oder nicht — völlig von konventionellen Vorstellungen beherrscht. Unwissenheit und Konvention halten sie davon ab, die logischen Konsequenzen dieser Perversität zu bethätigen. In den höheren Klassen der Gesellschaft (und in der feineren Prostitution) wird die Perversität voll entwickelt gefunden, weil hier eine grössere Freiheit des Handelns und eine viel grössere Vorurteilslosigkeit besteht."[1])

Man ersieht aus dieser Schilderung, dass diese homosexuellen Neigungen grösstenteils eine zufällige Veranlassung haben und auf die oben erwähnten Gelegenheitsursachen zurückgeführt werden können. Ebenso steht es mit der Tribadie der Prostituierten. Auch diese ist nicht angeboren, sondern meist nur ein Ersatz der fehlenden oder verloren gegangenen Liebe zum Manne. Derselbe Gewährsmann von Ellis bemerkt über die Homosexualität unter den Londoner Prostituierten: „In London liegen die Dinge viel weniger auf der Hand und die Erscheinung ist viel weniger häufig, sicher aber nicht ganz selten. Eine gewisse Zahl bekannter Prostituierten steht im Rufe dieser Neigung, ohne dass ihr Verhalten in ihrem Gewerbe deshalb dadurch beeinflusst würde. Ich kenne keine einzige Prostituierte, die ausschliesslich lesbische Praktiken treibt, ich habe jedoch Andeutungen

---

[1]) H. Ellis und J. A. Symonds „Das konträre Geschlechtsgefühl" deutsch von H. Kurella, Leipzig 1816, S. 191.

gehört, als gäbe es ein oder zwei solche abnorme Wesen. Einmal habe ich gehört, wie eine fashionable Kokette im Corinthian Klub (einem von Prostituierten höheren Ranges besuchten Lokal) in den Saal rief, sie ginge mit einem Mädchen nach Hause, und niemand zweifelte daran. Ein anderes Weib der gleichen Sorte hat eine kleine Klientel von Frauen, die ihre Photographien kaufen. In den tieferen Schichten der Prostituierten ist das alles sehr selten. Man findet hier oft Weiber, die einfach nie von solchen Dingen gehört haben, ausser von Päderastie. Sie sind gewöhnlich entsetzt, wenn sie davon hören; sie betrachten es dann als einen Teil der „französischen Bestialität." Natürlich hat jedes Mädchen ihre Freundin, mit der sie manchmal schläft, aber das bedeutet in der Regel nicht mehr als bei allen anderen Mädchen.[1])

An die männlichen und weiblichen Homosexuellen reihen sich die nicht seltenen seelischen und körperlichen Zwitter, die Viragines, Hermaphroditen, Weibmänner u. s. w. an, alle jene Individuen, deren Neigungen, ohne ausgesprochen hetero- oder homosexuell zu sein, bald nach dieser, bald nach jener Richtung überwiegen bezw. in beiden sich bethätigen.

Solch eine „Männin" schildert schon Butler in seinem „Hudibras" (17. Jahrhundert)[2]):

> Dann schloss die Heldin den Triumph,
> Bei welcher auf des Gaules Rumpf
> Im Doppeladler, Steiss an Steiss,
> Der Ueberwundene im Schweiss

---

[1]) ibidem S. 205.
[2]) Samuel Butlers „Hudibras" übersetzt von J. Eiselein Freiburg i. B. 1845. S. 119—120.

Des Angesichts von seiner Brust
Die Spindel wacker drehen musst';
Und ward er müde oder faul,
So gab sie eines ihm auf's Maul.
Rings um sie trabten vorn und hinten,
Lakaien, Zofen und Bedienten,
Auch gute Läufer in Kamaschen
Und Tross in vielen Equipaschen.
Sie trugen Fackellichter vor
Der stolzen Männin hoch empor,
Die, Sporo gleich und Päpstin Hanne,
Die Rolle trieb vom Weibe und Manne.

Butler hatte zu seiner Zeit zahlreiche Vorbilder für die Gestalt einer solchen Virago. Dahin gehört z. B. die unter Karl I. lebende Räuberin Moll Cutpurse, die keinen Geschmack an Putz und den sonstigen Beschäftigungen ihres Geschlechtes fand, sich als Mann kleidete und so ihre Diebereien und Raubanfälle in der Nähe von London ausführte[1]. Einst traf der berüchtigte Räuber Thomas Rumbold (hingerichtet 1689) einen anderen Berufsgenossen, der ihm seine Börse abforderte. Es entspann sich ein Kampf, in dem Rumbold Sieger blieb. Als er den Gegner an Händen und Füssen gefesselt hatte, um seine Taschen zu untersuchen, war er bei Oeffnung seines Rockes erstaunt, in dem angeblichen Manne ein Weib zu finden. Die Virago erzählte ihm, dass sie die Tochter eines Waffenschmiedes sei. „In meiner Jugend wollte mich meine Mutter zur Nadel anhalten, aber alle ihre Ermahnungen scheiterten an meinem kriegerischen Sinn. Mit der Küche mochte ich

---

[1] E. Whitehead „Leben, Thaten und Schicksale der merkwürdigsten englischen Räuber und Piraten u. s. w." Deutsch von J. Sporschil, Leipzig 1834, Teil I, S. 93—96.

mir nie etwas zu schaffen machen, sondern hielt mich
beständig in dem Laden meines Vaters auf, und freute
mich die kriegerischen Instrumente, welche er verfertigte,
zu handhaben; mein Hauptergötzen aber war es, wenn
ich ein scharfes, schönes Schwert schwingen konnte."
Mit zwölf Jahren nahm sie heimlich Fachunterricht,
verheiratete sich mit fünfzehn Jahren mit einem Gast-
wirte, lebte aber in unglücklicher Ehe. Von Zeit zu
Zeit unternahm sie als Mann verkleidet von ihrem Gasthause aus Ausflüge, um auf der Landstrasse zu rauben [1]).

In interessanter Weise, ebenfalls wie bei der eben
erwähnten Amazone infolge äusserer Einflüsse hatte sich
die Viraginität bei der englischen Seeräuberin Maria
Read (Anfang des 18. Jahrhunderts) entwickelt. Sie
war von ihrer Mutter systematisch als Knabe erzogen
worden und musste sich später als Page bei einer französischen Dame verdingen. Hierdurch bildete sich mit
den Jahren der männliche Hang Maria's immer mehr
aus, und sie liess sich schliesslich als Matrose auf einem
Kriegsschiffe anwerben. Trotzdem war sie zweifellos
heterosexuell, da sie sich in einen Soldaten „leidenschaft-
lich" verliebte, den sie auch heiratete. [2])

Eine sehr berühmte Rolle als Mannweib oder besser
Weibmann spielte während der siebziger und achtziger
des 18. Jahrhunderts der bekannte Chevalier d'Éon,
der sich lange Zeit in England aufhielt. Ueber ihn,
der in Wirklichkeit männlichen Geschlechts war, habe
ich in meinem Werke über den Marquis de Sade (3. Auflage S. 197—202) ausführlichere Mitteilungen gemacht.

---

[1]) ibidem Teil I, S. 186—189.
[2]) ibidem Teil II, S. 75—81.

Als Ergänzung füge ich hier noch einige auf den Aufenthalt in England sich beziehende Thatsachen hinzu. d'Éon wurde in England allgemein für eine Frau gehalten. Nur v. Archenholtz, der sich zur Zeit, wo die d'Éon-Affaire den grössten Staub aufwirbelte, in England aufhielt, giebt die Möglichkeit zu, dass der Chevalier wirklich ein Mann gewesen sei, da er in eine Freimaurerloge aufgenommen worden sei. Er berichtet weiter: „Er (d'Éon) machte bekannt (1777), dass er an einem gewissen Tage sein Geschlecht beweisen würde.

Er bestimmte Ort und Stunde, und zwar in einem grossen Kaffeehause der City zur Börsenzeit, um desto mehr Menschen zu versammeln. Der Zulauf war auch unglaublich. D'Éon erschien in völliger französischer Uniform, als Hauptmann von der Kavallerie, mit dem Ludwigskreuz behangen. Er redete die Versammlung an und versicherte, er sei hier, um seine Mannheit allen Zweiflern zu beweisen, wobei er entweder seinen Degen oder seinen Stock gebrauchen würde. Niemand meldete sich, und der Ritter ging triumphierend nach Hause." [1]

Später produzierte sich d'Éon thatsächlich als Fechter. „d'Éon gab im Januar (1793) in Ranelagh ein förmliches Fechterschauspiel, wobei diese sonderbare Person, jetzt im 67. Jahre ihres Alters, im Kostüme der Minerva ganz gewappnet, geziert mit einem Helm und einem Federbusch, erschien. Sie focht hier mit einem andern Franzosen, namens Sainville, einem grossen Fechtkünstler, und zeigte ausserordentliche Geschicklichkeit. Die Neuheit des Schauspiels hatte eine Menge Menschen von Rang und Ansehen herbeigezogen.

---

[1] J. W. v. Archenholtz „England" Bd. II, S. 108—113, S. 117—123.

Der Kampfplatz war auf einer dazu errichteten Bühne.
Es fand sich eine Engländerin, Miss. Bateman, eine
junge schöne Dame, die auch für die Fechtkunst Leidenschaft bekam und eine Schülerin der d'Éon wurde. —
Sie waren die vertrautesten Freundinnen." [1])

Hannah More machte die von ihr längst er-
sehnte Bekanntschaft des Chevalier d'Éon bei einem
Diner und war von seiner oder nach ihrer Meinung,
vielmehr ihrer Unterhaltungsgabe, Witz, Bildung und
heiteren Laune entzückt. Letztere zeigte sich besonders,
wenn er ein oder zwei Flaschen Burgunder getrunken
hatte. Hannah More fand es höchst lächerlich, dass
dieses weibliche Wesen sich mit dem General Johnson
aufs eingehendste über militärische Fragen unterhielt
und bisweilen an die Zeit erinnerte „quand j'étais colonel
d'un tel régiment". Doch kam diese fromme Dame zu
dem Ergebnis, dass „ein d'Éon genug sei".[2])

Auch in englischen Eroticis spielt der Chevalier
d'Éon eine Rolle. So wird z. B. in den „Adventures
of an Irish Smock" (London ca. 1785) erzählt (S. 51—53),
wie eine Kurtisane von dem „Chevalier, Madame d'Éon"
ein Geständnis über sein wahres Geschlecht erhält.

Adrian, ein Schriftsteller aus den ersten Dezennien des 19. Jahrhunderts, ist der Meinung, dass
das englische Weib von Natur leichter zur Viraginität
neigt als andere. Ihm fiel der „weite soldatenmässige
Schritt" der meisten englischen Frauen auf. „Wenn

---

[1]) J. W. v. Archenholtz „Britische Annalen" Bd. XI,
S. 426—427, vergl. auch v. Schütz „Briefe über London" S. 50—52.
[2]) Jesse „George Selwyn" and his contemporaries" Bd. I,
S. 288; vergl. ferner über d'Éon „Geschichte der Päpstin Johanna"
u. s. w. von M. J. A. L., Leipzig 1788, S. 52—61; J. Larwood
„The Story of the London Parks" London 1881, S. 436—438.

man zwei Engländerinnen spazieren gehen sieht, glaubt man immer die Trommel und den Korporal voranschreiten zu sehen, so gleich, so gemessen, so taktmässig ist ihr eher männlich kräftiger, als weiblich zierlicher Schritt." [1]

Bornemann konstatiert um dieselbe Zeit diese Viraginität nur als Ausnahme bei einem „freilich nicht kleinen Teil" der englischen Frauen und hebt als Erscheinungen derselben namentlich wildes Reiten, Fahren und Jagdschwärmen hervor. „Hier gefallen sich viele Ladies nur gar zu sehr in dem Sprüchlein: je toller, je besser! und nehmen kecklich es auf mit Braus und Saus, Regen und Sonnenbrand. Ein echt modischer Gentleman hingegen reitet nicht gern, ohne einen tüchtigen Schirm mitzuführen, die Sonne wie den Regen von sich abzuwehren. Master will eine zärtliche, Mistress eine eiserne Natur affektieren. Bewunderung suchen beide im Verkehrten." [2]

Unter den eigentlichen „Hermaphroditen" erlangte Bob Bussicks, ein Viehtreiber in St. John Street, London († 1792) in der zweiten Hälfte des 18. Jahrhunderts eine gewisse Berühmtheit. Er war ein sehenswertes Original von London [3]. Selbst diesen Wesen ist eine eigene, höchst obscöne Schrift „Letters from Laura and Eveline; giving an account of their Mock — Marriage, Wedding Trip etc." (London 1883) gewidmet. Laura und Eveline sind beide Hermaphroditen, die sowohl aktiv als auch passiv im Geschlechtsverkehr thätig

---

[1] Adrian a. a. O. Bd. II, S. 16.
[2] W. Bornemann „Einblicke in England und London im Jahre 1818" Berlin 1819, S. 194—195.
[3] John Bée a. a. O. S. 88.

sein können. Sie erzählen die Ereignisse bei und nach ihrer Hochzeit mit den von ihren „übergeschlechtlichen" Fähigkeiten ausserordentlich erbauten Gatten. Auch eine zu ihren Ehren in einem Londoner pornologischen Klub von Männern und Frauen gefeierte Orgie wird in der obscönsten Weise am Schlusse dieser Hermaphroditen-Novelle geschildert.

2. Sadismus und Masochismus.

In der Einleitung zum ersten Bande dieses Werkes (S. 8 ff.) habe ich die R o h e i t und B r u t a l i t ä t als Züge des englischen Nationalcharakters gekennzeichnet. Diese Ausführungen sind mir verdacht worden, obgleich sie sich auf völlig unparteiische Beobachter und ebenso begeisterte Freunde des freien Englands stützen, wie der Verfasser dieses Werkes einer ist. v. A r c h e n - h o l t z, M a c a u l a y, T a i n e stimmen darin völlig überein. T a i n e weist nach, dass die alte Roheit der Angelsachsen noch bei ihren heutigen Nachkommen fortlebt, wie sie sich im Boxen, den wilden Tierhetzen, dem brutalen und übermässigen Gebrauche der Ruthe u. a. äussert. [1]) Auch M a c a u l a y erkennt an, dass der Grundton des englischen Charakters während vieler Menschenalter derselbe geblieben ist, wenn wir ihm auch gerne zugeben, dass die Zivilisation viele Auswüchse der früheren Brutalität beseitigt hat. [2]) Aber so rohe Einrichtungen wie das P r a n g e r s t e h e n, von dem wir oben

[1]) T a i n e a. a. O. Bd. I, S. 368.
[2]) M a c a u l a y „Geschichte Englands" Bd. II, S. 158.

eine bezeichnende Schilderung mitgeteilt haben[1]), die öffentliche Auspeitschung,[2] blutige Gefechte[3]) und Boxen dauerten bis tief in das 19. Jahrhundert fort.

Alle ausländischen Beobachter von Lichtenberg bis auf den neuesten Schilderer von England, Steffen, haben uns die widerwärtigen Eindrücke geschildert, welche sie von dem specifisch englischen Sport der Pugilistik oder des Boxens empfingen. So schreibt Lichtenberg in einem Briefe an J. C. Dieterich vom 15. Februar 1775: „Vorgestern Morgen boxten sich zwey Kerle am unteren Ende der Strasse, worin ich wohne; gleich beym Anfang schlug der eine den andern so mit der Faust, dass er gleich todt darnieder fiel. Den Todten habe ich weggetragen, aber das Stiergefecht selbst nicht mit angesehen.“[4]) Eine andere Box-Szene beschreibt er in einem anderen Briefe vom 28. September 1775.[5])

---

[1]) „Wenn der Verbrecher an den Pranger gestellt ward, hatte er von Glück zu sagen, wenn er unter einem Schauer von Ziegelstücken und Pflastersteinen sein Leben rettete; wenn er an der Karre öffentlich ausgestellt ward, drängte der Haufe an ihn heran und bat den Henker, dem Burschen so viel zu geben, dass er heule.“ Macaulay a. a. O. Bd. II, S. 158—159; vergl. auch Archenholtz „England“ I, 91.

[2]) „Gentlemen unternahmen an Gerichtstagen Vergnügungstouren nach Bridewell, um zu sehen, wie die schlechten Weiber, welche Hanf kratzten, gestäupt wurden“ Macaulay ibidem II, 159.

[3]) „Kämpfe, im Vergleich mit welchen der Boxerkampf ein verfeinertes und menschliches Schauspiel gewährt, gehörten zu den Lieblingsvergnügungen eines grossen Teiles der Stadt; grosse Haufen versammelten sich, um zu sehen, wie Gladiatoren sich mit tötlichen Waffen in Stücke hackten und jauchzten vor Vergnügen, wenn einer der Kämpfenden einen Finger oder ein Auge verlor.“ ibidem.

[4]) „Lichtenbergs Briefe. Herausgegeben von Albert Leitzmann und Carl Schüddekopf.“ Leipzig 1901, Bd. I, S. 219.

[5]) ibidem Bd. I, S. 229.

Dühren, Das Geschlechtsleben in England.*** 5

Hüttner sah im Sommer 1802 in Wimbledon bei London eine Boxerei „zwischen dem Juden Elias und dem berüchtigten Schläger Tom Jones, wo, nach einem fürchterlichen Gefecht von 20 Minuten, der Jude dem Jones einen Hieb hinter das Ohr versetzte, der ihn zu Boden stürzte." [1]) Noch um 1830 gaben Boxer Vorstellungen in den kleineren Theatern, besonders in in dem der Catherine Street, Strand. Eine derartige pugilistische Darbietung in letzterem Theater schildert Adrian höchst anschaulich in dem „Die Boxer" betitelten Kapitel seiner „Skizzen aus England", aus welchem man die unglaubliche Roheit des an diesen Kämpfen sich begeisternden Publikums ersehen kann.[2]) In den vierziger Jahren des 19. Jahrhunderts wurde das Boxen von der Polizei verboten. „Allein ein Preisgefecht zwischen zwei vertierten Menschen wird immer bekannt, stark besucht, beklatscht und mit Wetten geehrt. Der Anblick ist höchst widerlich. Ist der Spectakel aus, so wird das Resultat in den Zeitungen bekannt gemacht. Die Presse glorificirt so eine der ärgsten nuisances. Dem Fremden diene zur Notiz, dass hier summarisch arretiert wird, wenn die Polizei dem Vergnügenspectakel dieser Art auf die Spur und noch zur rechten Zeit auf dem Platze ankömmt."[3]) Trotzdem die strafrechtliche Verfolgung des öffentlichen Boxens noch heute fortbesteht, hat sich der Geschmack daran beim

---

[1]) J. C. Hüttner „Englische Miscellen" Tübingen 1802, Bd. VI, S. 149.

[2]) Adrian „Skizzen aus England" Frankfurt a. M. 1830, Teil I, S. 294—300.

[3]) J. Gambihler „Handbuch für Reisende nach London" München 1844, S. 142—143.

englischen Publikum bis zum heutigen Tage erhalten. [1]

Schon diese Thatsachen belehren uns über die ausserordentlich starke Entwickelung sadistischer Instinkte im englischen Volke. Noch merkwürdigere Beiträge zur Geschichte des Sadismus in England d. h. der wollüstigen Freude an den Leiden und Schmerzen des Nebenmenschen liefern aber die öffentlichen Hinrichtungen, welche seit alter Zeit in England eine ungeheuere Anziehungskraft, einen unheimlichen Zauber auf die grosse Volksmenge ausgeübt haben, welche niemals eine solche Gelegenheit vorübergehen liess, ohne sich mit wollüstigen Schauern echt sadistischer Natur zu erfüllen.

„Es ist eine geheime Lust," sagt ein neuerer Autor, „welche bei den öffentlichen Hinrichtungen unzählige Menschen zu den grauenvollen Schauspiele hinzieht, es ist eine starke geschlechtlich nüancierte Aufregung, welche sich ihrer während derselben bemächtigt. Dies ist das entsetzliche Thema der berüchtigten Romane des Marquis de Sade, die aber nicht blosse Phantasie sind, sondern die Wirklichkeit wiederspiegeln". [2]

Diese Freude am Töten und Foltern tritt im fröhlichen alten England zu deutlich hervor, als dass sie einer näheren Schilderung bedürfte. Man denke nur an Marlowe's und Shakespeare's Dramen, auch an Ford, Massinger u. A., in welchen sich der grausame

---

[1] Vergl. G. Steffen „Aus der Fünfmillionenstadt" S. 201. Vergl. über die Geschichte der Pugilistik in England Pierce Egan „Boxiana, or Sketches of ancient und modern Pugilism" London 1824, 4 Bände.

[2] Iwan Bloch „Beiträge zur Aetiologie der Psychopathia sexualis" Dresden 1903, Bd. II, S. 48.

5 *

wollüstige Geist der Zeit in einzelnen Scenen erschrecklich spiegelt. Wir wollen nur einige Beispiele für diesen Hinrichtungsfanatismus aus der neueren Zeit mitteilen.

In der geschlechtlich so sehr ausschweifenden Epoche der Restauration wohnten die Kavaliere den Hinrichtungen und scheusslichsten Folterungen zu ihrem Vergnügen bei. Selbst Damen kamen, um sich an diesen grausamen Scenen zu weiden. „Der gute Evelyn beklatschte, die Höflinge besangen sie; sie waren so tief gesunken, ihr Gefühl so ertötet, ihre Sinne, ihre Nerven so abgestumpft, dass sie keinen Ekel empfanden, bei Dingen von denen sich jedes menschliche Gefühl mit Abscheu abwendet."[1] Manche gingen noch weiter. Als der Oberst Turner den Rechtsgelehrten John Coke vierteilen sah, mussten auf sein Geheiss die Henkersknechte einen anderen Verurteilten Hugh Peters herbeiführen und der Scharfrichter, sich die blutigen Hände reibend, ihn fragen, ob die Arbeit nach seinem Geschmacke war. Sehr bezeichnend ist, dass diese grausamen Adligen vom Blutgerüst zu den ausschweifendsten Orgien eilten,[2] was die geschlechtliche Grundlage ihrer Grausamkeit aufs schlagendste beweist.[3]

Im 18. Jahrhundert war Tyburn, der Londoner Hinrichtungsplatz ein wahrer Volksbelustigungsort. Zu diesem Schauspiele mietete man sich lange im voraus Plätze wie zu einem Hahnenkampf oder Preisboxen. Kein Montag verging ohne eine Hinrichtung. Oft wurden bis zu 15 Verurteilte zugleich ins Jenseits befördert,

---

[1] H. Taine a. a. O. Bd. II., S. 18.
[2] ibidem S. 19.
[3] Vergl. hierüber auch Mrs. Manley's „Atalantis" S. 672.

was den Zulauf stets gewaltig steigerte [1] Tom Browne erwähnt aus dem Jahre 1709, dass ein alter Advokat in Holborn seine Clerks an jedem Hinrichtungstage beurlaubte, damit sie sich den Spass ansehen könnten. [2] Lady Hamilton machte sich ein besonderes Vergnügen daraus, in Neapel den Hinrichtungen des greisen Prinzen Caraccioli, des Arztes Cirillo u. a. zuzusehen [3]. Thackeray sagt: „Hundert Jahre zurück, und das Volk wälzt sich hin in Scharen, um den letzten Akt eines Strassenräubers zu sehen und Spässe darüber zu machen. Swift lacht ihn aus und rät ihm grimmig für ein weisses holländisches Hemd zu sorgen und sich ein schwarzes oder rotes Band auf die weisse Kappe setzen zu lassen, lustig auf den Karren zu steigen. Gay ward zu den schönsten Balladen und poetischen Erheiterungen durch denselben Helden angeregt." [4]

Unrecht hat er aber, wenn er weiter bemerkt: „Kämen sie jetzt (1850) mit einem gezogen, der da sterben sollte, die Fenster würden sich schliessen, die Einwohner, krank vor Abscheu, die Häuser verriegeln."

Dennoch bis in die letzten Decennien haben Hinrichtungen in England ein äusserst beliebtes Schauspiel für den englischen Pöbel gebildet. Schlesinger giebt davon folgende charakteristische Schilderung. [5]

„Sie fragen nach unseren Volksfesten? — sagte einmal eine fein gebildete englische Dame, die lange

---

[1] Vergl. J. Rodenberg „Studienreisen in England" Leipzig 1872, S. 289.
[2] W. Thornbury „Haunted London" London 1880, S. 374.
[3] „Geschichte der Lady Emma Hamilton" Leipzig 1816, S. 118.
[4] Thackeray „Englands Humoristen" S. 108—109.
[5] M. Schlesinger „Wanderungen durch London" Berlin 1852 Bd. I, S. 164.

auf dem Continente gereist war, und die grellen Schatten-
seiten ihres Vaterlandes nicht mit dem Schleier blinder
Zärtlichkeit zu verhüllen liebt — „Sie wollen wissen,
wo unsere Volksfeste abgehalten werden? Unsere Kirch-
weihen, unsere Winzerfeste, unsere Fastnachtsschwänke,
die in Ihrem sonnigen Lande das Volk mit Wein und
Lust und Tanz berauschen? Vor Newgate, mein Herr,
wenn gerade ein Mensch gehenkt wird, oder in Horse-
monger lane, oder sonst auf einem schönen Platze vor
dem Criminalgefängnisse einer unserer Grafschaften. Da
ist ein Treiben und ein Leben von Tagesanbruch an
bis zum Augenblicke, wo der Henker seine grässliche
Pflicht gethan hat, gegen das Ihr Jahrmarktsleben in
den Hintergrund tritt. Die Fenster der Umgebung
werden für teures Geld vermietet, Schaugerüste aufgeschlagen, Buden mit Esswaren und Getränken in der
nächsten Nähe aufgepflanzt; Bier und Branntwein gehen
zu vollen Preisen ab; meilenweit kommen sie gelaufen,
geritten und gefahren, um das menschenschänderische
Schauspiel zu sehen; und in vorderster Reihe die
Frauen, meine Landsmänninnen, nicht etwa bloss die
Weiber ärmerer Klassen, auch feine, zarte blonde Locken-
köpfe. O, es ist schändlich, aber es ist wahr. Und
unsere Zeitungen haben nachträglich die traurige
Pflicht, deren sie kein echter Engländer entheben würde,
die letzten Zuckungen des Unglücklichen mit der
haarsträubenden Genauigkeit eines Physiologen zu re-
gistrieren.“

Diese durchaus nicht übertriebene Schilderung traf
bis in die neueste Zeit nicht nur auf Hinrichtungen in
den grossen Städten, sondern auch auf dem Lande zu.
J. Bloch erwähnt in seinem oben genannten Werke

eine hierauf sich beziehende Auslassung von Holtzendorff in dessen vorzüglichem Buche über die Zwecklosigkeit der Todesstrafe:

„Eine sonst ruhige und anständige Landbevölkerung zeigte sich bei kleinstädtischen Hinrichtungen von der schlimmsten Seite, so dass man behaupten dürfte, die Vollstreckung von Todesurteilen bezeuge nicht nur die bereits vorhandene Ausartung verdorbener Menschen, sondern verderbe auch bessere Elemente. Dymond bezeugt von einer in der kleinen Stadt Chelmsford vollzogenen Hinrichtung, dass unter der herbeigeströmten Landbevölkerung „ein wahrer Carneval der Ausschweifung" geherrscht habe. Dem Henker war in der Nacht vor der Hinrichtung ein Festessen in einem Wirtshause gegeben worden, um ihn dabei seine Hinrichtungsgeschichten erzählen zu lassen. Aus dem Umkreise von zwanzig englischen Meilen kamen die Landleute herbei. Junge Männer und Mädchen vereinigten sich dabei zu Picknicks."[1]

Deutlicher als durch die letztere Thatsache kann die Verknüpfung dieser grausamen Freude an Hinrichtungen mit geschlechtlichen Motiven nicht zum Ausdruck gebracht werden. Hierdurch charakterisiert sich jene Neigung als ein specifisch sadistische.

Unter dem Einflusse solcher Schauspiele und deren häufiger Wiederholung entwickelten sich einzelne Individuen zu wahren Hinrichtungshabitués. Sogar Personen von Rang und Ansehen fanden sich unter diesen englischen Hinrichtungsfanatikern.

In den „Originalzügen aus dem Charakter englischer

---

[1] J. Bloch „Beiträge zur Aetiologie der Psychopathia sexualis" Dresden 1903, Bd. II, S. 49—50.

Sonderlinge"[1]) heisst es: „Eine andere, ebenso ausserordentliche Wollust gewährt der Anblick hingerichteter Missethäter dem Ritter S . . ., der sonst ein wegen seines Charakters allgemein geschätzter Mann ist. Das Vergnügen einer Exekution hat in seinen Augen ganz unnennbare Reize, die eine unerklärbare Gewalt über ihn haben. Einer seiner Freunde machte ihm deshalb Vorwürfe; der Ritter entschuldigte sich und ging eine Wette ein, der nächsten Hinrichtung nicht beizuwohnen, welches er sonst nie unterliess. Der Tag erschien, allein mit ihm fand sich auch der unwiderstehliche Drang ein, sein Lieblingsvergnügen zu geniessen — er ritt nach Tyburn (dem Richtplatze) und bezahlte die Wette.

Als der Königsmörder Damiens in Paris von Pferden zerrissen wurde[2]) reiste S . . . bloss deswegen dahin und erkaufte sich vom Scharfrichter die Freiheit, das Blutgerüst mit besteigen zu dürfen, damit er die grässliche Scene in der Nähe genau sehen könne. Er sah sie — und reiste dann sogleich nach England zurück."

Dasselbe erzählt Archenholtz, dem wohl der obige Bericht entnommen ist.[3])

Höchstwahrscheinlich ist dieser Ritter S . . . identisch mit George Selwyn[4]), einem der merkwürdigsten Hinrichtungshabitués des 18. Jahrhunderts. Bei diesem

[1]) Leipzig 1796—1798 S. 48.
[2]) Vergl. die ausführliche Schilderung dieses grauenvollen Ereignisses in meinem „Marquis de Sade" 3. Auflage S. 251—257, wo auch noch andere Persönlichkeiten genannt werden, die während dieser Hinrichtung ihre sadistischen Gelüste befriedigten.
[3]) Archenholtz „England" Bd. III, S. 89—90.
[4]) Vergl. über seine Persönlichkeit Bd. II dieses Werkes S. 166 ff.

Lebemann tritt die geschlechtliche Grundlage dieser leidenschaftlichen Begierde nach dem Anblicke von Hinrichtungen um so bedeutungsvoller hervor, als er von Natur äusserst gutmütig und sanft war und an harmlosen Spielen mit Kindern ein überaus grosses Vergnügen fand. Er verbrachte nach Rodenberg ebenso viel Zeit in Tyburn als in dem fashionablen Klub bei White's [1]. Vorher pflegte er sich mit wollüstiger Neugierde über alle Einzelheiten des begangenen Mordes, das Benehmen des Verbrechers während seines Prozesses, im Kerker zu unterrichten und studierte dann bei der Hinrichtung mit grösstem Eifer sein Verhalten Angesichts des Todes. Die schauderhaftesten Einzelheiten bei einem Selbstmorde oder Morde, das Aussehen des entstellten Leichnams, der Anblick Sterbender waren Gegenstände seines lebhaftesten Interesses und gewährten ihm eine schmerzlichrätselhafte Wonne. Horace Walpole erzählt zahlreiche Anekdoten über diese seltsamen Gelüste seines Freundes. Als der erste Lord Holland im Sterben lag, wollte Selwyn als vertrauter Freund ihn durchaus sehen. „Wenn Mr. Selwyn das nächste Mal wieder vorspricht," sagte Lord Holland zu seinem Diener, „lass' ihn herein; wenn ich dann noch am Leben bin, werde ich mich freuen, ihn zu sehen und wenn ich tot bin, wird er erfreut sein, mich zu sehen." Am Tage der Hinrichtung von Damiens drängte er sich in sehr einfacher Kleidung direkt an das Schaffott heran, so dass er von einem französischen Edelmann für einen Henker gehalten wurde, der ihn fragte: „Eh bien, monsieur, êtes-vous arrivé pour voir ce spectacle?" — „Oui,

---

[1] J. Rodenberg „Studienreisen in England" S. 289.

monsieur." — „Vous êtes bourreau?" — „Non, non,
monsieur, je n'ai pas cette honneur, je ne suis qu'un
amateur."[1]

Sir Nathaniel Wraxall erzählt diese Geschichte
etwas anders. „Selwyn's nervöse Reizbarkeit," sagt
er, „und leidenschaftliche Begierde, den Menschen beim
Sterben zu beobachten, brachte ihn in manche lächerliche,
tadelnswerthe Situationen. Er wohnte allen Hinrichtungen
bei, bisweilen, um der allgemeinen Aufmerksamkeit zu
entgehen, als Weib verkleidet. Man hat mich versichert,
dass er 1756 (1757) ausdrücklich zu dem Zwecke nach
Paris reiste, um Zeuge der letzten Augenblicke von
Damiens zu sein, der unter den schrecklichsten Martern
wegen seines Attentats gegen Ludwig XV. vom Leben
zum Tode gebracht wurde. Als er sich durch die Menge
hindurch zu nahe ans Schaffot drängte, wurde er von
einem der Scharfrichter zurückgewiesen. Aber nachdem
er demselben mitgeteilt hatte, dass er allein wegen
dieser Hinrichtung die Reise von London nach Paris
gemacht habe, gebot der Mann sofort dem Volke Platz
zu machen, indem er ausrief: „Faites place pour monsieur; c'est un Anglais, et un amateur."[2]

Die Freunde Selwyn's huldigten zum Teil selbst
diesem eigentümlichen Sport und ermunterten so auch
ihrerseits den Letzteren darin. So schreibt Gilly
Williams[3] an Selwyn: „Harrington's Pförtner wurde
gestern verurteilt. Cadogan und ich haben bereits
Plätze bei Braziers bestellt und ich hoffe, dass Pfarrer

---

[1] J. H. Jesse „George Selwyn and his contemporaries." London 1862 Bd. I, S. 5, 7, 10—12.

[2] ibidem S. 12.

[3] Vergl. über ihn Bd. II dieses Werkes S. 170 u. ö.

Digby zeitig genug kommen wird, um auch mit Zeuge
von der Partie zu sein. Ich setze voraus, dass wir
auch Ihrer Ehren Gesellschaft haben werden, wenn
Ihr Magen für ein so einfaches Gericht nicht allzu
verwöhnt ist."

Ein anderer Freund, Henry St. John, beginnt
einen Brief an Selwyn mit der Erzählung, wie er und
sein Bruder einer Hinrichtung beiwohnten. „Wir genossen den vollen Anblick von Mr. Waistcott, als er
den Galgen mit einer weissen Kokarde am Hut bestieg."
Er spricht von einer Hinrichtung ungefähr so wie man
heute von einer Fasanenjagd redet. „Ich hoffe, sie
haben zu guten Zeitvertreib auf der Place de Grève
gehabt, um noch Notiz von der Hinrichtung eines so
notorischen Schurken wie Lady Harrington's Pförtner
zu nehmen. Mais laissons là ce discours triste, und
sprechen wir von der lebendigen und munteren Welt."[1]

Auch James Boswell, der berühmte Biograph von
Samuel Johnson war ein solcher Hinrichtungshabitué.
Er spricht im Leben Johnson's gelegentlich von Mr.
Akerman, dem Aufseher von Newgate, als von seinem
„geschätzten Freunde"[2]), wozu Mr. Croker bemerkt:
„Dass Mr. Boswell den Aufseher von Newgate seinen
„geschätzten Freund" nennt, hat viele Leser in Verlegenheit gesetzt, aber abgesehen von seinem natürlichen
Verlangen, die Bekanntschaft aller hervorragenden, bemerkenswerten oder selbst berüchtigten Persönlichkeiten
zu machen, brachte ihn wahrscheinlich seine seltsame

---

[1]) E. S. Roscoe and Helen Clergue „George Selwyn,
his Letters and his Life" London 1899, S. 17—18; vergl. ferner
Timbs „Curiosites of London" S. 744.
[2]) J. Boswell „The Life of Samuel Johnson" London o. J.
(G. Routledge) S. 981.

Neigung, Hinrichtungen beizuwohnen, in näheren Verkehr mit dem Aufseher von Newgate."[1]) Boswell trug einen eigenen Anzug von „Hinrichtungs-Schwarz", um in der Nähe des Schaffotts mit Anstand erscheinen zu können.[2])

In der neueren Zeit scheint es ebenfalls noch solche Hinrichtungs-Amateurs in England zu geben. Hector France[3]) berichtet von einem englischen Baronet, der mehrere Jahre lang die von Mördern benutzten Messer und Dolche und die Stricke Gehängter sammelte, darauf später noch stärkere Emotionen suchte, indem er selbst den Henker spielte. Dieser Mann war in Essex unter dem Spitznamen „Amateur Hangman" bekannt. Eines Tages war der Henker verhindert, eine Hinrichtung zu vollziehen, der Baronet erbot sich sofort, dies an seiner Stelle zu thun. Er fand seitdem Geschmack daran und bat bei jeder Hinrichtung die Sheriffs der Grafschaft, ihm das Amt des Henkers zu übertragen, welches er ohne Entgelt und mit aristokratischer Eleganz ausübte, sichtlich zu seinem grössten Vergnügen. Er brachte so kurz nacheinander mit seltener Geschicklichkeit drei Mörder, zwei Vatermörder, zwei Gatten- und vier Kindermörder, sowie zwei Giftmischerinnen vom Leben zum Tode. Besonderen Genuss schien er beim Hängen der Frauen zu empfinden, wobei ein eigentümliches grausames Lächeln auf seinem Antlitz erschien. Dieser Gentleman, der den echt französischen Namen Sir Claude de Crespigny hatte, war Mitglied des vornehmen „Army and Navy Club", vor dem er sich eines Tages wegen

---

[1]) Jesse a. a. O. Bd. IV. S. 83.
[2]) J. Rodenberg a. a. O. S. 289.
[3]) Hector France „En Police-Court" Paris 1891, S. 249—250.

seiner anrüchigen Thätigkeit verantworten musste, und
sich so gut verteidigte, dass der Club ihn auch ferner
als Mitglied behielt.

Ueber einen anderen, ähnlichen englischen Sadisten
berichten die Gebrüder Goncourt in ihrem Tagebuch.[1]

In einem Auktionsraum des Euston Road in London
wohnte Hector France einer Versteigerung von Stricken
bei, womit die Verurteilten aufgeknüpft worden waren.
Jeder Strick enthielt eine Etikette des Henkers Mar-
wood mit einer Bezeichnung des Verbrechens, Datum
der Hinrichtung und Namen des Hingerichteten. Man
konnte sich so je nach seinem Geschmacke eine Erinnerung an eine Giftmischerin, einen Erwürger und
einen Vatermörder verschaffen. Besonders wurden die
Stricke der wegen Ermordung ihrer Frauen Gehängten
begehrt. Zahlreiche Gentlemen und junge poetische
Misses machten sich den Besitz dieser zweifelhaften Andenken streitig. Eine alte Jungfer kaufte sich eine
ganze Kollektion davon Am meisten verlangt wurden
diejenigen Teile des Strickes, die den Hals des Verbrechers umschnürt hatten.[2]

Unter den eigentlichen sadistischen Verbrechern
verdient aus dem Ende des 17. und Anfange des
18. Jahrhunderts der Räuber Tom Dorbel eine Erwähnung. Nachdem er bereits verschiedene Raubthaten
begangen hatte und mit Mühe dem Galgen entgangen
war, that er bei einer Dame in der Ormond-Strasse zu
London Lakaiendienste. Einst sandte ihn diese Frau
nach Bristol, um ihre Nichte wieder nach London zu
geleiten. Als er auf der letzten Station mit ihr allein

---

[1] Vergl. „Étude sur la Flagellation" Paris 1900 S. 178—180.
[2] H. France a. a. O. S. 248—249.

im Wagen war, missbrauchte und verletzte er sie auf die schändlichste Weise und befriedigte an der Schwerverletzten seine tierische Lust, um dann unter Mitnahme aller ihrer Wertsachen zu entfliehen, wurde aber ergriffen und den 23. März hingerichtet. [1]

Die berühmte Hetäre Miss Annabella Parsons wurde einmal von einem Sadisten vergewaltigt und mit einem Federmesser an den Genitalien verletzt. („Briefe des Herzogs von C. u. s. w. Frankfurt und Leipzig 1770. S. 272).

Eines der frühesten Beispiele eines sogenannten „Mädchenstechers" war das sogenannte „Ungeheuer", ein Mann namens Williams, der im April und Mai des Jahres 1790 die Strassen von London unsicher machte.

„Der merkwürdigste Tribunal-Vorfall des Jahres 1790," erzählt Archenholtz [2], „war der Prozess des sogenannten Ungeheuers, das eine unglaubliche Anzahl Frauenzimmer freventlich verwundet hatte. Es erschienen als Klägerinnen im Gerichtshofe auf einmal Lady Walpole, Mrs. Bourney, Mrs. Smyth, Mrs. Blany, Mrs. Newman, Miss Porter mit ihren beiden Schwestern, Miss Toussaint, Miss Godfrey, zwei Misses Boughano und viele andere geringere Personen weiblichen Geschlechts, die alle entweder unter den Händen des Ungeheuers geblutet hatten, oder deren Kleider doch durch Dolchstiche verwundet worden waren. Das Individuum hiess Remrick Williams. Sein Prozess beschäftigte am 8. Juli den Gerichtshof in der Old-Bailey, der grossenteils mit Frauenzimmern angefüllt war. Die älteste Miss Porter erschien als Klägerin. Ihr Sach-

---

[1] C. Whithead a. a. O. Bd. I, S. 861—865.
[2] J. W. v. Archenholtz „Britische Annalen" Bd. V, S. 175 bis 188.

walter Pigot rief die Aufmerksamkeit des Tribunals
auf, die merkwürdigste Sache ·anzuhören, die je eine
Klage veranlasst hätte. Er sagte: „Ich muss Ihnen
eine Szene in Erinnerung bringen, die so neu in den
Jahrbüchern des Menschengeschlechts ist, eine Szene
so unerklärbar, so unnatürlich, dass man zur Ehre der
menschlichen Natur sie nicht. als möglich geglaubt haben
würde, noch jetzt glauben könnte, wenn die Beweise
derselben nicht von solcher Art wären, dass die Sinne
die Ueberzeugung bewirken müssten." Dieses Wesen,
angeklagt wegen eines Verbrechens ohne Namen, dessen
mögliche Existenz kein Gesetzgeber je geahnt hatte,
ein menschenähnliches Geschöpf, das allein und isoliert
unter dem Menschengeschlecht steht, verdient auch,
nach seiner körperlichen Form bezeichnet zu werden.
Es ist fünf und einen halben Fuss lang und von magerer
Leibesgestalt. Das Gesicht sehr schwarzbraun und
länglich, dazu eine lange Nase und Wildheit im Blick.
Das Haar natürlich kraus, und die Gesichtszüge nicht
unregelmässig. Er wurde aber, nicht wie ein nach
Mädchenblut gieriger Tiger, sondern wie ein „Verderber
von Kleidern" angeklagt und behandelt, aber schliesslich
wurde Remrick Williams dazu verurteilt, für jede
Klage zwei Jahre in Newgate zuzubringen, im ganzen
sechs Jahre. Nach Ablauf derselben muss er für seine
nachherige gute Aufführung 400 Pfund Sterling Bürgschaft stellen."

Weitere Ergänzungen zu dieser .Mitteilung, in sehr
skeptischem Sinne, giebt Georg Forster, der sich zu
jener Zeit in London aufhielt. Er spricht in seinen
Tagebüchern unter dem 12. Mai 1790 von dem „Ungeheuer" (The Monster, der Frauenstecher).

„Seit vier Wochen spricht ganz London von dem Ungeheuer; die Zeitungen sind voll davon; die Theaterdichter unterhalten das Volk davon auf den Bühnen; die Damen fürchten sich davor; der Pöbel sieht jeden Vorübergehenden schärfer darauf an, ob er nicht in ihm das Ungeheuer entdecken könne; alle Wände sind mit Ankündigungen und Darbietungen einer Belohnung für denjenigen, der das Ungeheuer greifen wird, beklebt; freiwillige Subskriptionen sind eröffnet worden, um es fangen zu lassen; Mrs. Smith, eine Dame du bon ton, hat es mit einem Pistol hinters Ohr geschossen, — es hat sich verkleidet, geht in vielerlei Gestalten umher, verwundet schöne Frauenzimmer mit einem eigens erfundenen Instrument, mit Haken in Blumensträussern verborgen, mit Packnadeln u. s. f. — und dieses Ungeheuer ist nichts mehr und nichts weniger als — ein Unding, womit man die müssigen Einwohner von London amüsiert. Ein Taschendieb, der vermittelst eines Instrumentes die Taschen umzukehren und auszuleeren gelernt hatte, konnte vielleicht eine Dame verwundet haben, indem er dieses Kunststück an ihren Taschen probierte; dieser unbedeutende Zufall war hinreichend, um eine ganze Geschichte von einem Ungeheuer darauf zu gründen, welches gegen weibliche Schönheit wütete, und eine Verschwörung zwischen mehreren Geschöpfen dieser Art wahrscheinlich zu machen, die aus Bosheit oder Rache, oder verkehrtem Geschmacke, das ganze Geschlecht oder doch den schöneren Teil desselben vernichten sollte."[1]

Nach der von Archenholtz ausführlich mitgeteilten

[1] Briefe und Tagebücher Georg Forsters von seiner Reise am Niederrhein, in England und Frankreich im Frühjahr 1790. Herausg. von A. Leitzmann, Halle 1893 S. 224—225.

Gerichtsverhandlung und vor allem nach zahlreichen analogen Fällen unserer Zeit dürfen wir aber wohl die Richtigkeit der ersten Erklärung annehmen und liegt für uns kein Grund zum Zweifel vor. In ergötzlicher Weise schildert Archenholtz die temporäre wohlthätige Wirkung des Auftretens dieses Mädchenstechers auf die öffentliche Moral.

„Die nächtlichen Strassen-Szenen der Wollustjäger und der Lustmädchen, die hier viel weiter wie in Paris getrieben wurden, erlitten durch das bekannte Ungeheuer einen starken Stoss; denn kein Mann von Galanterie durfte sich, so bald es finster war, selbst einem ehrbaren Mädchen nähern, um sie anzureden. Die Schönen flohen; sogar die Priesterinnen der Venus, die auf den Strassen die Opfernden erwarten, hielten mit ihren traulichen Reden zurück, aus Furcht, auf das Ungeheuer zu stossen. Die „peripatetischen" Leidenschaften verschwanden; die Ordnung der Dinge wurde umgekehrt und nur diejenigen Mannspersonen waren gegen einen so bösen Argwohn gesichert, die unter dem „Schutz eines Frauenzimmers zur Abendzeit die Strassen betraten". Lady Wallace trug aus Furcht vor dem Ungeheuer immer eine geladene Pistole bei sich. [1]

Ein wahrer „englischer Girard", dessen Fall mit dem des berüchtigten französischen Jesuiten Girard [2] eine frappante Aehnlichkeit darbietet, war der Geistliche Scoolt, der mit der Tochter des Aufsehers Reddic obscöne Bücher las, sie ins Theater und zuletzt ins Bordell führte, wo er sie alle Arten der Wollust kennen

---

[1] Archenholtz „Britische Annalen" Bd. V, S. 332—333; S. 368.
[2] Vergl. über die Skandalaffäre Girard-Cadière mein Werk über den „Marquis de Sade" 3. Aufl. S. 66—67.

lehrte, bis er sie endlich schmählich im Stiche liess, nachdem er ihr, wie einst Girard der Katharina Cadière ein Abtreibemittel gegeben hatte.[1])

Nicht ganz hierher gehört die am 9. Juli 1824 vollbrachte That des katholischen Priesters John Carroll in Ballymore, da derselbe später als irrsinnig erkannt wurde. Er hatte bereits bei mehreren Leuten „den Teufel ausgetrieben", indem er auf ihrem Leibe herumsprang! Am Freitag, den 9. Juli 1824 begab er sich in das Haus des Nagelschmiedes Thomas Sinnot. Zufällig fing dessen Kind, ein hübsches kleines Mädchen von drei oder vier Jahren, welches in dem Zimmer, in dem Carroll sich aufhielt, im Bette lag, an zu schreien. Er erklärte sofort, dass das Kind vom Teufel besessen sei, sprang in das Bett und auf den Leib des armen Kindchens! Als der Vater des armen Wurmes bei dessen Jammergeschrei sein Kind befreien wollte, hielten einige zufällig anwesende Fanatiker, unter anderen die eigene Mutter des Kindes ihn zurück, ja letztere war dem Priester bei der Ausübung seiner schändlichen Zeremonien behülflich!! Sie musste ihm ein Fass mit Wasser und Salz holen, dessen Inhalt er über das blutende und bewusstlose Kind ausschüttete, und als das Wasser sich mit dem strömenden Blute vermischte, schrie er fanatisiert: „Seht das Wunder! Ich habe Wasser in Blut verwandelt!!" Dann drehte er das Fass so scharf um, dass der Hals des Kindes stranguliert und so das unglückliche Wesen von seinen Leiden erlöst wurde. Mit dem Befehl, dass Niemand das Kind bis zu seiner Rückkehr berühren dürfe, verliess er das Haus. Zwei Aerzte erklärten Carroll für geisteskrank, und er wurde in einer Irrenanstalt interniert. Die fana-

---

[1]) Archenholtz „Britische Annalen" Bd. XIII, S. 155—156.

tischen Zuschauer waren aber jedenfalls nicht geisteskrank und liefern einen traurigen Beweis für den sadistischen Untergrund des religiösen Fanatismus, wie er
in ähnlicher Weise in der Geschichte des Gekreuzigten
von Wildisbuch zu Tage trat. [1])

Corvin[2]) berichtet aus den vierziger Jahren des
19. Jahrhunderts von einem Kindermädchen in London,
welches gestand, dass sie für die Tötung von Kindern
und Tieren keine anderen Beweggründe habe, als das
seltsame, wahnsinnige Vergnügen, welches sie dabei
genösse. Sie war befriedigt, wenn sie die Todesqualen
sehen konnte. Sie hatte ihrer vermeintlich angeborenen
Neigung zu Totschlag jahrelang vor der Entdeckung
ihrer Verbrechen gefröhnt und ihr im Geheimen viele
Opfer gebracht.

Nach der im allgemeinen gut orientierten Verfasserin
der „Memoiren einer Sängerin" kommen Lustmorde in
England relativ häufig vor, wofür sie mehrere Beispiele
anführt[3]). Am bekanntesten wurde in den neunziger
Jahren der „Jack the Ripper" genannte unbekannte
Lustmörder, welcher das East End unsicher machte, und
in dem später ein geisteskranker Student erkannt worden
sein soll.

Bemerkenswert ist jedenfalls, dass im Laufe des

---

[1]) Vergl. „Atrocious Acts of Catholic Priests etc. . . . Fana-
ticism! Cruelty! Bigotry!! The Particulars of the horrible
Murder of Catherine Sinnott etc. by the Rev. John
Carroll etc., Under Pretence of performing a Miracle, by casting
devils out of the child Which took place at Killinick, in the
County of Wexford, on Friday, July 9, 1824 etc." London o. J.
14 S. — Auszug bei Pisanus Fraxi „Index" S. 100—102.

[2]) Corvin „Die Geissler" 8. Auflage, Zürich o. J. S. 841.

[3]) „Memoiren einer Sängerin" Bucarest o. J. (Neudruck)
Bd. II, S. 191.

6*

19. Jahrhunderts die halb- und ganzerotische Literatur in England einen ihr früher in diesem Umfange wenigstens fremden sadistischen Charakter annahm. Der beste Kenner dieser verhängnisvollen Metamorphose, Pisanus Fraxi, bemerkt darüber: „Es ist offenbar, dass die Schriftsteller der Gegenwart sich von den verderblichen, blutdürstigen, widernatürlichen Doktrinen des Marquis de Sade haben beeinflussen lassen und den Cynismus, die Grausamkeit und die ungeheuerliche Lascivität nachgeahmt haben, die den charakteristischen Zug seiner Werke ausmachen und die, wie zugestanden werden muss, er mit Meisterhand handhabe. So ist der Charakter der englischen erotischen Dichtung von Grund aus verändert worden und hat seinen gesunden Ton (wenn ein Buch dieser Art gesund genannt werden kann) gänzlich verloren." [1]

Zweifellos wurde diese sadistische Tendenz der neueren englischen Erotik durch das den Engländern überhaupt eigene Sensationsbedürfnis, das uns in allen Lebensverhältnissen entgegentritt, bedeutend gefördert. Schon Smollett lässt Herrn Melopoyn im „Roderick Random" erst dann pekuniäre Erfolge in der Schriftstellerei erzielen, als er dieses aufregende Gebiet betritt. „Ich habe mir manches gute Mahl mit einem Ungeheuer gewonnen; ein Raub hat mir oft viel eingebracht; aber ein Mord zu rechter Zeit liess mich niemals im Stiche." [2]

Einige Specimina solcher neueren englischen sadistischen Romane mögen an dieser Stelle genannt werden,

---

[1] P. Fraxi „Catena librorum tacendorum" London 1885 S. XLII—XLIII.

[2] „Abenteuer Roderick Random's. Von Tobias Smollet." Aus dem Englischen übersetzt. Braunschweig (Westermann) 1839 Teil IV S. 59.

deren Lektüre in der That für das Studium des Einflusses
des Marquis de Sade auf die Phantasie der Verfasser
solcher Erotika recht lehrreich ist.

Die berüchtigste Schrift dieser Art führt den Titel
„The Pleasures of Cruelty" (die Wonnen der Grausamkeit) und wird direkt als eine „Fortsetzung" der „Justine
und Juliette" des Marquis de Sade bezeichnet. Es ist
mir davon nur ein Neudruck bekannt[1]), das Werk muss
aber schon vor 1880 erschienen sein. Denn in dem
dritten Bande der in diesem Jahre erschienenen erotischen
Zeitschrift „The Pearl" (III, S. 169—176) findet sich
eine Episode „The Sultan's Reverrie. An Extract from the
Pleasures of Cruelty." (in dem erwähnten Neudruck Bd.
II, S. 32—52). Pisanus Fraxi scheint diese Schrift,
die ein würdiger Nachfolger des Marquis de Sade verfasst hat, nicht gekannt zu haben, da sie in den drei
Bänden seiner Bibliographie nicht erwähnt wird. Sie
gehört aber in der That zu den krassesten Nachahmungen
der „Justine und Juliette", die offenbar auf einer eingehenden Lektüre des letzteren Werkes beruht, wie
auch aus der Erwähnung einzelner Szenen desselben
(7 B. Bd. III S. 8) hervorgeht und wie die folgende
kurze Analyse der Schrift beweist.

Sir Charles Dacre, ein reicher Baronet und einer
der lustigen Kumpane Georgs IV. ist bereits mit 38
Jahren ein völlig blasierter Lebemann und ein körperliches Wrack. Er sucht seinen abgestumpften Sinnen
vergeblich an den Spieltischen und in den Bordellen

---

[1]) „The Pleasures of Cruelty being a sequel to the
reading of Justine et Juliette by the Marquis de Sade" Paris
et London 1898, 8 Bände, kl. 8°.

von Brüssel, Wien und Paris neue Reize zuzuführen. Er
bittet daher eines Tages Madame Josephine, eine berüchtigte Kupplerin, in deren Hause er gerade weilt,
ihm neue sexuelle Genüsse zu verschaffen. Sie erbietet
sich, ihn gegen ein Honorar von 500 Pfund völlig zu
verjüngen. Das könne aber nur mit Hülfe seiner Töchter
— Sir Charles ist Vater dreier Töchter, Maud, Alice und
Flora, im Alter von 18, 17 und 15 Jahren — geschehen
und zwar dadurch, dass er sie auf jede denkbare Weise
vergewaltige und martere und demütige und so gleichzeitig durch den Gedanken stimuliert werde, dass er sein
eigenes Fleisch und Blut beschimpfe. Zur Ausführung
dieser echt sadistischen Phantasien begeben sie sich, um
vor der Polizei sicher zu sein, auf türkisches Gebiet und
zwar auf das asiatische Ufer des Bosporus, wo sie ein
Haus mieten, in welchem eine völlig abgelegene „Folter-
kammer" mit Geisseln, Ruthen, Ketten und anderen Straf-
instrumenten eingerichtet wird. Nebenbei kann Sir
Charles an einem in der Nähe gelegenen See dem Angel-
und Jagdsport huldigen.

In dem nun folgenden ersten Teile „The Torture
Chamber" (I, 9—68) werden die scheusslichsten sadistischen Szenen, die der Vater und Madame Josephine mit
den drei Mädchen vornehmen, geschildert; letztere müssen
ebenfalls sich aktiv daran beteiligen. Eingeflochten ist
die von Madame erzählte Episode der Vergewaltigung
und grausamen Misshandlung eines deutschen Mädchens
durch einen französischen Wüstling (I, 29 – 39). In
diesem ersten Teile spielt hauptsächlich die Flagellation
und Paedication eine Rolle. In der zweiten Szene (I,
69—84) wird Maud von ihrem eigenen Vater zu Tode
gepeitscht!

Hierauf reist Sir Charles nach Konstantinopel, um „neue Opfer" zu beschaffen, an denen er seine sadistischen Gelüste befriedigen kann: das Thema des zweiten Teiles Sir Charles entdeckt in Konstantinopel vier verwaiste Mädchen, Töchter eines griechischen Kaufmanns, der vor kurzem sein ganzes Vermögen verloren hatte und an der Cholera gestorben ist. Die Mädchen, Haidée. Veneria, Sophia und Melissa (24, 17, 13 und 10 Jahre alt), werden von dem Wüstling auf sein Schloss gelockt und alsbald den ärgsten sadistischen Akten unterworfen, an denen sich auch Lucidora, eine ehemalige Haremsinsassin und jetzige Helfershelferin der Madame Josephine beteiligt, und die sich nicht näher wiedergeben lassen, grösstenteils aber Nachahmungen ähnlicher Szenen aus de Sade's „Justine und Juliette" sind. Auch hier sind wieder verschiedene lascive Episoden eingestreut, so der Bericht über einen sadistischen Sultan (II, 32—52), über Katharina II. (II, 62 - 66), über eine Engländerin, die ihre Tochter zum Objekt ihrer sadistischen Gelüste macht (II, 78—103), über einen Vater, der aus ähnlichen Gründen seine Tochter flagelliert (II, 112—119)[1])

Im dritten Teile erscheint ein neuer Sadist auf der Bildfläche, der Graf de Bonvit aus Paris, welcher an den „Séances" von Sir Charles, Josephine und Lucidora teilnimmt und mit ersterem sehr drastische Gespräche über verschiedene Punkte der Ars amandi führt, wobei auch wieder Geschichten von den sexuellen Exzessen Heinrichs IV. (III, 28—58) und von den Liebes-

---

[1]) Diese Episode ist unter dem Titel „Die Wonnen der Grausamkeit. Szene zwischen Vater und Tochter im Walde, von einem versteckten Zeugen belauscht" (Chemnitz?, o. J. kl. 8⁰, 8 S.) ins Deutsche übersetzt worden.

abenteuern einer belgischen Nonne (III, 66—111), erzählt werden.

Am Schlusse des dritten und letzten Bandes sind die „Opfer" bereits zu aktiven begeisterten Sadisten geworden und Madame Josephine wird nach Paris geschickt, um neue aktive und passive Teilnehmerinnen dieses Sadistenklubs zu holen.

Eine weitere sadistische Schrift ist „Revelries! and Devilries! or Scenes in the Life of Sir Lionel Heythorp, Bt. etc." (London 1867, 8⁰, 123 S. mit 7 obscönen kolorierten Kupfern, und einem Frontispiz). Vier Oxforder Gelehrte und ein Offizier, deren Namen Pisanus Fraxi[1]) kennt, aber nicht nennen will, hatten sich zur Abfassung dieses obscönen Produkts vereinigt! Jeder schrieb eine Geschichte, die sie dann zu einer kontinuierlichen Erzählung in drei Kapiteln verschmolzen. — In dem Werke ist viel von Flagellation die Rede, neben anderen höchst abstossenden Episoden, unter denen die grässlichste der Besuch einer Irrenanstalt ist, bei dem die erotischen Idiosynkrasien der Irren in der krassesten Weise geschildert werden. Das Ganze schliesst mit dem Kapitel „A Night in the Borough", einer so obscönen Orgie, wie sie vom Marquis de Sade, selbst in seinen wildesten Phantasien nicht geträumt wurde.

„The Inutility of Virtue" (London 1830, 12⁰, 72 S.) schildert in autobiographischer Form die Abenteuer einer Opernsängerin, die in Neapel geboren ist. Auf ihrer Reise nach Rom, wo sie sich mit dem Grafen Torso verheiraten will, fällt sie in die Hände eines Briganten, von dem sie vergewaltigt wird. Später heiratet sie einen

---

[1]) P. Fraxi „Catena" S. 181.

Mann, den sie liebt und dem treu bleiben will. Aber trotz ihrer guten Absichten und ihrer wiederholten Versicherungen der Treue, wird sie die Beute jedes Mannes, mit dem sie in Berührung kommt. Alle diese Abenteuer sind sehr ordinär. — Das Buch ist wohl keine Uebersetzung aus dem Französischen, wie auf dem Titel angegeben wird, scheint aber doch seinem Ursprunge nach auf eine französische Quelle zurückzugehen. Wenn auch Grausamkeit und Blutdurst, in welchen der „joli Marquis" schwelgte, weniger ausgesprochen sind, so erinnern doch die in der vorliegenden Schrift erzählten Abenteuer ausserordentlich an die in der „Justine" des Marquis de Sade entwickelte Idee von dem ewigen Unglück der Tugend. Auch fällt die Titelheldin der „Justine" wie unsere Sängerin gleich am Anfang in die Hände von Briganten.

Ein berüchtigtes Produkt sadistischer Phantasie ist auch „The Romance of Lust" (London 1873, 8°, 4 Bände). Auch dieses Sotadicum stammt aus der Feder mehrerer Verfasser und enthält verschiedene Erzählungen, die von einem berühmten Sammler erotischer Bilder und Kunstobjekte in einen zusammenhängenden Rahmen gebracht wurden. Dies geschah auf einer Reise nach Japan.[1]

Die „Romance of Lust", welche die Liebesabenteuer des jungen Charles schildert, enthält nach Pisanus Fraxi Scenen, welche durch die obscönsten Kapitel der „Justine" nicht übertroffen werden.[2]

Echt sadistische Gedanken werden auch in der „Experimental Lecture by Colonel Spanker" (London 1878)

---

[1] Vergl. P. Fraxi „Catena" S. 188.
[2] ibidem S. 185.

entwickelt, von welcher Schrift im zweiten Bande dieses Werkes (S. 447—449) eine kurze Analyse gegeben worden ist. Diese Schrift ist eine Apotheose der Wonnen, welche aus der psychischen und physischen Grausamkeit entspringen.

„Das Gefühl der Wollust kann nur durch zwei Dinge erregt werden, nämlich erstens dadurch, dass wir glauben, dass der Gegenstand unserer Liebe sich unserem Schönheitsideal nähert oder zweitens dadurch dass wir diese Person möglichst starke Sensationen fühlen sehen. Kein Gefühl ist aber lebhafter als das des Schmerzes, seine Erschütterung ist wirklich und gewiss. Er leitet nie irre wie die Komödie der Wollust, die von Weibern ewig gespielt, aber niemals wirklich gefühlt wird.[1] Derjenige, welcher auf eine Frau den stärksten Eindruck hervorbringen, der die weibliche Organisation bis zum äussersten in Aufregung und Vibration versetzen kann, wird auch sich selbst den höchsten Grad sinnlichen Genusses verschafft haben."

Mit Recht bemerkt ein englischer Bibliophile[2]), dass diese Sätze die Quintessenz der ganzen Philosophie enthalten, die der Marquis de Sade so ausführlich in seinen berüchtigten Werken entwickelt hat, wo er in seinen wilden Phantasien von blutigen Orgien, Phlebotomie, Vivisektion und Torturen aller Art in Verbindung mit Gotteslästerung so viel Wert auf die moralische Demütigung der Opfer legt. Demgemäss werden auch in der

---

[1]) Man ersieht aus dieser Bemerkung, dass es schon vor Lombroso Leute gab, die Anhänger der (übrigens unhaltbaren) Theorie waren, dass das Weib keine oder nur sehr geringe Wollustempfindungen habe.

[2]) ibidem S. 247—248.

„Experimental Lecture" einer sensitiven, feinerzogenen jungen Dame, die scheusslichsten Martern auferlegt. In „Justine und Juliette" schliesst die grosse Zahl der bei den Orgien auftretenden Individuen und der Morde jeden Gedanken an Realität aus, während in der „Experimental Lecture" die ganze Aktion so methodisch und sorgfältig ins Werk gesetzt wird, dass wir thatsächlich an die Wirklichkeit der geschilderten Vorgänge glauben.[1])

Der Masochismus, d. h. das sexuell betonte Erleiden von Schmerz und Demütigung tritt im englischen Geschlechtsleben am meisten bei der passiven Flagellation hervor[2]). Im allgemeinen neigt aber der englische Charakter mehr zu sadistischen Handlungen. Doch sind Spuren masochistischer Empfindungsweise — abgesehen

---

[1]) „Are we thus to believe," sagt der oben erwähnte Bibliophile, „that we daily rub shoulders with men who take a secret delight in torturing weak and confiding women, and by so doing can produce erection and consequent emission? Experience proves this to be so, and we could unfortunately quote several recent cases where girls have been tied up to ladders, strapped down to sofas, and brutally flogged, either with birch rods, the bare hand, the buckles-end of a strap, and even a bunch of keys! Some have been warned beforehand that they will be beaten till „the blood comes," pecuniary rewards being agreed upon, others have been cajoled into yielding up their limbs to the bonds, and gags by the promise that it is „only a piece of fun". Once fairly helpless in the Lands of the flagellating libertine, woe betide them! These cowards are bent on inflicting the greatest amount of agony possible, and their pleasure is in proportion to the damage done. They seem sometimes at that moment like devils unchained, and howl with delight almost as loudly as the poor girl cries out in pain. And yet immediately their paroxysm is over, they will treat their wretched victim with the utmost kindness, and buttoning up their frock-coats, appear once more as affable, kind gentlemen, for they are all gentlemen by birth who indulge in this awful mania." P. Fraxi, „Catena" S. 248. — Ueber das sadistische Moment in der Flagellomanie vergl. Bd. II dieses Werkes S. 368—370.

[2]) Vergl. das ausführliche Kapitel „Die Flagellomanie" in Bd. II dieses Werkes S. 336—481.

von der mittelalterlichen Ritterzeit — auch in der englischen Sittengeschichte nachweisbar. So gab es im
16. und 17. Jahrhundert Leute, die Schwefel und Urin
verschluckten, um ihre Damen zu gewinnen, wie dies
z. B. in Middleton's „Dutch Courtezan" geschildert
wird.[1] Drastisch schildert Butler im „Hudibras" den
Weibessklaven und masochistischen Schwächling:

> Wenn Hulda im Besitze dann
> Das Wams verklopft dem guten Mann,
> Ihn unter ihre Schürze bringt
> Und sklavisch ihr zu dienen zwingt;
> Wenn sie als schwerer Alp ihn reitet
> Und wie ein Wechselbalg begleitet[2]),
> Wenn er aufs Haupt geschlagen wird
> Und Recht samt Obermacht verliert;
> So ist er straks verdammt wie Mädel
> Zum Horn, zum Rocken und Spinnrädel;
> Denn wo das Weib den Ehmann schlägt
> Er Zweifels ohne Hörner trägt.[3])

Diese Stelle scheint Addison vor Augen gehabt zu
haben, der in seinem „Zuschauer" wiederholt auf die
„Weibermänner", wie er die Sklaven des Weibes nennt,
zu sprechen kommt. Mit Recht aber sucht er diese
Masochisten nicht blos in der Ehe, sondern, wie er
geistreich sagt, auch in den „Vorstädten der Ehe" und
kennt eine „Sklaverei gefälliger Maitressenhalter und
unentschlossener Liebhaber" und „Beispiele genug von
übermütigen, stolzen, unbändigen und eigensinnigen
Männern, welche alle insgeheim Erzsklaven ihrer Weiber
oder Maitressen sind." Ja, nach ihm sind sogar die

---

[1] Taine a. a. O. I, 864.
[2] Gemeint ist damit das zeitweilige Annehmen eines männlichen Wesens seitens der Frau.
[3] Butler's Hudibras übersetzt J. Eiselein S. 121.

Weisesten und Tapfersten aller Zeiten Weibermänner gewesen. [1]) Höchst ergötzlich wird im 129. Stück das „Schicksal Freymanns, eines Sklaven seiner Frau" geschildert. [2])

Die „Petticoat Pensioners", von denen der Verfasser von „Satans Harvest Home" um 1750 erzählt, scheinen auch eine Art von Masochisten gewesen zu sein, die sich weiblichen Roués prostituierten. „Was die Menschheit am meisten mit Erstaunen und Verwunderung erfüllt, ist ein neues Laster, welches in kühner Weise von Frauen von Rang und Schönheit eingeführt worden ist. Diese haben die Ordnung der Dinge umgekehrt, die Männer zu Frauen gemacht und begannen sehr vergnügt, öffentlich ihre Geliebten zu halten. Dass Damen im Stande der Ehe und auch der Witwenschaft sich noch ein privates Nebenvergnügen erlauben, ist eine Freiheit, die sie seit undenklicher Zeit genossen haben. Dass aber die Schönen, und zwar solche im jungfräulichen Stande, sich Männer in eigenen Wohnungen halten und sie öffentlich in ihren Equipagen besuchen, das sind Vorrechte, die unseren Vorfahren unbekannt waren." [3])

Ein bekannter Masochist des 18. Jahrhunderts war der Lebemann Tracey. [4]) Seine Maitresse, die Bordellwirtin Charlotte Hayes, [5]) beherrschte ihn vollkommen. Er liess sich von ihr alles bieten und duldete in sklavischer Unterwürfigkeit jede Untreue ihrerseits. Ja, sie

---

[1]) Auszug des Englischen Zuschauers nach einer neuen Uebersetzung. Berlin 1782 Bd. III S. 107.
[2]) Ibidem S. 286—291.
[3]) „Satan's Harvest Home etc". London 1749 S. 15.
[4]) Vergl. über ihn Bd. II dieses Werkes S. 183.
[5]) Vergl. über sie Bd. I S. 257—261.

regalierte auf seine Kosten ihre diversen Liebhaber in der Shakespeare- oder Rosentaverne, wo Tracey ihr Kredit gegeben hatte. Sie verstand es, durch ihre elegante und wollüstige Kleidung immer wieder auf ihn zu wirken, aber dann ihre Gunst nur gegen hohen Entgelt (für jede Stunde eine Guinee) zu gewähren. So verlor er durch sie in kurzer Zeit sein ganzes ungeheures Vermögen und starb früh.[1]

Ein anderer Masochist erregte im Jahre 1791 durch sein eigentümliches Ende grosses Aufsehen in London, da sein Tod eine direkte Folge seiner masochistischen Phantasien war. Diese Affäre des Musikers Kotzwarra ist, da sie durchaus beglaubigt ist, so interessant, dass wir etwas ausführlicher darauf eingehen wollen.

Hören wir zunächst den Bericht von J. W. von Archenholtz.[2] „Es ereignete sich in London ein sehr sonderbarer Zufall, der einen Criminal-Process veranlasste. Es lebte allda ein Musikus, Namens Kotzwarra aus Prag, ein Mann von besondern musikalischen Talenten, der auf dreizehn Instrumenten spielte und auf einigen sich als ein grosser Virtuose gezeigt hatte. Ich habe ihn selbst gekannt und oft seine Talente bewundert. Die berühmten Tonkünstler Bach und Abel, die sich in England so viel Ruhm erwarben, hielten ihn in Behandlung des Contre-Basses für einzig in Europa; auch hatte er auf diesem Instrument alle Nebenbuhler in London, Paris und Venedig verdunkelt. Die vorgedachten Tonkünstler riefen ihn auch oft in den Jahren 1769 und 1770 zu ihren grossen Concerten in Hanover

---

[1] Vergl. „Les Sérails de Londres" S. 15.

[2] J. W. v. Archenholtz „Brittische Annalen auf das Jahr 1791" Hamburg 1798 Bd. VII S. 38—41.

Sqare, wo sie ihn fürstlich belohnten. Dieser Mann aber vernachlässigte bald seine Talente und ergab sich einem lüderlichen Leben. Er wurde ein Wollüstling der ersten Grösse und sann immer auf künstliche Vermehrung der sinnlichen Gefühle. Man hatte ihm gesagt, dass ein Gehangener durch den mehr raschen Umlauf des Bluts und die Ausdehnung gewisser Gefässe einige Minuten lang eine sehr angenehme Sensation hätte. Nach Aussage von Zeugen hatte er auch schon oft dieses Experiment gemacht, und zwar beständig bei Lustmädchen, die er sodann immer für den dabei geleisteten Beistand bezahlt hatte. Um dies wieder zu thun, ging er im September auch zu einem Lustmädchen ohnweit Coventgarden, und bat sie, ihn aufzuknüpfen, aber nach fünf Minuten den Strick wieder herunter zu lassen. Das arme Mädchen wollte sich anfangs zu diesem sonderbaren Spass nicht verstehen; durch Zureden und Geld gelang es ihm jedoch, sie dahin zu bringen.

Sie hing ihn auf, befestigte den Strick an der Thür und liess ihn nach, als die vorgeschriebenen fünf Minuten vorbei waren. Kotzwarra aber gab kein Lebenszeichen von sich, und obgleich man alle Hilfsmittel anwandte, so blieb er tot. Das Mädchen, Susanna Hill, wurde als eine Mörderin eingezogen, infolge des Ausspruchs der bei dem Leichname hinzugerufenen Geschworenen, die von 5 Uhr nachmittags bis 2 Uhr des Morgens zusammen blieben, um ihr Urteil durch „wilful murder" (vorsätzlicher Mord) zu bezeichnen. Sie stritten sich darum 9 Stunden lang und glaubten endlich durch ihren strengen Ausspruch die Mitwirkung solcher Mädchen bei ausschweifenden

Wollüsten als Beispiel bestrafen zu müssen. Das arme
Mädchen musste also in der Old-Bailey auf Tod und
Leben den Kriminalprozess ausstehen, der jedoch nicht
zu ihrem Nachteil ausfiel, weil die Handlung von den
Richtern nicht als ein Mord, sondern als ein unvor-
sätzlicher Todschlag betrachtet wurde und auch so ver-
nünftigerweise angesehen werden musste. Sie kam
daher sogleich los, mit Erinnerungen eines besseren
Lebenswandels. Die dabei aufgedeckten Umstände
waren so ausserordentlich, für die Schamhaftigkeit so
beleidigend und für die Moralität so gefährlich, dass
die Richter nicht allein alle im Tribunal anwesenden
Frauenzimmer ersuchten, sich zu entfernen, sondern auch
befahlen, dass die Protokolle des Prozesses nebst allen
dazu gehörigen Papieren verbrannt werden sollten."

Diese berühmte Affäre nebst anderen ähnlichen
Beispielen wird in einer seltenen, höchst interessanten
englischen Broschüre jener Zeit: „Modern Propensities; or, An Essay on the Art of Strangling, etc.
Illustrated with several Anecdotes. With Memoirs
of Susannah Hill, and a Summary of Her Trial at
the Old-Bailey, on Friday, September 16, 1791, On the
Charge of Hanging Francis Kotzwara, At her Lod-
gings Vine Street, on September 2. London: Printed
for the Author; and sold by J. Dawson, No. 12, Red-
Lion Street, Holborn; at No. 18, New Street, Shoe Lane;
and No. 20, Paternoster Row [Price One Shilling]" (8°,
46 S. und Titelbild, welches Susannah Hill darstellt, wie sie den Strick um Kotzwarras Hals legt).

Susannah Hills Aussage, die in dieser Schrift
abgedruckt ist, lautet: „Dass am Nachmittage des 2. September, zwischen 1 und 2 Uhr, ein Mann, den sie nie

gesehen hätte und der mit dem Toten identisch gewesen sei, in das Haus, wo sie wohnte, gekommen sei, da die Thür nach der Strasse offen gewesen sei. Er fragte sie, ob sie mit ihm trinken wolle. Sie habe Porter verlangt, er Brandy mit Wasser, und ihr Geld gegeben, um beides zu holen, sowie zwei Schillinge für Hammel- und Rindfleisch, welches sie ebenfalls kaufte. Einige Zeit nachher gingen sie in ein hinteres Zimmer, wo mehrere höchst indezente Handlungen vorgenommen wurden. Insbesondere verlangte er von ihr, dass sie ihm genitalia abscinderet, und zwar in zwei Teile. Aber sie weigerte sich, das zu thun. — Dann sagte er, er möchte gern fünf Minuten lang gehängt werden und bemerkte, während er ihr Geld für den Strick gab, dass dies seine Wollust steigern und den gewünschten Effekt herbeiführen würde. Sie brachte dann zwei schmale Stricke und legte sie ihm um den Hals. Er zog sich dann an der hinteren Zimmerthür empor, einer Stelle, wo er sehr niedrig hing und zog die Kniee zusammen ... Nach fünf Minuten schnitt sie ihn ab, er fiel sofort auf den Boden. Sie hielt dies für eine Ohnmacht und rief eine gegenüberwohnende Nachbarin zu Hilfe ... Die Angeklagte wurde freigesprochen."

Der Herausgeber des „Bon Ton Magazine" bespricht in der No. 31 vom September 1793 im Anschlusse an die eben erwähnte Broschüre, deren Titelbild reproduziert wird, ebenfalls den Fall Kotzwarra und schliesst die folgende Abhandlung über die „Wirkungen zeitweiliger Strangulation auf den menschlichen Körper" daran an.

„Die Strangulation Kotzwarra's, obgleich sie wunderlich verhängnisvoll auslief, hat die Praxis der

tierischen Suspension nicht ganz beseitigt. Die Schöne,
welche jenem exzentrischen Liebhaber Beistand bei der
Operation leistete, sagte aus, dass er einige Augenblicke
vor seinem Ende thatsächlich gewisse Anzeichen auf-
gewiesen habe, welche in deutlicher Weise den guten
Effekt dieser Prozedur bewiesen . . .

Nachdem diese Aussage dem verliebten Gegenstande
unseres Bildes, einem reichen Einwohner von Bristol
mitgeteilt worden war, der, trotzdem er in den geheimen
Angelegenheiten der Venus des Beistandes bedarf, dennoch
ein Mann von grossem öffentlichen Ansehen ist, ent-
schloss er sich, das Mittel mit grösserer Vorsicht zu
versuchen. Demgemäss kam er am Anfang des vorigen
Monats nach der Hauptstadt, zu diesem speziellen Zwecke,
und wandte sich sogleich an ein schönes Freudenmädchen
in Charlotte-street, indem er ihr offen seine Impotenz
bekannte und die Methode mitteilte, um das Uebel zu
beseitigen, damit er ihre liebliche Person voll geniessen
könne. Um ihre Bereitwilligkeit zu erzwingen, wurde
das nie fehlschlagende Argument „Gold" reichlich in
Anwendung gebracht, und da er bereits mit einem
stimulierenden Strick versehen war, fing man sogleich
die Prozedur an."

Er stieg auf einen kleinen Stuhl, befestigte die
Schleife an einem Luftrohre, warf das andere Ende über
einen Kreuzbalken und befestigte es mit Hülfe seiner
schönen Genossin in einer solchen Weise, dass keinerlei
Gefahr vorhanden war. Der kleine Stuhl wurde dann
entfernt und unser Held hing derart, dass er gerade
mit den Füssen den Boden berührte. Schon nach einer
halben Minute zeigten sich die stimulierenden Wirkungen
dieser eigenartigen Prozedur in deutlichster Weise. Aber

plötzlich erschienen auch bei ihm bedrohliche Symptome,
die das Mädchen zur schleunigen Befreiung ihres sonderbaren Liebhabers veranlassten. Um ihn gänzlich zum
Leben zurückzubringen, bedurfte es aber noch der
Assistenz der Gesellschaft für die Wiederbelebung Er-
trunkener![1])

Weitere Mitteilungen über die beim Aufhängen
empfundene Wollust finden sich in dem Werke von
Bloch, der auch über zu ähnlichen Zwecken konstruierte
„Aufhänge-Apparate" der Berliner Masseusen berichtet.[2])

Neuerdings scheint der Masochismus in England
weitere Verbreitung zu finden als früher, wie besonders
aus dem Aufkommen masochistischer Schriften geschlossen
werden darf. Unter diesen sei als Prototyp die Erzählung „Gynecocracy, a narrative of the adventures
and psychological experiences of Julian Robinson (afterwards Viscount Ladywood). Under petticoat rule, written
by himself" (Paris und Rotterdam 1893, 3 Bände)
hervorgehoben, welche Schrift neuerdings auch ins
Deutsche[3]) und Französische[4]) übersetzt wurde. Sie
behandelt die planmässige Erziehung eines jungen Adligen
zu einem Masochisten, welches dadurch erreicht wird,
dass ihn seine französische Erzieherin, eine sehr strenge
junge Dame, unter Beihülfe ähnlich „energischer" Ladies
und Kammerzofen in Weiberkleider steckt und ihm den

---

[1]) The Bon Ton Magazine Bd. III S. 242 ff. (No. 31, September 1793).

[2]) Iwan Bloch „Beiträge zur Aetiologie der Psychopathia
sexualis. Teil II, S. 173.

[3]) „Die Herrschaft des Unterrockes oder 3 Jahre Sklave einer
Frau. Von einem jungen Edelmanne. 1898. Milwaukee, Club der
Bibliophilen (8°, IV, 112 S.) Schlechte Uebersetzung.

[4]) „Gynécocratie" Paris 1900.

7*

Geschmack an den ekelhaftesten masochistischen Prozeduren (Lambitus ani, Essen aus dem Nachttopf u. dgl. mehr) beibringt, die sie in raffinierter Weise mit den ihm gewährten geschlechtlichen Genüssen zu verbinden weiss.

3. Andere sexuelle Perversitäten.

Eine in England überaus verbreitete geschlechtliche Perversität soll nach den Angaben der Verfasserin der „Memoiren einer Sängerin" (Bd. II, S. 188) der Exhibitionismus sein d. h. die Entblössung diskreter Teile coram publico zum Zwecke der eigenen sexuellen Erregung. Diese Neigung hat augenscheinlich in England im 18. Jahrhundert eine besondere Spezialität von Prostituierten gezüchtet, die sogenannten „posture-girls"[1]) und „posture-women". Eine solche „Posituren-Macherin" hat Hogarth auf der dritten Platte von „The Rake's Progress" (Der Weg des Liederlichen) dargestellt, welche ihre Reize in einer sehr merkwürdigen Weise zur Schau stellte.

Lichtenberg berichtet darüber in seiner Erklärung der Hogarthischen Kupferstiche:

„Die Mamsell, die da im Vordergrunde ihre Toilette zu machen scheint, ist ein unter dem Namen der Posituren-Macherin (the posture-woman) sehr berüchtigtes Mensch der damaligen Zeit. Sie hiess, wie Tusler versichert, Aratine (vielleicht Aretine). Eigentlich kleidet sie sich aus. Sie ist willens ihre Künste zu zeigen, und sich zu dem Ende in der Tracht des Huhns mit der Gabel in der Brust, als lebendiges Gericht,

---

[1]) Vergl. über diese bereits Bd. II dieses Werkes S. 863—864.

auf die Tafel bringen zu lassen. Die Schüssel, die dort zur Thüre hereingebracht wird, und in welche der Pavian, der sie bringt, hinein leuchtet, um das Schauspiel anzukündigen, wird die Drehbühne sein, auf welcher sie figurieren wird. Das ist allerdings abscheulich. Aber würde der Mensch viel dadurch gewinnen, wenn er der Fähigkeit beraubt würde, so unter das liebe Rindvieh hinab zu sinken? Dass sich in den Schmutzwinkeln der grossen Städte hier und da ein Ungeziefer erzeugt, das in solchen Bestialitäten sein Vergnügen findet, macht der menschlichen Natur bei weitem nicht so viel Schande, als ihr das Urteil des inneren Richters Ehre macht, der unbestechlich in der Brust von Millionen wohnt, und jenes Ungeziefer mit ewiger Infamie belegt . . . Es ist wahr, es ist eine schändliche Geschichte. Aber es ist nicht bloss der Wille der Gesellschaft, das gerupfte Hühnchen auf der Schüssel zu trillen, sondern zugleich der Wille des Hühnchen selbst sich trillen zu lassen. Es weiss sich noch gross damit, es lebt darin und schafft sich Federn an davon." [1]

Bis zum Anfange des 19. Jahrhunderts war das Städtchen Coventry in England nach Lichtenberg der einzige Punkt in Europa, wo sich ein ganz nacktes Weib öffentlich zeigen durfte. Hier musste einer alten Sitte gemäss alle Jahre, an einem gewissen Tage, ein nacktes Mädchen durch die Hauptstrasse reiten und nachher in demselben Zustande mit dem Bürgermeister speisen. Die Chronik versichert, dass die Stadt noch

---

[1] „G. C. Lichtenberg's ausführliche Erklärung der Hogarthischen Kupferstiche" Göttingen 1796, Bd. III, S. 152—155.

nie in Verlegenheit gekommen sein soll, dieser alten
Sitte Genüge zu thun. [1]

Beispiele von sexuellem Fetischismus finden sich
ebenfalls mehrfach in der Sittengeschichte Englands. So
erzählt Archenholtz den Fall eines Haarfetischisten:
„Ich habe einen Engländer gekannt, der ein recht-
schaffener liebenswürdiger Mann war, allein einen höchst
bizarren Geschmack hatte, der, wie er mich oft versicherte, tief in seiner Seele lag. Das grösste Vergnügen,
das nur allein seine Sinne berauschen konnte, war, die
Haare eines schönen Weibes zu kämmen. Er unterhielt
eine reizende Maitresse bloss zu diesem Zwecke. Liebe
und Treue kam hierbei in keine Betrachtung, er hatte
es blos mit ihren Haaren zu thun, die sie in den ihm
gefälligen Stunden entnadeln musste, damit er darin mit
seinen Händen wühlen konnte. Diese Operation verschaffte ihm ein höchst möglichsten Grad körperlicher
Wollust." [2]

In der „Venus School-Mistress" wird von einem
bejahrten Herrn erzählt, der durch den Anblick eines
Muffes sehr stark geschlechtlich erregt wurde, und sich
mit demselben am ganzen Körper streicheln liess, auch
den Anblick einer Dame mit ihren Händen im Muffe
sehr goutierte. [3]

Einem Kostümfetischismus wird in der erotischen
Schrift „The Battles of Venus" (London 1760) das Wort
geredet, indem der Verfasser den Verkehr mit einem

[1] Eros, Stuttgart 1849 Bd. II, S. 120.
[2] J. W. v. Archenholtz „England und Italien." Ersten
Bandes zweiter Teil. Leipzig 1785 S. 448—449.
[3] „Venus School-Mistress" S. 54.

elegant gekleideten Weibe dem mit einer femina denu-
data bei weitem vorzieht.

Auch der Rassenfetischismus[1]) hat in England zahlreiche Anhänger und Anhängerinnen gefunden. Im ersten
Bande dieses Werkes (S. 262—263) wurde bereits berichtet, wie die Negerin Harriot in London eine grosse
Schar von vornehmen Liebhabern um sich versammelte.
Hogarth hat auf dem Kupferstich „The Discovery"
ebenfalls diese Rolle der Negerin als Liebhaberin veranschaulicht, wenn sie auch auf diesem Bilde eine un-
freiwillige ist. In der Erklärung dieses Bildes von
Lichtenberg heisst es darüber: „Wie die schwarzen
Schönen weisse Männer zu bezaubern wissen, beweisen
die Stammbäume der zahlreichen farbigen Leute
(gens de couleur) oder Mulatten in Westindien. Auch
ausserhalb Westindien sollen zuweilen vornehme Liebhaber den schwarzen Damen vor den weissen den Vorzug
geben, aus mehreren Gründen, unter andern auch deswegen, weil westfälischer Pumpernickel zuweilen ein
Leckerbissen ist für verwöhnte Gaumen."[2])

Adrian berichtet von der Vorliebe gewisser
Londoner Damen für Araber. Er sah bei seinem
Aufenthalte in London häufig solche Söhne der Wüste
an den Strassenecken stehen und ganz das Benehmen
weiblicher Prostituierter nachahmen. Ein Kenner be-
lehrte ihn über den Zweck dieser Provokationen:

„Unsere Sprache ist nicht reich an anständigen
Ausdrücken für das Unanständige. Die Londoner Damen
haben manchmal sonderbare Launen — ich verstehe

[1]) Vgl. über denselben J. Bloch a. a. O. Bd. II, S. 260—262.
[2]) „G. C. Lichtenberg's Erklärung der Hogarthischen
Kupferstiche" Göttingen 1816, Lieferung 12, S. 188—139.

darunter nicht die ehrsamen Hausfrauen der Cityleute
oder die Ehrsamkeit wenigstens scheinbar achtenden
Frauen der Vornehmen, sondern in wunderlichen Verhältnissen lebende, von Reichen unterhaltene oder vernachlässigte, in ihren Grundsätzen etwas laxe Damen,
welche diese dem Vernehmen nach in materieller Hinsicht kräftige kleine Bronze-Gestalten sehr liebens-
würdig finden. Wenn Ihr einmal Zeit habt, ein Viertel-
stündchen in der Nähe eines solchen geputzten Sohns
der Wüste zu verweilen, so werdet Ihr einen treuen
Diener oder ein verschwiegenes und verschmitztes Zöf-
chen an ihm vorübergehen und ein Zeichen geben sehen,
worauf der Beturbante scheinbar nachlässig der ver-
mittelnden Person nachgeht und deren Befehle entgegen-
nimmt oder sogleich an den bestimmten Ort folgt."

Adrian erfuhr weiter, dass auch die Londoner
Päderasten eine eigentümliche Vorliebe für diese Araber
zeigten, die ihnen gegenüber auch als wirkliche männliche Prostituierte auftraten.[1]

Dass auch koprolagnistische und scatologische
Neigungen[2] den Engländern nicht ganz fremd sind,
beweisen manche Stellen in Butler's „Hudibras", eine
Schrift des 18. Jahrhunderts „The Benefit of farting
explained" (zitiert von Grey in den Anmerkungen zu
„Hudibras" Ausgabe von 1764 Bd. II, S. 72) und der
Umstand, dass noch neuerdings ein reicher englischer
Bibliophile dieses Thema für sich bearbeiten und als

---

[1] Vergl. Adrian „Skizzen aus England" Frankfurt a. M.
1898 Bd. II, S. 8—10.
[2] Vergl. über diese die ausführliche Abhandlung von J. Bloch
„Beiträge zur Aetiologie der Psychopathia sexualis" Bd. II, S. 222
bis 248.

Schrift herausgeben liess. Diese nur in 20 Exemplaren
gedruckte, nicht in den Handel gebrachte Schrift hat
den Titel: „An Essay on wind, with curious anecdotes
of eminent peteurs, etc. Written for the edification of
windbound ladies and gentlemen" (Paris, Quantin, 1877,
8°, 100 S.).[1]

Auf die Scatologie in England kommt Octave
Uzanne in einer geistreichen Rezension von Swinburne's „A Study of Ben Jonson" (London, 1889 8°), zu
sprechen[2]), wo Swinburne in Beziehung auf die scato-
logischen Epigramme Ben Jonson's sagt, dass es bedauer-
lich sei, dass ein so grosser Schriftsteller die Koprologie
kultiviert habe, die doch eigentlich eine Spezialität der
Franzosen sei. Hierzu bemerkt Uzanne: „Outre que cette
insistance à agiter la matière n'indique pas une délicatesse
olfactive aussi sensible que les premiers mots l'auraient pu
faire supposer, M. Swinburne trouverait-il beaucoup d'écrivains anglais, du XVe au XVIIIe siècle, qui n'aient pas
fait le plongeon dont il parle, et lui serait-il bien difficile
de citer même de nos jours, des écrivains anglais-oh!
ceux-là de la „baser sort" — qui s'y baignent à plaisir
ou s'y vautrent par métier?" Er zitiert dann u. a. derartige Stellen aus Shakespeare, Swift und Smollett
und schliesst: „Les Anglais, au surplus, le savent bien,
qu'ils n'ont pas besoin de chercher en France ni ailleurs,
puisqu'ils sont la „Merry England", et que s'il faut en
croire de petits papiers imprimés qui circulent parmi les
couches profondes des lecteurs de la Grande-Bretagne

---

[1] Vergl. J. Lemonnyer (Gay) „Bibliographie des ouvrages
relatifs à l'amour etc." 4me édition, Lille 1897 Tome IV, p. 172.
[2] Vergl. „Le livre moderne" Jahrgang 1890 Bd. I, S. 148—149.

à l'insu, sans doute du grand poète, l'homme heureux est celui qui se délecte „in the smell of his own Farts." —

Trotz dieser Abwehr gründet sich Swinburne's Urteil wohl auf die unbestreitbare Tatsache, dass vorzüglich die Franzosen und Italiener rein scatologische Dichtungen haben, wie ein flüchtiger Blick in die „Bibliotheca scatologica" lehrt. Als Gegenstand poetischer Verherrlichung kommt Venus Cloacina bei den germanischen Völkern kaum vor.

In einer merkwürdigen Häufigkeit kommt die Blutschande, der Incest, in England vor. Die erschreckende Frequenz derselben in den unteren Volksklassen wird von mehreren Beobachtern[1] auf das Zusammenschlafen sämtlicher Familienmitglieder in einem Zimmer und die nicht seltene Benutzung eines und desselben Bettes durch Vater und Tochter, Mutter und Sohn, Bruder und Schwester zurückgeführt.

Indem bezüglich der zahlreichen Incestfälle auf die genannten Autoren sowie auf v. Archenholtz[2] verwiesen sei, mögen hier nur die beiden berüchtigtsten Fälle aus früherer Zeit angeführt werden.

Der eine betrifft den Bürgermeister Thomas Weir in Edinburgh, dessen Prozess in das Jahr 1670 fällt. Man findet die näheren Mitteilungen in einer sehr seltenen Broschüre:

„Ravillac Redivivus etc. To which is Annexed An Account of the Tryal of that most wicked Pharisee,

---

[1] Jouy, „L'Hermite de Londres Bd. I, S. 320; H. France, „Les Va-Nu-Pieds de Londres" S. 40—52; derselbe, „Les Nuits de Londres" S. 275; ders., „En Police-Court" S. 221 ff. (La Famille de Loth.)

[2] Archenholtz, „Britische Annalen" Bd. V, S. 350.

Major Thomas Weir, who was Executed for Adultery, Incest and Bestiality. In which Are many Observable Passages, especially relating to the present Affairs of Church and State. In a Letter from a Scottish to an English Gentleman. London, Printed by Henry Hills, 1678." (Kl.-4⁰, 78 S.)

Weir, der während der Rebellion Bürgermeister von Edinburgh war, hatte sich durch grosse Grausamkeit gegen die Anhänger der königstreuen Partei ausgezeichnet und hatte durch Heuchelei und Verstellung den Ruf eines sehr gottesfürchtigen Mannes erlangt Nach einem Leben voll Schandthaten, Morden und unnatürlichen Lüsten wurde er in seinem 70. Lebensjahre von tiefer Reue ergriffen und legte vor dem Lord Abbotshall, damals dem Stadtkommandanten von Edinburgh, ein offenes Geständnis ab. Am 9. April 1670 fand auf Grund dieses Geständnisses, welches nach Erklärung der Gerichtsärzte bei gesundem Verstande gemacht worden war, die öffentliche Gerichtsverhandlung gegen Weir und seine Schwester statt. Hier wurde das Geständnis Weirs wieder verlesen, nämlich, dass er erstens seine Schwester Jane Weir bereits im Alter von 10 Jahren vergewaltigt und später häufig mit ihr im Hause des Vaters geschlechtlich verkehrt hatte und zuletzt mit ihr in einem Hause in Edinburgh viele Jahre hindurch im Incest gelebt hatte, dass er zweitens mit einer Stieftochter Margaret Bourdon, der Tochter seiner verstorbenen Frau Mein, sexuellen Verkehr gepflogen habe, dass er drittens bei Lebzeiten seiner genannten Frau häufig Ehebruch mit verheirateten und unverheirateten Frauen, insbesondere mit Bessy Weems, seinem Dienstmädchen, die er 20 Jahre im

Hause hatte, getrieben habe, dass er viertens seinen Hurereien, Ehebrüchen und Incesten auch noch die widernatürliche Sünde der Bestialität hinzugefügt habe, indem er bei Stuten und Kühen schlief, besonders aber eine Stute, auf welcher er nach New-Mills geritten war, geschlechtlich missbraucht habe.

Hierauf wurden die Zeugen vernommen, welche in eingehender, hier nicht näher wiederzugebender Weise, die Wahrheit dieser Thatsachen unter genauer Schilderung der einzelnen Situationen, in denen sie den Verbrecher betroffen hatten, bekundeten, woraus sich die Ueberein-stimmung mit seiner eigenen Aussage ergab.

Natürlich spielte in der Aussage der Schwester des Weir auch der Teufel eine Rolle.

Beide wurden zum Tode verurteilt. Thomas Weir wurde am Montag, den 11. April 1670 auf einem Pfahl zwischen Edinburgh und Leith erwürgt und sein Körper verbrannt, Jane Weir am folgenden Tage auf dem Grasmarkt in Edinburgh durch den Strang vom Leben zum Tode befördert.

Weir war intim befreundet mit dem „Ravillac Redivivus" derselben Broschüre, dem Prediger James Mitchel, der den 18. Januar 1678 wegen seines Angriffs auf den Erzbischof von St. Andrews hingerichtet wurde. Beide waren Covenanters, und eine sehr heftige, politisch interessante Satire „To the Memory of Mr. James Mitchel" richtet sich unter Hervorhebung der geschlechtlichen Verbrechen insbesondere gegen diese ihre Eigenschaft:

> O-y-es O-y-es Covenanters
> Filthy, Cruel, lying Ranters
> Come here, and see your murdering Martyr
> Sent to Hell i' th'Hangmans Garter;

Your sealing Witnesses we hear
Are Mr. James Mitchel, and Major Weir:
One with his hand, but had no pith,
Th'other your Wives know well where with,
Which makes them sigh, and sighing say,
Welsh can but Preact, but Weir could pray.
It's this that all Religion shames,
To give Hells Vices Heavenly names.
Then Devils, then cast off your Masks,
Murder, and Whoredom are your Tasks,
Which you to all the World proclame,
Boasting, and glorying in your shame,
And say your Covenant doth allow
This, Maugre your Baptismal vow,
And that the holy Oath doth bind you
To leave such holy Seed behind you.
For at, and after your long prayers,
You lye together pairs by pairs,
And every private Muting-place,
Is a Bawdy-house of Grace;
You shew it is your loving Natures,
To be sweet fellow-feeling Creatures.
But to prophane your Holy Order
With Incest, Buggery, and Murder,
Is plainly to proclaim you Devils,
And horrid Crimes to be no evils.
Mas James Mitchel lay four year
In Giffald's House with Major Weir,
And from his Ghostly Father learns
To lye with Women, and get no Barns,
The Mystery of the Tribe, a Trick
Makes all the Women mad Fanatick,
And now they both in Hell are met,
Where for your Company they wait.
Then fill your measure, and post on
To your deserv'd Damnation.
Go Whore, and Bugger, Kill and Pray,
Till every Dog shall have his day;

Or go together to Hell in Troops,
Else strive for new Grassmarket-loops.
He that Whores best, and Murders most,
Of him the Sect shall always boast.
And put him, as they've put Mas James
Among their Saints, and Martyrs Names. [1]

Das grässlichste Bild eines durch Generationen hindurch getriebenen Incestes entrollt die Geschichte des unter Jakob I. von Schottland lebenden Räubers Sawney Beane, die noch heute im Volksmunde fortlebt:

Sawney Beane war der Sohn eines Teichgräbers in der schottischen Grafschaft Eastlothian. Er zeigte früh lasterhafte Neigungen und entlief als Jüngling mit einer ebenso verderbten Frauensperson. Sie verbargen sich in einer Höhle der Einöde von Galloway, die eine halbe Stunde lang und sehr breit war und so nahe an der See lag, dass die Flut oft tief hineindrang. Der Eingang hatte eine Menge Krümmungen und Windungen, die in das Innere der Höhle führten. Von diesem Schlupfwinkel aus begannen Beane und sein Weib ihre Räubereien, wobei sie, um einer Entdeckung vorzubeugen, jede Person ermordeten, die sie beraubt hatten. Da die

---

[1] Vergl. P. Fraxi, „Centuria" S. 59—61. — Abbildungen des Wohnhauses von Thomas Weir in der Bow in Edinburgh finden sich in Chambers' „Minor Traditions of Edinburgh" 1838, in Wilsons „Memorials of Edinburgh in the Olden Time." E. 1848. 180 Jahre lang war das Haus verrufen und wurde von niemandem bewohnt. Jetzt nimmt der Neubau einer Kirche die Stelle ein. Vergl. „Minstrelsy of the Scottish Border" 1810 Bd. II, S. 58; „Notes and Queries" 5th Series Bd. II, S. 273; R. Chambers „Domestic Annals of Scotland". Edinb. 1858. Bd. II, S. 332. W. Scott, „Letters on Demonology etc." London 1880. S. 329,
[1] Vergl. „Sawney Beane" in: C. Whitehead „Leben, Thaten und Schicksale der merkwürdigsten englischen Räuber und Piraten" Leipzig 1834 Tl. I S. 25—30.

Beschaffung der Nahrung sehr schwierig war, so beschlossen sie von — Menschenfleisch zu leben. Zu diesem Zwecke schleppten sie die Leichname der von ihnen Ermordeten in ihre Höhle, zerstückelten sie und salzten sie ein. Auf diese Weise lebten sie unter Raub und Mord fort, bis sie acht Söhne und sechs Töchter, achtzehn Enkel und vierzehn Enkelinnen, sämtlich Früchte der Blutschande, hatten. Alle diese nahmen an den schändlichen Mordthaten teil. Obgleich das Verschwinden so vieler Menschen schon seit Jahren genaue Nachforschungen seitens der Behörde in der immer menschenleerer werdenden Gegend veranlasst hatte, gelang es doch erst sehr spät, den Aufenthaltsort dieser blutschänderischen Kannibalen zu entdecken. Beim Betreten der Höhle „bot sich ihnen ein Anblick dar, wie man ihn wohl auf der ganzen Welt nie gehabt hat. Füsse, Arme, Schenkel, Hände von Männern, Weibern und Kindern hingen in Reihen, wie Stücke getrockneten Rindfleisches. Andere menschliche Glieder waren eingesalzen, während eine grosse Menge Geldes, sowohl Gold als Silber, Ringe, Kleider und unermesslich viele andere Artikel teils in Haufen aufgeschichtet lagen, teils an der Wand der Höhle hingen. Die ganze grausame Familie wurde ergriffen, die Ueberreste von Menschen im Strande begraben und die grosse Beute samt den Gefangenen nach Edinburgh geschafft. Dieses ebenso seltene als furchtbare Schauspiel lockte eine zahllose Menschenmenge herbei, um eine so blutbefleckte und unnatürliche Familie zu sehen, welche innerhalb fünfundzwanzig Jahren zu siebenundzwanzig Männern und und einundzwanzig Frauen herangewachsen war."

Schon am folgenden Tage wurde die ganze Familie,

ohne jedes gerichtliche Verhör, auf die grausamste Weise vom Leben zum Tode gebracht. Den Männern wurden die Eingeweide herausgerissen, Hände und Füsse abgehauen, und man liess sie verbluten. Die Frauen wurden verbrannt. Sie alle starben, ohne die geringste Spur von Reue zu zeigen und stiessen bis zum letzten Augenblicke die schrecklichsten Verwünschungen aus.

Man muss gestehen, dass sowohl der Fall des Thomas Weir als in noch höherem Grade die Geschichte des Sawney Beane und seiner Familie ein merkwürdiger Beweis dafür sind, dass selbst die wilden Phantasien eines de Sade bisweilen durch die Wirklichkeit erreicht, wenn nicht überboten werden.

Auch in der englischen Litteratur hat der Incest Verwendung gefunden. Das berühmteste Beispiel ist John Ford's „Giovanni and Annabella", die ungeheuerliche Tragödie der geschlechtlichen Liebe zwischen Geschwistern, in welcher der Dichter nicht vor der Thatsache der Schwängerung Annabellas durch ihren Bruder Giovanni zurückscheut und uns im letzten Akte noch eine schauerlich schöne Liebesszene zwischen beiden darstellt, die mit der Erdolchung der Schwester durch den Bruder endet.[1])

Wohl das grässlichste Specimen eines Incest-Romans stellen die 1874 in 2 Bänden in London erschienenen „Letters from a Friend in Paris" dar, in welchen sich buchstäblich eine blutschänderische Szene an die andere reiht. Der Schauplatz dieser Briefe ist Frankreich. Der Verfasser derselben und Held der Erzählung ist ein

---

[1]) Vergl. Prölss a. a. O.) Bd. II, S. 15—18 (daselbst auch nähere Angaben über das Motiv des Incestes in der Weltlitteratur) und H. Taine a. a. O. Bd. I, S. 897—899.

Photograph, der durch einen Freund, mit dem er päderastischen Verkehr pflegt, Zutritt zu einer Familie erhält,
deren eine Tochter der genannte Freund heiraten soll,
nachdem unser Held dieselbe bereits genossen hat. Diese
nette Familie beteht aus Vater, Mutter, zwei Töchtern
und einem Sohn, die in völligem unterschiedslosen Incest
mit einander leben und bereitwillig den Photographen
als Genossen ihrer Orgien aufnehmen. Später verheiratet
dieser sich ebenfalls und bekommt eine Tochter, die er
natürlich im frühen Alter in die Mysterien der Venus
einführt, nachdem sie bereits von der eigenen Mutter
einigen Unterricht darin erhalten hat! Zuletzt verheiratet er sie mit seinem eigenen natürlichen Sohn und
bewirkt so eine Heirat zwischen Bruder und Schwester.
Neben Incest spielt die Päderastie eine Hauptrolle in
diesem eines Marquis de Sade würdigen Produkte einer
verderbten Phantasie.

Zum Schlusse sei die ubiquitäre Onanie erwähnt,
über die auch in England eine sehr grosse Litteratur[1])
existiert, und deren sich hier wie in allen anderen
Ländern die Kurpfucher zu Zwecken der Reklame und
Ausbeutung in weitestem Masse bemächtigen, indem sie
alle möglichen und unmöglichen Uebel daraus ableiten

---

[1]) Aus dem 18. Jahrhundert seien nur genannt: „Eronomia,
or the Misusing of the Marriage-bed by Er and Onan, to which is
added Letters of advice, about a weighting of conscience, viz. of
defiling himself.“ London 1724, 8⁰ — „Ononia, or the heinous
sin of self Pollution.“ London 1724, 12⁰ — „Ononia, or the
Heinous sin of self Pollution, and all its frightful consequence in
both sexes. The 12th edition,“ London 1727 — „A supplement
to the Ononia, or the Heinous sin of self Pollution.“ — Ibidem
„Ononia examined and detected, by Philo-Castitatis. The second
edition. 1724, 12⁰ — „Onanism display'd.“ London 1726, 12⁰ —.
Dühren, Das Geschlechtsleben in England.***   8

und mit Vorliebe dieses Laster benutzen, um ihre markt-
schreierischen Künste anzupreisen, was teils durch die
Zeitungen, teils durch den Passanten in die Hand ge-
drückte Zettel [1] geschah, deren masslos übertreibender
Inhalt aus einigen von Ryan mitgeteilten Beispielen
ersehen werden kann. [2]

---

[1] Vergl. darüber E. Dühren, „Das Geschlechtsleben in
England" Bd. II, S. 316 ff.

[2] M. Ryan „Prostitution in London" London 1889 S. 12—18.

Achtes Kapitel.

Theater, Musik und Tanz.

Das Theater als Ort der Darstellung menschlicher Charaktere und Leidenschaften hat sich auch der Vorführung der mannichfaltigen Erscheinungen und Beziehungen der menschlichen Liebe nicht entziehen können. Bevorzugte das eigentliche Drama, die Tragödie, mehr die idealen Seiten derselben, so finden wir im Lustspiel, der Komödie, dem Satirdrama, der Posse, den weltlichen Mysterien u. a. mit ihrem mehr realistischen Charakter vornehmlich die niedere, sinnliche, derbkomische Seite, das eigentliche „Geschlechtliche" als beliebten Gegenstand der Darstellung. Man denke nur an die Lustspiele des „ungezogenen Lieblings der Grazien", Aristophanes, an die mittlere und neuere attische Komödie, an Plautus, an die mimischen Spiele der Römer, die in späterer Zeit so frech profanierten Mysterien und Mirakelspiele des Mittelalters.

Die christliche Kirche verdammte daher von vornherein alles Theaterwesen, selbst recht unschuldige Aeusserungen heidnisch froher Lebenslust in demselben

8*

als „Schule der Unreinheit" (Cyprianus) oder als „Arsenal der Prostitution" (Hieronymus). [1]

In demselben Sinne erklärten die englischen Puritaner des 17. und 18. Jahrhunderts die allerdings in Beziehung auf geschlechtliche Dinge sehr wenig zurückhaltenden Lustspiele der Restaurationsepoche für Erzeugnisse einer unchristlichen, heidnischen Gesinnungsart. Noch Thackeray sagt: „Ich bilde mir ein, des armen Congreve's Theater ist ein Tempel heidnischer Lust und Mysterien, die nirgends anders als unter Heiden erlaubt sind. Ich fürchte, das Theater bewahrt jene alte Ueberlieferung und Verehrung, wie sich die Maurer ihre geheimen Zeichen und Gebräuche von Tempel zu Tempel übermacht haben. Wenn der lockere Held im Lustspiel die Schöne entführt und hohnlachend den alten Geck bestraft, dass er das junge Weib besitzt; wenn in der Ballade der Dichter seine Geliebte Rosen sammeln heisst, so lange sie darf und sie vor der alten Zeit und ihrer ewigen Flucht warnt; im Ballet, wenn der ehrliche Corydon seiner Phyllis den Hof macht, unter dem Gitterwerk der pappenen Hütte, und über den Kopf des Grosspapa's, der in seinen roten Strümpfen gefällig eingeschlummert ist, hinweg mit ihr liebäugelt und sie, verführt von dem Locken des rosigen Jünglings, hervorkommt an die Lampenreihe, wo dann, einer auf des andern Fussspitze schwebend, jener pas ausgeführt wird, den Sie alle kennen, und der nur durch das Erwachen des alten Grosspapa's, wenn er sein Schläfchen bei der Papphütte beendet hat, unterbrochen wird,

---

[1] Vergl. die lehrreiche Darstellung bei P. Dufour „Histoire de la Prostitution." Brüssel 1861. Bd. III, S. 125 ff.

wohin er aber gefällig zurückkehrt und eines weiteren
Schlummers geniesst, im Fall den jungen Leuten ein
encore wird; wenn Harlekin strahlend in Jugendkraft
und Gewandtheit, schimmernd in Gold und tausend
Farben über die Häupter zahlloser Gefahren wegsetzt,
durch seinen Sprung die Kehlen in Schrecken gesetzter
Riesen in den Staub bringt und glänzend und unerschrocken
alle Fährlichkeiten niedertanzt; wenn Mr. Punch, der
gottlose, alte Rebell, jedes Gesetz bricht und widerlich
triumphierend verlacht, seinen Gesetzesmann hinter's
Licht führt, sich mit dem Gerichtsdiener rauft, sein
Weib auf den Kopf schlägt und den Henker hängt, —
sehen Sie nicht in der Komödie, im Liede, im Tanz, in
des kleinen lumpigen Punch Puppenschau, — den
heidnischen Einspruch?" [1])

Zweitens musste das Auftreten von Schauspielern
weiblichen Geschlecht einen gewissen Einfluss auf den
Charakter der Darstellung ausüben, natürlich wiederum
besonders auf dem Gebiete des Lustspiels, der Posse
und Pantomime, wo nur zu leicht das Erscheinen des
weiblichen Elementes auf der Bühne Beziehungen geschlechtlicher Natur zwischen diesem und den männlichen
Zuschauern herstellte. Hierzu kam noch, dass schon
früh Demimondänen die Bretter benutzt zu haben
scheinen, um schnell sich der Oeffentlichkeit bekannt
zu machen und ihre Reize besser zur allgemeinen Schau
stellen zu können. „Die eigentlichen unterhaltenen
Frauen", sagt Heinrich Heine in den „Französischen
Zuständen", „die sogenannten femmes entretenues,
empfinden die gewaltigste Sucht, sich auf dem Theater

---

[1]) W. M. Thackeray „Englands's Humoristen". Hamburg
1854, S. 66—67.

zu zeigen, eine Sucht, worin Eitelkeit und Kalkul sich
vereinigen, da sie dort am besten ihre Körperlichkeit
zur Schau stellen, sich den vornehmen Lüstlingen bemerkbar machen und zugleich auch vom grösseren
Publikum bewundern lassen können."

Drittens war das Theater schon im Altertum und
ist es zu einem grossen Teile noch heute ein beliebter
Tummelplatz der Prostitution. An den Thoren und
der Umgebung der antiken Theater und Circusse
lauerten die niederen Lustmädchen auf ihre Beute, im
Innern der Theater boten die Vertreterinnen der feineren
Demimonde ihre Reize feil. [1]) Dieselbe Thatsache lässt
sich noch heute feststellen.

In England weist das früheste Theaterwesen von
vornherein zahlreiche solche Beziehungen zum Sexuellen,
einen Zug des Derben, Brutalen, Lüsternen auf. Die
theatralischen Spiele des „merry old England" sind
„rohe Bacchanalien, bei denen der Mensch sich die Zügel
schiessen lässt, und die als Verkörperung des natürlichen
Lebens erscheinen." [2]) Dies galt selbst von den kirchlichen Mysterien, den „Miracle-Plays", die zuerst im
12. Jahrhundert aufgeführt wurden, noch mehr von den
seit der Mitte des 15. Jahrhunderts aufkommenden
Moralitäten, den „Morals." [3]) Vorzüglich schildert Taine,
wie überall bei diesen Volksschauspielen die alte, ausgelassene heidnische Lust durchbricht. [4])

---

[1]) Dufour a. a. O. III, S. 182.
[2]) Taine a. a. O. Bd. I, S. 288.
[3]) J. Scherr „Geschichte der englischen Litteratur" 2. Aufl.
Leipzig 1874 S. 57.
[4]) Taine a. a. O. Bd. I, S. 288—240. Vergl. über diese
mittelalterlichen Schauspiele in England auch A. Moeller-Bruck
„Das Variete". Berlin 1902. S. 117—119; S. 121—123.

Es war dies in England in einem viel höheren
Grade der Fall als in den anderen germanische'
Ländern. Daher wurden die sogenannten „englischen
Komödianten", welche im 16. Jahrhundert nach
Deutschland kamen, besonders wegen der sexuellen
Freiheit ihrer Aufführungen und ihres Dialoges berüchtigt.
Der Realismus und Naturalismus der Darstellung wurde
von ihnen auf die Spitze getrieben. So trugen sie z. B.
kleine Spritzen mit rotem Saft unter den Kleidern, um
Wunden überzeugend darzustellen [1]. Das sensationelle
Element, welches auch für das heutige englische Theater
so charakteristisch ist, die möglichst starke Wirkung
auf die Sinne trat schon in dem Spiele dieser englischen
Komödianten hervor, in dem Mord und Totschlag, Hinrichtungen, Martern, Duelle, Schlachten, glänzende
Prozessionen, Feuersbrünste, Musik, Gesang, Trommel-
und Trompetenschall die dargestellte Handlung würzten.
Vor allem aber arbeiteten diese Schauspieler auf die
„niederste Befriedigung sinnlicher Triebe durch geradezu
unzüchtige Possen hin". [2] E. Devrient sagt über diese
englischen Komödien: „Oft erscheint es unbegreiflich —
wir mögen uns den Zustand der Sitte jener Zeit noch
so roh denken — wie es möglich gewesen, dass Frauen
und Mädchen unter den Zuschauern, bei der grenzen-
losen Frechheit und verbuhlten Lüsternheit der Scene
haben ausdauern können, welche der Pickelhäring oder
Hanswurst mit seiner Frau oder der Zofe spielte; die

---

[1] W. Scherer „Geschichte der Deutschen Litteratur" 7. Aufl.
Berlin 1894 S. 812.

[2] W. Rudeck „Geschichte der öffentlichen Sittlichkeit in
Deutschland" Jena 1897 S. 295.

pöbelhaften Reden und schamlosen Handgreiflichkeiten übersteigen allen Glauben." [1]

Rudeck teilt eine sehr interessante gereimte Schilderung des Eindrucks einer englischen Komödie von Marx Mangold aus dem Jahre 1597 mit, in der es heisst:

„Da war nun weiter mein Intent,
Zu sehen das englische Spiel,
Davon ich hab gehört so viel.
Wie der Narr drinnen, Jan genennt,
Mit Possen war so excellent:
Welches ich auch bekenn fürwahr,
Dass er damit ist Meister gar.
Verstellt also sein Angesicht,
Dass er kein'm Menschen gleich mehr sieht.
Auf tölpisch Possen ist sehr geschickt,
Hat Schuh', der keiner ihn nicht drückt.
In sein'n Hosen noch ein'r hätt Platz,
Hat dran einen ungeheuren Latz . . .

Den Springer ich auch loben soll,
Wegen seines hohen Springen
Und auch noch anderer Dingen:
Höflich ist in all seinen Sitten,
Im Tanzen und all seinen Tritten.
Dass solch's fürwahr ein Lust zu sehen,
Wie glatt die Hosen ihm anstehen,
Welche mit Fleiss so zugericht't,
Dass man was zwischen Beinen sieht:
Darnach etwan pflegen zu schauen
Gelüstige Weiber und Jungfrauen.
Wie denn eine am Fenster stand,
Die solches nicht verbergen kunnt:
So g'nau drauf's Gesicht wandt', dass man spürt,
Dass sie bestürzt war und verführt . . . .

---

[1] E. Devrient „Geschichte der Schauspielkunst" Leipzig 1848. Bd. I S. 191.

Denn nicht alle, versteht mich recht,
Hinein zu diesem Spiele gehen,
Die lustigen Komödien zu sehen,
Oder der Musik und Saitenspiel
Zu Gefallen, sondern ihr'r viel
Wegen des Narren groben Possen
Und des Springers glatten Hosen.[1]

Nicht selten findet man in diesen englischen Schauspielen in typisch sadistischer Weise eine Verbindung von Mord und Wollust. Im dritten Akte der von Tieck übersetzten Tragödie „Von Tito Andronico und der hoffärtigen Kaiserin" fordert die Kaiserin ihre Söhne auf, die ihr verhasste Andronica zu notzüchtigen:

„Und ihr, meine lieben Söhne, ich weiss, dass ihr grosse Lust zur Buhlerei habt, derhalben übergebe ich sie euch, gehet mit ihr an die grausamsten Orte dieses Waldes (sie befinden sich auf der Jagd) und gebrauchet beide eure Lust genugsam an ihr und richtet sie also zu, dass sie keinem Menschen gleich ist; werdet ihr aber ein Erbarmen mit ihr haben, so gedenket, dass mein Zorn weit über euch ergrimmen und nicht viel gutes bedeuten wird."

Die Söhne gehen mit Andronico ins Holz. Inzwischen will die Kaiserin mit Morian buhlen:

„Mein getreuer Buhle, lass dich nicht Wunder nehmen und sei nicht so zornig, denn ich hätte Lust alleine zu spazieren, will aber alsbald mit dir zum Kaiser gehen. Aber mein herzlieber Buhle, wir sind jetzt gar alleine in diesem schönen lustigen Walde, derhalben lass mich von dir ergötzt werden und mache mir Freude."

Im vierten Akt treten die beiden Söhne der Kaiserin wieder auf, „welche zuvor mit der Andronico in den

---

[1] Rudeck a. a. O. S. 296.

dieser Sinnenreiz, dieses feile, buhlerische Treiben, dieses wirre Durcheinander von Verwechslungen und Ueberaschungen, dieser tolle Carneval der Soupers und Rendezvous, diese Schamlosigkeit der Scenen, der fast bis zu physischen Demonstrationen gesteigerte gemeine Cynismus, die zweideutigen Lieder, die schlüpfrigen Witze und Anspielungen, die bei „lebenden Bildern" hin und her geworfen wurden — es ist klar, dass diese dramatisierte Orgie jene nach Liebesintriguen haschenden Wüstlinge gewaltig reizen und packen musste. Und obendrein sanktionierte das Theater ihre Sitten. Durch alleinige Darstellung des Lasterhaften wurden ihre Laster autorisiert. Die Dichter stellen als Regel auf, dass alle Frauen feile Dirnen, alle Männer rohe Wüstlinge sind. Unter ihren Händen wird die Ausschweifung etwas Selbstverständliches, ja noch mehr, Sache des guten Tones, sie wird gelehrt. Rochester und Karl II konnten innerlich erbant das Theater verlassen, noch mehr als früher in der Ueberzeugung bestärkt, dass Tugend nur eine Maske ist, die Maske abgefeimter Schurken, die sich teuer verkaufen wollen. [1)

Die Beziehungen der Geschlechter konnten auf der Bühne um so realistischer dargestellt werden, als seit 1660 die Frauen in England zuerst auf der Bühne auftraten [2)], die bald an Verwegenheit im Ausdruck nicht hinter den männlichen Schauspielern zurückblieben, auch in frechster Weise ihre Reize öffentlich feilboten, oft vom Bordell auf die Bühne und von der Bühne ins Bordell oder in den Harem des Königs kamen wie

---

[1)] Taine a. a. O. Bd. I, S. 82—88.
[2)] G. Hill „Woman in English Life" Bd. I, S. 276; S. 281.

z. B. die berühmte Nell Gwynn, deren Namen Thackeray als Symbol der Zuchtlosigkeit der Schaubühne wählt[1])

Die galanten Cavaliere vergnügten sich oft mit den Schauspielerinnen im „green room" auf so unanständige Weise, dass die Königin Anna sich später genötigt sah, eine Verordnung zu erlassen „that no person of what quality soever presume to go behind the scenes or come upon the stage either before or during the acting of any play"[2]). Auch verbot sie den weiblichen Zuschauern, Masken im Theater zu tragen.

Es war nämlich Sitte, dass die Damen, die das Theater besuchten, sich maskierten, weil Sprache und Handlung der Stücke so obscön waren, dass keine Frau sie ohne Erröten und Verletzung des Anstandsgefühles anhören konnte. Aber dieses eigenartige Auskunftsmittel, die Prüderie mit der Frivolität zu vereinigen, gab Veranlassung zu den ärgsten Missbräuchen, da sich häufig Frauen sehr zweifelhaften Charakters unter der Maske verbargen und die männlichen Zuschauer anredeten und anlockten.

Ein eigentümliches Contingent der Theaterprostitution der Restaurationszeit stellten die an den Eingängen der Theater ihre Ware feilbietenden Verkäuferinnen von Apfelsinen dar, die sogenannten „orange girls", meist jugendliche Geschöpfe, deren z. B. in den Memoiren Grammont's häufig gedacht wird.[3])

Wenn in Wycherleys, Congreves, Farquhars und anderer Dichter Lustspielen die frechste geschlecht-

---

[1]) Vergl. Thackeray a. a. O. S. 64.
[2]) G. Hill a. a. O. I, 278.
[3]) Vergl. darüber auch Sanger „History of Prostitution". New York 1859. S. 301.

liche Zügellosigkeit natürlicher Art sich breit machte und ihre komische Muse einer „wilden, entzügelten Laïs", mit „Wein und Geist funkelnden Augen" glich (Thackeray), so scheute sich der berüchtigte Rochester nicht, in seinem Drama „Sodom" (vergl. über dieses Kapitel 10) auch die unnatürlichen Genüsse der Liebe gewissermassen bühnenfähig zu machen.

Kein Wunder, dass, mit mehr Recht als einst Prynne, am Ende des Jahrhunderts Jeremias Collier in einer sehr interessanten Schrift die unsittlichen Zustände der englischen Theater einer scharfen, aber nicht unberechtigten Kritik unterzog. [1])

„Da ich überzeugt bin," so beginnt er seine Schrift, „dass nichts in unserer Zeit mehr der Unzucht verfallen ist als das Theater und die Spielhäuser, so glaubte ich meine Zeit nicht besser anwenden zu können, als wenn ich gegen dieselben schriebe." Zunächst wendet er sich dann gegen das gottlose Schwören und Fluchen und den Atheismus der Bühne, um dann auf die geschlechtliche Korruption zu kommen.

Wollust wird in allen Charakteren und Szenen zum Ausdrucke gebracht, das Laster wird ausgeschmückt, verhätschelt und verherrlicht, damit man es lieben lerne (a. a. O. S. 141). Ein feiner Herr ist ein hurender, fluchender, schmutziger Atheist (S. 143). Die schönen Damen sind von demselben Schlage wie die Herren (S. 146).

Ein Echo fand die Schrift Colliers kurz nach ihrem Erscheinen in einer im Jahre 1700 von der

---

[1]) A Short View of the Immorality and Profaneness of the English Stage etc. By Jeremy Collier. 4th edition. London 1699, 8° (XIV, 288 S.) [Erste Ausgabe 1698].

Grand Jury of Middlesex eingereichten Klage über die Unsittlichkeit der Theater, worin es heisst, dass die Stücke voll von profanen, wollüstigen, indezenten und unmoralischen Ausdrücken seien. Besonders wird dieser Vorwurf den Aufführungen in Drury Lane, Lincolns Inn-fields und im Beargarden gemacht.[1]

Die beiden grossen Theater des 18. Jahrhunderts sind das Covent Garden-Theater (erbaut 1733) und das Drury Lane-Theater (erbaut 1663).[2] Ersteres diente mehr musikalischen Darbietungen, auch der Darstellung von Pantomimen, während in Drury Lane die Tragödie und Komödie bevorzugt wurden. Während der Sommersaison spielte das wesentlich der italienischen und englischen Oper dienende Haymarket-Theater (erbaut 1720) die Hauptrolle. Nicht zu verwechseln damit ist das ebenfalls an der Ecke von Haymarket gelegene italienische Opernhaus (jetzt „Her Majesty's Theatre", eröffnet 1705.)

Berühmte Schauspieler von Covent Garden waren: Garrick (1746); Charles Kemble (1794); Mrs. Glover (1797), später Fanny Kemble (1829); Ed-

---

[1] J. P. Malcolm a. a. O. Bd. II, S. 110—111.

[2] Wichtigste Litteratur: H. B. Wheatley, „London Past and Present". London 1891. Bd. I, S. 465—466, S. 525—528; John Hazzlewood's „Secret History of the Greenroom" Bd. II, S. 67 u. ö.; J. Timbs, „Curiosities of London". A New Edition, London o. J., S. 780—789; H. Barton Baker, „The London Stage from 1576 to 1888", London 1892; derselbe, „Stories of the Streets of London". London 1899, S. 164—201. W. Thornbury, „Haunted London", London 1880, S. 8C5 ff. — Ausserdem bieten die deutschen Schriftsteller über London von Z. v. Uffenbach (Anfang des 18. Jahrhunderts) bis auf Hüttner (Ende desselben) sehr interessantes Material über die Londoner Theaterverhältnisse, denen vor allem Lichtenberg in seinem neuerdings vollständig herausgegebenen Briefwechsel (s. oben S. 65) grosse Aufmerksamkeit widmet.

mund Kean, der hier zuletzt 1833 spielte. In Drury Lane traten auf: Nell Gwynn (1666), Barton Booth (1701), Mrs. Siddons (1775), John P. Kemble (1783), Harriet Mellon (1795), Edmund Kean (1814), in Haymarket: Henderson, Bannister, Mathews, Elliston, Liston, Young, Miss Feuton, Miss Farren, Edmund Kean, Miss Paton und Macready.

Im Goodman's Fields-Theater, das 1729 eröffnet wurde, erschien der grosse Garrick zuerst am 19. Oktober 1741 als Richard III.

Diese Vertreter und Vertreterinnen der edlen Schaupielkunst, deren Namen für immer in der Geschichte des Theaters glänzen, hoben zwar im allgemeinen das englische Theaterwesen auf ein hohes Niveau, vermochten aber nicht ganz, jene, wie es scheint, in England ganz besonders stark entwickelten Faktoren der Inmoralität von dem Theater fernzuhalten. Das englische Theater des 18. Jahrhunderts war immer noch ein allgemeines Rendezvous der galanten Welt, welche die theatralischen Genüsse zum Teil nur als Mittel zu anderen Zwecken benutzte.

Der Verfasser der „Müssiggänger und Taugenichtse in London" charakterisiert um 1780 diese Zustände folgendermassen:

„Das Schauspiel soll nicht nur auf eine anständige Art unterhalten, sondern auch auf eine angenehme Art unterrichten; allein nur selten wird dieser grosse Zweck erreicht, weil das Interesse des Direkteurs sich dem allgemein herrschenden, verdorbenen Geschmack unterwerfen muss. Anders als verdorben kann man ihn nicht nennen, weil der grösste Haufe in Obscönitäten,

albernen Farcen und nichtsbedeutenden Operetten sein
Wohlbehagen findet . . . Der Müssiggänger verschwelgt
hier den edelsten Teil seiner Zeit; der Kritiker besucht
diese Oerter nur, um seine alberne Vielwissorey an den
Mann zu bringen; der Beutelschneider, um zu stehlen;
der Stutzer um Eroberungen zu machen, oder die Unschuld zu verführen; Kupplerinnen und Hurenwirte, um
einfältige Mädchen wegzuschnappen; und Koquetten und
süsse Herrchens, um sich zu präsentieren und zu lieb-
äugeln.

Die ganze hier befindliche Versammlung stellt
gleichsam die Welt im Kleinen vor, und man kann
sie allenfalls in vier Hauptklassen teilen. Zu der ersten
Klasse gehören die Vornehmen, die in den Logen sitzen;
indessen giebt es auch unter diesen Narren allerley Art
und abgeschmacktes Volk genug. Die zweite Klasse
geht aufs Parterre, und besteht aus Bürgern und Bürger-
weibern, Witzlingen und Kritikern, Gaunern und Stutzern.
Die dritte Klasse auf der Gallerie besteht aus Profession-
isten, Künstlern, und überhaupt aus der mittleren Gattung
des Volkes; zur letzten Klasse endlich gehört der gemeine Pöbel, der sich durch ärgerliches Geräusch und
abscheuliches Getümmel hörbar macht.

Noch stellt sich, so wohl in der Gallerie, als aufs
Parterre eine Menge liederlicher Weibspersonen ein;
diese versäumen gewiss keinen einzigen Abend das
Schauspiel, um alles, was nur irgend einem Fremden
ähnlich sieht, in ihre Schlingen zu locken. Ist hier
nemlich ein oder andrer Fremde gegenwärtig, so pflanzt
Mademoisell sich so nahe bey ihm hin wie möglich, und
fängt mit der unverschämtesten Zudringlichkeit eine
Unterhaltung an. Findet sie nun ihren Mann, nemlich

so einen, der ihr mit Höflichkeit zuvorkommt, so verlässt sie ihn einen Augenblick, um irgend einer ihrer Gehilfinnen einen Wink zu geben, dass sie einen Vogel im Stricke hat. Als dann wird über die fernern Maasregeln beratschlagt, und nun kommt sie zurück, und unterhält ihn mit dem vertraulichsten Gespräch, so lange das ganze Schauspiel dauert. Ist das Schauspiel zu Ende, so weiss sie es schon so anzustellen, dass sie mit ihm zugleich heraus geht, und zugleich ihr bemaltes Gesicht seinen Blicken begegnen muss.

Will dies noch nicht helfen, und scheint der Fremde gegen alle ihre Reize unempfindlich zu seyn, so sucht sie das Gespräch noch interessanter zu machen, fragt auch wo sein Logis ist, und dann ist sicher sein Weg auch der ihrige. Sie bittet also eine Mietkutsche zu rufen, und sie zu Hause zu begleiten, mit dem Versprechen, dass sie sich den folgenden Abend auf gleiche Art revangieren wolle.

Glückt dies, so ist das Geschäft bereits halb geendigt. Sie setzt sich nun neben ihm im Wagen, und hier empfängt er eine Sündflut von Danksagungen und Komplimenten für seine Güte und Gefälligkeit, dass er ihr einen Platz in der Kutsche erlaubt; sie bittet also inständigst um die Ehre, sie in ihr Haus zu begleiten ... Ist er nun erst bis dahin, so ist er ihr eine sichere Beute." [1]

Die kleineren Theater, wie Goodman's Fields-Theater, in dem Garrick zuerst auftrat, waren gefährliche Herde der Immoralität für die gesamte Nachbar-

---

[1] „Offenherzige Schilderung der Müssiggänger und Taugenichts in London." London 1788. Teil II, S. 93—96.

schaft. Sir John Hawkins berichtet, dass das letzt-
genannte Theater von einem ganzen Kreise von Bagnios
umgeben war und der Auktionator Puff in Foote's
„Taste" (1752) spielt ebenfalls auf diese Verhältnisse
an, und noch 50 Jahre später erwähnt Malcolm mehrere
Bordelle in der Nähe dieses Theaters.[1]

Manchmal wurden auch die Einrichtungen vornehmer
Bordelle auf die Bühne gebracht. So wurde der berüchtigte Besitzer des „Tempels der Gesundheit",
Dr. Graham[2] im Jahre 1780 in der Posse „The
Genius" dem Publikum vorgeführt. Bannister spielte
den Graham. Dessen seidene Sophas mit gläsernen
Füssen, sein „himmlisches Bett", seine zwei Pförtner in
langen prunkenden Röcken und mit ungeheuren gold-
verzierten Hüten, wie sie an der Thür Zettel verteilten,
sogar seine Göttin der Gesundheit wurden von Harlekins
parodiert die ebenso des Doktors schlürfenden Gang und
lächerliche Verbeugungen karrikierten. Der jüngere
Colman und Bannister hatten sich vorher zu dem
Tempel der Gesundheit begeben, um des Charlatans
Porträt für diesen Zweck aufzunehmen.[3]

Samuel Foote verschmähte es sogar nicht, das
Personal des Haymarkettheaters aus den Bordellen zu
ergänzen. So engagierte er einmal eine Dirne aus dem
Bordell der Charlotte Hayes.[4]

---

[1] H. B. Wheatley a. a. O. Bd. II, S. 128.
[2] Vergl. über ihn E. Dühren „Das Geschlechtsleben in England." Bd. II, S. 318—326.
[3] Thornbury „Haunted London" 108.
[4] „Les Sérails de Londres" S. 45—46.

9*

Man kann nicht behaupten, dass Shakespeare's mächtiger Geist über der englischen Schaubühne des 19. Jahrhunderts schwebt.

Wir sehen die vielfachen Versuche einer Erneuerung des englischen Dramas vereitelt durch die immer stärkere Entwickelung einer schon von altersher dem englischen Volksgeist adäquaten Richtung, die sich mit dem Worte „Sensationsdrama" bezeichnen lässt. Vom Anfange bis zum Ende des Jahrhunderts beherrscht das Sensationsstück die englischen Bühnen. Die möglichst starke Wirkung auf die Sinne wird als Massstab für Güte und Rentabilität eines Dramas betrachtet.

Schon Bornemann konstatiert um 1815 den Niedergang der englischen Komödie und Tragödie und das Vorherrschen der Spektakelstücke. „Die jüngere Zeit hat nur zu sehr die vorgezeichnete rechte Bahn verlassen, und man könnte sagen, bis zu Katzensteigen sich verirrt, um sich in kurzweiligen Wortspielen, witzelnden Anfechtungen vergnüglicher Momente und gallsüchtigen Persönlichkeiten, Beifall und Gelächter eines Augenblicks zu erbuhlen; und in empörenden Grässlichkeiten empfehlenden Stoff für die tragische Muse zu suchen . . . Da Uebertriebenes so sehr gefällt, so übertreibt denn auch jeder nach Möglichkeit. Ein wieherndes Kreischen, z. B. um Schreck und Entsetzen auszudrücken, mag der rauhen Natur ganz eigentümlich seyn; aber es von der Bühne herab vernehmen zu müssen, und je durchschneidender und anhaltender es gewesen, mit desto mehr Beifall honoriert zu sehen, das will sich denn doch schwer verwürgen lassen." [1]

---

[1] Bornemann a. a. O. S. 166—168; S. 170.

Heute ist diese Sensationslust des englischen Theaterpublikums womöglich noch grösser als am Beginne des 19. Jahrhunderts, und es ist nicht zu viel gesagt, wenn man behauptet, dass ein Stück desto mehr Erfolg hat, je mehr es auf die Entfesselung der niedrigsten Instinkte des Publikums berechnet ist. Die Effekte, die „das Publikum angeln" sollen, sind: bis zum Wahnsinn verschrobene und verdrehte Charaktere, sensationelle am liebsten kriminelle — Situationen, einige verwickelte Intriguen — sowie glänzende, höchst vollendeste Dekorationen und Maschinerien. [1]

Eine anschauliche Illustration für das ausschliesslich sensationelle Moment im englischen Theater bieten die jedem Besucher Londons sogleich auffallenden Theaterplakate dar, welche die Mauern, Dächer, Säulen und jede verfügbare freie Fläche bedecken und in grellen Farben, ganz nach Art der Titelumschläge unserer billigen Indianerbücher, den Knalleffekt (meist im wahren Sinne des Wortes) des betreffenden Stückes zur Anschauung bringen. „In diesem Hexensabbat von grellen Farben und traurigen Zeichnungen schiessen, was ausschweifende Rücksichtslosigkeit betrifft, die Plakate der Londoner Theater den Vogel ab. Sie bedecken oft ungeheure Flächen und führen in meist überlebensgrossen Bildern die charakteristischen Scenen des Theaterstückes vor Augen: süssliche — wenn auch anständige — Liebesscenen im Wechsel mit Mord und Totschlag in allen bekannten Formen, mit Misshandlung von Frauen, hysterischen Anfällen und anderen dramatischen

---

[1] Vergl. darüber Gustav E. Steffen „Aus dem modernen England" Stuttgart 1896 S. 888.

Krankheitsformen, mit Einbrüchen und Polizei-Heldenthaten, u. s. w."[1]

Wer einen vollen Begriff von dem, was auf einer Londoner Bühne möglich ist, bekommen will, dem empfehle ich dringend den Besuch eines der Vorstadttheater z. B. des Standardtheater in Shoreditch. Es genügt, sich einen Akt anzusehen. Als ich gegen 9 Uhr abends das erwähnte Standardtheater betrat, um mir das Schauerstück „A Life's Revenge" anzusehen, waren gerade zwei sehr wild aussehende Weiber auf der Bühne beschäftigt, unter dem Beifallsgeheul des Publikums ein — Säbelduell auszufechten. Die Siegerin begnügte sich nicht damit, ihre Gegnerin durch Verwundung kampfunfähig zu machen, sondern sprang ihr nach dem beigebrachten Stich an die Gurgel und würgte sie, um die ohnmächtig Hinstürzende dann unter dem tobenden Jauchzen der Zuschauer totzustechen. Ueberhaupt war es interessant, das grösstenteils aus Männern, Frauen und Kindern der niedrigsten Volksklassen des East End bestehende Publikum während des Spiels zu beobachten. Die Zuschauer waren mit Herz und Seele bei der Sache, sie nahmen moralischen Anteil an der Handlung, zischten die Uebelthäter und Schurken aus und spendeten den unschuldig Verfolgten Beifall. Die Liebkosungen, welche die weiblichen Schauspielerinnen ihren Liebhabern zu teil werden liessen, liessen an Deutlichkeit nichts zu wünschen übrig. Das Streicheln war mehr ein widerwärtiges Bekrabbeln, die Küsse schallten wie Ohrfeigen durch den Zuhörerraum.

Jedoch haben sich auch die höheren Londoner

---

[1] ibidem S. 891.

Bühnen dieser auf das Sensationelle und Derbe gehenden Richtung nicht ganz entziehen können, und auch hier bleiben die Schauspielerinnen nicht zurück. Schon Goede bemerkt: „Wer es nicht wüsste, dass es den Engländern an guten, hochkomischen Theaterstücken fehlt, würde es leicht an ihren Schauspielerinnen bemerken können, die in die gröbste Materialität des Niedrigkomischen versunken sind. Nie habe ich von Schauspielerinnen einen so groben, undelikaten Ton gehört, als auf dem Englischen Theater. Dieser ist um so auffallender, da er so ganz dem sanften, weiblichen Charakter der Engländerinnen widerstreitet . . Es ist nicht zu leugnen, dass selbst da, wo der Dichter viele Feinheit in eine weibliche Rolle legte, diese unter den Händen der Englischen Schauspielerinnen gemeiniglich ganz verloren geht. So ist z. B. die Witwe Belmont in dem „way to keep him" eine Rolle, worin eine Schauspielerin, der es nicht an Kunst und natürlicher Grazie fehlt, glänzen könnte; aber Mrs. Jordan macht durch ihre erstaunlich gemeine Diktion, verbunden mit dem Plumpen und Niedrigkomischen ihres übrigen Spieles, aus der feinen graziösen Witwe ein ganz gewöhnliches Weib." [1]

Ebenso rügt in späterer Zeit O. v. Rosenberg den derben und obscönen Ton auf der englischen Bühne: „Mit Recht sagt Voltaire, dass die Sprache der englischen Schauspieler die Sprache der Liederlichkeit und nicht die der höflichen Welt sei. Muralt schreibt die Verdorbenheit der englischen Sitten dem Theater und hauptsächlich in London zu. Er behauptet, dass ihm

---

[1] Chr. A. G. Goede „England, Wales, Irland und Schottland" 2. Aufl. Dresden 1806. Bd. III, S. 217.

kein anderes gleiche, dass es eine Schule sei, welche die Jugend beider Geschlechter mit dem Laster vertraut mache und es ihr hier nie als solches, sondern als einen Gegenstand des Scherzes darstelle." [1]

Zwischen 1830 und 1850 war das Unwesen der sogenannten „Penny-Theatres" sehr gross, über welches viele Schriftsteller jener Zeit Klage führen. Ryan nennt diese billigen Theater die „nurseries of young thieves and prostitutes" [2]. Talbot fällt ein ähnliches Urteil über sie und geisselt besonders die obscönen Darstellungen auf diesen kleinen Bühnen, durch welche die Jugend völlig verdorben werde. [3] Zu diesen verrufenen „Penny-Theatres" gehörten das Victoriatheater in Lambeth, der Bower Saloon, Stangate, die „Rotunda" in Blackfriars Road. [4]

Eine Eigentümlichkeit der grossen Londoner Theater, besonders in der ersten Hälfte des 19. Jahrhunderts, sind ihre „Salons" (saloons), welche fast ausschliesslich als Tummelplätze der Prostitution bezeichnet werden. Bornemann schildert seine Eindrücke aus dem Covent Garden-Theatersalon folgendermassen:

„Die kurzen Zwischenakte benutzen wir um in den Conversationssälen uns umzusehen. Ganze Schaaren von Lustmädchen sind hier versammelt, wie denn überhaupt die Theater von solchen Grazien wimmeln. An Nacktheit und Kleidungsdurchsichtigkeit, bey üppiger Körperfülle, lassen sie nichts ermangeln. Ihr Benehmen hin-

[1] O. v. Rosenberg „Bilder aus London" Leipzig 1884. S. 118.
[2] Ryan a. a. O. S. 118.
[3] ibidem S. 200.
[4] H. Barton Baker „The London Stage". London 1892. Bd. II, S. 289—241.

gegen in diesen Sälen ist sehr bescheiden und verrät keineswegs ihr verrufenes Handwerk. Ein begehrender Blick wird durch artiges Ueberreichen einer sauber gestochenen Charte beantwortet, worin die Schöne mit ihrer Wohnung bekannt macht, und zum Besuch zärtlich einladet. Im Busen stecken die Charten, duftend nach Rosen und Ambra. Es sind im ganzen reizende Gebilde und Manche ausgezeichnete Schönheiten. Auch nur die höhere Klasse dieser unglücklichen Opfer der Venus vulgivaga giebt sich hier Schau. Ohne Anstoss zu nehmen, lustwandeln mitten unter ihnen Brittische Familien, Mütter und Töchter, Väter und Söhne. Auf reichlichen Abgang der Halbpreis-Billets haben diese Säle, und jene Heldinnen, entschiedenen Einfluss, denn gar viele der jungen Wüst- und alten Lüstlinge betreten nur Thaliens Hallen zur Auswahl und Augenweide, die, mit der Zeit des Halbpreises, den die Priesterinnen Cytherens ebenfalls zahlen müssen, erst rechten Flor gewinnt. [1]

O. v. Rosenberg[2] berichtet, dass auch die Theaterräume selbst von den Prostituierten in Anspruch genommen wurden. „Leider ist die Gesellschaft in dem ganzen Hause, ich spreche wieder von Drury-Lane und Coventgarden, sehr gemischt, und oft findet man die Herzogin umringt von Freudenmädchen etc. Die Gallerie ist von den letztern angefüllt und jede hat freies Entrée. Unanständige Scherze mit diesen Dirnen und jungen Leuten aus den ersten und besten Familien scheinen etwas ganz Erlaubtes, und man

---

[1] Bornemann a. a. O. S. 162.
[2] O. v. Rosenberg a. a. O. S. 114.—115.

geniert sich selbst in diesen Liebkosungen nicht, wenn bekannte Damen es mit ansehen. — In den Zwischenakten versammelt sich der ganze Tross von öffentlichen Mädchen, alten und jungen Libertins in dem grossen Saale, Saloon, der im ersten Range angebracht ist, und in welchem Erfrischungen aller Art verkauft werden. Die Wände sind von Spiegelglas, das Zimmer ringsum mit Ottomanen und Sophas besetzt. Hunderte von Kerzen und ein grosser Kronleuchter, an welchem eben so viele Gaslichter brennen, beleuchten diese Scene von Schamlosigkeit und nie gesehener Frechheit."

In den „Doings in London" bemerkt Peregrin zu Mentor, dass er schon sehr viel von dem Treiben im „Drury-Lane Saloon" gehört habe und sich dasselbe gerne ansehen möchte. Mentor führt ihn alsbald dahin. „Dieser alte Kerl," sagte Mentor, „den Ihr da in Unterhaltung mit dem kleinen Mädchen begriffen seht, ist ein ständiger Besucher des Salons. Viele dieser jungen Geschöpfe werden herbeigeschafft, um seine schreckliche Leidenschaft zu befriedigen.

> It's true — 'tis pity;
> And pity 'tis — 'tis true!

Jedermann muss die allnächtlich in den Salons unserer Nationaltheater vorfallenden unsittlichen Scenen tief beklagen. Ein Mitarbeiter der „Times" bemerkt: „Es ist allgemein bekannt, dass keine anständige Frau einer Vorstellung beiwohnen kann, ohne den anstössigsten Berührungen ausgesetzt zu sein. Nicht nur hat jedes Theater seinen „Salon" für die specielle Bequemlichkeit der gewöhnlichen Dirnen, sondern letztere machen sich auch in allen übrigen Teilen des Hauses breit. Besonders der zweite und dritte Rang sind ganz von ihnen besetzt. Wir sprechen von der inferioren Moral der Franzosen, aber können wir uns in Bezug auf die äusseren Zustände in unseren Strassen und Theatern mit ihnen vergleichen? Bei ihnen entrichtet das Laster der Tugend seinen Tribut, indem es decent auftritt, bei uns ist das einzige Gegengewicht des Lasters seine äusserste Roheit, die leider durchaus kein ausreichender Schutz gegen dasselbe ist."

Eine sehr anschauliche Abbildung führt uns diese „Doings in Drury-Lane Saloon" vor Augen. Wir erblicken einen alten Lebemann, wie er grade ein zierliches kleines Mädchen unters Kinn fasst, und andere Damen der Halbwelt teils sitzend, teils in Begleitung von Gecken umhergehend. [1]

Weitere interessante Schilderungen der Theatersalon-Prostitution geben Pierce Egan in seinem berühmten „Life in London", wo er uns eine ganze Anzahl solcher Salontypen, die „Brillanten-Fanny", die „hübsche Ellen", die „schwarzäugige Jane", sowie das Treiben der als Kupplerinnen dienenden Obstfrauen vor dem Theater u. a. sehr anschaulich vorführt[2]), ferner Goede[3]), Venedey[4]), Rémo[5]) u. a.

Glanville, ein Buchhändler unter der Piazza, Covent-Garden veröffentlichte zwei Jahre lang seine

---

[1] „Doings in London". S. 99; S. 129.
[2] P. Egan „Life in London" ed. Hotten, London 1900. S. 211—217.
[3] Goede a. a. O. Bd. III, S. 286—287.
[4] J. Venedey „England". Leipzig 1845. Bd. II, S. 587.
[5] Rémo „La vie galante en Angleterre". S. 260.

Liste der schönen Besucherinnen des Coventgarden-Salon unter dem Titel „The Fashionable Cypriad"[1].

Die Musik, diese „Melodie, zu der die Welt der Text ist" (Schopenhauer), spricht unmittelbarer zum Herzen als jede andere Kunst. Daher spielt sie vor allem in der Liebe von jeher eine höchst bedeutende Rolle, indem sie die Seele für alle erotischen Regungen reiner, aber auch sinnlicher Natur empfänglich macht. Ueber diese Beziehungen der Musik zur Erotik haben sich Dufour[2] Günther[3], Meibom[4] u. a. ausgesprochen. Bei den Römern gab es eine eigene Gattung der musikalischen Prostituierten, die Lyra- und Flötenspielerinnen[5], und in der Neuzeit bildete ebenfalls Italien durch seine Opernsänger und Sängerinnen, Kastraten, Geiger, Musiker aller Art, mit welchen es die nordeuropäischen Länder überschwemmte, den Ausgangspunkt einer neuen Art der Prostitution.[6]

Nirgends hat sich die Leidenschaft für musikalische Genüsse jeder Art stärker entwickelt als in England. Es ist dies um so merkwürdiger als, wie allgemein bekannt, das englische Volk keinerlei grosse Componisten, ja kaum eine eigene Nationalmusik hervorgebracht hat. Ich erinnere nur an den Ausspruch Nietzsche's: „Was aber auch noch am humansten Engländer beleidigt, das

[1] J. Bee a. a. O. S. 57.
[2] Dufour a. a. O. Bd. III, S. 137.
[3] Günther „Kulturgeschichte der Liebe". Berlin 1899.
[4] Meibom a. a. O. S. 271.
[5] J. Jeannel, „Die Prostitution in den grossen Städten im neunzehnten Jahrhundert". Erlangen 1869. S. 81—82.
[6] Vergl. die packende Schilderung dieser Zustände bei Barthold „Die geschichtlichen Persönlichkeiten in Jacob Casanova's Memoiren". Berlin 1846. Bd. 1, S. 38—41.

ist sein Mangel an Musik, im Gleichnis (und ohno
Gleichnis —) zu reden: er hat in den Bewegungen
seiner Seele und seines Leibes keinen Takt und Tanz,
ja noch nicht einmal die Begierde nach Takt und Tanz,
nach Musik."[1])

Letztere Bemerkung ist nur zum Teil richtig. Es fehlt
dem Engländer nur das Vermögen eigener musikalischer
Produktion. Die „Begierde" ist vorhanden, sogar in
einem ungewöhnlichen Masse, aber freilich meist auf
sehr zweifelhafte musikalische Genüsse gerichtet. Schon
Erasmus von Rotterdam erwähnt im „Moriae Enco-
mium" diese eigenartige Musikleidenschaft der Engländer[2]). Alle Reiseschriftsteller des 18. und 19. Jahrhunderts können nicht laut genug ihre Verwunderung
über die aussergewöhnlich grosse Rolle, welche die
Musik in England spielt, ausdrücken. Aus v. Archenholtz's Bericht geht deutlich jene Beziehung dieser
Musikleidenschaft zur Vita sexualis, auf die oben hingewiesen wurde, hervor.

„Nie hatte diese Kunst in England eine glänzendere
Epoche. Händels Gedächtnissfeier, die einer Apotheose
nicht unähnlich sicht, die Italienische Oper, die grossen
Musiken im Pantheon, alles ist prächtiger als je zuvor,
und mit dem Herzog von Buckingham hat sich der Enthusiasmus auch über Irland verbreitet. Man ist bereits
verwöhnt genug, um kein Konzert mehr hören zu wollen,
wo das Orchester nicht wenigstens aus 300 Künstlern
besteht. Dem Sänger Marchesi zahlten die Entre-

---

[1]) Fr. Nietzsche. „Jenseits von Gut und Böse". 4. Aufl
Leipzig 1895. S. 227.
[2]) Traill a. a. O. III, 164.

preneurs der Italienischen Oper für einen Winter 1500 Pfund Sterling, nebst dem Gewinn einer Vorstellung, freiem Tisch und freier Equipage. Die Mara und die Storace wurden verhältnismässig eben so königlich von diesem Volk von Königen belohnt. Noverre erhielt zum erstenmal in England das daselbst ganz ungewöhnliche Zeichen des Beifalls, dass er vom Publikum herausgerufen ward, nachdem Vestris sein neues Ballet, Cupido und Psyche, getanzt hatte. Diese Symptome zeugen von etwas mehr als blosser Modesucht; sie bezeichnen uns den Reichen und Grossen, der Langweile hat und die Spannung einiger Augenblicke nicht teuer genug bezahlen kann; sie schildern die unnatürliche Weichlichkeit, zu welcher die Völker auf der höchsten Stufe der Kultur durch Ueppigkeit und schwelgenden Genuss entarten. Es ist wahr, wir empfinden mit dem Ohr, wie mit dem Auge, Harmonie der Töne wie Harmonie der Farben und Gestalten; das Vollkommene dringt in unsern innersten Sinn und verschmelzt sich mit ihm, gleichviel durch welches äussere Werkzeug es aufgefasst ward. Dennoch sind wir unabhängiger durch das Gesicht als durch das Gehör; denn das Auge erfasst einen mannichfacheren Umfang von bestimmteren Verhältnissen der Dinge, und mit Hülfe dessen dringen wir gleichsam tiefer in ihr Wesen hinein. Die Erschütterungen durch das Gehör sind auch in demselben Masse gröber und unbestimmter, als die durch die Sehnerven, wie das Medium der Luft körperlicher ist als jenes des Lichts.. Dunkle, leidenschaftliche Gefühle des Tonkünstlers berühren unser Ohr in verschiedenen Folgen von Tönen; dunkle, leidenschaftliche Gefühle widerhallen in unserem Sinn.

Plato hielt daher die Musik für gefährlich und insbesondere verbannte er die weiche lydische Tonart aus seiner Republik.

Minder strenge als der für Tugend schwärmende Philosoph erkennt unser Zeitalter den Wert einer jeden Leidenschaft und sicher in seiner Abspannung, besorgt es keine gewaltsame Wirkungen von dem Reiz der Musik. Wollüstiges, schmachtendes, hinsterbendes Girren, vorgetragen und mit dem Silberton eines Entmannten; mehr braucht es nicht, um ohnmächtige Nerven zu einem schnell vorüberfliehenden Entzücken zu kitzeln."[1]

Jouy,[2] Adrian,[3] v. Rosenberg[4] machen ebenfalls interessante Mitteilungen über die ausserordentlich entwickelte Neigung der Engländer für Musik und Gesang. Und zwar ist dieselbe bei den unteren Klassen in eben demselben Masse vorhanden wie in den höheren. Goede sagt: „Vorzüglich bemerkt man eine beinahe leidenschaftliche Vorliebe für Musik unter der roheren Volksklasse. Jeder noch so unreine Leyerton auf einer Londoner Strasse lockt den englischen Pöbel aus allen Schlupfwinkeln herbei, und in wenig Augenblicken sieht sich der wandernde Musikant von einem Haufen schmutziger Zuhörer umgeben, die mit freudigem Entzücken die Harmonieen seines Instruments in sich ziehen."[5] Archenholtz erzählt ein drastisches Bei-

---

[1] J. W. v. Archenholtz, „Britische Annalen". Bd. III, S. 196-197

[2] Jouy. „L'Hermite de Londres". Bd. III, S. 162.

[3] Adrian a. a. O. II, 59.

[4] v. Rosenberg a. a. O. S. 66.

[5] Goede a. a. O. III, 155—156.

spiel hierfür. Ein gewöhnlicher Soldat in Norwich hungerte mehrere Tage, um so das Geld für ein Konzert zu sparen, welches er anhören wollte.[1]

Da England keine eigenen hervorragenden Komponisten, Musiker und Sänger hervorgebracht hat, so stellten sich früh fremde Künstler ein, für die sich hier natürlich ein reiches und einträgliches Feld ihrer Thätigkeit eröffnete.

Vor allem kamen die beiden am meisten für Musik begabten Nationen in Betracht: die Italiener und die Deutschen.

Die erste italienische Oper wurde den 9. April 1705 auf dem Heumarkt eröffnet (Italian Opera House); am 6. April 1847 kam eine zweite hinzu (Royal Italian Opera, Covent Garden), welche mit der „Semiramide" (Titelrolle von der Grisi gesungen) eröffnet wurde.[2] Beide Opern haben den Staat sehr grosse Summen gekostet, da die Honorare der Sänger und Sängerinnen ganz kolossale waren. „Das reiche Grossbritannien," sagt Barthold, „gewährte andere Vorzüge, eine höhere Geltung in der Gesellschaft, welche Theaterprinzessinnen in gewisser Ebenbürtigkeit betrachtete, daher mehr als eine Primadonna eine hochadelige Heirat schloss, und sich in den vornehmsten Kreisen bewegte; ferner überschwengliche Jahrgehalte. Farinelli erhielt im Jahre 1734 2500 Pfund, ehe er nach Spanien ging; die berühmte Faustina Bordoni zog oft für einen einzigen Abend, ausser reichen Geschenken ihrer Gönner und Gönnerinnen, 1500 Pfund! Die Aufnahme in der höheren

---

[1] Archenholtz a. a. O. Bd. V, S. 386—387.
[2] Timbs „Curiosities of London", S. 788—789.

Gesellschaft machte Sänger und Sängerinnen in George II. Zeit sogar zu politischen Personen, und in ähnlicher Weise wie in Byzanz, versteckten sich die Parteibestrebungen der Whigs und Tories hinter dem Wetteifer der gefeierten Theaterheldinnen. Beide Parteien teilten sich in die Verfechtung des Talents der Faustina und der Francesca Cuzzoni-Sandoni, zogen auch die Maestri di Capella in die politische Spaltung. Händel war für Faustina, und Buonconcini für die Cuzzoni; um den öffentlichen Frieden herzustellen, musste man endlich, bei der Heftigkeit der Nebenbuhlerinnen, sich entschliessen, beide fortzuschicken." [1]

Der hohe englische Adel zog mit Vorliebe die italienischen Sänger zu Konzerten in seinen Palästen heran. Wagen schildert ein solches Konzert am 17. Juli 1835 bei dem Marquis von Lansdowne in Lansdownehouse, bei welchem die beiden ersten Bassisten Europas, Lablache und Tamburini, das berühmte Duett „Se fiato" aus dem „Matrimonio secreto" von Cimarosa unvergleichlich herrlich vortrugen, und bei dem das Trio „Vadasi via di quà" aus der „Cosa rara" von Martini von der Malibran, Rubini und Lablache meisterlich gesungen wurde. [2]

Bedenklich war nur, dass auch das Unwesen der italienischen Kastraten in England Eingang fand, deren Rolle als Vermittler der geschlechtlichen Korruption Barthold schildert. [3] Speziell mit Beziehung auf England geisselt der Verfasser der „Müssiggänger und Taugenichtse in London" diese Auswüchse der italienischen Oper:

---

[1] F. W. Barthold a. a. O. Bd. I, S. 45—46.
[2] Wagen, „Kunstwerke und Künstler in England Bd. II, S. 72.
[3] Barthold a. a. O. I, S. 38; S. 40.

„Um sich aufs vollkommenste zu überzeugen, wie
sehr der herrschende Geschmack itzt herab gesunken
ist, darf man nur das prächtige Theater, das wahre
Monument britischer Verschwendung, ansehen, das
blos der italienischen Oper gewidmet ist. Die Liebhaber dieser Gattung öffentlicher Lustbarkeiten finden
in den leeren Tönen so ausserordentlich viel Reizendes,
dass sogar dem musikalischen Gott zu Ehren die Mannheit aufgeopfert wird. Die Sprache der Natur und der
Ausdruck der Leidenschaften ertönt hier in burlesken
Trillern und Wirbeln, die man ein Recitativ nennt und
welches im Grunde so wenig Gesang als Deklamation
ist. In der That, nur für die Art elender Idioten, die aus
Mangel des Gefühls für das wirklich Schöne in dem blossen
Geklimpere und Getrillere etwas Reizendes finden, kann
dies ausländische Gequike eine Unterhaltung seyn.

Aber noch mehr! Dadurch, dass wir diese entmannten Söldner hervorziehen, befördern wir zugleich
das allgemeine Sittenverderben, und Weichlichkeit, an-
steckend wie die Pest, erstickt in unsern jungen Edel-
leuten den Keim der edleren Gefühle. Statt ihnen die
vortrefflichen Charaktere solcher Patrioten, Helden und
Senatoren zum Muster vorzustellen, die sich zum Besten
ihres Vaterlandes auf eine rühmliche Art hervorgethan
haben, sehen sie hier blos eine Gruppe armseliger Geschöpfe, Mitteldinge zwischen Mann und Weib, welchen,
so sehr sie auch immer von vielen gelobpriesen werden,
alles männliche, wahre und charakteristische der
Handlung fehlt, wodurch eigentlich nur das dramatische
Verdienst bestimmt wird."[1])

---

[1]) „Offenherzige Schilderung der Müssiggänger und Taugenichts in London". London 1787, Teil I, S. 98—99.

Neben den Italienern nahmen die deutschen
Musiker und Komponisten schon mit dem Ende des
17. Jahrhunderts eine sehr hervorragende Stellung in
England ein. Zacharias Conrad von Uffenbach,
der 1710 die Oper in London besuchte, bemerkt: „Das
Orchester ist auch so wohl besetzt, dass es nicht besser
seyn kann. Es sind aber lauter Fremde, meist
Teutsche, und dann Franzosen; denn die Engländer
sind in der Musick nicht viel besser als die Holländer,
das ist ziemlich schlecht."[1])

Am meisten gefeiert wurden Händel und Weber.
Ersterer hat bekanntlich 49 Jahre, von 1710—1759, in
England gelebt und gewirkt und ist in der Westminster-
abtei beigesetzt worden.

Ueber die ihm zu Ehren veranstaltete grossartige
Gedächtnisfeier an letzterem Orte am 26. Mai 1784
berichtet Malcolm.[2])

Carl Maria v. Weber, der im Februar 1826 zur
ersten Aufführung des „Oberon" (12. April 1826) nach
London gereist war, starb dort am 5. Juni desselben
Jahres. Er hatte einen ungeheuren Enthusiasmus erregt, und sein Tod rief die rührendste Teilnahme von
Seiten der englischen Bevölkerung hervor. v. Rosenberg weilte gerade zu dieser Zeit in London und erzählt Näheres darüber:

„Weber kann ohne Uebertreibung der musikalische
Abgott des englischen Volkes genannt werden. Wie

---

[1]) „Herrn Zacharias Conrad von Uffenbach merkwürdige Reisen durch Niedersachsen, Holland und Engelland"
Ulm 1753, Teil II, S. 441.

[2]) J. P. Malcolm, „Londinium redivivum". London 1802.
Bd. I, S. 254—255.

10*

sehr seine Produkte die im allgemeinen unmusikalischen
Ohren der Engländer gekitzelt haben, beweist auch hier
der Jungfernkranz etc., die man auf jeder Drehorgel,
aus jeder Gurgel von Alt und Jung mit Begeisterung
erschallen hört. Ich fand in der literary gazette eine
hübsche Hymne auf Weber. Einige Tage nach seinem
Tode ging ich in das italienische Opernhaus, wo ein
Konzert für Waisenkinder gegeben und unter mehreren
Symphonien von Weber, dessen Ouverture aus dem
Freischützen und seine Hymne auf den verstorbenen
König von Baiern aufgeführt wurde. Ganz besonders
schien die letztere, welche trefflich ausgeführt wurde,
eine allgemeine Wehmut unter dem Publikum zu verbreiten, und war es blosse Wirkung der Töne, war es
ein besonderes Interesse an Webers Person, mehrere
Damen wurden ohnmächtig, und ich muss frei gestehen,
ein gelindes geistiges Beben ergriff auch mich. Nach
Beendigung desselben rauschte kein Applaudissement wie
bei den anderen Piècen durch das Haus, still und stiller
ward es im hell erleuchteten Saale, kein Wort ent-
schlüpfte der bewegten Brust, jedes schien den ver-
ewigten Künstler aufrichtig, ohne hörbare Ehrenbezeigung
zu betrauern." [1]

Neben den grossen Opernhäusern kommen in London
hauptsächlich die grösseren und kleineren Musikhallen für die Darbietung musikalischer Produktionen
in Betracht.

Ein eigentümlicher Vorläufer der Musikhallen
war das im 17. und 18. Jahrhundert sehr beliebte
Musikschiff auf der Themse.

---

[1] O. v. Rosenberg a. a. O. S. 125—126.

Nahe dem Eingang zu Cuper's Garten, einem bekannten Londoner Vergnügungsgarten des 18. Jahrhunderts, lag auf der Themse zwischen Somersethouse und dem Savoy eine in Form eines Hauses gebaute grosse Barke, deren Entwickelung sich ungefähr mit derjenigen der chinesischen „Blumenschiffe" vergleichen lässt.

Die „Folly" — so hiess dieser eigenartige Bau — enthielt im Innern verschiedene Salons und kleinere Zimmer, das Dach war zu einer Promenade eingerichtet und wurde an den vier Ecken von Thürmchen gekrönt. Dieses „komische Stück Architektur", wie Thomas Brown es nennt, wurde kurz nach der Restauration erbaut und am 13. April 1668 von Pepys besucht, der unter diesem Datum in seinem Tagebuch einen Schilling, ausgegeben in der Folly, vermerkt hat. Brown bemerkt, dass das Boot als ein sommerliches Musikhaus erbaut worden sei, wo Personen von Stand sich treffen und beäugeln konnten. Bald erkannten aber die „ladies of the town" (Demimonde), dass dies ein für ihre Zwecke sehr geeigneter Ort sei und vertrieben die ehrbaren Frauen, welche hier ebenfalls ihre „amorous intrigues" gesucht hatten. Die Königin Mary (Gemahlin Wilhelms III.) stattete der Folly einst einen Besuch ab, worauf der Besitzer den Namen des Schiffes in „The Royal Diversion" umtaufte. Im Volke hiess es jedoch weiter „The Folly". Thomas Brown beschreibt einen Besuch, den er im Jahre 1700 diesem merkwürdigen Bau abstattete. Nachdem er in einem Boote an die Seite der „Folly" herangerudert worden war, fand er sich sogleich von einem Haufen von jungen und alten Weibern „von jeder Art und Grösse" umgeben. Einige dieser Damen tanzten

und trippelten lustig auf dem Decke umher, andere
plauderten mit ihren Verehrern. Sehr viele aber, darunter auch einige mit langen Schwertern bewaffnete
Zuhälter, drängten sich im Innern, in den Zimmern und
dem Salon, wo sie rauchend und Branntwein trinkend
sassen. „Kurz, es war solch eine konfuse Scene von
Narrheit, Ausgelassenheit und Unzucht", dass Thomas
Brown, der sonst wirklich nicht prüde war, ohne
etwas genossen zu haben, wieder in sein Boot stieg.
In späterer Zeit wurde die Folly gelegentlich von ehrsamen Handwerksleuten und Handlungsgehülfen nach
Ladenschluss besucht, meist in Begleitung ihrer
„sweethearts", um dort einen vergnügten Abend zu
verleben.

Die eigentümliche Einrichtung existierte bis etwa
1750, unter häufigem Wechsel des Charakters der
Besucher; zuletzt war sie als „Golden Gaming Table",
als Spielhölle verrufen. Später lag an der Stelle die
berühmte Chinesische Dschunke, die 1848 von Tausenden
besucht wurde. [1)]

Unser Landsmann, der berühmte Büchersammler
Zacharias Conrad von Uffenbach besuchte die
„Folly" am Sonnabend, den 19. Juli 1710:

„Nachmittags, weil es schön Wetter, nahmen wir
ein Boot und fuhren auf der Themse, London Diversion,
oder wie mit grossen goldenen Buchstaben an diesem
Schiff geschrieben war: Royal Diversion, so gemeiniglich im Englischen und Französischen Folie

---

[1)] Vergl. das Kapitel, „The Folly on the Thames" bei W. and
A. E. Wroth, „The London Pleasure Gardens of the eighteenth
century" London 1896, S. 258—260 (mit Abbildung der Folly
S. 259 und Litteratur); Timbs „Curiosities of London" S. 775.

genannt wird, zu besehen. Es ist aber diese Folie
eigentlich ein grosses Schiff, viereckigt, wie eine grosse
und tieffe Nähe oder Fähre, die bey nahe mitten in der
Temse am Anker vest lieget, das zu einem Wirtshaus
und Huren-Haus zugleich dienet. Oben darauf ist eine
Altane, und wenn es schön Wetter ist, so ist wegen
des schönen Aussehens auf London und der vielen vor-
bey fahrenden Schiffgen, gar angenehm auf derselben zu
seyn. Unten aber und inwendig in dem Schiff ist ein
klein Cabinetgen an dem andern, da man mit Vorhängen
verschlossen innen sitzen kann. Man trinket allerhand
Wein und Bier darinnen, das man wohl bezahlen muss.
Man höret auch eine Orgel und Violin darinnen, wie in
den Spiel-Häusern in Amsterdam. So findet man auch
darinnen Huren ohne Zahl, zu denen man sich machen
und sie gegenüber in Cupid's Garden oder, wo man
hin will, mit sich nehmen kann.

Wir sahen auch allhier ein Weibs-Bild, das vor ein
Trinkgeld allerhand Exercitia im Tanzen mit blossem
Degen machte, welches bekandt ist. Ich muss aber gestehen, dass ich noch keine gesehen, die es mit solcher
Geschwindigkeit verrichtet. Sie drehete sich wohl eine
halbe Stunde in der grössten Geschwindigkeit auf einem
Fuss herum. Das schwerste, so sie machte, war, dass
sie zwey scharfe Degen zwischen die Brüste, zwey auf
die Augen, und drey, alle mit der Spitze in den Mund
nahm, und sich also herum drehte; die sie in den Mund
hatte, hielte sie damit, die andern vier aber mit der
Hand. Es ist solches ein wilde, gefährliche Englische
Invention von Exercitien." [1])

---

[1]) Z. C. v. Uffenbach a. a. O. Bd. II, S. 587—588.

Die eigentlichen **Musikhäuser** (music halls), die eine Spezialität des englischen Musiklebens bilden, datieren in ihren Anfängen aus der letzten Zeit des Commonwealth. Das erste „Musikhaus" in grossem Stile errichtete ein gewisser **Sadler** in Islington. **Ned Ward**, der Verfasser des „London Spy" giebt in seinem poetischen „Spaziergang nach Islington" (Walk to Islington) uns eine sehr lebhafte und ergötzliche Schilderung des Treibens und des Publikums in dieser Musikhalle aus dem Jahre 1699:

> We enter'd the houses, were conducted upstairs,
> There lovers o'er cheesecakes were seated by pairs.
> The organs and fiddles were scraping and humming,
> The guests for more ale on the tables were drumming;
> Whilst others, ill-bred, lolling over their mugs,
> Were laughing and toying with their fans and their jugs,
> Disdain'd to be slaves to perfections, or graces,
> Sat puffing tobacco in their mistress's faces.
> Some 'prentices too, who made a bold venture
> And trespass'd a little beyond their indenture
> Were each of them treating his mistress's maid,
> For letting him in when his master's abed.

Nachdem sie ebenfalls einige Erfrischung zu sich genommen haben, sahen sie

> „over the gallery like the rest of the folk,
> Without side of which, the spectators to please,
> Were nymphs painted rooing in clouds and in seas.
> Our eyes being glutted with this pretty sight,
> We began to look down and examine the pit,
> Where butchers and bailiffs and such sort of fellows
> Were mix'd with a vermin train 'd up to the gallows,
> As buttocks and files, housebreakers and padders,
> With prizefighters, sweet'ners and such sort of traders,
> Informers, thief-takers, deer-stealers, and bullies;

Some dancing, some skipping, some ranting and tearing,
Some drinking and smoking, some lying and swearing,
And some with the tapsters were got in a fray,
Who without paying reck'ning were staying away.

Dann trägt „Lady Squab", die zur Seite der Orgel steht, der Gesellschaft ein Lied vor, bei welchem

The guests were all hush, and attention was given,
The listening mob thought themselves in a Heaven.

Unter ungeheurem Beifall der Schlachtergesellen und ähnlicher Burschen zieht sich die Sängerin zurück und es erscheint

a fiddler in scarlet, so fierce,
So unlike an Orpheus, he looks like a Mars,
He runs up in Alt with a hey — diddle — diddle,
To show what a fool he could make of a fiddle.

Hiernach tritt ein 11jähriges Mädchen auf und führt einen Schwerttanz aus:

„Arm'd Amazon-like, with abundance of rapiers,
Which she put to her throat as she dances and capers,
And further, the mob's admiration to kindle,
She turns on her heel like a wheel on her spindle.

Darauf zeigt sich:

A young babe of grace,
With Merc' ry 's limbs, and a gallows in his face,
In dancing a jig lies the chief of his graces,
And making strange Musick House monkey-like faces.

Dann erscheint der Kellner Thomas, der als Clown gekleidet, einen Tanz aufführt u. s. w. [1])

Aus dieser lebensvollen Schilderung ersehen wir, dass die englische „Music hall" schon im 17. Jahrhundert

---

[1]) Vergl. H. B. Baker „The London Stage" S. 189—191.

im wesentlichen eine Art von Variété, von Tingel-Tangel war, welches als ständige Einrichtung zuerst in England nachweisbar ist. Im englischen Tingel-Tangel wurde das dionysische Element der mittelalterlichen Mysterien, der „Miracles" und „Morals", welches Arthur Möller-Bruck in seinem interessanten Werke über das Variété als die eigentliche Grundlage dieser Schauspiele — wie überhaupt aller auch im modernen Variété gebotenen Darstellungen — nachgewiesen hat (s. oben S. 118) gewissermassen lokalisiert und sein dauernder Einfluss auf das Volk gesichert. Je mehr die früheren öffentlichen Schau- und Fastnachtsspiele, die Jahrmarktslustbarkeiten u. dergl. zurücktraten, um so grösser wurde die Bedeutung dieser „music halls" für das Unterhaltungsbedürfnis der mittleren und unteren Volksklassen, welche in den geräuschvollen Darbietungen der Tingel-Tangel alle jene mannichfaltigen Elemente der Aeusserungen altenglischer Lebenslust wiederfanden: Musik, Gesang, Tanz, Clown, — Jongleur, — Seiltänzer — und Akrobatenkünste in bunter Mischung. „Hier habt Ihr," sagt der Verfasser des „Foreigner Guide" von dem Variété Sadler's Wells in Clerkenwell um 1730, „den ganzen Sommer hindurch Seiltanzen, Voltigeurkünste, Gesang, Musik u. s. w., und jeden Abend wird eine Posse gespielt, welche Jedermann sehen kann, falls er eine Flasche Wein trinkt."[1]

Berühmte Musikhallen waren im 18. Jahrhundert das „neue Pantheon", ein Tummelplatz der Demimonde[2], der „Dog and Duck", der „Apollogarten"[3], im 19. Jahr-

---

[1] „The Foreigner's Guide" S. 144.
[2] Archenholtz „Britische Annalen" Bd. XIII, S. 458.
[3] Malcolm „Anecdotes", Bd. I, S. 831—833.

hundert Evans's Musikhalle in Covent Garden, die „Alhambra", Highbury Barn in Jslington, die Griechische Musikhalle am City Road[1]), die von Thackeray in den „Newcomes" erwähnte „Cave of Harmony", deren Direktor der berühmte Hoskins war[2]) die Canterbury-Halle in Lambeth und Weston's Musikhalle in High Holborn[3]), die Cyder Cellars[4]) u. a.

Eine besondere Spezialität der Londoner Musikhallen bildeten bis in die Mitte der siebziger Jahre solche mit z. T. obscönen Darstellungen und Nachäffungen heiliger Einrichtungen oder aktueller Ereignisse. In der berüchtigten Rotunda in Blackfriars Hill, London wurden z. B. die kirchlichen Riten in schamlosester Weise parodiert[5]), in der „Judge and Jury Society" kamen — Scheidungsprozesse mit den skandalösesten Einzelheiten zur Aufführung[6]) am schlimmsten aber war die „Coal Hole Tavern" am Strand, wo „Baron" Nicholson alle Skandalaffären der fünfziger und sechziger Jahre nebst „poses plastiques" auf die Bühne brachte.[7])

Eine weitere eigentümliche Erscheinung sind die künstlichen und echten schwarzen Sänger in den Londoner Variétés.

Um 1830 kamen zuerst wirkliche Neger aus Amerika nach London, um hier als Konzertsänger aufzutreten. Rodenberg erzählt: „Das Lied von „Nelly

---

[1]) Timbs „Curiosities of London" S. 608—609.
[2]) „The Works of William Thackeray" Vol. III „The Newcomes" London 1876 Cap. I p. 6.
[3]) P. Fraxi „Index" S. 186.
[4]) E. G. Ravenstein „London" Hildburghausen 1871 S. 77.
[5]) Ryan a. a. O. S. 114.
[6]) Ravenstein a. a. O. S. 77.
[7]) W. Thornbury a. a. O. S. 85.

Gray," ist von Amerika gekommen, mit einer Schaar schwarzer Sänger, „Christie's Minstrels" genannt, welche zuerst in St. James's Hall auftraten und grossen Erfolg hatten mit ihren Negerliedern. Seitdem ist ein schwarzes Gesicht, hohe Vatermörder von Papier, blau- und weissgestreifte Hosen, Guitarre und Schellentambourin Mode geworden, und schwarze „Serenaders", hinter deren Gesichtern aber regelmässig gute Londoner Jungen stecken, zuweilen auch Deutsche durchwandern jetzt die Strassen von London mit fremdartigen Gesängen."[1]

Wie Thackeray im ersten Kapitel der „Newcomes" berichtet, war es in der ersten Hälfte des 19. Jahrhunderts unter den Männern der besseren Stände üblich, nach der Oper noch eine Musikhalle aufzusuchen, wo man gleichzeitig ein „supper and a song" genoss.[2]

Wie es in den gewöhnlichen Musichalls niedersten Genres zuging, wird sehr anschaulich in einer auf genauen Studien des Londoner Lebens beruhenden halberotischen Schrift „Schön Betty's Abenteuer in London" geschildert.[3]

„Man begab sich in eine, nicht weit von den Matrosenkasernen entfernte Musikhalle, wo eine Abendunterhaltung mit reichem Programm eben begonnen hatte. Mit der kleinen Summe von 4 Pence (3½ Silbergroschen) erkauften sich Zuckerle und seine Genossen je einen Platz, und Herr Mix hatte Gelegenheit zu

---

[1] J. Rodenberg „Tag und Nacht in London" S. 40—41; vergl. auch G. Rasch „Dunkle Häuser und Strassen Londons." Bd. I, S. 108.
[2] Thackeray a. a. O. S. 6.
[3] „Schön Betty's Abenteuer in London. Ein Sittengemälde aus der britischen Weltstadt" von A. P. Luciani, Leipzig, Verlagsanstalt (o. J. ca. 1872). S. 46—48.

seinen Berichten über die Verderbnis in London die Illustration zu geben, indem er in den verschiedenen Teilen des theaterartig gebauten Raumes, niedliche Backfische, zum Teil auch hübsche Lockenköpfchen in zierlicher Kleidung zeigte, welche nach seiner Behauptung der Prostitution ergeben waren, und zwar die Eleganteste darunter am längsten.

„Dieses Matrosenviertel hier, bemerkte Mix, ist ein wahres Paphos; neben Neptun dem Meeresregenten wird nur Frau Venus die Meerschaumgeborene hier als Herrin verehrt. Aber aufgepasst, jetzt beginnt die Vorstellung."

Von dem Text der aufgeführten Stücke verstand Zuckerle sehr wenig, es war aber auch kaum nötig, weil das Geberdenspiel sehr ausdrucksvoll war. Zunächst kamen die unvermeidlichen „Neger" daran, schlechte englische Spassmacher mit geschwärzten Gesichtern und hellen buntgestreiften Kleidern. Sie sangen in dem amerikanischen „Neger-Englisch" und klimperten auf der Guitarre dazu. Darauf folgte eine Szene aus dem englischen Volksleben. Ein junger ländlicher Arbeiter ergiebt sich dem Umgang mit leichten Mädchen und spricht der Flasche über die Gebühr zu. Als er betrunken ist, erscheint der Werbesergeant, ein flotter Rotrock mit langem Bart und farbigen Bändern; derselbe fordert den jungen Landmann auf, noch mehr zu trinken! Kaum aber ist das Geldstück verjubelt, so tritt der furchtbare Ernst der Situation zu Tage. Der junge Bruder Liederlich hat das Handgeld des Werbers angenommen, wird am Kragen gepackt, und muss exerzieren, während das untreue Mädchen, mit dem er sein Geld verthan hat, mit dem Sergeanten liebäugelt. — Ein weiteres Stückchen führt ein Kinderspiel vor. Ein recht üppiges Mädchen von mindesten 18 Jahren in der Kleidung eines Kindes von drei Jahren spielt 'mit einem, als Knabe gekleideten Jüngling höchst naive, ans Indezente grenzende Szenen ab. Ihr Kostüm lässt die runden Waden unbedeckt, und beim Bücken lässt sie zwei elfenbeinweisse Halbkugeln unter dem Brustteile des Kinderkleidchens sehen. Gern hätte Zuckerle noch die folgenden Szenen gesehen, aber seine Begleiter drängten ihn weiter zu gehen."

Eine noch schlimmere Musikhalle, die berüchtigte „Little Tom's Tavern" in Whitechapel schildert Hector France in den „Va-Nu-Pieds de Londres" (S. 290—302).

Alle Musikhallen, die höheren wie die niedrigen, waren in der ersten Hälfte des 19. Jahrhunderts verrufen wegen der in ihnen zum Vortrage gebrachten obscönen Lieder.

Pisanus Fraxi giebt eine höchst interessante Zusammenstellung dieser einst so populären schmutzigen Musikhallenlieder. William West, ein Londoner Künstler und Verleger, dessen hauptsächliche Thätigkeit in die Zeit zwischen 1815 und 1835 fällt, hat die grösste Mehrzahl derselben verfasst und verlegt. Er war zugleich ein vortrefflicher Zeichner, dessen Porträts der damaligen Schauspieler und Schauspielerinnen sehr grossen Ruf erlangten.

Sein Laden befand sich in No. 13, Exeter Street, von wo er später nach No. 57, Wych Street, gegenüber dem Olympic Theater, Strand, verzog.[1] Im Jahre 1870 schrieb John Oxenford (der bekannte Apostel

---

[1] Vergl. den Artikel „West's Toy-Theatre Prints" in: Notes and Queries, 4th. Series, Vol. XIII p. 468.

Schopenhauers) über ihn: „Armer Willy West! er ist schon lange zu seinen Vätern versammelt worden und seine Platten sind längst untergegangen. Eine vollständige Sammlung seiner Kupferstiche würde eine wertvolle Bereicherung unserer Kenntnis der Bühne gegen den Anfang des Jahrhunderts bilden, und vor allem. der Pantomime in ihren glorreichsten Tagen."[1])

West kann wegen der vielen von ihm verfassten obscönen Lieder nicht zu streng verurteilt werden, da zu seiner Zeit ähnliche Lieder öffentlich gesungen wurden, an Orten, wo die Jugend und Erwachsene Zutritt hatten. Er kam nur dem Bedürfnisse seiner Zeit entgegen. Er besass nach P. Fraxi trotzdem viel künstlerisches Gefühl.

Das berühmteste Liederbuch von William West hat den Titel „The Blowen's Cabinet of Choice Songs; a beautiful, bothering, laughter provoking, collection of spiflicating, flabber gasting smutty ditties, now first printed etc." (kl. 8°, 48 S., auf der Rückseite des Titels W. West, Printer, 57, Wych Street, Strand). In dieser Sammlung waren u. a. folgende Lieder enthalten: „Great Plenipotentiary! A most outrageously good amatory stave"; „Oh, Miss Tabitha Ticklecock" (Eine stark gewürzte schmutzige Ballade); „The Magical Carrot or the Parsley Bed"; „Katty O'More, or the Root!"; „My Mot's in the Lock!" (Zwei scharfe Parodien); „Roger in all its Glory!"; „The Smutty Billy Black"; „The Lost Cow, or the bulling Match under the Tree"; „The Soft Fart" (Ein „capitales Lied"); „Peggy and the Ball Cock"; „My Woman is a Rummy Whore"; „The Essence of Lanky Doodle"; The Pego

---

[1]) The Era Almanack for 1870 S. 67.

Club"; „The Height of Impudence, or the T—d and the Muffin An out-and-out ditty"; „The invisible Tool"; „The Randy Dinner"; „The Tremendous Tail"; „The Butcher's Boy with a Mot is gone" u. a. m.

Die Titel dieser Lieder reden bereits eine so deutliche Sprache, die sich der Uebersetzung entzieht, dass der Inhalt ohne Weiteres daraus erschlossen werden kann.

Andere, ähnlich wie „The Blowen's Cabinet" ausgestattete Liedersammlungen von West sind: „The Cockchafer"; „The Comic Songster"; The Cuckold's Nest"; „The Delicious Chanter"; „The Flash Chaunter"; „The Gentleman's Spicey Songster"; „The Libertine's Songster"; „The Nobby Songster"; „The Rambler's Flash Songster"; „The Cockolorum Songster"; „The Secret Songster".

Diese Liederbücher kosteten 6 Pence. Andere in grösserem Formate und mit kolorierten Kupfern (gewöhnlich nur Frontispiz) kosteten 1 Schilling. Zu letzteren gehören: „The Gentlemans Spicey Reciter"; „The Cockatoo's Note Book"; „The Gentleman's Sanctum Sanctorum"; „The Curious Songster and Funny Cabinet"; „The Maiden Lane Companion"; „The Maiden Lane Songster"; „The Gentleman's Steeple Chaser"; „The Gentleman's Sparkling Songster"; „The Frisky Vocalist"; „Nancy Dawson's Cabinet"; „The Knowing Chaunter and Kiddy's Cabinet"; „The Icky Wicky Songster"; „The Luscious Songster"; „The Randy Songster"; „The Ritum Fi-tum Songster"; „The Ticklish Minstrel"; „The Regular Bang-up Reciter"; „The Gentleman's Curious Reciter"; „The Sparkling Reciter".

Ein anderer Herausgeber solcher obscöner Lieder war John Duncombe, geboren in Nr. 10 Middle Row,

Holborn, London und daselbst 1852 gestorben. Er trieb sein fragwürdiges Geschäft als „M. Metford" in genanntem Hause und um 1830 in Nr. 19, Little Queen Street, Holborn, als „J. Turner" in Nr. 50 Holywell Street und als „John Duncombe u. Co." in Nr. 17, Holborn Hill. Er hatte einen Bruder Edward, der unter dem Namen „John Wilson" in 28, Little St. Andrew Street, Upper St. Martins Lane und in Nr. 78, Long Acre, obscöne Bücher verkaufte.

John Duncombe gab zu 6 Pence das Stück folgende mit Frontispiz versehene Liederbücher heraus: „Duncombe's Drolleries"; „Labern's Original Comic Song Book" (verfasst von John Labern); „Labern's New Funny Song Book, Popular Comic Song Book, New Comic Song Book, Own Comic Song Book."

Ein dritter Verleger, William Dugdale, den wir später noch genauer als Herausgeber erotischer Schriften kennen lernen werden, gab unter dem Pseudonym „H. Smith" folgende Liederkollektionen in seinem Laden 37 Holywell Street, Strand, heraus: „The Coal Hole Companion" (verschiedene Serien); „The Cider Cellar Songster"; „The Frisky Songster"; „The Waterford Songster"; „The Black Joke" (2 Serien); „Captain Morris's Songster"; „Wilson's Rum Codger's Collection"; „Wilsons New Flash Songs"; „The Jolly Companion"; „The Wanton Warbler"; „The Tuzzymuzzy Songster". Diese Bücher haben z. Teil sehr schöne Titelbilder, sie kosteten bis zu 2 Schillinge und 6 Pence das Stück.

Aus noch früherer Zeit stammt die folgende Liedersammlung, deren Titel wegen der kulturgeschichtlichen Bedeutung unverkürzt angeführt werden möge:

„The Buck's Delight being a Collection of Humorous Songs, Sung at the several Societies of Choice Spirits, Bucks, Free-Masons, Albions, and Antigallicans, with universal Applause. Among which are A great Variety of Choice Originals, that never Appeared in Print before. Containing also The new Songs, sung this last Season at the Publick Gardens and Theatres, and all other polite Places of Resorts. To which is added A Collection of the most celebrated Toasts now in Taste. The Second Edition with great Additions. London: Printed for T. Knowles, behind the Chapter-House, in St. Paul's-Church-Yard. (Price 1 s. 6 d., neatly bound in Red.)" 12°.

Diese Sammlung enthält einige sehr gute Lieder, denen häufig die Namen der Komponisten und Sänger beigefügt sind, wie Mr. Moor, Mr. Jagger, Mr. Heemskirk, Mr. Dunstall, G. Rollos, Lowe, Beard, Mr. Vincent u. A.

Die Titel dieser jetzt sehr seltenen Liederkollektionen aus der Zeit von 1790 bis 1850 sind mit Absicht hier angeführt worden, weil sie auch einen kulturgeschichtlichen Beitrag zu dem damals üblichen Slang liefern.

Alle diese Lieder wurden um 1840 öffentlich von J. H. Munyard, H. Hall, Ross, Sharp u. A. in den verschiedenen Musikhallen Londons gesungen. Es war aber mit diesen obscönen, jedoch lustigen Liedern vorbei, als die Thore der Canterbury-Halle und der Westonschen Musikhalle den Frauen geöffnet wurden. Obgleich äusserlich die musikalischen und gesanglichen Darbietungen einen etwas dezenteren Charakter annahmen, verwandelten sich jetzt die Musikhallen aus Stätten, wo Männer sich an derben, aber humorvollen

Liedern erfreuen konnten, in Rendezvous-Orte für Prostituierte.[1]

Die später als 1850 erschienenen Sammlungen von erotischen Liedern, wie z. B die 1870 in London veröffentlichte „Cytheras Hymnal; or Flakes from the Foreskin", wurden niemals zum öffentlichen Vortrage gebracht.[2]

Eine noch bedeutendere Rolle als die Darbietungen der Musikhallen haben seit alter Zeit die Strassenmusik und der Strassengesang in England bezw. London gespielt. „Es wird in keiner anderen Stadt der Welt auf den Strassen so viel musiciert als in London", sagt Rodenberg[3] und Jedermann wird bei einem Aufenthalt im heutigen London bestätigen, dass dieses vor 50 Jahren gefällte Urteil noch jetzt zu Recht besteht. In gewissen Stadtteilen vergeht kaum eine Viertelstunde ohne Orgelspiel oder die Töne anderer Musikinstrumente, die sich oft in unmittelbarer Reihenfolge einander ablösen. Dabei ist es erstaunlich, welche unglaublichen Leistungen sich der Engländer gefallen lässt, ja die lärmendsten Dissonanzen mit dem grössten Wohlgefallen anhört. Schon Hentzner, ein Deutscher, der in England am Ende des 16. Jahrhunderts reiste, sagt: „Sie lieben ausnehmend jedes Geräusch, das sehr ins Ohr fällt; zum Exempel: das Abfeuern einer Kanone, Trommelschlag und Glockengeläut, so dass sehr oft eine Anzahl von ihnen, wenn sie ein Glas getrunken

---

[1] Vergl. P. Fraxi „Index" S. 133—137; S. 147.

[2] Vergl. über den Inhalt der letzteren Kollektion, zu der auch Edward Sellon Beiträge lieferte, P. Fraxi a. a. O. S. 135—187.

[3] J. Rodenberg „Tag und Nacht in London". S. 38.

11*

haben, auf einen Turm steigt, und zur Bewegung stundenlang läutet."[1]

Grösseres Interesse bietet der Londoner Strassengesang dar, der auf eine sehr alte Geschichte zurückblickt.

Das Strassenlied geht zurück auf die altenglische Ballade, auf deren tiefsinnige Poesie zuerst Thomas Percy, Bischof von Dromore durch seine berühmte Sammlung[2] aufmerksam gemacht hat, die auch bekanntlich für unsere Herder und Goethe von unendlicher Bedeutung geworden ist. Später haben Evans, Pinkerton, Ritson, J. Johnson, Dalzell, R. Jamieson, Sir Walter Scott, Finlay, Gilchrist, Laing, Utterson, Buchan, A. und P. Cunningham, R. Chambers, Chappell, Rimbault, Ogle u. A. neue Sammlungen der altenglischen Balladen und Lieder herausgegeben.[3]

Die hauptsächlichen Pfleger des Volksliedes waren in der angelsächsischen Zeit die Barden („bards", „bardis"), auch „Sceopas", „Leodhyrta", „Gleemen" genannt, die oft Dichter, Sänger und Musiker (Harfner) in einer Person waren. In Wales hiessen sie „waits".[4] Jedoch war die Ausübung der Kunst

---

[1] J. C. Hüttner „Englische Miscellen". Bd. V, S. 118.

[2] „Reliques of Ancient English Poetry, consisting of old heroic ballads, songs, and other pieces of our earlier poets, together with some few of later date, By Thomas Percy, D. D., Bischop of Dromore, edited, with a general introduction, additional prefaces, notes etc. by Henry B. Wheatley, F. S. A. London 1876, 3 Bände, gr. 8°. (Beste neuere Ausgabe.)

[3] Vergleiche Percy „Reliques" ed. Wheatley. Bd. I, S. XCI—XCVII.

[4] Vergl. über die walisischen Barden, die walisische Poesie und Musik die wertvolle Abhandlung von J. Rodenberg in: „Ein Herbst in Wales. Land und Leute, Märchen und Lieder", Hannover 1858. S. 206—213.

keineswegs ausschliesslich an Leute von Gewerbe ge-
knüpft. In Beowulf spielt ein König die Harfe. Auch .
Alfred der Grosse ist ein Barde. Mit Vorliebe wandten
sich später die Mönche dem Gewerbe der „Glee-men"
zu. Als König Kanut der Grosse einst vor der Abtei
von Ely vorbeisegelte, hörte er die Mönche drinnen
lieblich singen, worauf er im besten Angelsächsisch,
dessen er fähig war, selbst folgendes Liedchen sang:

> Munter sangen die Mönch' in Ely
> Als Knut, der König, fuhr vorbei.
> Rudert Ritter, nah zum Land,
> Lasst uns hören der Mönche Sang.[1]

Mit der normännischen Invasion kam der Name der
„Minstrels" (vom französischen „menestrier", „mene-
strel") auf, als Bezeichnung für den wandernden Spiel-
mann und Sänger, der fast immer die Melodien und
Verse zu seinen Liedern selbst machte.[2] An Sonn-
und Feiertagen versammelten sich die Männer, Frauen
und Kinder des Dorfes an einem sonnigen Platze, oder
auf einem Hügel, wo die Harfner sie durch Lieder er-
götzten, die die Thaten ihrer Vorfahren feierten, aber
auch oft die Romantik und Poesie treuer Liebe in er-
greifenden Tönen besangen.

In den alten englischen und schottischen Balladen
und Liedern finden wir nach Talvj eine „rührende Ein-
fachheit, ein tiefes und zartes Gefühl für Liebe und

---

[1] Talvj, „Versuch einer geschichtlichen Charakteristik der
Volkslieder germanischer Nationen". Leipzig 1840. S. 474—475.

[2] Vergl. Wheatley's Abhandlung über die Minstrels in
seiner Ausgabe von Percy's „Reliques", Bd. I S. XIII—XXIV;
ferner den „Essay on the ancient minstrels in England" von
Percy, ibidem Bd. I S. 345—480.

Treue, eine eigentümliche Empfänglichkeit für die Schönheiten und überhaupt die Einflüsse der Natur".[1] Die
alten Romanzen sind voller lieblicher Naturgemälde. In
den Wäldern mit ihrem grünenden Laub und blühenden
Blumen weilt Robin Hood, der Lieblingsheld der altenglischen Ballade, am liebsten. Aber vor allem ergreift
uns die süsse Schwermut, die elegische Romantik dieser
alten Lieder. Das scheint mir der hauptsächliche Cha-
rakterzug der altenglischen Ballade zu sein. Die tiefsten
und innigsten dieser Lieder verdanken ihre Tiefe und
Innigkeit diesem leisen Hauche von Melancholie, die sie
durchzieht. Freilich kommt auch die derbe und frohe
Laune zu ihrem Recht, besonders in den Balladen von
dem kecken Räuber Robin Hood; und die alten historischen Volkslieder von Eduard IV. und dem Gerber,
dem König und dem Müller, Jakob I. und dem Kessel-
flicker schlagen sogar rohe und zotenhafte Töne an.

Eine charakteristische altenglische Ballade ist z. B.
die Geschichte von dem Goldschmied Shore in London
und seiner untreuen Gattin Jane, der Geliebten König
Eduards IV:

> To Matthew Shore I was a wife
> Till lust brought ruine to my life;
> And then my life I lewdlye spent,
> Which makes my soul for to lament.
>
> In Lombard-street I once did dwelle,
> As London yet can witness welle;
> Where many gallants did beholde
> My beautye in a shop of golde.

---

[1] Talvj a. a. O. S. 508.

> I spred my plumes, as wantons doe,
> Some sweet and secret friende to wooe,
> Because chaste love I did not finde
> Agreeing to my wanton minde.
>
> At last my name in court did ring
> Into the eares of Englandes king,
> Who came and like'd, and love requir'd,
> But I made coye what he desir'd.
>
> Yet Mistress Blague, a neighbour neare
> Whose friendship I esteemed deare,
> Did saye, It was a gallant thing
> To be beloved of a king.

So bricht Jane Shore, verlockt durch eigne Lust und die gleissnerische Zurede der kupplerischen Freundin, ihrem Gatten die Treue und wird König Eduards Geliebte:

> From city then to court I went,
> To reape the pleasures of content;
> There had the joyes that love could bring,
> And knew the secrets of a king,

worauf ihr trostloser Gatte England verlässt, um nicht Zeuge seiner Schande zu sein, während Jane am Hofe bald einen sehr grossen Einfluss erlangt:

> Long time I lived in the courte,
> With lords and ladies of great sorte;
> And when I snil'd all men were glad,
> But when I frown'd my prince grewe sad.

Dabei übt sie eine ausgebreitete Wohlthätigkeit aus und wird von den Witwen und Waisen Londons vergöttert. Aber diese Herrlichkeit dauert nur wenige Jahre. Der Tod des Königs stürzt sie in das tiefste

Unglück, da sein Nachfolger Richard III. schwere
Leiden und Verfolgungen über sie verhängt:

> I then was punisht for my sin,
> That I so long had lived in;
> Yea every one that was his friend,
> This tyrant brought to shamefull end.
>
> Then for my lewd and wanton life
> That made a strumpet of a wife,
> I penance did in Lombard-street,
> In shamefull manner in a sheet.
>
> ·Where many thousands did me viewe,
> Who late in court my credit knewe;
> Which made the teares run down my face,
> To thinke upon my foul disgrace.

All ihr Besitz wird ihr genommen; ihre Freunde
wenden sich von ihr ab. Selbst ihre alte falsche Freundin, Mrs. Blague, weist ihr die Thüre. Nur ein Mann,
den sie einst vom Tode gerettet, steht ihr bei, wird
aber dafür gehängt. So muss sie als armselige Bettlerin
die Strassen Londons durchirren, bis sie an jener Stelle
stirbt, die nach ihr „Shoreditch" genannt wurde.
Dieses traurige Ende giebt dem Dichter der Ballade Veranlassung zu der Schlussmoral:

> You wanton wives, that fall to lust,
> Be you assur'd that god ist just,
> Whoredome shall not escape his hand,
> Nor pride unpunish'd in this land.[1])

Eine der schönsten altenglischen Balladen, in der
treue Liebe auf eine wundersam rührende Weise verherrlicht wird, ist die ebenfalls in Percy's „Reliques"[2])

---

[1]) „Reliques of Ancient English Poetry" Bd. II, S. 264—273.
[2]) ibidem Bd. III, S. 135—137.

abgedruckte „Tochter des Voigtes von Islington" (The Bailiff's Daughter of Islington):

There was a youthe, and a well beloved youthe,
And he was a squires son:
He loved the bayliffes daughter deare,
That lived in Islington.

Yet she was coye and would not believe
That he did love her soe,
Noe nor at any time would she
Any countenance to him showe.

Der Jüngling geht nach London, wo er sieben volle Jahre bleibt, ohne die Geliebte wieder zu sehen. Alle ihre Freundinnen verheiraten sich, nur sie bleibt unvermählt, da sie immer noch an ihn denkt, den sie einst im Zweifel an die Treue seiner Liebe hat fortgehen lassen. Ihre Sehnsucht nach ihm wird immer grösser, und so macht sie sich eines Tages nach London auf, um ihn zu suchen. Der Tag ist heiss und trocken, und wie sie ermüdet am Wege ausruht, reitet ihr Liebster vorbei.

She started up, with a colour soe redd,
Catching hold of his bridle - reine;
One penny, one penny, kind sir, she sayd,
Will ease me of much paine.

Before I give you one penny, sweet-heart,
Praye tell me where you were borne.
At Islington, kind sir, sayd shee,
Where I have had many a score.

I prythee, sweet-heart, then tell to mee,
O tell me, whether you knowe
The bayliffes daughter of Islington,
She is dead, sir, long agoe.

If she be dead, then take my horse,
My saddle and bridle also;
For I will into some farr countrye,
Where noe man shall me knowe.

O staye, o staye, thou goodlye youthe,
She standeth by thy side;
She is here alive, she is not dead,
And readye to be thy bride.

O farewell griefe, and welcome joye,
Ten thousand times therefore;
For nowe I have founde mine Owne true love,
Whom I thought I should never see more.

Die Blütezeit der Minstrels dauerte bis zur Mitte des 16. Jahrhunderts. „Von dieser Zeit an, wo die Buchdruckerkunst anfing, Bücher zum Gemeingut zu machen, begann das Gewerbe des Minstrels rasch zu sinken, und mit seinen kunstlosen, aber kräftigen Erzeugnissen fing an, wie Percy sich ausdrückt, ein neues Geschlecht von Balladenschreibern zu wetteifern, eine inferiore Art von kleinen Poeten, die erzählende Lieder eigens für die Presse schrieben. Gegen das Ende desselben Jahrhunderts hatten die Letzteren die alten Minstrels in England vollkommen verdrängt[1]). Die Minstrels, welche die Perioden überlebten, sanken zu gemeinen Bänkelsängern und Bierfiedlern herab; und nicht länger geschickt zur Ergötzung des Adels und

---

[1]) Berühmte Minstrels des 16. Jahrhundert waren noch Outroaringe Dick und Wat Wimbas, der täglich 20 Schillinge damit verdiente. Vergl. J. Strutt „The Sports and Pastimes of the People of England" ed. Hone, London 1830, S. 287. — Doch noch 1770 sang ein schottischer Minstrel in Edinburgh die Romanze „Roswal and Lillian" und 1844 starb Francis King, der „Skipton Minstrel" von Yorkshire. Vgl. Wheatley in Percy's „Reliques". Bd. I, S. XXII u. S. XXIII.

Mittelstandes, waren sie gezwungen, das Bierhaus zum Theater für ihre Vorträge zu wählen. Die puritanischen Schriftsteller dieser Zeit eifern beständig gegen ihre „schmutzigen, verderbten und zotenhaften" Lieder; allein obwohl schon aus den Orten, auf die sie beschränkt waren, genugsam hervorgeht, dass die meisten ihrer Lieder weder zart noch würdevoll sein konnten, so ist doch gewiss, dass ihre Zuhörer noch gern sich die alten echten Minstrelballaden vorsingen liessen, für die die gute Gesellschaft den Sinn verloren hatte.

Sir Philip Sidney hörte die alte Ballade von der Jagd zu Cheviot von einem blinden Bänkelsänger singen, von „some blind crowder."

Putenham, ein Höfling Elisabeths, indem er von dem „Cantabanqui" spricht, die auf Bänken und Tonnen sitzend, vor keinem anderen Auditorium als Jungen und Landleuten, die zufällig durch die Strassen gehen, singen, und von den „blinden Harfnern oder dergleichen Wirtshaus-Minstrels, die einen Absatz Vergnügen für einen Groschen geben (who give a fit of mirth for a groat)" — bemerkt ausdrücklich, dass sie meist „Geschichten der alten Zeit" sängen, wie „das Märchen von Sir Topas, den Bericht von Bevis von Southampton, Guy von Warwick, Adam Bell und Clymme von der Klippe und andere alte Romanzen und historische Reime, die eigen gemacht sind, das gemeine Volk bei Weihnachtsmahlzeiten und Hochzeiten, oder in Gast- und Bierhäusern und ähnlichen Orten niederen Vergnügens zu ergötzen." [1]

---

[1] Talvj a. a. O. S. 499—501.

In London hatten die Balladensänger im 16. Jahrhundert bei Temple Bar ihren Stand, wo sie stets eine zahlreiche Zuhörerschar bei dem Vortrage ihre vulgären Lieder und „alehouse stories" um sich versammelten. Sir John Davies schidert uns dieses Auditorium:

> First stands a porter, then an oyster-wife
> Doth stint her cry and stays her steps to hear him;
> Then comes a cut-purse, ready with a knife,

um derweilen die Taschen aufzuschneiden und zu plündern, daneben steht ein Constabler u. s. w. [1]

Doch auch die höheren Balladen und Lieder verschwanden nicht gänzlich. So war das folgende erotische Lied, welches Sir Walter Raleigh zugeschrieben wird, im 16. Jahrhundert sehr populär:

Dulcina.

> As at noone Dulcina rested
> Jn her sweete and shady bower;
> Came a shepherd, and requested
> In her lapp to sleep an hour.
>   But from her looke
>   A wounde he tooke
> Soe deepe, that for a further boone
>   The nymph he prayes.
>   Wherto she sayes
> Forgoe me now, come to me soone.

Sie will erst in der Nacht ihn erhören, er aber am Tage schon beglückt werden:

> How, at last, agreed these lovers?
> Shee was fayre, and he was young:
> The tongue may tell what the eye discovers;
> Joyes unseene are never sung.

---

[1] H. D. Traill „Social England" Bd. IV, S. 576.

Solche Lieder finden sich zahlreich in den Werken
Shakespeare's (wie sie z. B. Herder in den
„Stimmen der Völker in Liedern" aus „Cymbeline",
„Mass für Mass", „Hamlet" u. a. übersetzt hat), Ben
Jonson's und ihrer Zeitgenossen.

Die eigentliche Volkpoesie war aber jetzt ausschliesslich in den Händen der Balladenmacher, die
zuerst ihre Produkte auf einzelne Blätter drucken liessen
und einzeln verkauften. Man sammelte diese bald zu
kleinen Büchlein, den sogenannten „Kränzen"
(„garlands"), z. B. dem „Kranz der Freude" „Kranz
der Liebe" „Robin Hoods Kranz" u. s w.

Auch enthalten diese Lieder des 16. und 17. Jahrhunderts Gemälde neuerer Sitten, Erzählungen wunderbarer Vorfälle, Ergüsse zärtlicher Liebe, Schilderungen
derbkomischer, ja obscöner Natur.

Eine berühmte, grösstenteils in Musik gesetzte
Liedersammlung verfasste an der Wende des 17. und
18. Jahrhunderts Thomas D'Urfey [1]. Wir erkennen
in derselben sofort den frohen, heiteren ausgelassenen,
lasciven Ton der Restaurationsepoche, der in frivolen
Wortspielen, in höchst realistischer Schilderung nächtlicher Liebesscenen u. dgl. sich äussert. Einige typische
Beispiele mögen dies illustrieren.

------

[1] „Songs Compleat, Pleasant und Divertive; set to
Musick By Dr. John Blow, Mr. Henry Purcell, and other Excellent
Masters of the Town etc. Written by M. D'Urfey, London 1719
und 1720, kl. 8°, 6 Bände (Band II und VI führen den Titel: Wit
und Mirth: or Pills to Purge Melancholy; being a Collection of
the best Merry Ballads and Songs, Old and New etc.)

The Cumberland Lass.[1]

Up to my Chamber I her got,
There I did treat her courteously
I told her, I thought it was her Lot
To stay all Night and Lig with me,
Oh! to Bed to me, to Bed to me,
The Lass that comes to Bed to me:
Blith and bonny may she be,
The Lass that comes to Bed to me.

She, pretty Rogue, could not say nay,
But by consent we did agree,
That she for a fancy, there shoud stay,
And come at night to Bed to me:
Oh! to Bed to me etc.

She made the Bed both broad and wide,
And with her hand she smooth'd it down;
She kissed me thrice, and smiling said,
My Love, I fear thou wilt sleep too soon!
Oh! to Bed to me etc.

Into my Bed I hasted strait
And presently she follow'd me,
It was in vain to make her wait
For a Bargain must a Bargain be
Oh! to Bed to me etc.

Then I embrac'd this lovely Lass,
And strok'd her Wem so bonnily
But for the rest we'll let it pass,
For she afterward sung Lulaby;
Oh! to Bed to me, to Bed to me,
The Lass that came to Bed to me,
Blith and Bonny sure was she
The Lass that came to Bed to me.

[1] D'Urfey's „Songs Compleat" Bd. IV S. 133—135.

A Song.[1]

Phillis at first seem'd much afraid,
  Much afraid, much afraid,
Yet when I kiss'd, she won repay'd;
Could you but see, could you but see,
  What I did more, you'd envy me,
  What I did more, you'd envy me,
    You'd envy me.

We then so sweetly were employ'd
The height of Pleasure we enjoy'd;
Could you but see, could you but see,
Yon'd say so too, if you saw me etc.

Ladies, if how to Love you'd know
She can inform what we did do,
But cou'd you see, but cou'd you see,
You'd cry aloud, the next is me,
You'd cry aloud, the next is me,
The next is me.

A. Song.[2]

What is a Maidenhead? ah what?
Of which weak Fools so often prate?
'Tis the young Virgin's Pride and Boast
Yet never was found but when 'twas lost!

Auch die echte Londoner Ballade des ausgehenden Jahrhunderts ist in D'Urfey's Sammlung durch mehrfache interessante Specimina vertreten, z. B. durch die berühmte Ballade „The Hopeful Bargain"[3], die den

---

[1] ibidem Bd. III S. 70—71.
[2] ibidem Bd. I S. 323.
[3] ibidem Bd. V, S. 258—260. Der sehr charakteristische Titel lautet: „The Hopeful Bargain! Or a Fare for a Hackney-Coachman, giving a Comical relation, how an Ale-draper at the Sign of the Double-tooth 'd Rake in or near the new Palace-yard,

englischen Frauenverkauf behandelt, und „The London
Prentice". [1]) Der Anfang der letzteren lautet:

> A Worthy London Prentice
> Came to his Love by Night;
> The Candles were lighted,
> The Moon did shine so bright;
> He knocked at the Door,
> To ease him of his Pain;
> She rose and let him in Love,
> And went to Bed again.

Sie blasen dann das verräterische Licht aus, damit
die Leute von der Strasse nicht hereinsehen können und
sprechen nur sehr leise miteinander.

> As this young Couple sported
> The Maiden she did blow.
> But how the Candle went out,
> Alas I do not know.
> Said she I fear not now, Sir.
> My Masters nor my Dame;
> And what this Couple, did, Sir,
> Alas I dare not Name.

Die Entwickelung des allerniedrigsten Bänkelsänger-
tums erreichte ihren Höhepunkt in der zweiten Hälfte
des 18. und am Anfange des 19. Jahrhunderts. Und
zwar traten als neue eigentümliche Erscheinungen neben
den Balladensängern [2]) die Balladenweiber auf,

Westminster, Sold his Wife a Shilling, and how she was sold a
Second time for five Shillings to Iudge; My Lord Coachman, and
how her Husband receiv 'd her again after she had lain with
other Folks three Days and Nights etc. — The Tune Lilly Bullero."

[1]) ibidem Bd. VI, S. 842.

[2]) Ueber diese bemerkt Lichtenberg in einem Briefe an
Baldinger vom 10. Januar 1775: „Unter andren habe ich nichts
von den umzirkelten Balladen-Sängern gesagt, die in allen Winkeln
einen Teil des Stromes von Volk stagnieren machen, zum horchen
und zum stehlen." Lichtenbergs Briefe herausg. v. A. Leitzmann
und Schüddekopf, Leipzig 1901. Bd. I, S. 205—206.

welche in grosser Zahl die Strassen Londons unsicher machten.

„Es giebt auch eine Klasse der allerabscheulichsten Bettlerweiber, die in ihren alten Tagen einen Kramhandel mit Gassenhauern treiben, von Haus zu Haus durch die Strassen der Hauptstadt ziehen und dabei nicht unterlassen, ihre beliebtesten Poesieen mit voller Kehle auszuschreien. Wenn eine solche Hexengestalt auftritt und ein Solo intoniert, so öffnen sich in wenigen Augenblicken alle Küchenthüren der Nachbarschaft. Mägde und Bediente eilen herbei, eines der köstlichen Lieder zu erbeuten, und die Betteljungen in der Gegend bilden um die Virtuosin einen Kreis von Zuhörern, in deren Mienen sich Wohlgefallen und Bewunderung auf das lebhafteste malen.“ [1]

Ueber den obscönen Charakter dieser von Frauen gesungenen Bänkelsängerlieder macht Archenholtz nähere Mitteilungen. [2]

„Man findet in volkreichen Städten noch andere weit öffentlichere, unverschämtere und schändlichere Mittel, die Sitten des Volkes zu vergiften. Unter mehreren sind es in London die Balladen, die Pamphlets mit schändlichen Kupfern, die gedruckten Verhöre von Ehescheidungsprozessen und die Karikaturläden. Gesinde und Lehrbursche werden dadurch gegen das Laster gleichgültig gemacht. An drei bis vier Orten in London, z. B. in Oxfordstreet und bei Privygardens findet man lange Wände mit diesen Produkten besetzt. Die Balladen sind ganz in der Volkssprache abgefasst, und die Reime

---

[1] C. A. G. Goede a. a. O. Bd. III, S. 156.

[2] J. W. v. Archenholtz, „Britische Annalen“. Bd. VIII, S. 242 - 248.

Dühren. Das Geschlechtsleben in England ***. 12

merken sich leicht. Eine Menge Balladenweiber singt
sonderlich des Abends die anstössigsten: jedes Weib hat
viele Exemplare der Lieder, die sie singt, bei sich und
verkauft sie um das kleinste Kupfergeld, das man ihr
geben will. Der leichtfertige Vortrag der schamlosen
Sängerin, und die anlockende Melodie empfehlen den
schmutzigen Text noch mehr; solchem nach rottet ein
halb Dutzend dergleichen Gassenlieder vielleicht die
guten Grundsätze der ganzen Erziehung des Dienst-
mädchens aus." [1])

Der Vertrieb dieser Gassenlieder niedrigster Art
bildete im 18. Jahrhundert einen sehr einträglichen
Geschäftszweig des Londoner Buchhandels und ihre Abfassung — leider! — eine sehr oft in Anspruch ge-
nommene Hülfsquelle für arme Dichter, auch höheren
Ranges. So schrieb Oliver Goldsmith eine Zeit lang
solche Balladen für die Strassensänger, die ihm eine
Krone für das Gedicht zahlten, und er stahl sich oft des
Nachts heraus, um seine Lieder singen zu hören [2]). Einen
sehr interessanten kulturgeschichtlichen Beitrag zum
englischen Bänkelliederwesen im 18. Jahrhundert liefert
Smollett im „Roderick Random". Er schildert da,
wie ein Schriftsteller vergeblich auf alle möglichen
Weisen seine Talente zu verwerten sucht, um sein
tägliches Brot zu verdienen, bis er schliesslich auf den
Gedanken kommt, mit den Verlegern von Gassenliedern
einen letzten Versuch zu machen.

„In dieser Absicht begab ich mich zu einem der
berühmtesten und marktschreierischsten dieser Klasse

---

[1]) Vergl. auch v. Archenholtz, „England". Bd. III,
S. 125—126.

[2]) Thackeray, „Englands Humoristen". S. 298.

und wurde von ihm an einem Mann gewiesen, der mich in ein hübsch eingerichtetes Hinterstübchen führte, wo ich ihm den Wunsch eröffnete, unter die Zahl seiner Schriftsteller aufgenommen zu werden; worauf er mich fragte, worin meine Leistungen beständen. Er war mit meiner Erklärung, dass meine Lieblingsbeschäftigung die Dichtkunst wäre, wohl zufrieden und erzählte mir, dass einer seiner Dichter den Verstand verloren hätte und sich jetzt im Irrenhause befände, und der andere durch Branntweintrinken abgestumpft wäre, so dass er seit vielen Wochen nichts Gescheites geliefert hätte. Als ich mich mit ihm über die Bedingungen verständigen wollte, sagte er mir, dass das Honorar stets von den Umständen abhinge und seine Schriftsteller nach Massgabe des Absatzes ihrer Werke bezahlt würden.

Nachdem ich in diese Bedingungen, die nichts weniger als vorteilhaft für mich waren, gewilligt hatte, gab er mir das Thema zu einer Ballade, die in zwei Stunden fertig sein musste; und ich kehrte in mein Dachstübchen zurück, um seinen Auftrag auszuführen. Da mir das Thema zusagte, so verfasste ich innerhalb der vorgeschriebenen Zeit eine hübsche Ode, die ich ihm in der festen Hoffnung auf Gewinn und Beifall überbrachte. In einem Nu hatte er sie durchgelesen und sagte mir zu meinem grössten Erstaunen, das wäre nichts; doch gab er zu, dass ich eine gute Hand und richtig orthographisch schrieb, allein die Sprache wäre zu geschraubt und der Capacität und dem Geschmacke seiner Kunden nicht angemessen. Ich versprach diesen Fehler zu verbessern und stimmte in einer halben Stunde meinen Styl zu den Begriffen gemeiner Leser herab. Er billigte die Veränderung und gab mir die Hoffnung, es werde

12*

mit der Zeit schon gehen, obschon er bemerkte, dass es meinem Gedichte noch an der Zärtlichkeit des Ausdrucks fehlte, woran die Menge Gefallen fände. Um mich indessen zu ermutigen, wagte er den Aufwand von Druck und Papier, und mein Anteil am Gewinn belief sich, wenn ich mich recht erinnere, auf etwa vier Groschen.

Von diesem Tage an studierte ich den Bänkelsänger-geschmack mit grossem Fleisse und brachte es endlich so weit darin, dass meine Werke von den feinsten unter den Chaisenträgern, Aufladern, Lohnkutschern, Bedienten und Dienstmägden sehr gesucht waren: ja ich hatte das Vergnügen, meine Lieder, mit Holzschnitten geschmückt, als Zierden in Bierkellern und Schuhflickerläden an die Wände angeklebt zu sehen; und was noch mehr ist, in Klubs von wohlhabenden Krämern singen zu hören."[1]

Sammlungen solcher sehr freien Lieder und Balladen sind z. B. „The Lovers" am Ende der „London Bawd" (Exemplar im Britischen Museum), ferner „Love's vocal Grove, or the Bucks in high humour, being a choice collection of the most favourite songs of the town" (ca. 1710).

Aber auch an Bestrebungen, das höhere Volkslied zu pflegen, fehlte es nicht, Bischof Perey verfasste 1758 das berühmte Lied „O Nancy", an seine Braut Anna Gutteridge[2]), das von Thomas Carter in Musik gesetzt und von Vernon im Jahre 1773 in Vauxhall gesungen wurde:

---

[1] „Abenteuer Roderick Randoms" von Tobias Smollet, Braunschweig 1839, Teil IV, S. 57—59.

[2] Ein Bild von Mrs. Percy, wie sie eine Rolle mit der Aufschrift „O Nancy" in der Hand hält, befindet sich in Ecton House, bei Northampton.

O Nancy, wilt thou go with me,
Nor sigh to leave the flamling town?
Can silent glens have charms for thee,
The lowly cot and russet gown?
No longer drest in silken sheen
No longer deck'd with jewels rare,
Say, canst thou quit each courtly scene,
Where thou wert fairest of the fair?

O Nancy, when thou 'rt far away
Wilt thou not cast a wish behind?
Say, canst thou face the parching ray,
Nor shrink before the wintry wind?
O, can that soft and gentle mien
Extremes of hardship learn to bear,
Nor, sad, regret each courtly scene,
Where thou wert fairest of the fair?

O Nancy, canst thou love so true,
Through perils keen with me to go?
Or, when thy swain mishap shall rue,
To share with him the pang of woe?
Say, should disease or pain befall,
Wilt thou assume the nurse's care?
Nor wistful, those gay scenes recall,
Where thou wert fairest of the fair?

And when at last thy love shall die,
Wilt thou receive his parting breath?
Wilt thou repress each struggling sigh,
And cheer with smiles the bead of death?
And wilt thou o'er his breathless clay
Strew flowers, and drop the tender tear?
Nor then regret those scenes so gay,
Where thou wert fairest of the fair?[1]

---

[1] Percy's „Reliques" ed. Wheatley Bd. I, S. LXXII bis LXXIII.

Andere beliebte und vielgesungene englische Volks-
lieder aus dem Ende des 18. Jahrhunderts waren:
„Sweetest of prettymaids"; „Sally our Alley"; „O the
Roast Beef of Old England"; „Come haste to the Wedding."

Wer sich noch an den alten guten Liedern erfreuen
wollte, der ging zu dem berühmten Musikalienhändler
Thomson am Strand, welcher die Melodien der meisten
englischen Volkslieder kannte und sie seinen Gästen,
unter denen sich der Schauspieler Garrick, die Musik-
schriftsteller Burney und Hawkins, Dr. Arne u. A.
befanden, häufig vorsang. [1]

Im ganzen aber arbeitete das achtzehnte Jahrhundert
auf dem Gebiete des Volksliedes rasch und unabwendbar
auf die gänzliche Zerstörung aller poetischen Tendenzen
des englischen Volkes hin, was wohl wesentlich mit
dem Aufkommen der moralisierenden, utilitaristischen
Richtung in der Literatur und Kunst zusammenhängt
(Richardson, Addison, Hogarth u. A.). Auch hat
die Entwickelung des Fabrikwesens gewiss einen be-
trächtlichen Anteil an dieser Entwickelung, die immer
mehr die Richtung auf das Sensationelle nimmt. Im
allgemeinen dürfte also für das 19. Jahrhundert das
Urteil zu treffen, welches Talvj über die englische
Volkspoesie um 1840 fällt. [2]

„Die Balladen und Lieder, die in unseren Tagen
die englischen Bücherbuden füllen und von Hausierern
im Lande umhergetragen, oder von den gemeinen
Strassensängern einem Haufen Jungen und gaffenden
Landleuten zum Besten gegeben werden, sind meisten-

---

[1] Thornbury „Haunted London" S. 177.
[2] Talvj a. a. O. S. 518—519.

teils von der allerniedrigsten Art und verdienen nicht den Namen der Poesie. Manchmal trifft es sich wohl, dass irgend ein gutes neueres Lied aus einem gedruckten populären Liederbuche, oder irgend eine alte einst berühmte Ballade sich mitten unter solche Sudeleien verirren. So hörte Ritson (freilich vor vierzig Jahren) von einem blinden Geiger in einer der Londoner Strassen die alte Minstrelballade von Lord Thomas und schön Elinor singen. Auch eine von den echten Balladen auf Robin Hood findet sich wohl noch hier und dort unter einem Haufen abgeschmackter oder schmutziger Blätter. Doch dies wäre blosser Zufall; weder Leser noch Hörer hat den mindesten Begriff, dass zwischen diesen Ereignissen irgend ein Unterschied sei. Je entsetzlicher ein Ereignis, je abscheulicher eine Handlung, je passlicher wird sie für ein neues englisches Volkslied gehalten, und der Verbrecher, der sein Leben voller gemeinen Schandthaten am Galgen endet, wird, wie wir es irgendwo ausgedrückt gelesen, durch seinen Tod der Bürger einer poetischen Welt.[1]

Mehr echtes Gefühl für Natur und mehr poetischer Sinn hat auf dem Lande sich erhalten; hier und in den abgelegeneren Fabrikstädten hört man wohl noch gelegentlich eine alte Ballade singen. Besonders sind Yorkshire und Lincolnshire noch reich an Lokalsagen und Liedern, und auch manche alte schottische Ballade ist dort hinübergedrungen."

---

[1] Die Hinrichtungen waren Gegenstand einer besonderen Gattung von Balladen, der sogenannten „Newgate Ballads", die besonders von den St. Giles's-Poeten fabriziert wurden. Vergl. Thornbury a. a. O. S. 463. Besonders Catnac war berüchtigt als Verleger solcher Hinrichtungslieder. Vergl. Charles Dickens „Londoner Skizzen" Leipzig (Reclam), S. 417.

Im Westen von England wurden bis in die neueste
Zeit die alten schönen Weihnachtsgesänge, die „Christ-
mas-Carols" viel gesungen, und auch in London hat
die victorianische Aera ganz entschieden einen edleren
Ton in des Volkslied wieder eingeführt und den poetischen
Sinn des Volkes wieder belebt. Rodenberg[1]) bemerkt
aus dem Anfang der sechziger Jahre des neunzehnten
Jahrhundert über die Londoner Strassenlieder:

„Es lässt sich viel über diese „Songs of Bohemia"
in London sagen. Sie fesselten mich am ersten Tage,
wo ich nach London kam, und ich habe ihre Veränderungen seitdem mit unverändertem Interesse beobachtet.
Ich könnte sie Euch alle auf dem Klaviere vorspielen,
so haben sie sich meinem Gedächtnisse eingeprägt. In
den höheren Sphären der Musik wird der Engländer
ein armes Volk, aber der Londoner Strassengesang ist
von einem überraschenden Reichtum. Woher kommen
nun all' diese Lieder? Jedes Jahr hat sein neues Lied,
nichts ist launischer in seinem Geschmack als das Londoner Volk. Das Lied des vorhergehenden Jahres ist
im folgenden vergessen. — Wer singt heute noch „Rat-
catcher's Daughter"? oder „Sweet Minnie"? Und ein
hübsches Lied war es doch, mit seiner süssen Melodie
und seinem klagenden Refrain. Kaum dass man noch
das Lied von der armen „Nelly Gray" kennt, dem lieb-
lichen Mädchen, an dem alten Kentuckystrand, welches
in einem roten Canoe den Strom entlang fuhr, singend,
während ihr Geliebter mit dem Banjo dazu spielte."

Der Bezirk „Seven Dials" in London war noch um
1860 der Sitz der Balladensänger, die hier in elenden Dach-

---

[1]) J. Rodenberg „Tag und Nacht in London." S. 40.

stuben hausten und für noch elendere Entlohnung, nach
dem Längenmass berechnet und in Kupferstücken ausbezahlt, an die Drucker und Verleger ihre Lieder verkauften, die sie dann, auf Bretter gespannt, an den Strassenecken feilboten. Nur wenige dieser Produkte wurden
zu wirklichen Volksliedern und als solche an allen Orten
gesungen, erst im niederen Volke, später im Holborn
Casino, in den Argyll Rooms, in Evans's Supper
Rooms und selbst in den Kreisen der fashionablen Gesellschaft, in den Klubs und in den vornehmen Theatern
von Adelphi bis zu Drurylane. Rodenberg teilt einige
dieser „new and favourite songs" in Uebersetzungen mit.

Sehr beliebt war zu seiner Zeit „Sweet Minnie",
in welchem Liede die „herzliche, zur Sentimentalität ge-
neigte, sächsisch-deutsche Seite der englischen Volks-
natur, freilich ohne die deutsche Tiefe und Innigkeit
zum Ausdruck kommt." Es geht ein süsser und zärtlicher Ton durch die Melodie:

> Wenn die Sonne lacht in der Mittagspracht
> Und die Luft sanft weht durch den Hain;
> Durch den Blütenduft über Wald und Kluft
> Klingt ein süsser Ton mir herein.
> „O Minnie! Schön Minnie! komm über den Rain,
> Denn die Sonne lacht in der Mittagspracht
> Und ein treues Herz wartet Dein."

> In der stillen Nacht, wenn der Mond nur wacht
> Und die Sterne mit sanftem Schein —
> Klingt es leis, kaum gehört, dass es Mutter nicht stört —
> Durch das Fenster ins Kämmerlein,
> „O Minnie! Schön Minnie! komm über den Rain!"
> Dann flieg' ich vom Haus wie ein Vöglein heraus
> An das Herz, das da wartet mein.

Ein charakteristisches Specimen des obscönen und rohen Tones im Londoner Volkslied bietet „The Rat-catcher's Daughter" (Des Rattenfängers Tochter) dar. Mit Weglassung der schmutzigen Verse giebt Rodenberg folgende Uebersetzung des auch in der rohen Handhabung des Verses charakteristischen Liedes:

> In Westminster lebte vor kurzer Zeit
> Eines Rattenfängers Tochter.
> Geboren war sie auf der anderen Seit'
> Des Wassers und kam auch von dorther.
> Ihr Vater fing Ratten und sie rief Sprott
> Auf den Strassen aus und wer mocht' ihr
> Vorübergehen? Alle kauften Sprott
> Von der schönen Rattenfängers-Tochter.
>
> Sie trug keinen Hut auf ihrem Kopf,
> Noch Mütz' und modischen Schwindel,
> Die Haare flogen um ihren Kopf
> Just wie ein Rübenbündel,
> Wenn sie Sprott ausrief in Westminster,
> So laut von der Lippe floss ihr
> Das Wort, dass man's hörte ganz Parliamentstreet
> Bis hinauf weit nach Charing-Cross, Sir!
>
> Die Reichen kamen von Nah und auch von Fern
> Und sie gaben viel gute Wort' ihr,
> Doch sie that auslachen wohl Freund und Feind,
> Ja, das that des Rattenfängers Tochter!
> Denn da rief ein Mann aus lilienweissen Sand,
> Und der war süsser Trost und Hort ihr —
> Und über Kopf und Ohren in Liebe war
> Des schönen Rattenfängers Tochter.

In den weiteren fünf Strophen wird erzählt, dass, nachdem sich Rattenfängers Tochter in den Sandmann verliebt hatte, ihr der lilienweisse Sand so in den Kopf stieg, dass sie vergass, sie trage Sprott auf dem Kopfe,

und ausrief: „Kauft Sand! kauft lilienweissen Sand!"
Und die Leute wunderten sich, dass ein Sprottmädchen
ausrief: „Kauft lilienweissen Sand!" Aber Rattenfängers
Tochter stieg auch dem Sandmann in den Kopf und
statt zu rufen: „Kauft Sand; kauft lilienweissen Sand!
rief er fortan: „Wollt Ihr Rattenfängers Tochter kaufen?"
Sein Esel spitzte die Ohren und die Leute wunderten
sich, dass ein lilienweisser Sandmann ausrief: „Wollt
Ihr Rattenfängers Tochter kaufen?" Darauf beschlossen
denn die Beiden, sich zu heiraten am nächsten Oster-
sonntag; aber Rattenfängers Tochter träumte, sie werde
den Montag nicht erleben. Da ging sie aus, um Sprott
zu kaufen, und fiel ins Wasser und starb. Als der
lilienweisse Sandmann das hörte, sagte er: „Schlagt
mich tot, wenn ich nun noch leben will!"

> So schnitt er mit Glas sich die Kehle ab,
> Auch der Esel nicht länger leben mocht' er —
> Und der Esel samt dem lilienweissen Sandmann starb
> Durch die Liebe zu Rattenfängers Tochter.

Mit diesem herrlichen Erguss Londoner Volkspoesie
stritt sich das berühmte „Polly won't you try me oh?"
um den Vorrang in der Gunst des Publikums. Dieses
besitzt ein anderes charakteristisches Merkmal englischer
Lieder, die Einschaltung zahlreicher wohltönender, aber
nichts bedeutender Worte, so dass das Ganze wie barer
Unsinn erscheint. Rodenberg hat das in seiner Uebersetzung ziemlich glücklich wiedergegeben:

> Drunten im Skytown lebt 'ne Magd —
> Sing sang Polly hast du lieb mich, o?
> Buttern that sie Tag und Nacht —
> Sing sang, Polly hast du lieb mich, o?
> Sie hatt' einen Burschen und der hiess Will —
> Sing sang Polly hast du lieb mich, o?

That Alles, was sein Vater will —
Sing sang, Polly, hast du lieb mich, o?
Kimo, keimo, wo? Ja so! Mein Berg, mein Thal —
Komm herein, komm herein —
Ich wink' und blink' mit den Augen da —
Sing sang Polly, hast du lieb mich, o?

Sie brauchte Will auf Leben und Tod —
Sie wollt' ihn frein, was der Vater verbot.
Sie kauft ein Messer im grossen Gram,
Sie brach ihr Herz und das Leben sich nahm
Kimo, keimo u. s. w.

Und weil ihr Tod das Herz ihm trifft,
So ging er hin und schluckte Gift —
Was das Bauernvolk sehr lustig fand —
Man kommt nicht so leicht ins gelobte Land.
Kimo, keimo u. s. w.

Ein viertes Lied „Bobbing, around, around, around" ist nach Rodenberg nicht derart, dass man es in einem auch für Damen bestimmten Buche analysieren dürfte. Ein anderes hübsches Lied, mehr nach Art von „Sweet Minnie" war das 1860 sehr populäre „The Strand", dessen Anfangsstrophe lautet:

I wish, I was with Nancy —
I do, I do!
In the second floor
For evermore
To live and die with Nancy!

Julius Rodenberg hat ferner noch in einem wegen der geschichtlichen Schilderungen des Londoner Lebens sehr interessanten Romane „Die Strassensängerin von London" (zuerst erschienen im ersten Bande des „Deutschen Magazin") verschiedene Londoner Strassenlieder in Uebersetzung mitgeteilt, aus denen sich die Richtig-

keit seines Urteils ergiebt, dass die Londoner Volkspoesie etwas Sentimentalität und viel rohe Natürlichkeit
hat, entsprechend dem Charakter des Volks selbst.[1])

Eine besondere Spezialität des Londoner Strassen-
gesanges bilden die Lieder im Londoner Argot, im
„Cant" und „Slang", die neuerdings von Farmer gesammelt worden sind.[2])

Neben den Balladen- und Liedersängern liessen seit
alter Zeit die zahlreichen Strassenhändler ihre eigen-
artig grellen, oft langgezogenen und melodiösen Ausrufe, die sogenannten „Cries" ertönen. Diese „Cries
of London" sind schon sehr früh ein Gegenstand künstlerischer und kulturgeschichtlicher Würdigung gewesen.

Peter Molyn Tempest veröffentlicht am Ende
der Regierung Wilhelms III. eine Reihe von Kupfern
der „Cries of London" nach den Zeichnungen des holländischen Malers Marcellus Laroon (1653—1702).
Tempest zeigte diese Kupfer in der „London Gazette"
vom 28—31. Mai 1698 folgendermassen an:

„Es werden jetzt die Ausrufe und Gewohnheiten
von London veröffentlicht, kürzlich nach dem Leben in
grosser Mannigfaltigkeit der Vorgänge gezeichnet, und
auf 50 Kupferplatten gestochen, welche sich für Kunst-
liebhaber eignen. Gedruckt und verkauft von P. Tempest, gegenüber Somerset House, im Strand."[3])

---

[1]) Darstellung nach dem Abschnitt „Volkspoesie und Musik
in London" in: J. Rodenberg „Kleine Wanderchronik" Hannover
1858 Bd. II S. 138—154.
[2]) J. S. Farmer „Musa Pedestris. Three Centuries of Can-
ting Songs and Slang Rhymes" London 1896 (8°, XV, 258 S.)
[3]) Thornbury a. a. O. S. 167.

Diese „Cries" sind es wahrscheinlich gewesen, welche Herr von Uffenbach anno 1710 kaufte: „Nach dem kaufften wir in einem Kupfer-Laden die „Cryes of London" in vier und siebenzig Blättern vor eine halbe Guinee. Es werden in diesen Kupfern alle diejenigen Leute, so auf den Strassen Sachen feil tragen und ausruffen, nach dem Leben vorgebildet, mit den Worten, so sie ausruffen. Wie man dann auch die „Cris de Paris" hat. Man hat sie auch mit Noten, da die wunderlichen Töne, wie sio es abruffen oder singen, sehr wunderlich mit der Violin können nachgemacht werden." [1]

Später hat besonders der berühmte Karrikaturist Thomas Rowlandson sich mit den „Cries of London" beschäftigt. 1799 erschienen in der Kunsthandlung von Rudolph Ackermann, No. 101, Strand, die ersten dieser Rowlandson'schen Kupfer mit den Unterschriften der verschiedenen Ausrufe, nämlich: „Buy a Trap, a Rat-Trop, buy my Trap" (Rattenfallenhändlerruf), „Buy my Goose, my Fat Goose" (Gänseverkäuferruf), „Last Dying Speech and Confession" (Abbildung eines Strassensängers, der eine „Newgate-Ballade" singt), „Do you want any brick-dust?" (Steinstaubhändlerruf), „Water-cresses, come buy my Water-cresses" (Ausruf einer Händlerin mit Kressen), „All a growing, a growing; here's flowers for your gardens" (Blumenverkäuferruf).[2] Zirka 1810 erschienen weitere 30 Kupfer zu den „Cries

---

[1] v. Uffenbach a. a. O. Bd. III S. 218.

[2] Vergl. J. Grego „Rowlandson the Carricaturist". London 1880 Bd. I S. 854—356, mit Abbildungen des Rattenfallenhändlers und der Kressenverkäuferin.

of London" von Rowlandson.[1]) Diese Zeichnungen
geben uns eine sehr lebendige Vorstellung von dem
Leben und Treiben der alten Londoner „Ausrufer".[2])

Zu den hauptsächlichen Vergnügungen des mittelalterlichen Englands gehörte der Tanz.[3]) Jedermann musste
tanzen können. Es war ein gemeinsames Vergnügen
der niederen Volksklassen und der höheren Stände.
Könige legten Wert darauf, als gute Tänzer zu gelten,
wie denn König Heinrich VIII. als ein vortrefflicher
Tänzer berühmt war.[4]) Am Valentinstag, um die Fast-
nachtszeit tanzten die jungen Leute in fröhlicher Ausgelassenheit auf den Strassen, im Freien, auf den Wiesen
und im Walde. Der alte Stow (16. Jahrhundert) betrachtet das Tanzen der jungen Mädchen vor den Thüren,
welches seit dem 12. Jahrhundert in London an Feiertagen üblich war und erst gegen 1530 aufhörte, als ein
Praeventivmittel gegen schlimmere Dinge „within doors",
welche, wie er fürchtet, der Unterdrückung dieser schönen
Sitte folgen würden. Die Landmädchen tanzten viele
Tänze im Freien auf dem grünen Rasen, alle ihre „rustic
measures, rounds, and jiggs"[5]), wozu z. B. die eigenartigen Tänze der „milk-maids" im Maimonat um den
Maibaum herum gehörten.[6])

---

[1]) ibidem Bd. II S. 198.
[2]) Später sind die „Cries of London" auch in einzelnen kleinen
Bändchen mit (meist kolorierten) Bildern gesammelt worden.
[3]) Ueber Wesen und Ursprung des Tanzes handle ich ausführlich in meiner in Vorbereitung befindlichen „Sittengeschichte
Frankreichs unter dem zweiten Kaiserreich", in welcher Periode
der Tanz beinahe die Rolle einer „signatura temporis" gespielt hat.
[4]) Joseph Strutt a. a. O. S. 295—296.
[5]) ibidem S. 296 - 297.
[6]) ibidem S. 857.

Die Tanzleidenschaft nahm nach Wright während gewisser Perioden des Mittelalters, besonders im 15. Jahrhundert, eine so grosse Ausdehnung an, dass sie notwendigerweise mit bedenklichen Auswüchsen verknüpft war und Ursache sittlicher Korruption wurde, gegen welche die Moralisten beständig eiferten.[1] Chaucer spricht viel von Liebestänzen[2]; aus dem „Roman de la Rose" wurde ein von zwei sehr leicht bekleideten Mädchen ausgeführter erotischer Tanz übernommen, bei dem sie in verschiedenen Stellungen ihre Reize zeigten und sehr oft in einer lasciven Weise einander näherten wobei sie die Gesichter sich einander zum Kuss darboten:

— — — They threw yfere,
Ther mouthes, so that, through ther play
It seemed as they kyste alway.[3]

Auf einem alten Bilde in einem Manuskripte des Britischen Museums ist ein Mädchen dargestellt, wie es auf den Schultern eines Dudelsackpfeifers tanzt![4]

Wright unterscheidet zwei Gattungen von Tänzen im Mittelalter, die häuslichen Tänze und die Tänze der Jongleure und Minstrels. Nach den ersten Kreuzzügen hatten die westeuropäischen Gaukler viele Künste ihrer Genossen aus dem Morgenlande sich zu eigen gemacht und hatten, wie aus zahlreichen Angaben zeitgenössischer Schrifsteller hervorgeht, auch die „Almehs" oder orientalischen Tanzmädchen nach Westeuropa verpflanzt. Diese Tänze bildeten wie die Fabliaux einen Teil des Vorstellungsprogramms der Jongleure und waren wie diese fast immer roh und unanständig. Die häuslichen Tänze

---

[1] „A History of English Culture" S. 427.
[2] Strutt a. a. O. S. 297.
[3] ibidem, S. 227.
[4] ibidem, S. 228.

„carole" genannt, in der Frauen und Männer, sich an
der Hand fassend, tanzten, waren bei weitem harmloser.[1]

Diese eigentlichen „Volkstänze" hatten ihre Blütezeit bis zur Mitte des 16. Jahrhunderts, von da ab
bürgerte sich der „Gesellschaftstanz" ein, der zuerst bei
den höfischen Maskeraden und Bällen unter Elisabeth
und Jakob I. eine grössere Bedeutung erlangte. Damit
machte sich seit der Restauration auch das Bedürfnis
nach Tanzunterricht bemerkbar, welchem fremde Tanzlehrer, meist Franzosen, genügten.

Addison bringt im 43. Stück des „Spectator" (1711)
sehr interessante Mitteilungen über den Gesellschaftstanz und den Tanzunterricht in England am Ende des
17. und Anfange des 18. Jahrhunderts.[2] Er fingiert
den folgenden Brief eines „angesehenen Handelsmannes
in der Gegend der Börse", der die damaligen Zustände
im Tanzwesen sehr getreu schildert.

„Mein Herr, ich bin ein Mann bey Jahren, und
habe mir durch eine honette Industrie so viel in der
Welt erworben, dass ich meinen Kindern eine gute Erziehung geben kann, wiewohl ich selbst dieses Vorteils
gänzlich habe entbehren müssen. Meine älteste Tochter,
ein Mädchen von 16 Jahren, steht seit einiger Zeit unter
der Aufsicht des berühmten Tanzmeisters Monsieur
Rigadon; und ich liess mich vor einigen Abenden von
ihr und ihrer Mutter bereden, auf einen seiner Bälle zu
gehen. Ich muss Ihnen gestehen, mein Herr, da ich
noch nie in meinem Leben an einem solchen Ort gewesen war, so ergötzte und verwunderte ich mich nicht

---

[1] Th. Wright, a. a. O., S. 241—242.
[2] Auszug des englischen Zuschauers nach einer neuen Uebersetzung (von Ramler), Berlin 1782, Bd. I, S. 845—858.

Dühren, Das Geschlechtsleben in England.*** 18

wenig über denjenigen Teil dieser Lustbarkeit, welchen er französisches Tanzen nannte. Ich sah verschiedene junge Manns- und Frauenspersonen, deren Glieder keine andere Bewegung zu haben scheinen, als welche die Musik ihnen gab. Nachdem dies vorüber war, fingen sie eine Art zu tanzen an, die sie Kontertänze nannten, und auch hierin kamen ganz artige Sachen und verschiedene emblematische Touren vor, die, wie ich vermute, von weisen Männern zur Belehrung der Jugend ausgesonnen worden.

Unter andern bemerkte ich einen Tanz, den sie, wie mich dünkt, die Eichhörnchenjagd nennen, worin das Frauenzimmer flieht und die Mannsperson es verfolgt; sobald das Frauenzimmer aber sich umkehrt, die Mannsperson davon läuft und sich verfolgen lässt.

Kann wohl ein Tanz auf eine schicklichere Art dem schönen Geschlecht eine kluge Zurückhaltung und Sittsamkeit empfehlen als dieser?

Wie aber die besten Dinge der Verderbnis ausgesetzt sind, so muss ich Ihnen, mein Herr, auch melden, dass sich sehr grosse Missbräuche in diese Lustbarkeit eingeschlichen haben. Ich erstaunte, als ich sah, wie frey und familiär mein Mädchen von den jungen Herrn gehandhabt wurde, und sich mit ihnen herumriss und nimmermehr hätte ich das in dem Kinde gesucht. Sie bedienten sich oft eines sehr schamlosen und ungeziemenden Schrittes, den sie Gegenpas nannten, und den ich Ihnen nicht anders zu beschreiben weiss, als dass er gerade das Gegenteil von Rücken an Rücken ist. Endlich befahl ein junger unverschämter Schlingel den Musikanten, einen Tanz zu spielen, welcher Allemande

heisst, und nachdem er zwey oder drey Kapriolen ge-
schnitten hatte, lief er zu seiner Tänzerin, und nach vielen
sehr künstlichen aber ungebührlichen Schwenkungen
und Verschlingungen der Arme, walzte er so rasch und
tapfer mit ihr auf dem Boden herum, dass ich viel
weiter über ihren Schuh hinaufsehen konnte als ich
Ihnen mit Anstand sagen kann. Ich konnte diese Greuel
nicht länger aushalten; und als daher mein Mädchen
eben herumgewalzt werden sollte, sprang ich zu, riss
mein Kind weg, und führte es heim.

Ich glaube wohl, dass diese Lustbarkeit zuerst er-
funden worden, ein gutes Vernehmen unter jungen Manns-
und Frauenspersonen zu unterhalten, und in so weit
habe ich nichts dagegen; aber dergleichen Dinge werde
ich in meinem Leben nicht gestatten. Ich weiss nicht
mein Herr, was Sie hierzu sagen werden; aber gewiss,
wären Sie mit mir dagewesen, Sie würden reichen Stoff
zu Spekulationen gesehen haben!" Addison giebt dem
Briefschreiber vollkommen Recht und bemerkt, dass noch
viel schlimmere Tänze üblich sein, z. B. die „Küssetänze"
bei welchen der „Chapeau beynah" eine Minute lang auf
den Lippen einer Tänzerin verweilen muss, wenn er
nicht für die Musik zu früh kommen, und taktwidrig
tanzen will."

Auch die Kontretänze und die neumodischen „Alle-
mandes" können nach Addison durch die grossen Vertraulichkeiten zwischen beiden Geschlechtern die dabei
vorfallen, sehr gefährliche Folgen haben. „Ich habe
oft gedacht, wie viele weibliche Herzen wohl so ver-
härtet seyn möchten, dass sie nicht durch die Reize der
Musik, die Macht der Bewegung und einen hübschen
jungen Mann erweicht werden sollten, der beständig vor

13*

ihren Augen umherflattert, und sie überzeugt, dass er
alle seine Glieder in vollkommener Gewalt hat."

Da aber die Kontretänze nach Addison eine englische Erfindung sind, so möchte er sie nicht ganz verwerfen, sondern lieber wünschen, dass sie in aller Unschuld getanzt werden möchten. Solch ein decenter
Tanz ist sogar für ein feines Benehmen und eine natürliche Haltung und Bewegung des Körpers sehr nützlich.

In der That erfreuten sich die Tanzlehrer im 18. Jahrhundert des denkbar schlechtesten Rufes. Sie veranstalteten oft unter dem Vorwand des privaten Tanz-
unterrichts geschlechtliche Orgien schlimmster Art, welche
Verhältnisse zuerst der Richter Sir John Fielding auf-
deckte. [1]

Bereits zu Shakespeares Zeit waren in England
alle Tänze des Kontinents bekannt. Besonders beliebt
war von diesem fremden Tänzen die Moriske, der von
Spanien aus herübergebrachte maurische Tanz, bei
welchem die Tänzer ihr Gesicht schwarz färbten, orien-
talisches Kostüm trugen, sich Glöckchen an die Beine
banden und so toll umher sprangen, dass man Podagra
und Gicht von dem häufigen Tanzen der Moriske
herleitete.[2]

Unter den englischen Nationaltänzen nennt Storck
den „Kissentanz" (Cushion-dance), der eine Verbindung
von Pfänderspiel und Tanz darstellt, wobei ein Kissen
und das Küssen eine Rolle spielen. Einer der Tänzer
legt ein rotsammetnes Kissen vor sich hin und wählt

---

[1] J. P. Malcolm „Anecdotes of the Manners and Customs
of London" London 1810 Bd. I, S. 832.

[2] Karl Storck „Der Tanz" Bielefeld und Leipzig 1903
S. 43—44.

sich mit bestimmten Versen eine Tänzerin, die auf dem Kissen niederkniet und einen Kuss empfängt. Die Dame wiederholt dieselbe Prozedur mit einem Herrn, bis schliesslich alle Jünglinge und Mädchen aufs Kissen und zum Küssen kommen.[1]

Diese Kusstänze, auf die ja auch Addison an der oben erwähnten Stelle anspielt, scheinen in England von jeher sehr beliebt gewesen zu sein. In Shakespeare's „Heinrich VIII." (Akt I, Szene 4) sagt der König zu Anna Bullen: „Unziemlich wär's, zum Tanz Euch aufzufordern und nicht zu küssen."

Ein anderer englischer Nationaltanz ist der „Schiffsjungentanz" (Hornpipe), bei welchem, während der Oberkörper mit über die Brust gekreuzten Armen in steifer, gerader Haltung verharrt, die Beine in eine schlenkernde Bewegung versetzt werden.[2]

Der im „Spectator" geschilderte Tanz (s. oben), bei welchem erst der Mann das Weib, dann das Weib den Mann verfolgt, ist ebenfalls ein spezifisch englischer Tanz: genannt „Hunt the Squirrel".[3]

Der als „Anglaise" bezeichnete Tanz ist nicht englischen Ursprungs, sondern ein böhmischer Tanz. Nur in Frankreich hat man in sie einige Teile aus englischen Nationaltänzen eingefügt.

Echt englisch ist dagegen der Kontretanz, wie ja schon Addison an der mitgeteilten Stelle des „Spectator" mit Stolz hervorhebt. Er hiess ursprünglich

---

[1] Storck a. a. O. S. 44. — Nach Heywood stammt de „Cushion-dance" aus dem Anfang des 17. Jahrhunderts. Vergl Strutt a. a. O. S. 297.

[2] ibidem S. 46.

[3] Strutt a. a. O. S. 297.

„Country-dance" d. h. ländlicher Tanz und wurde um 1710 durch einen englischen Tanzmeister in Frankreich eingeführt, wo der Name um so eher in „Contre-danse" corrumpirt wurde, als ja wirklich die Paare bei demselben einander gegenüber stehen.[1]

Der erste deutsche Walzer wurde im Jahre 1813 in Almack's Ballhause getanzt und erregte, ähnlich wie bei vielen hypermoralischen deutschen Tanzlehrern, allgemeine Entrüstung, nicht nur bei den Spiessbürgern, sondern auch bei solchen sittlichen Censoren wie George Gordon Byron, der in dem Gedicht „The Waltz" die Walzer tanzenden Frauen fürchterlich heruntermacht:

> If such thou lovest — love her then no more,
> Or give, like her, caresses to a score,
> Her mind with these is gone, and with it go
> The little left behind it to bestow.

Die Tanzlehrer standen auch im 19. Jahrhundert häufig nicht im besten Rufe. Das in den sogenannten „Tanzakademieen" sich nicht selten breit machende Hochstaplertum hat Charles Dickens in dem Kapitel „Die Tanzakademie" seiner „Londoner Skizzen" in höchst ergötzlicher Weise geschildert.[2]

Die Tanzkunst als Schauspiel, das Ballett wurde in England zuerst im 18. Jahrhundert eingeführt und fand auch hier wie überall enthusiastischen Beifall. Noverre, einer der berühmten Schöpfer des modernen Balletts sagt über diesen Enthusiasmus: „Tanz und Ballett sind heut zu Tage eine Modeseuche. Man läuft mit

---

[1] Storck a. a. O. S. 118.
[2] „Londoner Skizzen. Von Charles Dickens". Deutsch von J. Seybt, Leipzig (Reclam) S. 260—267.

einer Art von Raserei danach, und nie ist eine Kunst durch den Beifall mehr aufgenommen worden, als unsere. Der Geschmack an Balletten ist allgemein, und geht sehr weit; alle Regenten zieren ihre Schauspiele damit aus, nicht so wohl um sich nach unseren Gebräuchen zu richten, als vielmehr um sich das Vergnügen zu verschaffen, welches diese Kunst gewähret. Der kleinste herumziehende Trupp schleppt einen Schwarm Tänzer und Tänzerinnen mit sich; ja die Possenreisser und Marktschreier rechnen mehr auf die Tugend ihrer Ballette als ihrer Tropfen und Pulver; sie blenden die Augen des Pöbels mit Entrechats, und der Absatz ihrer Arzneyen ist stärker oder geringer, so wie ihre Lustbarkeiten mehr oder weniger zahlreich sind.[1]

Es war Mlle Sallé, die berühmte auch von Voltaire gefeierte französische Balletttänzerin, die im Jahre 1734 am Covent Garden-Theater zuerst das Opernballett in England einführte und glänzende Erfolge als Galathea in dem Ballet „Pygmalion und Galathea" hatte[2]. „Der Enthusiasmus, den sie in London erregte, war von einer Art, die für unsern Geschmack etwas Pathologisches hat. Mit dem Degen in der Hand mussten die Glücklichen, denen es gelungen war, für unsinnige Preise Eintrittskarten zu ihrer Abschiedsvorstellung zu gewinnen, sich zu den Plätzen durchschlagen. Die Geschenke in Schmuckstücken und vor allem in jenen inhaltreichen Bonbons, deren Zuckerguss um ein Goldstück gelegt war, er-

---

[1] „Briefe über die Tanzkunst und über die Ballette von Herrn Noverre". Aus dem Französischen. Hamburg u. Bremen 1769 S. 88; S. 89.

[2] H. B. Baker „The London Stage" Bd. I, S. 257.

reichten an diesem einzigen Abend den Wert von 200 000 Franks." [1]

Später kam der Ballettmeister N o v e r r e nach London und setzte im Drury Lane-Theater grosse Ballette von einer unerhörten Pracht in Szene, bei denen auch Miss L y d i a T h o m p s o n im Hochländerkostüm mitwirkte. [2] 1789 feierte Mlle Guimard am Kings Theatre als Balletttänzerin grosse Triumphe [3]), und am Ende dieses Jahrhunderts glänzten in Drury Lane die P a r i s o t, Madame del C a r o und Miss de C a m p als vielbewunderte Sterne des Balletts.

Der Verfasser von „London und Paris" giebt uns folgende Schilderung der drei berühmten Ballerinen:

„Diese drei Grazien, alle drei Favoriten des Publikums, und alle vorzüglich in ihrer Kunst, konnten kaum einen Schritt thun, ohne den ausgelassensten Beifall hervorzurufen. An Wuchs, Jugendfülle, Frischheit, Schönheit, Augenfeuer und jenem unaussprechlichen Liebreiz, den die Natur ihren Brittinnen so freigebig verleibt, steht wohl die de C a m p, eine Engländerin, jenen beiden zuvor. Wer dieses liebe Geschöpf ohne Bewegung, ohne grosse Bewegung sehen kann, der mag wohlgemut ins Feuer springen. Die Bewunderung des Publikums ist um so verdienter, da de C a m p mit so viel natürlichen Vorzügen einen schuldlosen Ruf, unaffektierte Leutseligkeit und solide weibliche Kenntnisse verbindet (sie schrieb selbst Theaterstücke). Sie tanzt wie ihre Landsmänninnen, d. h. mit einer Kunst, die man mehr errät, als sieht;

---

[1] Storck a. a. O. 82.
[2] ibidem S. 85; S. 79 (mit Bild der T h o m p s o n).
[3] B a k e r a. a. O. I, 257.

absichtlich, wie es scheint, um den Schranken der Decenz
nicht nahe zu treten.

Die zweite, del Caro, eine Italienerin, die niedlichste
und vollendetste Figur, die man sehen kann, hat alles
hinreissende Feuer ihrer Nation. Sie tanzt mit ganzer
Seele; alles tanzt an ihr. Der niedliche Fuss küsst den
Boden, und nimmt Federkraft zu Entrechats, die schneller
sind, als das Auge sie auffasst. An Gefügigkeit übertraf sie die beiden andern, und alle Anmassung und
Anstrengung waren so versteckt, oder wirklich abwesend,
dass man ein kleines, unschuldiges Mädchen, das aus
ganzem Herzen tanzt, die gelernten Schwenkungen
wiederholen zu sehen glaubte. Aber obgleich die reizende
de Camp und die fröhliche del Caro die Augen zu
Minuten anzogen, so nahm doch die Künstlerin die
meiste Aufmerksamkeit für sich.

Man weiss, dass den Franzosen im Tanzen der
Preis gebührt. Auch Mlle Parisot verläugnet ihre
Nation nicht. Eine schlanke, zartgebaute Figur, Füsse,
Hände und Arme von dem Ebenmasse einer Marmor-
statue; schmachtende Augen und jene sanften Ueber-
gänge aus einer reizenden Stellung in die andere, die
in Frankreich zu Hause sind, giebt den Bewegungen
dieser grossen Tänzerin eine Gewalt über die Sinne
der Zuschauer, welche selbst den hartnervigen Hans
Bull in der oberen Gallerie erschüttert. Beschreiber
kommt sich hier sehr lächerlich vor, da er mit Worten
schildern will, was höchstens der Maler darstellen könnte.
Wenn die Parisot aus den Händen ihrer beiden Gefährtinnen hervorkam, um allein zu figurieren, so war
es, als ob sie sich in die Arme der entzückten Zuschauer
werfen wollte. Schwebend, verlangend, mit grazienhafter,

streng berechneter Krümmung der Arme, bewegte sie
den Körper in Attitüden, die die kälteste Einbildung er-
wärmen mussten. Und wenn sie nun die beiden andern
umschlang, was für Zauber, Schmachten, Seele war in
der Umarmung! Die Schlingungen der Arme, die
Neckereien, die überraschenden Verschränkungen, die
schnellen Wechsel der Stellung, alles das muss man
sehen, um es gehörig zu schätzen. Nun überlege man
den Genuss, welchen dieser Pas de trois von drei so
auserlesenen Tänzerinnen gewährte!" [1]).

Goede, der die Londoner Italienische Oper im Jahre
1802 besuchte, macht weitere Mitteilungen über das
Ballett derselben, welches Dank der Freigebigkeit der
Engländer über eine grosse Zahl ausgezeichneter
Tänzerinnen verfüge und auch in Beziehung auf die
Dekorationen beinahe die Pariser Ballette erreiche.

„Die Londoner Oper kann sich einer Tänzerin
rühmen, der in dem, worin sie glänzet, keine Pariser
gleich kommt. Es ist dies Mademoisell Parisot, die
geschaffen zu seyn scheint, jene zarte weibliche Grazie
zu malen, die der Schönheit der Frauen ihre Allmacht
verleiht. Ihr Spiel ist ein Beweis, wie viel die Kunst
durch schöne Einfalt auszurichten vermag. Nie sieht
man von ihr einen von jenen tours de force, mit denen
noch immer die besten Pariser Tänzerinnen zu glänzen
suchen. Die höchste Wahrheit, die edelste Natur bezeichnet jeden Schritt der Parisot. Auch nicht ein
Schatten von Coquetterie verfärbt die reinen Darstellungen
dieser herrlichen Künstlerin. Sie schwebt über die
Bühne wie eine Göttin, die sich nicht um den Beifall

---

[1]) Boettiger „London und Paris" Weimar 1799 Bd. III,
S. 292—294.

der Menschen bekümmert, obgleich ihr Aller Herzen
huldigen. Keine ihrer Bewegungen ist ohne Bedeutung;
jede ist seelenvoll, jede ist harmonisch mit allen
übrigen verschmolzen. Es ist zu beklagen, dass sich
diese vortreffliche Künstlerin jetzt nur selten auf der
Bühne zeigt. Mir erscheinen ihre Darstellungen ungleich
edler, als die der Hilligsberg, welche den ersten Rang
unter den Londoner Tänzerinnen einnimmt. Unstreitig
besitzt, auch diese Künstlerin sehr ausgezeichnete
Verdienste. Der tändelnde und scherzhafte Ausdruck
gelingt ihr ausnehmend wohl. Wenn sie als ein munteres
Welsches oder Schottisches Landmädchen auftritt, ist sie
zum Bezaubern graziös. Ihre Gestalt ist sehr hübsch,
nur ihre Arme sind etwas zu lang und dünn. Die dritte
Tänzerin dem Range nach ist Madame Laborie, eine
anmutsvolle Figur, voller Feuer und Leben und nicht
ohne naive Grazie. Sie könnte vielleicht in den ersten
Rang der Tänzerinnen treten, wenn sie ihrer glücklichen
Natur nicht allzu viel vertraute, und der Kunst eine
grössere Aufmerksamkeit schenkte. D'Egville, Laborie
und St. Pierre sind sehr vorzügliche Tänzer und
schöne männliche Gestalten. Laborie besitzt mehr
Zierlichkeit als St. Pierre, dieser aber mehr Feuer
als jener. D'Egville verrät in der Erfindung der
Ballette viel Geschmack und poetischen Geist. Ich
zweifle zwar nicht, dass in den Pariser Balletten die
Gruppen künstlerischer angeordnet werden, als es von
dem Englischen Ballettmeister geschieht; allein die Londoner
Ballette zeichnen sich ganz unstreitig durch einen weit
grössern Reichtum naiver Situationen und einen freieren,
poetischen Geist aus, als die Pariser. Von allen Pariser
Balletten, die ich gesehen, wüsste ich keines zu nennen,

das dem Paul und Virginie, dem coquetten Landmädchen, dem von den Scythen belagerten Paphos, und einigen anderen Londoner Balleten in witziger und wohlgefälliger Erfindung gleich käme. Die Pariser Ballette, z. B. das hochberühmte Ballett Telemach, sind in den einzelnen Scenen reicher an malerischen Schönheiten, aber diese bilden zusammen kein so unterhaltendes Ganze als die Londoner Ballette. In jenen ist das Interesse der Handlung, welche die einzelnen Situationen verknüpft, schwach, oder fehlt bisweilen ganz; in diesen wird es lebhaft unterhalten; jene sind oft mit Tanzmeisterkünsten überladen; diese sind einfacher und geschmackvoller." [1]

Neben dem Ballett der italienischen Oper kam im 18. Jahrhunderte noch dasjenige des nahe bei London Bridge gelegenen „Königlichen Cirkus" (Royal Circus) in Betracht. [2]

Wie in Paris so bildeten auch in London die Balletttänzerinnen früh eine Attraktion für die Lebewelt, ein vielbegehrtes Objekt für Liaisons aller Art. Der Coulissenraum der Londoner italienischen Opern wurde stets von einer grossen Schar der Roués belagert. „In der grossen Italienischen Oper ist es unter den Elegants hergebracht, sich auf dem Theater einzustellen, wo sie zu Hunderten in den Coulissen zusammengedrängt stehen, um die Tänzerinnen und Sängerinnen bequemer zu lorgnettieren. Der Raum der Bühne ist in diesem Hause nicht sehr gross, und bei den Balletten ist dieses Zudrängen der Elegants den Tänzerinnen und Statisten sehr lästig, die kaum ein Plätzchen übrig behalten,

---

[1] C. A. G. Goede „England, Wales, Irland und Schottland" Dresden 1806 Teil III, S. 281—284.

[2] „London und Paris" Weimar 1803 Bd. XII, S. 233.

wohin sie sich zurückziehen können. Bisweilen ist die Zahl der Elegants so gross, dass sie sich selbst auf die Bühne hervordrängen und mitten in der Scene zu Dutzenden über das Theater laufen. Bei solchen Gelegenheiten unterlässt die Gallerie nie, ihren lauten Unwillen zu äussern." [1]

Im 19. Jahrhundert brachten besonders zwei ausländische Balletttänzerinnen ihre Kunst in England zu Ehren: Fanny Elssler und Maria Taglioni, die in den vierziger und fünfziger Jahren ihre Triumphe in London feierten, wo sie wiederholt auftraten. Ein englischer Kritiker definierte sehr glücklich den Unterschied im Tanze dieser beiden, indem er die Taglioni als die „Poesie" und die Elssler als den „Witz" der Bewegung bezeichnete. [2]

Der deutsche Arzt C. G. Carus sah die Elssler im Jahre 1844 in einem Ballett tanzen, welches seitdem öfter von berühmten Tänzerinnen benutzt worden ist. [3] Das Sujet desselben war folgendes: Ein junger Maler schwärmte für eine ihm einst erschienene Schönheit. Er hat sie gemalt und tröstet sich oft an ihrem Bilde. Die Mutter treibt endlich die verlorene Schöne wieder auf, um den an tiefer Melancholie krankenden zu heilen. An einem schönen Tage, während er abwesend ist, schlüpft die Wiedergefundene in sein Zimmer und stellt sich statt des Bildes in den Rahmen. Er kommt trübgestimmt, zieht den Vorhang weg vor dem vermeintlichen Bilde, — da steht sie selbst, blickt ihn liebevoll an

---

[1] Goede a. a. O. Bd. III S. 262.
[2] Baker a. a. O. Bd. II S. 262—268.
[3] So hat Cléo de Mérode im Juli 1902 im Berliner Wintergarten sich als Hauptdarstellerin in diesem alten Ballett gezeigt.

und steigt aus dem Rahmen, um ihn fürs Leben zu beglücken.

Mancherlei Verwickelungen folgen noch nach.[1]

Der Aufenthalt der Elssler in London und ihr Auftreten am Drury Lane Theater wird auch im siebenten Kapitel einer erotischen Schrift behandelt, welche die angeblichen Liebesabenteuer der Elssler in Wien, Paris und London schildert und den Titel führt; „Liebschaften einer Balletttänzerin. Pikantissima. Cincinnati, George Brown 1874" (8°, 79 Seiten).

Neben der Taglioni und Elssler fanden Carlotta Grisi, Adèle Dumiliâtre und Fanny Cerito den grössten Beifall als Tanzkünstlerinnen.

Besonders entzückte der „Mondscheintanz" der Cerito das Londoner Publikum.

„Dieser Mondschein wird nämlich durch Siderallicht bewirkt, welches durch Milchglas fällt und allerdings eine Stelle des Theater hell wie der hellste Mondschein erleuchtet. In diesem Licht nun tanzte die Cerito, gleichsam mit ihrem Schatten wie ein hübsches Mädchen mit ihrem Spiegelbilde coquettierend, schwang sich oft nieder, als wollte sie den Schatten fassen, floh ihn dann scheinbar nieder, und trieb hundert solche Thorheiten, die aber graziös aufgeführt, lebhaften Beifall erregten und wirklich zierlich genug aussahen."[2]

In der Gegenwart zeichnet sich London vor allem anderen Weltstädten durch die Aufführung grossartiger

---

[1] C. G. Carus „England und Schottland im Jahre 1844" Berlin 1845 Bd. I S. 284.

[2] C. G. Carus a. a. O. Bd. I. S. 184; S. 217—218. — Abbildungen, die die Taglioni, Elssler, Grisi und Cerito in Ausführung ihrer Kunst zeigen, bei Storck a. a. O. S. 79, 80, 81, 82, 83, 84.

Ballette aus, welche zwar die einzelne Tänzerin nur
noch wenig zur Geltung kommen lassen, dagegen
ein unbestreitbare Massenwirkung auf den Schönheitssinn
der Zuschauer erreichen. Die Ausstattung dieser Ballette
übertrifft alles, was man in irgend einer andern Weltstadt
zu sehen bekommt. Das bisher gebräuchliche italienische
Kostüm einer Tänzerin, das kurze, steife Tüllröckchen,
ist in England allgemein durch halblange faltenreiche
Röcke aus feinstem indischen Seidenstoff oder Musselin
ersetzt worden, wodurch die Anmut der Körperbewegungen
viel besser hervortritt, da sie wie feine, flüssige
Draperien wirken. Diese Reform hat aber nach Steffen
mit „Anstandsrücksichten" nichts zu thun, steht vielmehr mit der Einführung der halborientalischen „Step-
dances" in Verbindung. Es giebt immer noch eine
ganze Zahl moderner englischer Ballettkostüme, die
indecenter sind, als der altmodische Tüllballon.[1]

Der Verfasser von „Schön Betty's Abenteuer in
London" beschreibt schon aus dem Anfang der siebziger
Jahre ein derartiges Prachtballet in der Alhambra, bei
welchem 99 wunderschöne Ballettmädchen mitwirkten.
„Prächtige tropische Landschaften mit Wasserfällen, die
im Mondschein wie Diamantencascaden glänzten, wurden
in voller Naturwahrheit vorgeführt. Dann erschienen
alle Mädchen, jedes mit einem ungeheueren smaragd-
artig schimmernden Blatte. Sie gruppierten sich so in
kreisförmigen Klumpen, dass, indem die Vordersten
knieten und die dahinter stehenden die Blätter zwischen
ihnen hervorstreckten, die mittelsten aber aufrecht standen,
sie alle zusammen mit ihren weissen Röckchen eine

---

[1] Vergl. Steffen „Aus dem modernen England" S. 398—399.

ungeheure Lotosblume, aus blühenden Mädchenleibern
gebildet, darstellten, ein Götterschauspiel, das mit fana-
tischem Jubel aufgenommen wurde. Zahlreiche Szenen
heiteren und die Augen resp. überhaupt die Sinne reizenden Inhalts folgten."[1]

Ein ähnliches Ballett sah ich vor einigen Jahren
im Empire Theater, bei welchem nur an die Stelle der
Lotosblume der Schmetterling trat. Es war das von der
Ballettmeisterin Katti Lanner mit ungeheurer Pracht
arrangierte Ballett „Les Papillons", in welchem besonders
Mlle Adelina Genée und Mr. Will Bishop als Tänzer
glänzten und in dem nicht blos die herrlichsten Schmetter-
linge, sondern auch Glühwürmer, Bienen, Fliegen,
Motten u. s. w. auf die Bühne kamen, so dass das Auge
durch die herrlichsten Farbeneffekte geblendet wurde.

Die Beziehungen der Prostitution zum Tanze sind
zum Teil bereits im ersten Bande dieses Werkes bei
der Schilderung der zahlreichen Tanzlokale, welche den
Zwecken der Prostitution dienen, erwähnt worden. [2]

Eine eigentümliche Erscheinung waren im 18. Jahrhundert und im ersten Drittel des 19. Jahrhunderts die
auf den Strassen tanzenden Prostituierten, die von Schütz
bei der Aufzählung der verschiedenen Klassen der
Londoner Freudenmädchen als die „Tanzenden" anführt,
indem sie wirklich vor den Vorübergehenden umher-
tanzten und durch Singen und Springen ihre Reize
geltend zu machen suchten. [3]

Adrian erzählt: „Als ich durch den Bird Cage

---

[1] Schön Betty's Abenteuer in London S. 53—54.
[2] Vergl. Bd. I dieses Werkes S. 324 ff.—334.
[3] „Die Geschlechtsausschweifungen unter den Völkern der
alten und neuen Welt". Neue Aufl. S. 138.

Walk herunterging, sah ich auf der Strasse einen Knäul Menschen, der sich zu einem Kreis auseinander that, in dessen Mitte jemand tanzte. Ich eilte zur Stelle. Ein Mädchen von ungefähr zwanzig Jahren, schön gebaut, nicht ärmlich gekleidet, tanzte wie eine Bacchantin, im Kreise umher; ihr Strohhut lag am Boden; das braune Haar flog wild um die glühenden Augen und den nackten Hals. Als sie des Tanzens müde war, setzte sie sich bei ihrem Hut nieder und begann ein eben nicht sittsames Lied. Plötzlich sprang sie auf und flog einer der Wachen bei den Horse Guards um den Hals: mit Hülfe seiner Kameraden machte er sich los, während die versammelte Menge jubelte und das Mädchen, auf die Soldaten schimpfend und tanzend, den Mall hinauf sprang. „Ich kenne die schöne Fanny ganz gut," sagte ein Unteroffizier von der Garde zu Pferd zu seinen Kameraden: „im vorigen Sommer war sie eine der gesuchtesten Schönheiten, die nach Vauxhall kommt; damals trank sie Champagner; dann war sie einige Monate im Hospital und, jetzt geht ihr Gewerbe schlecht, und wenn sie einige Pence hat, so trinkt sie Branntwein. Schade für das hüsche, junge Blut!" [1]

In „Betty's Abenteuer in London" finden sich ein-eingehende Schilderungen des Treibens der Prostituierten in den Tanzlokalen niederen Ranges im East End. Deutsche und englische Mädchen sangen dort mit ihren Tänzern die grässlichsten Zoten als Text zur Tanzmusik. In einem Matrosentanzlokal in der Nähe der Sailors homes tanzten etwa 60 Freudenmädchen, durchgehends in schwere buntfarbige seidene Roben gekleidet [2].

---

[1] Adrian „Skizzen aus England" Bd. I, S. 34—36.
[2] Betty's Abenteuer in London S. 48—49.

Neuerdings sind besonders die östlichen Vororte Londons, Maidstone, Greenwich, Gravesend u. a. verrufen wegen der Tanzlokale mit „promiscuous dancing" d. h. der Verbindung der Prostitution mit dem Tanze,[1] und der Aufführung höchst unzüchtiger Balletts wie z. B. des von Hector France geschilderten „Drawers Ballet".[2]

Ueber die in Londoner Bordellen veranstalteten erotischen Tänze wurde ebenfalls bereits in Bd. I berichtet. Casanova schildert einen „Satyrtanz" in dem Londoner Bordell „Die Kanone".[3]

Rémo berichtet über solche erotischen Bälle in fashionablen Londoner Bordellen der Gegenwart. Nellie Cawsten, Besitzerin eines solchen vornehmen Freudenhauses in der Londoner Vorstadt Brompton, gab Bälle, bei welchen sie bis zu 150 hübsche Mädchen bei sich versammelte unter lebhafter Teilnahme der Londoner Lebewelt. Gewöhnlich schlossen sich in der oberen Etage des Hauses die schlimmsten Orgien an diese Tanzlustbarkeiten an.[4]

Wie schon oben erwähnt wurde, bildeten Musik und Tanz als Volkslustbarkeiten in England fast immer nur einen Teil eines sehr viel reichhaltigeren Programms

---

[1] Rémo „La vie galante en Angleterre" S. 242—248.

[2] H. France „Les Va-Nu-Pieds de Londres" S. 296—302.

[3] Jacob Casanova von Seingalt's Memoiren. Nach L. von Alvensleben bearbeitet von C. F. Schmidt Bd. XV, S. 205.

[4] Rémo a. a. O. S. 257. — Noch sei an dieser Stelle erwähnt, dass in neuester Zeit Tänzerinnen angelsächsischer Rasse wie die Saharet und Miss Isadora Duncan den Tanz in einer sehr bemerkenswerten Weise als Ausdrucksmittel menschlicher Gefühle und als Darstellungsmittel anderer künstlerischer Gebilde benutzt haben.

öffentlicher Vergnügungen, welches in seiner Gesamtheit den Typus des modernen „Spezialitätentheaters", des „Tingel-Tangel" oder „Varieté" erzeugt hat.

Unter den einzelnen Darbietungen dieser Spezialitätentheater, von denen im London der Gegenwart die Alhambra, das Empire-Theater, das Hippodrom, das Oxford-Theater u. A. den ersten Platz einnehmen, seien zunächst die Pantomimen erwähnt.

Drei kleinere Londoner Theater pflegten im achtzehnten Jahrhundert mit Vorliebe die Pantomime: der königliche Circus, das Theater von Astley und das Sadler's Wells-Theater. Es ist aber bezeichnend, dass auch die grossen Theater von Drury Lane und Covent Garden sich genötigt sahen, fast allabendlich an die Aufführung der grossen und ernsten Theaterstücke diejenige von Pantomimen anzuschliessen, um auch — bei halbem Eintrittspreise — die ärmeren Klassen herbeizuziehen und — die „Mädchen, die während der Pantomimen auf dem Theater ein ähnliches Spiel mit den Zuschauern in den Logen beginnen." [1]

Goede schildert die englischen Pantomimen um 1800 als auf der denkbar niedrigsten Stufe befindlich, noch unter dem Range ähnlicher Vorstellungen auf deutschen Jahrmärkten und Messen, bei denen wenigstens eine einfache und verständliche Handlung dargestellt werde. „Allein bei den jetzigen englischen Pantomimen, wo es blos darauf ankommt, vierzig bis fünfzig, ja wohl noch mehrere Decorationen hinter einander aufzuziehen, ist die Sinnlosigkeit ein Fehler, der am wenigsten beachtet wird. Dabei äussert sich in diesen Darstellungen

---

[1] Goede a. a. O. Bd. III, S. 276.

14*

eine so gemeine Roheit, dass man glauben sollte, sie
wären ganz allein für die niedrigste Klasse des Pöbels
berechnet. Ich erinnere mich im königlichen Circus
und zu Sadler's Wells die schmutzigsten Auftritte in
diesen Pantomimen gesehen zu haben, mit deren Detail
ich die Delikatesse meiner Leser verschonen will. Eine
der gewöhnlichsten und keine der unanständigsten Bewegungen ihrer Harlekine und Pantalone war die, dass
sie sich den Hintern zukehrten und mit sehr verständ-
lichen Zeichen eine kräftige Phrase des Götz von Ber-
lichingen versinnlichten." [1]

Lichtenberg sah im Sadler's Wells-Theater eine
Pantomime „Harlequin restored", musste aber, um noch
bei der Überfüllung einen Platz zu bekommen, ein „artiges
Mädchen von sechs Jahren" auf den Schoss nehmen. [2]

Neben den Pantomimen bilden Seiltänzer, Clowns,
Akrobaten einen unentbehrlichen Bestandteil des englischen Variété; das gesamte Zirkuswesen übt auf
den Engländer eine unwiderstehliche Anziehungskraft
aus. Die hier gebotene Entfaltung von Kraft und Witz
behagt dem ja im „Sport" eine ähnliche Kombination an-
strebenden englischen Nationalcharakter ausserordentlich.

In ihren Anfängen konnte sogar die Oper einer
solchen zweifelhaften Beihülfe nicht entbehren. v. Uffenbach wohnte im Jahre 1710 der Oper „Hidaspis" bei und
erzählt: „Insonderheit war die Vorstellung des Löwens,
mit welchem Hidaspis ringen musste, ganz unvergleichlich. Der Kerl, so ihn agierte, war nicht allein ganz
in eine Löwenhaut eingewickelt, sondern man sah auch

---

[1] ibidem S. 277.
[2] Lichtenberg's Briefe herausg. von Leitzmann und
Schüddekopf Bd. I, S. 196.

nicht das geringste von den Füssen, oder dass ein Mensch darinnen verborgen wäre, indem es sonst die Füsse gemeiniglich verraten. Wir konnten uns nicht genug verwundern, wie der Kerl auf dem Theater so wohl auf der Erde mit allen Vieren, wie man sagt, als auch auf den Hinter-Pfoten so geschwind herumspringen konnte." [1])

Früh entstanden eigene theatralische Stätten, die vorzugsweise diese Art von Schauspielen pflegten. Eins der ältesten war Figg's Amphitheater, wo in den zwanziger und dreissiger Jahren des 18. Jahrhunderts Amazonenkämpfe stets ein grosses Publikum anlockten. Weiber erschienen wie Männer bewaffnet auf der Bühne und fochten mit einander.[2])

In einem alten Gasthause in der Londoner Vorstadt Islington, „Die drei Hüte" (The Three Hats) genannt, müssen die ersten Anfänge des Londoner Zirkuswesens, der equestrischen Künste gesucht werden. Thomas Johnson, der „irische Tartar" machte hier als Reitkünstler im Jahre 1758 sein Début. Er galoppierte um einen grossen freien Platz herum, indem er zuerst auf einem, dann auf zwei, dann auf drei Pferden stand[3]). Einmal ritt er auch auf einem Pferde, während er selbst auf dem Kopfe stand. Am 17. Juli 1766 wohnten der Herzog von York und etwa 500 Zuschauer einer Vorstellung von Johnson in den „Drei Hüten" bei.

Im Frühjahr 1767 folgte dem Johnson der Zirkusreiter Sampson, der sein Erscheinen um 5 Uhr an einem geräumigen Platze, der in der Nähe der „Drei

[1]) v. Uffenbach a. a. O. Bd. II, S. 441.
[2]) „The Foreigner's Guide" S. 120.
[3]) Vergl. die interessante Abbildung dieser Szene bei Wroth „The London Pleasure Gardens" S. 149.

Hüte" abgegrenzt war, ankündigte. Eine eigene Musik-
bande war für den Zweck engagiert.

Im Sommer desselben Jahres führte Sampson seine
Frau als Reitkünstlerin ein und erliess in dem „Public
Advertiser" vom 23. Juli 1767 folgende Anzeige: „Reitkunst
auf Dinkley's Besitztum zu den drei Hüten in Islington.
Herr Sampson benachrichtigt das Publikum, dass neben
dem gewöhnlichen Programm, welches er bietet, Frau
Sampson, um eine Abwechselung in dasselbe hinein-
zubringen und zu beweisen, dass das schöne Geschlecht
dem männlichen keineswegs an Mut oder Geschicklichkeit unterlegen ist, an diesem und allen anderen Abenden
während der Sommersaison verschiedene Übungen in
derselben Kunst vorführen wird, in welcher sie sich
den allgemeinen Beifall der Herren und Damen zu er-
werben hofft, die diese Vorstellung mit ihrem Besuche
beehren." Sampson's Vorstellungen dauerten bis 1770.[1]

Er hatte aber schon 1767 einen sehr ernsten Rivalen
in der Person des Price bekommen, der in „Dobney's
Bowling Green" oder dem „Prospekthause" (in der Nähe
des jetzigen Pentonville Road) im Frühling und Sommer
abends 6 Uhr seine Reitkünste zeigte.[2]

1772 traten zwei andere merkwürdige Reitkünstler
an die Stelle von Sampson und Price, nämlich
Coningham in den „Drei Hüten" und Daniel Wildman im Prospekthause.

Coningham sprang von einem galoppierenden
Pferde auf das andere und spielte dabei die Flöte,

---

[1] Wroth a. a. O. S. 148—150.

[2] Vergl. die Darstellung der verschiedenen Kunststücke von
Price auf einem Bilde bei Wroth a. a. O. S. 142.

Daniel Wildman war ein — Bienenzüchter, der sich quer auf ein Pferd stellte, den einen Fuss auf den Sattel und den andern auf dem Halse des Pferdes mit einem Bienenkorbe vor dem Gesicht, den Zügel im Munde und eine Pistole in der Hand. Dann schoss er die Pistole ab, so dass ein Teil der Bienen über einen Tisch lief, ein anderer in die Luft schwärmte und dann wieder zu ihrem Korbe zurückkehrte, während das Pferd im Laufen war. [1]

Im 19. Jahrhundert erfreute sich wegen der dort zu sehenden equestrischen Künste entschieden Astley's Zirkus des grössten Rufes. Obgleich Reitkünste die „Basis dieser Bühne" waren, wie Bornemann sich ausdrückt, war es doch unmöglich, die fünf Stunden der Vorstellung, von 7 bis 12 Uhr, nur mit diesen auszufüllen, weshalb Seiltänze, Possen, Musikstücke, Wettrennen und Tierhetzen eingestreut wurden. [2]

Eine höchst ergötzliche Schilderung, wie es in einem solchen Spezialitätentheater wie Astley's Zirkus um 1840 zuging, findet sich in A. von Treskow's an Gemälden von wahrhaft kulturgeschichtlicher Bedeutung reichem Buche „Leiden zweier Chinesen in London" und sei an dieser Stelle als eine den Londoner Volkscharakter treu wiederspiegelnde Schilderung mitgeteilt.

„Als wir vor Astley's Zirkus anlangten, fanden wir bereits an der Kasse Tafeln mit den Worten „Half Price" (Halber Preis) ausgehängt, welches ankündigte, dass die Hälfte der Vorstellung bereits vorüber war, und man die andere Hälfte für den halben Preis mit ansehen konnte. Seit acht Uhr — also seit drei Stunden —

---

[1] Wroth a. a. O. S. 150; S. 153.
[2] Bornemann a. a. O. S. 119—124.

wurde bereits gespielt, vor zwei Uhr ging die Vorstellung nicht zu Ende; wir hatten demnach an dem Rest noch mehr als zu viel, und vielleicht war die Hälfte mehr wert als das Ganze.

Wir traten in den elegant dekorierten und äusserst brillant erleuchteten Cirkus, der hinreichend mit Zuschauern aller Art angefüllt war, als eben eine der Kunstreiterinnen vermittelst einer Leiter zu Pferde stieg. Es war uns, als würden wir mit kaltem Wasser begossen, aber das Publikum liess sich diese Ungeschicklichkeit ruhig gefallen; vielleicht war die Pferdekünstlerin ein grosser Liebling; wir betrachteten sie daher näher, und fanden eine echt englische Schönheit. Ein Gesicht so lang und düster wie ein Kirchenfenster, Augen, die in allen Winkeln etwas suchten, Zähne so weiss aber auch so gross wie die des Elephanten, ein glatt pomadierter Scheitel, der, bis ans Kinn reichend, das Gesicht in der Presse hatte, — ihm schlossen sich lange wallende Hängelocken an; dabei rief sie dem Pferde ein „Allez" mit einer Stimme zu, die für Caliban nicht zu rauh und misstönend gewesen wäre. Als wir sie noch verwundert betrachteten, bot uns eine Frau „die neueste Hymne" auf die Künstlerin an. Natürlich kauften wir sie, doch enthielt sie leider nur ganz allgemeine Redensarten, die auf jede Kunstreiterin gepasst hätten.

So wie der Cirkus nur auf eine Minute von Pferden frei war, sprangen von allen Seiten Männer, Weiber und Kinder mit Körben voller Flaschen, Gläser, Kuchen und Obst aller Art hinein, und erhoben ein Geschrei, dass die Wände erbebten. „Ginger-Bier, Ginger-Bier! — Limonade, Limonade! — Schöne Kirschen! — Frische Waffeln! — Feine Bonbons!" schrie, kreischte, tobte und

raste es durch einander von allen Seiten nach allen
Seiten, aus allen Logen in alle Logen, von allen Bänken
zu allen Bänken, so dass man plötzlich auf einer polnischen Messe zu sein glaubte, und fast ausser sich
geriet über das ewige Anerbieten. Dem Publikum war
dies jedoch gerade recht; die Leute schienen nicht nur
hergekommem zu sein, um die Kunstreiter zu sehen,
sondern auch alles Ess- und Trinkbare zu vertilgen,
was ihnen nahe kommen würde. Die Stöpsel der Flaschen
knallten, das Bier floss in Strömen, die Waffeln flogen
hin und her, und man nährte sich mit vielem Schmacken
und grossen Kinnbackengerassel. So wie jedoch die
Schranken geöffnet wurden, und ein Pferdekopf sich
blicken liess, war auch der Cirkus eben so schnell wieder
geräumt, als man ihn vorher in Beschlag genommen hatte.

Nachdem verschiedene Mitglieder der Bande ihre
wider Erwarten sehr gewöhnlichen Reiterkünste gezeigt
hatten, die Bajazzo mit denjenigen Witzen begleitete, welche
sich immer gleich bleiben, kam endlich eine dramatische
Szene, nämlich „Shooters Hill im 17. Jahrhundert." In
dieser spielte ein Tier mit, aber was es für ein Tier war,
wird so leicht Niemand raten. Wir hatten wohl bisher
Elephanten, Löwen, Bären, Affen, Pferde, Hunde, Elstern
und andere Vögel auf den Brettern angetroffen, es war
uns jedoch vorbehalten, in London ein, — die Feder
sträubt sich, das Wort zu schreiben, aber es hilft nichts
— ja ein Schwein auf dem Theater zu sehen. Ich sah,
wie die Grazien mit abgewandtem Gesicht entflohen, und
wie Melpomene, die nicht fliehen durfte, mit der einen
Hand Räucherpulver in die Gasflamme streute, während
sie sich mit der andern die Nase zuhielt."

Es folgt nun eine Schilderung dieses sogenannten

Dramas, bei welchem das Schwein thatsächlich auf der Bühne erschien und ein entsetzliches Tohuwabohu dort und einen Höllenlärm im Publikum anrichtete, während gleichzeitig eine Bande von Taschendieben auf der Bühne und wohl auch im Zuschauerraum thätig war. Das Publikum war begeistert, hingerissen und spendete tosenden Beifall, brüllend: „The pig, the pig for ever! Das Schwein, das Schwein für immer!" Dann hielt der Direktor eine Ansprache, und kaum hatte er seine Rede geendet, so „hörte man hinter den Coulissen ein furchtbares Gequietsch, und gleich darauf trat die Kunstreiterin mit dem Schwein im Arme herein. Dies schrie und sträubte sich aus Leibeskräften, — es war mit Gewalt von seinem wohlverdienten Eichelnschmaus fortgerissen worden, und wollte mit Gewalt wieder zu ihm zurück; aber die Künstlerin hielt ihren Kollegen so fest, dass er nicht imstande war, sich loszumachen. Das Publikum tobte und raste vor Entzücken; Madame Malibran war niemals imstande gewesen, einen halb so grossen Effekt hervorzubringen. Durch das Geschrei von allen Seiten geängstigt und durch die starken Arme der Kunstreiterin gepresst, also vor Agitation und Verdruss bekam das arme Schwein endlich einen starken Cholera-Anfall, der einen schleunigen Rückzug nötig machte." [1]

Die erste weibliche Trapezkünstlerin, die den „nom d'aréna" Azella führte, erschien 1869 im Holborn Amphitheater und fand bald zahlreiche Nachfolgerinnen wie z. B. Mlle. Pereira, die in Cremorne

---

[1] A. von Treskow „Leiden zweier Chinesen in London" Quedlinburg und Leipzig 1888 Bd. I, S. 165—174.

Gardens ihre Künste zeigte. Bald versorgten sich dann
die meisten Londoner Musikhallen mit Trapezkünst-
lerinnen. [1])

Kein Volk hat eine so reiche Geschichte der öffentlichen Lustbarkeiten, merkwürdigen Gebräuche
und Zeitverkürzungen wie das englische. Es ist
unmöglich, an dieser Stelle auf dieselbe im einzelnen
einzugehen. Nur allgemeine Züge können skizziert
werden und nur die wichtigsten und bekanntesten Arten
der Lustbarkeiten und Volksbräuche können erwähnt
werden.

Burton sagt in der 1660 erschienenen „Anatomie
der Melancholie": „Lasst das Volk ungehindert schmausen,
singen, tanzen, Puppenspiele sehen, allerlei Musik,
Comödien, Masken, Spässe, Lustigmacher, Taschen-
spieler u. s. w. haben, damit es nicht etwas schlimmeres
thun möge."

Den Höhepunkt erreichte die allgemeine Volkslust
im Zeitalter der Elisabeth. Keine Periode der englischen
Geschichte ist reicher an den mannichfaltigsten öffentlichen Lustbarkeiten Festspielen, Prozessionen, Jagden,
Tierkämpfen, Jahrmärkten, u. s. w. gewesen als die
elisabethanische Epoche. Eines der herrlichsten Erzeugnisse der englischen Buchdruckerkunst, das 1788 zuerst
erschienene Prachtwerk von Nichols über die zu Ehren
der Königin bei ihren vielen Reisen durch England veranstalteten Festlichkeiten, bildet eine unerschöpfliche

---

[1]) Vergl. Thomas Frost „Circus Life and Circus Celebrities"
London 1875 S. 179.

Fundgrube für die Geschichte der Volksbelustigungen in England.[1]

Hüttner[2] charakterisiert das frohe Treiben dieser Zeit folgendermassen:

„Im 16. und 17. Jahrhundert sahen die Engländer besondes auf Prunk und Geräusch in ihren öffentlichen Vergnügungen. Den Mangel an Geschmack und Schicklichkeit, welcher darin so sehr in die Augen fällt, suchte man durch Flitterglanz zu ersetzen. Die Vorderteile der Häuser, an welchen die öffentlichen Prozessionen vorüber gingen, waren mit Tapeten und reichen Goldstoffen behangen; die Magistratspersonen und die wohlhabendsten Bürger von London kamen gewöhnlich in köstlichen Kleidern zu Pferde und schlossen sich an die Prozessionen an, während das Läuten der Thurmglocken, die Musik von verschiedenen Orten her, und das Geschrey des Volks die Ohren der Zuschauer beynahe betäubte. In gewissen Entfernungen waren Schaugerüste errichtet, welche Schlösser, Paläste, Gärten, Felsen oder Wälder vorstellten, worin Nymphen, Rehe, Satyren, Götter, Göttinnen, Engel und Teufel in Gesellschaft mit Riesen, Wilden, Drachen, Heiligen, Rittern und Hofnarren, Zwergen und Sängern erschienen; die alte Fabellehre, die Legenden der Ritterzeit und die christliche Theologie waren lächerlich und ohne Sinn unter einander

---

[1] „The Progresses and Public Processions of Queen Elizabeth. Among which are interspersed other solemnities, public expenditures and remarkable events, during the reign of that illustrious princess. Collected from original manuscripts, scarce pamphlets, Corporation Records, Parochial Registers etc. etc. Illustrated with historical notes by John Nichols etc. A New Edition, in Three Volumes." London 1829, 4⁰ 3 Bände (mit Porträts und Tafeln); erste Auflage in 2 Bänden 1788, Bd. III, 1817).

[2] Hüttner „Englische Miscellen" Bd. V, S. 109.

vermengt; und diese Schaustellungen endigten sich gemeiniglich mit geschmacklosen pedantischen Reden, die
überaus langweilig und voll der gröbsten Schmeicheleien
waren."

Ausführlichere Angaben über die grotesken Lustbarkeiten der elisabethanischen Zeit finden sich in dem erwähnten Werke von Nichols, ferner bei Taine [1]), der
bemerkt, dass in den Gehirnen der Menschen in jener
Zeit sich ein unglaublicher Reichtum an lebenden Formen
getummelt habe. Recht gut charakterisiert auch Moeller-
Bruck den „Ueberschuss an Thatenlust und Abenteuer-
drang des Zeitalters der Elisabeth", der in der allgemeinen
Lust sich auszugeben suchte. [2])

Unter diesen öffentlichen Lustbarkeiten nehmen die
erste Stelle die grossen Jahrmärkte oder „Fairs" ein.

In London wurden seit alter Zeit drei grosse Jahrmärkte abgehalten. Der Westminster- oder St. Edwards-
Jahrmarkt, von Eduard III im Jahre 1248 eingeführt,
wurde zuerst auf dem Margarethenkirchhofe gefeiert und
von dort nach Tothill-fields verlegt, wo er bis 1823 abgehalten wurde.

Der berühmteste Jahrmarkt war aber die Bartholomäus-Messe in Smithfield, die bis 1855 bestehen
blieb. Sie wurde mehrere Male im Jahre abgehalten;
die eigentliche Bartholomäusmesse par exellence fiel in
den September.

Einen Tag nach der Bartholomäus-Messe wurde ein
Jahrmarkt in Southwark abgehalten, der 14 Tage dauerte,
und namentlich von der Schifferbevölkerung frequentiert.

---

[1]) Taine a. a. O. Bd. 1 S. 285—286.
[2]) A. Moeller-Bruck „Das Variété" S. 119 ff.

wurde. Evelyn (Mitte des 17. Jahrhunderts) zählt unter den Wundern der Southwark-Messe Affen und auf einem Seile tanzende Esel auf und die Tricks einer italienischen Dirne, die Jedermann sehen wollte, Pepys erzählt von Puppenspielen, und von dem Seiltänzer Jakob Hall. Die Messe wurde 1762 aufgehoben, ist aber durch den bekannten Kupferstich von Hogarth verewigt worden. [1]

Im Monat Mai wurde bis 1709 im Brook-Feld nördlich vom Hyde Park die St. Jakobs-Messe (St. James's Fair) abgehalten, auch Maimesse (May-Fair) genannt, wonach später der Stadtteil seinen Namen erhielt. [2]

Wie es noch um 1800 auf der weitaus berühmtesten Londoner Messe, der Bartholomäus-Messe, zuging, hat am besten Goede erzählt, dessen höchst anschauliche Schilderung als ein Dokument von wahrhaft kulturgeschichtlicher Bedeutung an dieser Stelle mitgeteilt werde:

„Es giebt drei Tage im Jahre, die dem Vergnügen des Londoner Pöbels besonders gewidmet sind, drei frohe Jubeltage, wo er seine Bacchanalien feiert, welche man in London unter dem Namen der Bartholomäusmesse kennt und die wohl als die einzigen ihrer Art in Europa betrachtet werden können. Denn hier tritt der Pöbel in unvermischt reiner Masse auf, keine andere Klasse der Gesellschaft nimmt den entferntesten Anteil an diesem Feste, kein Zwang stört seine Ausgelassenheit; er herrscht allein als unumschränkter König des Festes. Der Schauplatz dieser interessanten Szene ist der grosse Londoner Viehmarkt (West Smith fields), der einen ungeheuern Raum einschliesst und von den ihn teils umgebenden, teils auf ihn sich öffnenden Strassen unregelmässig gebildet wird. Von seiner Grösse wird man sich eine Vorstellung machen können, wenn man sich gedenkt, dass

---

[1] Vergl. Timbs „Curiosities of London" S. 13 und G. C. Lichtenbergs „Erklärung der Hogarthischen Kupferstiche" Göttingen 1808, zehnte Lieferung S. 7—46.
[2] Timbs a. a. O. S. 14.

an Markttagen wohl über 4000 Stück Mastvieh hierher zum Verkauf getrieben werden. Mehrere Tage vor dem Feste sieht man auf allen Seiten des Marktes Arbeitsleute beschäftigt, den Platz gehörig einzurichten, wobei sich der Pöbel als Zuschauer einzufinden nicht unterlässt. Dort wird ein hohes Gerüste aufgeführt, hier steht schon eine Reihe Buden in mannichfaltigen Formen fertig erbaut, Uebermalung fehlt noch; dort wird eine hohe Stange tief in die Erde gerammelt, weiter hin wird ein grosses Segel ausgespannt; überall umgeben Gruppen aus dem Pöbel die entstehenden Werke und suchen neugierig ihre Bestimmung zu erraten. Endlich erscheint der sehnlich erwartete Tag; alles ist zum Empfange der ehrwürdigen Versammlung bereit, und das Volk strömt mit lautem Jubelgeschrei zum Platze. Ich wählte mit einem Freunde den Abend, als den glänzendsten Augenblick, das bunte Schauspiel zu besuchen. —

Von welcher Seite man sich auch dem Platze naht, tönt einem von weitem der fröhliche Tumult des Volkes entgegen; die ab- und zuströmende Menge füllt die nahe gelegenen Strassen, und man hat Mühe, sich bis zum Platze selbst hindurchzudrängen. Ist man dahin gelangt, so lässt man sich vom Strome forttreiben, denn hier, wie überall, wo der Pöbel die Richtung giebt, würde es ebenso vergeblich als gefährlich seyn, einen eignen Weg einzuschlagen. So wird man nun zuerst mit dem Haufen durch eine lange Reihe Pfefferkuchenbuden fortgeführt, die mit kleinen Lämpchen erleuchtet sind, und an die sich, in einer anderen Reihe, die Obst- und Austernweiber mit ihrem aufgeputzten Kram anschliessen. Alle Häuser am Wege sind erleuchtet, und aus allen erschallt eine rauschende Tanzmusik. Denkt man sich dazu die vielen Chöre von Janitscharenmusik, die in allen grösseren Buden verteilt sind, und die Trommeln, welche das Volk zu den kleinen Theatern rufen; denkt man sich, dass jetzt alle in London herumziehenden Leiermänner zu dem Feste hier versammelt sind, dass jeder Betteljunge auf einer Pfeife oder Trompete ein Solo bläst und mit einer Schnurre sich selbst accompagniert, und dass, wer weder blasen noch schnurren kann, durch Geschrei und Jubel den Lärm zu vergrössern bemüht ist; so wird man sich doch noch immer eine nur unvollkommene Vorstellung von dem betäubenden Getöse machen können, welches den ungeheuern Platz erfüllt. —

Da, wo sich jene Reihe Buden endigt, beginnen die Karussels. Vier grosse Ringelrennen sind in unaufhörlicher Bewegung. Pfeilschnell, dass der blosse Beschauer sich kaum des Schwindels erwehren kann, drehen sich die Maschinen mit der jubelnden Gesellschaft im Kreise herum und immer schreit diese den Drehenden zu, den Umschwung noch mehr zu verstärken. Aber was sollen denn dort jene Luftballons bedeuten? Es ist eine neue Art von Karussel; statt auf hölzernen Pferden die Tour zu machen, lassen sich jene in grossen an Luftballons befestigten Körben im Kreise herumschwenken und mögen sich wohl einbilden, wie kühne Luftschiffer die Wolken zu durchfahren. Aber sehe ich nicht wirklich einige dort hoch in der Luft schweben? Jetzt senken sie sich, es folgen andere und wieder andere, da erscheinen die ersten wieder, und der Kreislauf beginnt von neuem. Dies ist eine ungeheuer grosse, wohl über fünfzig Fuss hohe perpendikuläre Drehmaschine, an welcher vier Körbe in Stricken hängen, die beim Umschwunge immer in horizontaler Lage bleiben, und bei deren Steigen und Sinken die Gesellschaft in einem angenehmen Wechsel bald drohender und bald wiederum verschwindender Gefahr herumschwebt. In der That ist es ein recht angenehmes Schauspiel. In jedem Korb sitzen vier bis sechs Personen. Sie verfolgen sich im Fluge und erreichen einander nie, jetzt schwebt die eine über der andern und jubelt triumphierend in der Höhe, bald aber senkt sie sich wieder in die Tiefe und nun erhebt sich über ihr jene in die Lüfte, auf die sie vor einem Augenblicke herabsah. Welch ein treffendes Bild des ewigen Wechsels, Jagens und Treibens im bürgerlichen Leben, wo alle nach dem Ziele laufen, einer sich über den andern erhebt und keiner es erreicht! — Dem Volke scheint jenes eine vor allen andern reizende Ergötzlichkeit zu seyn. Viele warten stundenlang auf den süssen Augenblick, wo sie einen Korb besteigen und in die Höhe sich aufschwingen können. Verlässt man diesen Teil des Schauplatzes, um sich nach der vordern Seite hinzuwenden: so kommt man durch eine Reihe Fleischerbuden, wo in Tiegeln und Bratpfannen Puddings, Roastbeef und Bratwürste dem hungrigen John Bull einladend entgegendampfen. Nun wird das Getümmel weit stärker, und es erfordert grosse Anstrengung sich noch weiter vorzudrängen. Endlich hat man die glänzendste Stelle, die breite Reihe der grössern Buden erreicht, wo die grössten Herrlichkeiten des Festes vereinigt sind.

Hier ist das Gedränge so stark, dass man immer in Gefahr schwebt, erdrückt zu werden; und wer in der Mitte eingedrängt ist, kann sich weder vor- noch rückwärts bewegen, und muss in Geduld den Augenblick erwarten, wo eine neue herbeiströmende Pöbelmasse, durch einen stärkeren Andrang, die alten Zuschauer vom Platze treibt. Nur gigantischen Kräften gelingt es, sich einzeln herauszuarbeiten. Die Musik, der Jubel und das Getöse sind hier am rauschendsten.

An der Spitze der Buden steht eine der grössten, ganz mit Gemälden behangen, Löwen, Tiger, Hyänen, Leoparden, Bären, Elephanten, Affen und andre Tiere vorstellend, die dem Pöbel zur Schau vorgeführt werden. Es ist Herrn Pitcoeks grosse Menagerie, die er bei diesem Volksfeste vom Strand hierher verlegt hat. Neben ihr steht eine kleinere Bude mit plattem Dache. Ein Seil ist darüber ausgespannt. Zwei artig geputzte Kinder schwingen sich behend um das Seil herum. Bajazzo erscheint, er will tanzen und tritt fehl, doch erhält er sich noch künstlich im Falle; da machen sich die Kinder über ihn lustig und lehren ihn pantomimisch den Tanz. Nun tritt Harlekin hervor. Er und Bajazzo geraten in Streit, beide treiben einander mit komischen Sprüngen auf dem Dache herum, aber bald verschwindet die lustige Gruppe in die Bude, und lässt bei den neugierigen Zuschauern nach diesem Vorspiele den Wunsch zurück, ihnen in das Innere des Theaters zu folgen. Doch was veranlasst wohl dort das unbändige laut aus dem Tumulte hervorschallende Gelächter der Menge? Es ist eine Szene zwischen John Bull und seinem ehelichen Gemahl, die auf jenem kleinen Theater als öffentliches Vorspiel aufgeführt wird. John Bull ist mit seiner Liebsten über den Besitz der Branntweinflasche in Streit geraten; sie hat den Besen ergriffen und schlägt wacker auf ihn los, aber auch ihn hat das gewohnte Phlegma verlassen, er reisst ihr wütend die Haube vom Kopfe, doch bald folgt seine Perrücke nach. Das Publikum kann sich nicht satt an dieser Szene sehen, und so oft die Haube herabfällt und die Perrücke nachstürzt, droht ein konvulsivisches Gelächter die Menge zu ersticken. — Wir müssen uns nun rechts durch diesen Haufen Matrosen hindurch drängen, wenn wir jenes grosse Theater sehen wollen, das vor allen schön erleuchtet hervorglänzt . . . .

Diese Theater auf dem Platze selbst sind nicht die einzigen, die an diesen Tagen für den Pöbel eröffnet werden. In vielen der umliegenden Häuser sind grosse Zimmer in Puppentheater verwandelt, in einigen werden chinesische Schattenspiele und Feuerwerke angestellt, in den meisten aber sind öffentliche Bälle eröffnet. An einem Hause, bei welchem ich vorbei kam, stand ein schwarzgekleideter Kerl mit einer brennenden Fackel und neben ihm ein hochfrisiertes, geschmücktes Bettlerweib, die mir freundlich ein Billet anbot, indem sie sagte: Das Schauspiel beginne eben. Als ich mich nach dem Gegenstande desselben erkundigte, wurde mir gesagt, man lasse Geister erscheinen und es werde der General Abercrombie und mehrere andere englische Offiziers auftreten . . .

So wie hier alles die Sinne des Pöbels zu reizen bemüht ist, so überlässt sich auch dieser ganz einem ausschweifenden Genusse des Vergnügens. Lust und Freude glänzt auf allen Gesichtern und einstimmig ist der allgemeine Jubel. Dass man sich hier nichts versagen zu dürfen glaubt, und dass man sich dabei nicht sonderlich um die Decenz bekümmert, wird wohl ein jeder von selbst voraussetzen. Eine gewisse Klasse der öffentlichen Mädchen wird diese drei Tage über auf dem Tummelplatze des Pöbels einheimisch; doch auch manches junge unerfahrene Mädchen wird im Strom des verdorbenen Gesindels mit fortgerissen, und viele von denen, die gegenwärtig in London unter den Priesterinnen der Venus den ersten Rang behaupten, debütierten auf dieser Bühne zuerst und kamen aus den Händen trunkener Matrosen in die Arme eines Lords. Doch eine solche Gewalt äussert oft die Erinnerung an den ersten Rausch des Vergnügens, dass nicht selten einige von jenen Nymphen, die jetzt in höhern Zirkeln glänzen, unwiderstehlich zu diesem Fest wieder fortgerissen werden, um sich, ihre vornehmen Anbeter vergessend, an diesen Tagen von neuem in den Haufen des taumelnden Pöbels zu stürzen. Dies wurde an der letzten Bartholomäusmesse in London von zwei berühmten Schönheiten, der Miss P. und Madame S. in den öffentlichen Blättern berichtet, und man darf sich nicht wundern, dass die Zeitungsschreiber einem solchen Umstand der Erwähnung nicht unwert hielten, da sie die Schritte der ausgezeichneten Weltdamen sorgfältig bewachen, und mit den Anekdoten, die sie von ihnen erhaschen, ihre piquantesten Artikel ausfüllen. Dieses Faktum kann auch als ein verstärkender Beweis alles dessen gelten, was bei einer andern Gelegenheit über den beweglichen, reizbar sinnlichen, exzentrischen Charakter der Engländerinnen überhaupt und der englischen Weltdamen insbesondere bemerkt worden ist; es zeigt in einem auffallenden Beispiele jenes hinreissende, sich selbst verzehrende Feuer, welches man eher an den Ufern des Tajo, als unter diesem Himmel und unter diesem Volke zu finden erwarten dürfte."[1]

Eine ähnliche Schilderung einer anderen Londoner Messe, wo es zugeht „wie in Sodom und Gomorrhä", findet sich in Santo Domingo's „London wie es ist."[2]

Eine hervorstechende Figur der Londoner Jahrmärkte war „Punch", die komische Figur des englischen Puppenspieles. Der Name „Punch" ist vom italienischen „Punchinello" abgeleitet. Es war in der That ein Italiener, der in den Jahren 1666 und 1667 in Charing Cross eine Bude mit einem Puppenspiele errichtete und „Punch and Judy" in England einführte. Er musste dafür den Vorstehern des St. Martin's-Kirchspieles eine kleine Miete zahlen. Im Jahre 1668 errichtete ein Mr. Devone an derselben Stelle ein kleines Spielhaus. In einem Liede jener Zeit, welches über die lange Verzögerung in der Errichtung des Denkmales Karls L in Charing Cross spottet, wird auch auf „Punch" angespielt:

> What can the mistry be, why Charing Cross
> These five months continues still blinded with board?
> Dear Wheeler, inspart — we are all at a loss,
> Unless Punchinello is to be restored.[3]

---

[1] C. A. G. Goede a. a. O. Bd. II S. 388—395.
[2] „London wie es ist oder Gemälde der Sitten, Gebräuche und Charakterzüge der Engländer" Leipzig 1826 S. 79—84.
[3] Thornbury „Haunted London" S. 208.

15*

Ein anderer frühzeitiger Schauplatz von Punch's Thätigkeit war Covent Garden, wo Powell's Vorstellungen sogar der St. Pauls-Kathedrale Andächtige entzogen, wie in No. 14 des „Spectator" zu lesen ist, und anno 1711 und 1712 beeinträchtigte die immer mehr sich verbreitende Vorliebe für die humoristischen und derb-obscönen Darbietungen des Punch sogar den Besuch des Theaters und der Oper. Spätere berühmte Punch-Spezialisten waren Porsini und Pike. Um 1870 gab es in London acht grosse Punch-Vorstellungen auf der Strasse. Die besten waren die am Leicester Square, in der Regent Street (Ecke von New Burlington Street), am Oxford Market und Belgrave Square. Die Hauptsaison ist der Frühling, auch Weihnachten und der Hochsommer sind gute Zeiten für Punch.[1]

Das Publikum dieser Vorstellungen wird sehr gut in den „Doings in London" geschildert. Mentor und seine Freunde finden sich auf der Strasse plötzlich in einem Gedränge von Schlachtern, Schornsteinfegern, Taschendieben, Milchmädchen, alten und jungen Narren, die das „ausgelassen fröhliche Auditorium der Heldenthaten jenes grossen Schauspielers und Helden der Tragödie Mister Punch bildeten und sich die Seiten vor Lachen hielten und bei jedem Schlage auf den Kopf der Mrs. Punch vor Vergnügen brüllten."[2]

Aber auch vornehme Männer haben oft mit Vergnügen den in ihrer Derbheit echt englischen Vorstellungen von Punch beigewohnt. Der Staatssekretär Windham versäumte niemals bei seinem Wege von

---

[1] J. Timbs a. a. O. S. 16.
[2] Doings in London S. 385 (mit Bild).

der Downing Street zum Unterhause vor einer Punch-
Bude stehen zu bleiben und sich an einer gerade vor-
gestellten Szene zu ergötzen. „Wir schämen uns niemals, vor einer Punch-Bude betroffen zu werden," schrieb
Albert Smith.

Auch Kunst und Litteratur bemächtigten sich des
„Punch", dieses originellen Repräsentanten der mensch-
lichen Schwächen und Tollheiten. 1828 zeichnete George
Cruikshank seine grotesken Punchbilder für Mr. Payne
Collier's interessantes Buch „Punch and Judy" [1]
Haydon malte den Punch mit Hogarthischem Witze
im Jahre 1829, und Webster malte 1840 in ähnlicher
Weise sein Bild „Punch auf dem Lande".

Abgesehen von einer Posse „Punch als Schulmeister"
ist diese Figur besonders durch das 1841 begründete
Londoner Witzblatt „Punch; or, the London Charivari"
litterarisch verewigt worden. [2]

„Punch" mit seiner langen Nase und seinem Höcker
— einem Familienerbstück aus Italien — ist eine Verkörperung der englischen Brutalität, ein schlechter Gatte,
ein herzloser Vater, ein ruchloser Staatsbürger, der in
der Politik seiner bösen Zunge freien Lauf lässt, auf
sexuellem Gebiete überaus freie Ansichten entwickelt
Ritter Blaubart und Polygamist in einer Person ist,
mit seiner Gattin in einer überaus „schlagfertigen" Ehe
lebt, Frau und Kind schliesslich totschlägt und sich dann
der „schönen Polly" zuwendet und endlich nach verschiedenen anderen Heldenthaten am Galgen endet. Die

[1] P. Collier „Punch and Judy"; with Illustrations drawn
and engraved by G. Cruikshank" London 1828, 8°.

[2] Timbs a. a. O. S. 16.

ganze Vorstellung wird aber beherrscht von der im Prolog angekündigten Stimmung:

Ihr Damen und Herrn, sagt, wie gehts euch all?
Seid ihr glücklich, bin ich glücklich zumal.
Kommt, hört mein hübsch Spielchen; mach' ich euch lachen,
Brauch' ich euch nicht erst zahlen zu machen.[1]

Unter den englischen Festen verdienen ausser der allbekannten Weihnachtsfeier vor allem die Feier des 1. Mai und der Valentinstag eine Erwähnung, beide schon im frühen Mittelalter gefeiert.

Stubbes[2] erzählt in seiner „Anatomie der Missbräuche“ über das Maifest: „Am ersten Mai versammeln sich in jedem Sprengel, jeder Stadt, jedem Dorfe die Männer, Frauen und Kinder, alt und jung und gehen in den Wald, wo sie die ganze Nacht mit angenehmem Zeitvertreib verbringen. Des Morgens kehren sie zurück und bringen mit sich Zweige von Birken und andern Bäumen, besonders aber ihr grösstes Juwel, den Maibaum, den sie mit grosser Verehrung nach Hause befördern, indem sie den Wagen, auf welchen sich dieser stinkende Götze befindet, zwanzig bis vierzig Paar Ochsen vorspannen. Jeder Ochse trägt auf den Spitzen seiner Hörner süsse Blumenbouquetts... Dann pflanzen sie den Maibaum ein, bestreuen den Rasen ringsumher mit Blumen, errichten daneben Lauben und Sommersäle, und dann springen, tanzen, bankettieren und schmausen sie wie die Heiden bei ihren Götzenfesten... Von hundert Mädchen, die diese Nacht im Wald zubringen, kommt kaum der dritte Teil unversehrt zurück.“

---

[1] Vergleiche das Kapitel „Punch und Judith“ bei Adrian „Skizzen aus England“ Bd. II S. 210—224.
[2] Zitiert nach Taine a. a. O. Bd. I S. 240.

In London fand am Ende des 18. Jahrhunderts eine sehr ausgelassene Maifeier in dem am Marylebone Road gelegenen Wirtshause „The Yorkshire Stingo" statt, bei der so viele anrüchige Dinge vorkamen, dass sie am Beginne des 19. Jahrhunderts unterdrückt wurde. [1]

Am Valentinstage, dem 14. Februar, bekommen alle hübschen Mädchen zahlreiche Briefe, mit goldnem Schnitt, gemalt, gepresst und mannichfaltig ausgeschmückt, deren Inhalt von Schmeicheleien, Liebeserklärungen und Heiratsanträgen überfliesst. Nur schade, dass die Schreiber stets die Unterschrift vergessen und auch ihre Schriftzüge sehr entstellen. Aber manchmal heiratet Jemand das junge Mädchen, das ihm am Valentinstage zuerst begegnet, und das wird denn nach englischem Glauben eine besonders glückliche Ehe, weil sich an diesem Tage die Vögel fürs ganze Jahr zu paaren pflegen. [2]

In Wales soll sich bis zur Gegenwart die Sitte der Probenächte erhalten haben, was Rémo aus der überaus leidenschaftlich-sinnlichen Natur der Waliser ableitet. „Le pays de Galles au contraire a les propensions les plus infernalement lubriques. Ce sont certainement les naturels les plus ardents des trois royaumes." Daher gehen die Männer mit äusserster Kühnheit bei ihren Liebesabenteuern vor, und in gewissen Distrikten wird den Verlobten unbedenklich eine „Probenacht" gestattet. Dies Recht heisst „the right of latch-key." Der junge Mann schläft bei seiner Braut, und wenn dieser Versuch nicht befriedigt, können sie sich sofort

---

[1] Wroth „The London Pleasure Gardens" S. 115. — Vergl. die sehr interessanten geschichtlichen Notizen über die Londoner Maifeste bei J. Timbs „Curiosities of London" S. 15.

[2] Vergl. Santo Domingo „London wie es ist" S. 188—139.

den Abschied geben. Im anderen Falle findet nach einigen Tagen die Hochzeit statt. [1]

Ebenderselbe Autor berichtet von der eigentümlichen Mode der sogenannten „Exkursions-Annoncen", die in den letzten Dezennien aufgetaucht sind. In diesen Annoncen suchen junge Männer für ihre Sonntagsausflüge junge Mädchen als Begleiterinnen, und diese Art der „Sonntagsliebe" soll ausserordentlichen Anklang finden. [2]

In Hertfordshire herrschte nach Archenholtz [3] noch am Ende des 18. Jahrhunderts ein sonderbarer Brauch, der alle sieben Jahre am 10. Oktober als am Michaelistage alten Stils begangen wurde. „Eine Menge junger Kerle, grösstenteils Landleute, versammeln sich an diesem Tage des Morgens auf dem Felde, und wählen einen Anführer, dem sie verbunden sind, überall nachzufolgen. Dieser setzt sich nun mit seinem Trupp in Marsch, und zwar geht der Zug durch die beschwerlichsten Wege, durch Sümpfe und Moräste, über Zäune, Graben und Hecken. Wen sie auf ihrem Zuge antreffen, ohne Rücksicht auf Stand, Alter und Geschlecht, muss die Zeremonie des Schwingens aushalten. Die Weiber und Mädchen kommen daher diesen Tag nicht aus ihren Häusern. Nur allein liederliche Weibspersonen lassen sich gerne schwingen, und bleiben bei dem jovialen Trupp bis spät in die Nacht, wo, wenn das Wetter günstig ist, Banquet und Bacchanal im Felde unter freiem Himmel gehalten wird."

---

[1] Rémo „La vie galante en Angleterre" S. 273.
[2] Rémo a. a. O. S. 216.
[3] J. W. v. Archenholtz „Britische Annalen" Bd. I S. 406 bis 407.

Übrigens fand man im 18. Jahrhundert nichts darin, wenn ein Jüngling sein Mädchen auf einem Seile schwingen liess. Gay singt:

> On two near elms the slacken'd cord I hung,
> Now high, now low, my Blouzalinda swang[1]

Für böse und keifende Weiber erhielt sich in gewissen Gegenden Englands bis zum Anfange des 19. Jahrhunderts die Strafe des Untertauchens derselben im Flusse. In Butler's „Hudibras" (17. Jahrhundert) heisst es:

> „Wenn sie mit Schelten um sich schmeisst
> Die pflegt man in sella curule,
> Das heisst, auf einem Gaukelstuhle,
> Zur Schau an einen Fluss zu führen
> Und in dem Strom zu promenieren!"

Man liess nämlich die zänkischen Weiber auf einem in Stricken hängenden Stuhle sitzend ins Wasser tauchen. Dieser Stuhl hiess „Cucking Stool." Es findet sich vom Jahre 1572 eine Kostenrechnung für einen solchen Stuhl vor, desgleichen für verschiedene an ihm vorgenommene Reparaturen, woraus der Schluss gerechtfertigt ist, dass er häufig benutzt wurde. B. West hat in seinen „Miscellaneous Poems" (London 1780, 8°) diesen Akt poetisch verherrlicht.[2]

Zum Schlusse sei eines merkwürdigen, indezenten Spieles zwischen jungen Mädchen gedacht „The Shape Test" (die Gestalt-Probe) genannt, welches von einem neueren Autor folgendermassen beschrieben wird:

> The way is this, you stand erect,
> Your legs together, rayther I expect;
> Your shape is perfect if a sixpence lies
> Between your ankles, calves, your knees and thighs.

---

[1] Strutt a. a. O. S. 802.
[2] Vergl. Eiselein in seiner Uebersetzung des „Hudibras" S. 122 und Hüttner „Englische Miscellen" Bd. V S. 122—128.

Here are four sixpences and I'll begin
Little Red Ridinghood shall put them in!
Not that way, stupid, stand to one side there
That everyone may see you do it fair.
Observe, I keep them firmly one and all;
I bet that you and others let them fall.[1]

Die „Narrenfeste" des Mittelalters mit ihren geschlechtlichen Ausschweifungen knüpften sich in England im wesentlichen an die Persönlichkeit des „Lord of Disrule" (Herr der Unordnung), der diese ausgelassenen Mysterien leitete, die sich wesentlich in und um die Kirche abspielten.[2]

---

[1] Pisanus Fraxi „Index Librorum Prohibitorum" S. 868 bis 869.

[2] Vergl. die Schilderung in Stubbes' „Anatomy of Abuses" bei Taine a. a. O. Bd. I S. 239—240.

Neuntes Kapitel.

Die Kunst.[1]

Die Kunst, deren Hauptaufgabe immer die Darstellung des Menschen, menschlicher Thätigkeit und menschlicher Empfindungen und Leidenschaften sein wird, hat schon früh die menschliche Liebe nach ihrer idealen und rein körperlichen Seite in den Bereich ihrer Objekte gezogen.

Die Frage, ob auch die rein geschlechtlichen Beziehungen Gegenstand künstlerischer Darstellung sein dürfen, darf man unbedingt bejahen, wenn man eben eine rein künstlerische Darstellung erotischer Objekte voraussetzt d. h. es muss in dem Kunstwerk das rein Sexuelle völlig hinter der höheren künstlerischen Auffassung verschwinden. Diese letztere wiederum ist nur dann möglich, wenn der dargestellte Gegenstand gänzlich der Aktualität entkleidet und unter völliger Vernachlässigung von Zeit und Ort mehr nach seiner allgemein menschlichen Seite betrachtet wird, wenn ferner

[1] Die folgende Darstellung beschränkt sich auf die Beziehungen der englischen Kunst zur Erotik und zum Sexualleben. Eine eingehende Geschichte der englischen Malerei in ihren Beziehungen zu der allgemeinen Kultur liegt in dem vortrefflichen, wenn auch nicht lückenlosen Werke von Richard Muther, „Geschichte der englischen Malerei" Berlin 1903, vor.

in der Wiedergabe des rein Geschlechtlichen zugleich eine das rein Physische verklärende, gewissermassen überwindende Auffassung des Künstlers zum Ausdrucke kommt.

Welch dankbaren Stoff bietet z. B. alles Geschlechtliche nicht der humoristischen Auffassung dar! Wie kurz ist hier der Schritt vom Erhabenen zum Lächerlichen! Dass die Geschlechtsverhältnisse den „leichtesten, jederzeit bereitliegenden Stoff zum Lachen" abgeben, könnte noch Schopenhauer nicht sein, wenn nicht der tiefste Ernst gerade ihnen zu Grunde läge. „Daher kann der Dichter (und natürlich auch der Künstler) so gut die Wollust wie die Mystik besingen, Anakreon oder Angelus Silesius seyn, Tragödien, oder Komödien schreiben, die erhabene oder die gemeine Gesinnung darstellen, — nach Laune und Beruf." Der Künstler ist der „Spiegel der Menschheit, und bringt ihr was sie fühlt und treibt zum Bewusstseyn." [1]

Der glänzendste Vertreter dieser humoristischen Auffassung in der künstlerischen Darstellung des Geschlechtlichen ist Thomas Rowlandson.

Die schon erwähnte häufige Verbindung der Wollust mit der Mystik, wie sie besonders in manchen perversen Erscheinungen des Geschlechtslebens zu Tage tritt, ermöglicht jene mystisch-satanistische Auffassung des Erotischen, deren unbestrittener Meister Félicien Rops ist.

Endlich kann auch in Werken dieser Art der rein moralisierende Standpunkt vertreten sein, wie wir ihn z. B. bei Hogarth antreffen.

---

[1] Arthur Schopenhauer „Die Welt als Wille und Vorstellung" ed. E. Grisebach, Leipzig (Reclam) Bd. I, S. 330.

Bei allen künstlerischen Darstellungen des Geschlechtlichen, welche sich meist in die drei eben gekennzeichneten
Kategorien einreihen lassen, aber selbst ausserhalb
dieser wie z. B. die obscönen Zeichnungen der Carracci,
als rein künstlerische Produkte wirken, tritt beim
reifen und mit nur etwas künstlerischem Verständnis
begabten Beschauer das rein Sexuelle vollkommen zurück
hinter der höheren Idee und dem Werte des Kunst-
werks als solchen.

Die Geschichte der obscönen und erotischen Darstellungen in der Kunst ist eine sehr alte. Schon bei
primitiven Völkern finden sich solche. Bloch vermutet,
dass der Ursprung erotischer Bildwerke bei den primitiven
Völkern aus den Sexualkulten abzuleiten sei, indem
man von den Nachbildungen der hierbei als Fetische
benutzten Zeugungsteile zur Darstellung des Zeugungs-
aktes fortschritt. Aus West-Afrika, von der Insel Bali,
Neu-Guinea, Japan, den Philippinen, Tibet, China,
Indien, Aegypten, Peru sind solche erotischen Bilder
bekannt.[1]

Das klassische Altertum hat eine Fülle zum Teil
künstlerisch sehr hervorragender obscöner Wand- und
Vasengemälde und Bildwerke aufzuweisen. Es sei nur
an das „Musée secret“ in Neapel erinnert.

Eine Blütezeit der erotischen Darstellungen war
das Zeitalter der Renaissance. Damals zeichnete Giulio
Romano die obscönen Bilder zu den „Sonetti Lussuriosi“
des Pietro Aretino, stellten Augusto und Annibale
Carracci in einer Reihe von erotischen Zeichnungen

---

[1] J. Bloch „Beiträge zur Aetiologie des Psychopathia
sexualis“. Dresden 1902 Bd. I, S. 200.

die sogenannten „Posituren" beim Beischlafe dar, über
deren Erhaltung noch unser Goethe sich freute[1]). Die
Schlösser und Paläste der Könige, die petites maisons
der Prinzen und Prinzessinnen, die Häuser des Adels
in Italien und Frankreich wurden damals mit erotischen
Fresken und Bildern geschmückt. „Pour crayonner en
petit une partie de ces peintures, dit Sauval, qui avait
pu les voir encore, ici des hommes et des dieux, tous
nus, dansent et font quelque chose de pis avec des
femmes et des déesses toutes nues; là, les nues exposent
aux yeux de leurs galants ce que la nature a pris tant
de peine à cacher; les autres s'abrutissent avec des
aigles, des cygnes, des autruches, des taureaux; en
plusieurs endroits, on voit des Ganymèdes, des Saphos
et des belettes (cic); des dieux et des hommes, des
femmes et des déesses, qui outragent la nature et se
plongent dans des dissolutions les plus monstrueuses"[2]).
Im Schlosse von Fontainebleau waren alle Zimmer, Säle
und Gallerien voll von solchen obscönen Gemälden, und
die Königin Anna liess beim Antritte ihrer Regentschaft
im Jahre 1643 eine grosse Zahl derselben im Werte von
mehr als 100000 Thalern verbrennen[3]). Sogar in den
Gärten und auf den Möbeln fanden sich solche lascive
Darstellungen. Berühmt war z. B. der von Brantôme
in den „Dames galantes" beschriebene erotische Becher,
der mit obscönen Bildern geschmückt war und aus
welchem der Besitzer, ein Prinz, mit Vorliebe die jungen

[1]) Goethes Tagebücher, Weimar 1896 Bd. VIII, S. 174 (vom 9. März 1822).
[2]) P. Dufour, „Histoire de la prostitution", Brüssel 1861 Bd. V, S. 252.
[3]) Ibidem S. 252.

Hofdamen trinken liess. „C'étoit", sagt Brantôme, „d'ailleurs un chef d'oeuvre d'art et grand spéciauté, la mieux eslabourée, gravée et sigillée qu'il estoit possible de voir; où estoient taillées bien gentiment et subtillement au burin plusieurs Figures de l'Aretin, de l'homme et de la femme, et ce au bas estage de la coupe, et au-dessus et en haut plusieurs aussy de diverses manières de cohabitations de bestes". Von grossem psychologischem Interesse sind die von Brantôme mitgeteilten Bemerkungen der jungen Mädchen über ihre Empfindungen beim Trinken aus diesem Becher [1]. Besonderen Rufes erfreute sich auch die Gemäldegallerie des Grafen von Chateauvillain wegen der Unzahl der darin enthaltenenen obscönen Gemälde. [2]

Die Geschichte der erotischen Bilder in Frankreich und England während des 16., 17. und 18. Jahrhunderts knüpft sich fast ausschliesslich an die Verbreitung der sogenannten „Figuren" des Aretino, der obscönen Zeichnungen des Giulio Romano und nach diesen hergestellten erotischen Kupfer des Marc' Antonio Raimondi zu den „Sonetti Lussuriosi" und des Pietro Aretino [3]. Es waren dies 16 Darstellungen der verschiedenen „Figurae Veneris" oder Stellungen beim Beischlafe, welche die 16 hierauf sich beziehenden „Sonette" des Aretino illustrierten. Nach der Vernichtung der meisten Abdrücke durch Papst Clemens VII.

---

[1] Ibidem S. 258.

[2] Ibidem S. 259—260.

[3] Enthalten in der folgenden Ausgabe: „Dubbii amorosi, altri dubbii (nicht von Aretino) e Sonetti lussuriosi di Pietro Aretino. Nella Stamperia del Forno, alla Corona de' Cazzi." (Paris, Grangé, um 1757, kl. 8°, 82 S.)

gelangten die Originalkupferplatten nach Frankreich, wo von ihnen im 16. Jahrhundert zahlreiche neue Abdrücke verbreitet wurden. Brantôme erzählt: „Ich kannte einen guten venetianischen Buchhändler in Paris, der sich Messer Bernardo nannte und ein Verwandter des Aldus Manutius in Venedig war. Er hatte einen Laden in der Rue St. Jacques und erzählte mir einmal, dass er in weniger als einem Jahre mehr als 500 Bücher des Aretino an Verheiratete und Unverheirate verkauft habe und an Frauen, von denen er mir drei sehr vornehme nannte“ [1]. Es ist sehr wahrscheinlich, dass dieser Messer Bernardo Torresano um 1580 die wirklichen Kupfer des Marc' Antonio besass, die er von Aldus Manutius und dessen Söhnen, den Verlegern des Aretino bekommen hatte.

Aretino hatte später den 16 „Sonetti lussuriosi“ noch 4 neue hinzugefügt. Um eben so viel wurde die Zahl der Zeichnungen vermehrt [2]. Später hatte man sogar 36 solcher „schemata Veneris“ zusammengebracht. Brantôme erzählt aus dem Ende des 16. Jahrhunderts von einem Edelmanne, der seiner Maitresse ein obscönes Bilder-Album schenkte, in welchem 32 Damen mehr als 27 Figuren des Aretino darstellten, und die meisten hatten mehr als einen Mann zu ihrer Verfügung [3].

Im 17. Jahrhundert wurden alle obscönen Gemälde, Bilder und Zeichnungen confisciert und vernichtet. So verschwanden fast alle Kupfer des Marc' Antonio zu den Figuren des Aretino. Der Abbé de Marolles

---

[1] Dufour a. a. O. Bd. V, S. 255.
[2] Vasari spricht in seiner Biographie der italienischen Maler bereits von 20 Figuren.
[3] Dufour a. a. O. Bd. V, S. 259.

besass noch ein Exemplar derselben. Heute ist auch dieses nicht mehr vorhanden. Einige Copien fand man noch in der Bastille im Jahre 1789 bei der Erstürmung derselben. [1]

Nach England sind die Bilder zum Aretino wahrscheinlich ebenfalls schon im 16. Jahrhundert gekommen. Jedenfalls lässt sich für das Jahr 1674 eine Vervielfältigung derselben in Oxford nachweisen. In einem Briefe von Humphrey Prideaux an John Ellis, datiert Oxford, den 24. Januar 1674 heisst es: „Die Presse giebt mir oft etwas zu erzählen. — Ihr ahnt wohl kaum, dass sie dazu benutzt worden ist, um Aretino's Figuren zu drucken. Ich versichere Euch, wir hätten beinahe eine Ausgabe derselben bekommen, wenn nicht in der letzten Nacht das ganze Werk vernichtet worden wäre. Die Herren vom Allerseelen-College hatten Kupferplatten davon hergestellt und unsere Presse benutzt, um Abzüge davon herzustellen. Die für die Arbeit gewählte Zeit war am Abend nach 4 Uhr, da der Dechant nach dieser Zeit niemals mehr kam. Aber am gestrigen Abend kam er wegen zu grosser Beschäftigung erst nach Beginn der Arbeit. Wie er es aufnahm, seine Presse für solch einen Gegenstand missbraucht zu sehen, überlasse ich Euch, Euch vorzustellen. Er hat die Abzüge und Platten confisciert und droht, die Eigentümer derselben fortzujagen, und ich denke, sie würden es verdienen, wenn sie von einem anderen College als Allerseelen wären, aber da will ich ihnen erlauben tugendhaft zu sein, da

---

[1] Dufour a. a. O. Bd. VIII, S. 269. Nach Ebert („Allgemeines bibliographisches Lexikon" Leipzig 1821 Bd. I, No. 954) hatte die Dresdener Bibliothek bis zum Jahre 1781 das vielleicht einzige Exemplar, welches noch existierte.

sie nur schmutzig in Bildern sind (but there will allow them to be vertuous that are bawdy only in pictures)." Und am 31. Januar ergänzt er diesen Bericht: „Es war nicht der ganze Aretino, den unsere Herren hier druckten, sondern nur seine berühmtesten Bilder für ihren und ihrer Freunde Privatgebrauch. Jedoch waren 60 Exemplare nach auswärts gekommen, bevor die Sache entdeckt wurde; aber der Dechant (John Fell, Dechant von Christ Church) hat sie wieder hereinbringen und verbrennen lassen." [1]

Eine weitere interessante Notiz über die Verbreitung der Figurae Veneris, die sich ohne Zweifel auf Aretino bezieht, findet sich in Mrs. Manley's „Atalantis". Charlotte Howard liest in der Bibliothek des Herzogs, der sie mit Absicht allein lässt. „In während solcher Abwesenheit brachte sie ihre Stunden bloss in seiner Bibliothek zu und las nicht allein solche Bücher von der Liebe, welche nur zu einer honetten Gemüts-Ergötzung geschrieben waren, sondern auch sogar die allergarstigsten Schand-Schrifften, welche die verschiedene Arten entdeckten, die geile Brunst zu sättigen, und die man ohne Abscheu nicht einmal nennen kann. Der Hertzog hatte dieses wol vorausgesehen, und diess war eben sein Absehen, als er ihr seyne Bücher zu freyem Gebrauch übergab, und die Auffseherin von ihr wegschaffte." [2]

Wahrscheinlich bezieht sich diese Nachricht auf die

---

[1] „Letters of Humphrey Prideaux sometime Dean of Norwich to John Ellis sometime Under-Secretary of State. 1674—1722. Edited by Edward Maunde Thompson barrister-at-law and assistant-keeper of M. S. S. in the British Museum. Printed for the Camden Society." London 1875. S. 30 u. S. 32.

[2] Mrs. Manley's „Atalantis". S. 265.

erste englische Uebersetzung der dem Aretino fälschlich zugeschriebenen Schrift „La puttana errante", die
bekanntlich am Schluss ebenfalls eine Aufzählung der
verschiedenen Stellungen beim Beischlafe enthält. Der
Titel der Uebersetzung lautet: „The Wandering Whore"
(London um 1660, kl. 4°) [1])

Vielleicht betrifft auch die Erwähnung von obscönen
Zeichnungen in einem Gedichte des Earl of Rochester[2])
die Figuren des Aretino.

In den „Sérails de Londres" (der französischen
Übersetzung eines englischen Werkes aus dem 18. Jahrhundert) wird geschildert, wie die Freudenmädchen in
einem fashionablen Bordelle nach Anleitung der vor
ihnen liegenden Bilder des Aretino alle darauf dargestellten Figurae Venens einüben. Hier wird dieses
„grand chef-d'oeuvre des voluptés" hoch gepriesen. [3])

Endlich werden diese Darstellungen in einer Erzählung „The force of instinct" der um 1820 erschienenen
erotischen Sammlung „The Bagnio Miscellany" erwähnt.
Hier fragt Clara die Betty: „Was verstehst Du unter
den „Stellungen des Aretino?" Betty erwidert: Es ist
ein Buch, das die Cambridger Studenten mir zu zeigen
pflegten und in welchem alle beim Liebesakt möglichen
Stellungen abgebildet sind." [4]) Diese werden dann in
dem „Book of Exposition" erklärt.

---

[1]) Vergl. Gay „Bibliographie des ouvrages relatifs à l'amour"
Bd. VI S. 445 — Eine neuere Uebersetzung gab der Verleger
Cannon heraus: „The Accomplished Whore, Translated
from the Puttana Errante of Pietro Aretino, By Mary Wilson,
spinster, London: Printed for the Translator. 1827" 12°, 108 S.

[2]) „The Works of the Earl of Rochester etc. London 1714,
Bd. I, S. 169.

[3]) „Les Sérails de Londres" S. 167.

[4]) „The Bagnio Miscellany" London 1896, S. 160.

16*

Wohl die ersten originalen englischen obscönen Bilder wurden von einem Londoner Künstler 1755 zu der erotischen Schrift „The Pleasures of Love: Containing a Variety of entertaining particulars and Curiosities in the Cabinet of Venus" (London 1755, 16°) gezeichnet. v. Murr sagt darüber: „Es hat dieses höchst unzüchtige, und selbst in London überaus seltene, niedlichst gedruckte Büchelchen sechzehn (denn so viel müssen seyn, wenn das Exemplar ganz ist) niedliche Kupferstiche. Sie sind in der Manier des Herrn Chodowiecki. In meinem Exemplar, welches jetzt in einer riesigen grossen Büchersammlung ist (D. Joh. Conr. Feuerlini Accessiones ad Supellectilem suam librariam, s Biblioth. Feuerlin. Vol. II p. 1085) waren nur 15 Kupferblättchen." [1]

Derselbe Autor erwähnt ferner schon im 18. Jahrhundert angefertigte erotische Zeichnungen zu John Cleland's berühmtem obszönen Roman „Memoirs of a woman of pleasure" (vergl. über diesen Kap. 10):

„In dem sehr freyen Buche „Memoirs of a Woman of pleasure" (London 1749, 12°, 2 Bände; der Auszug „La Fille de joye. Ouvrage quintessencié de l'Anglois, à Lampsaque" 1751, 12° ist elend) hat man niedlich gestochene Kupfer nach Zeichnungen eines grossen französischen Malers, nach dem Leben." [2]

Als der grösste Künstler des 18. Jahrhunderts, der auch die Darstellung erotischer Gegenstände in den Bereich seiner moralisierenden Kunst gezogen hat, muss William Hogarth (1697—1764) genannt werden.

---

[1] Chr. G. v. Murr „Journal für Kunstgeschichte und zur allgemeinen Litteratur." Nürnberg 1787, Theil XIV, S. 49—50.
[2] ibidem S. 48.

Hogarth geht auch bei der Darstellung des Geschlechtlichen wesentlich darauf aus, das Tier im Menschen zu zeigen und die bösen Folgen der Sinnlichkeit und Ausschweifung auf das allerschwärzeste zu schildern. Er muss durchaus als Moralist betrachtet werden. „Ce grand peintre," sagt Jouy, „a fait pour les Anglais ce qu'Aristophane fit à Athènes pour corriger les moeurs de son siècle. Il imagina la comédie satirique, et peignit les ridicules et les suites déplorables du vice."[1]

Hogarth hat mit unnachahmlicher Kunst die Liebe und das rein Sexuelle in ihren persönlichen und sozialen Beziehungen dargestellt, in derber, naturalistischer, selbst vor einer unanständigen Zote nicht zurückschreckender Weise. Seine Bilder verbreiten in Wahrheit mehr Licht über die Sittengeschichte seiner Zeit als viele Bücher aus derselben. „Hogarth", sagt Eduard Fuchs in seinem Werk über die „Karikatur der europäischen Völker", „holte die Sittenverderbnis aus allen ihren Schlupfwinkeln heraus und rückte sie durch seine Bilder mitten in die Sonne, sodass sie jeder sehen musste, der vorüberging. Aber er kennt nicht nur die Unmoral der leeren Schüssel, des Elends, er kennt auch die Übersättigung vor der vollen Schüssel, das Laster, das sich erbricht. Und er zeichnete alle ihre Gestalten: den faul herumlungernden Vagabunden, der zum Dieb wird, den herabgekommenen Adligen, der sein Wappenschild mit der Mitgift einer reichen Bürgerstochter vergoldet, und den scheinheiligen Heuchler, der den puritanischen schwarzen Tuchrock anzieht, um seine geheimen Sünden dahinter zu verbergen. So führt er uns in den Ver-

---

[1] Jouy „L'Hermite de Londres" Bd. I, S. 18.

brecherkeller, in die Spielhölle, in das Boudoir der Ehe-
brecherin, zu Trinkgelagen u. s. w. Das ist Hogarths
Welt, die Pfützen der neuen Gesellschaft. Aber er geht
dorthin nicht mit hinaufgezogenen Hosen, auf den Zehen
und mit Handschuhen an den Händen, sondern er tritt
überall herzhaft hinein; denn an seinem Wesen ist nichts
Feines, keine Spur von Delikatesse, und das macht ihn
so interessant. Hogarth ist nicht geistreich, das heisst
nicht in dem Sinne, was wir darunter verstehen, und
er will es auch nicht sein, er ist auch nicht pikant, das
Lüstern-frivole des Franzosen z. B. ist ihm vollkommen
fremd, aber er sagt das Pikanteste und behandelt das
Pikanteste, aber er behandelt es in der Weise des
Menschen, der selbst nach einem Schmetterling mit der
Faust greift. Hogarth geht immer ins Grobe, ins Handgreifliche." [1]

Hogarth's im ganzen sehr verwickelte Bilder
haben in unserem grossen Satiriker Georg Christian
Lichtenberg einen so überaus congenialen Erklärer
gefunden, dass Niemand beim Studium der Hogarth'schen
Kupferstiche dieses vortrefflichen Führers entbehren
kann. Lichtenberg's Commentare bilden in ihrer
Gesamtheit eine Art von Compendium der englischen
Sittengeschichte im 18. Jahrhundert.

Wir wollen an dieser Stelle nur die wichtigsten
Kupferstiche von Hogarth, soweit auf ihnen sexuelle
Beziehungen dargestellt sind, hervorheben und beginnen
mit der allerberühmtesten Serie derselben, dem „Weg
einer Buhlerin." (The Harlot's Progress).

---

[1] Eduard Fuchs „Die Karikatur der europäischen Völker
vom Altertum bis zur Neuzeit" 2. Auflage, Berlin 1902 S. 96.

Mit Recht bezeichnet Traill[1]) es als einen charakteristischen Zug der Rohheit des Zeitalters, dass Hogarth überhaupt einen solchen Gegenstand wie den Lebenslauf einer Hure für die künstlerische Darstellung wählen konnte. In der heutigen englischen Kunst, deren Scheu vor dem Nackten und der Andeutung des rein Geschlechtlichen Muther sehr richtig hervorhebt, wäre ein solches Thema völlig unmöglich. Hogarth fand mit dem dargestellten Gegenstande ungeheuren Beifall. Lichtenberg bemerkt: „Er erhielt 12000 Subscribenten dazu; man hat sie (die sechs Blätter) zur Beherzigung auf Kaffee-Tassen gebracht und auf Sonnenfächern dargestellt, zur Beschauung bey der Hitze und zum Darunterwegschielen in der Not. Die witzigsten Köpfe der damaligen Zeit haben die handelnden Personen dieser Sprüche zur Unterstützung ihrer unsterblichen Einfälle zitiert; Theophilus Cibber hat sie als Pantomime auf die Bühne gebracht, und andere haben selbst einzelne Begebenheiten in denselben zu Operetten ausgesponnen."[2])

Auf dem ersten Blatte hat Hogarth die Ankunft der Heldin der ganzen Serie, der Mary Hackabout, dargestellt, die von ihrem Vater, einem armen Landprediger, nach London gebracht wird. Hogarth lässt in bedeutungsvoller Weise das Mädchen aus Yorkshire kommen, welche Provinz im Rufe stand, die schönsten Mädchen nach London zu liefern. Es wird der Moment dargestellt, wo Vater und Tochter im Wirtshause zur Glocke in London absteigen. Hier wartet ihrer der

---

[1]) H. D. Traill „Social England" Bd. V, S. 218.
[2]) G. C. Lichtenbergs ausführliche Erklärung der Hogarthischen Kupferstiche. Zweyte Lieferung, Göttingen 1795 S. 4.

berüchtigte „Oberst Charters", einer der verrufensten
Wucherer, Kuppler und Bordellbesitzer aus dem ersten
Drittel des 18. Jahrhunderts, der von Swift, Pope,
Arbuthnot[1]) u. A. als ein Genosse des Teufels
charakterisiert wird. Er geht stets in dieses Wirtshaus,
um den Wagen mit Yorkshire'schen Mädchen abzuwarten
und diese für seine Bordelle einzufangen. Neben ihm
steht ein sauberer Helfershelfer, John Gourlay, eine
„Art von Spürhund" und eine vornehm gekleidete
Kupplerin, in welcher Hogarth die berüchtigte „Mutter
Needham", Besitzerin eines Bordells in Park place,
porträtiert hat. Mit Hülfe dieses Weibes gelingt es, die
arme Mary Hackabout in Charters' Haus zu locken.

Auf dem zweiten Blatte erscheint sie bereits als
Maitresse eines reichen jüdischen Bankiers, der ihr ein
Zimmer gemietet hat, in welchem er ihr zu jeder Tages-
stunde einen Besuch abstatten kann. Auf dem Bilde
wird ein solcher Morgenbesuch dargestellt. Ein Liebhaber, den Molly die Nacht bei sich hatte, ist aber noch
da und schleicht „nur kaum nicht hosenlos nach der
Thüre, die sich noch dazu gerade nach der bösen Seite
öffnet", unter dem Schutze eines Kammermädchens und
während Mary den Tisch mit den Frühstücksservice zum
Umfallen bringt, um die Aufmerksamkeit des Bankiers
von der Thüre abzulenken. Unnachahmlich ist dabei
die bereits in allen Künsten der Buhlerin erfahrene
Mary porträtiert. Mit wenigen Strichen hat der Künstler
die Verschmitzheit, Treulosigkeit und Gewinnsucht des

---

[1]) Die die Laster dieses Scheusals geisselnde, von Arbuthnot verfasste Grabschrift teilt Lichtenberg a. a. O. S. 39—43
in Uebersetzung mit.

Freudenmädchens in dem Mienenspiel von Mary zum Ausdrucke gebracht.

Das dritte Blatt führt uns die Heldin in der Dachstube eines niedrigen Bordells in Drury Lane vor. Die elende Ausstattung des Zimmers beleuchtet in drastischer Weise, wie tief seine Bewohnerin bereits gesunken und noch mehr wird dies durch den Eintritt des Richter Gonson bezeugt, der sie wegen eines Uhrendiebstahls verhaftet. Unter den im Zimmer zerstreuten Gegenständen befindet sich die ominöse Rute, ferner die Perrückenschachtel eines berüchtigten Gassendiebes, den unsere Mary als Zuhälter bei sich beherbergt, Arzneigläser und Salben, die eine recht deutliche Sprache reden.

Mary im Zuchthause: ist das Thema des vierten Blattes des „Weges einer Buhlerin". Sie ist vom Gericht verurteilt worden, nicht bloss privatim gepeitscht zu werden (privately whipped), sondern auch harte Arbeit (hard labour) zu leisten und Hanf zu klopfen (to beat hemp). Neben ihr steht der sie mit einem Ochsenziemer antreibende rohe Aufseher und hinter ihr dessen sie frech verspottende Frau. „Wie trübe ist nicht ihr (Mary's) Auge geworden! Die blauen Ringe wird niemand, selbst im Kupferstich, verkennen. Der Mund, wie hülflos offen und das ganze Gesicht, wie aufgedunsen! Was ein Paar Fehltritte in der Welt nicht thun können, wenn es bis zum Arzney-Gläschen damit kommt! Das arme Herz, wie schwer! Und der Hammer, wie sie ihn anfasst! mit der Linken hoch oben und mit der Rechten tief unten. So klopft man nicht, wenigstens Hanf nicht — und Zucker auch nicht. Ach! es ist ihr unmöglich, sie mag nicht hinsehen, sie kann und kann nicht klopfen."

Ausser ihr müssen noch sieben andere Personen die erwähnte Arbeit thun, darunter ein zehnjähriges Freuden-mädchen[1]), eine andere Prostituierte, eine schwangere Negerin u. s. w.

Auf dem fünften Blatte hat Hogarth in der aller-deutlichsten Weise die Krankheit aller Lustmädchen, die Syphilis, in ihren verheerenden Wirkungen veranschau-licht. Mary Hackabout ist soeben an derselben gestorben, und die Natur ihres Leidens erkennen wir nicht nur an den Attributen der beiden sie umgebenden Quacksalber, sondern auch an dem ganzen daneben stehenden Apparat zu einer Quecksilber-Kur.

Das sechste und letzte Blatt stellt Mary im Sarge dar, umgeben von zahlreichen Freudenmädchen und einigen zweifelhaften Kerlen, die ihr das letzte Geleit geben.

Ebenso findet Hogarth in seinem zweiten berühmten Werke, den acht Blättern des „Weges der Liederlichen" (The Rake's Progress) reichliche Gelegenheit, die corrupten Zustände in gewissen Londoner Kreisen zu schildern, den rohen Parvenü und gewissenlosen Verführer, die widerliche Kastratenschwärmerei, die scheusslichen Orgien

---

[1]) Ueber dieses sagt Lichtenberg: „Wer aus den kleinen Städten Deutschlands nach London kommt, dem muss das Herz bluten, wenn er an einem Abend sich von solchen Geschöpfen von zwölf, dreyzehn Jahren, herausgekleidet wie Balletschäferinnen, an-gefasst und mit theatralisch-zärtlichen Umarmungen aufgehalten sieht. Es geht über alle Vorstellung. Sie sprechen mit kindlich-liebreichen Stimmen und einer Volubilität, die offenbar von Aus-wendiglernen zeugt, über Dinge, wovon sie sicherlich kein Wort verstehen. Man würde sie fast daher für Konfirmanden halten, wenn alles dieses nicht aus einem Katechismus hergesagt würde, dergleichen nur Charters oder der Teufel verfassen kann. Es ist himmelschreiend. Das arme Mädchen hat etwas Gutes in seiner Physiognomie, und der Eifer, womit es seinen Hanf klopft, zeugt Bereitwilligkeit jeder Instruktion zu folgen."

in den Bordellen,[1]) den Alkoholismus und die Spielsucht, die Geldheiraten, das Schuldgefängnis und das Innere des Irrenhauses Bedlam.[2])

Die „Heirat nach der Mode" („Mariage à la Mode") führt in die vornehmen Kreise, deren sittliche Fäulnis nicht weniger gross war als die der bürgerlichen Gesellschaft. „Ein tief verschuldeter Lord verheiratet seinen von Ausschweifungen schon ziemlich erschöpften Sohn mit den Hinweis auf seinen weit zurückreichenden Stammbaum an die hübsche und gesunde Tochter eines Alderman aus der City. Wie zwei nicht zusammenpassende Hunde werden beide an einander gekoppelt. Das Verhältnis hat keinen langen Bestand. Nachdem ein Mädchen geboren ist, geht jeder Teil seine eigenen Wege. Die Frau nimmt sich einen jungen robusten

---

[1]) Auf dem berühmten dritten Blatte. Lichtenberg sagt „Ob es ein natürliches Bordell ist, oder ein ex tempore selbst gemachtes, weiss ich nicht. Es ist auch gleichviel; wahrscheinlich ist es aber das letztere. Mit Geld lässt sich in London aus jedem Zimmer alles machen, Bibliothek, Bildergallerie, Museum oder Harem, und das in kurzer Zeit. Rakewell hat hier für sich und einen Freund das letzte gewählt. Die Besatzung ist, wie man sieht, von fast orientalischer Stärke, nämlich die kleine Kröte mit der Ballade an der Thür, die offenbar nicht herein gehört, abgerechnet, zehn Mädchen gegen zwey Männer, eigentlich jetzt bloss noch zwey Mann. Es ist fürchterlich hergegangen, und das etwas lange, denn das Licht das uns hier leuchtet, kann nicht von den vier Flämmchen im Hintergrunde herstammen. Der Tag ist angebrochen und spiegelt sich in den Bouteillen." G. C. Lichtenberg a. a. O. Göttingen 1796. Bd. III, S. 127—128. Vergl. die Reproduktion dieses Blattes bei E. Fuchs a. a. O. zwischen Seite 96 und S. 97.

[2]) Zwei Jahre nach Erscheinen des „Weges des Liederlichen" erschien eine poetische Erklärung desselben, namentlich mit Beziehung auf die Londoner Bordellverhältnisse. Der Titel dieser seltenen Schrift lautet: „The Rake's progress, or the Humours of Drury Lane, a poem in 8 cantos, which is a compleat key to the 8 prints lately published by the celebrated M. Hogarth." London 1785, 8°, 54 S.

Advokaten zum Liebhaber, und der Lord vergnügt sich mit unreifen Mädchen. Aber das Verhängnis bleibt für beide nicht aus. Bei einer Untreue wird die Frau von ihrem Gatten überrascht. Es kommt zwischen dem Advokaten und dem jungen Lord zum Handgemenge, bei dem der letztere erstochen wird. Während der Mörder durch das Fenster entflieht, bittet die Ungetreue den sterbenden Gatten kniefällig um Verzeihung. Die Flucht des Advokaten missglückt, er wird vor Gericht gestellt und wegen Mordes zum Tode durch den Strang verurteilt. Der Ehre beraubt, kehrt die ehebrecherische Gattin in die philiströse Langeweile des väterlichen Hauses zurück. Als ihr das Todesurteil gegen ihren Geliebten keinen Zweifel mehr lässt, nimmt sie Gift und stirbt am selben Tag, an dem ihr Galan zum Galgen geführt wird. Der einzige, welcher Herr der Situation bleibt, ist ihr Vater. In der tragischen Sekunde, als sie eben verscheidet, zieht er ihr noch den Ehering vom Finger, um ihn vor den diebischen Händen der Leichenbesorger zu sichern."[1]

Andere charakteristische sittengeschichtliche Darstellungen von Hogarth sind die „herumstreichenden Komödiantinnen" (Strolling Actresses), die sich in einer Scheune ankleiden, „Fleiss und Faulheit" (Industry and Idleness), der „Jahrmarkt von Southwark" (Southwarkfair), die „Entdeckung" (The Discovery) u. a. m.

Dass Hogarth auch vor der Darstellung von Obscönitäten sich nicht gescheut hat, beweist das neunte Blatt von „Fleiss und Faulheit", wo der Grenadier mit Kohle ein männliches Glied an die Wand zeichnet, ferner die

---

[1] E. Fuchs a. a. O. S. 99—100.

Darstellung der Produkte der Cloacina in der „Mitternachtsunterhaltnng" (A Midnight modern Conversation), und die indezenten Kupfer „The complicated R—n" und „The Frontis-Piss", die S. Ireland in seinen „Graphic Illustrations of Hogarth" (London 1794) reproduziert.[1]·

Ein besonders reiches und dankbares Feld hat seit dem 17. Jahrhundert die Karikatur in England gefunden. Ihre Blütezeit begann in den Bürgerkriegen gegen Karl I., wo sie natürlich zunächst rein politischer Natur war[2]). Sie bildete damals ein wichtiges Hülfsmittel der freiheitlichen Bestrebungen gegen den Absolutismus der Stuarts.

„Das letzte niederdrückende Joch des ehemaligen Absolutismus war in England zerbrochen. Frei wurde allerorts der Gang der Menschen, aufrecht die Haltung; stolz und selbstbewusst, aber auch protzig und brutal die Gebärde. Der Engländer fühlte sich als Herr der Welt. Das verlieh dem ganzen Geistesleben seine besondere Physiognomie, die Sprache war kein scheues Lispeln mehr, sondern ein mächtiges Dröhnen, die Stimme ward laut und klar. Man lachte aus vollem Halse, nicht verstohlen wie in den absolut regierten Staaten, sondern mit vollen Lungen, dass der Bauch wackelte. Wer hatte etwas dagegen einzuwenden, wer wagte, sich dagegen aufzulehnen? Gesunde Kraft atmete das ganze Leben, das entnervende Parfüm des Boudoirs, wie es drüben jenseits des Kanals die Sinne umnebelte und die Energie

[1]) Vergl. P. Fraxi „Index" S. XVIII. Vergl. auch das Blatt „Before" von Hogarth (Reproduktion bei J. Grand-Carteret „Le Décolleté et le Retroussé" Paris 1902 2me Fascicule) und die zwei freien Holzschnitte nach Hogarth in den „Confessions of a Lady's Maid" (London 1860).
[2]) J. P. Malcolm „An Historical Sketch of the Art of Caricaturing with Graphic Illustrations" London 1813 S. 26.

lähmte, verflüchtigte sich hier vor der scharfen würzigen
Luft der See, die die Brust weitet und die Muskeln mit
energischem Wollen belebt. Die Persönlichkeit siegt.
Das Recht des Einzelnen im Rahmen der Allgemeinheit.
Keine politische Schraube hemmt die Entfaltung der
Individualität. Die persönliche Freiheit war unantast-
bar, sie ward zum höchsten Gesetz. Die Meinung war
frei und damit die Kritik — also auch die Satire. Die
Öffentlichkeit erwarb sich das uneingeschränkte Recht
auf Karikatur — und sie übt es aus; in einem Umfang
wie bis dahin zweifelsohne noch nie in der Geschichte.
Die Karikatur wurde eine Zeitlang eine der ersten Mächte
im öffentlichen Leben."[1]

Ein weiterer Umstand, der die Entwickelung der
Karikatur in England ausserordentlich begünstigte und
derselben ein sehr charakteristisches Gepräge gab, war
die Thatsache, dass nirgendwo so zahlreiche wirkliche
Karikaturen in Gestalt von lebenden Menschen herum-
liefen als in England des 18. und der ersten Hälfte des
19. Jahrhunderts. Der Künstler konnte, ohne wesentlich
zu verändern, seine Typen dem Volke entnehmen.
Die von mir in der Einleitung zum ersten Bande dieses
Werkes geschilderten Nationaleigenschaften der Engländer, ihr Selbstbewusstsein, ihre Neigung zu Exzen-
trizitäten, ihre Brutalität traten niemals so grotesk hervor wie um jene Zeit. Fuchs weist darauf hin, dass
diese Eigenschaften auch in der körperlichen Erscheinung der Engländer in der genannten Epoche aufs
deutlichste sichtbar wurden. [2]

---

[1] E. Fuchs a. a. O. S. 248—249.

[2] „Gar mancher Beschauer der englischen Karikaturen vom
Ausgang des 18. Jahrhunderts wird gewiss angesichts der ihm

Bornemann, ein überaus scharfer Beobachter des Londoner Lebens um 1815 hat uns den grotesken Eindruck, den gewisse Londoner Typen auf ihn machten, in klassischer Weise geschildert.

"Einer der Portergäste, den wir aus unserm Abschlag schräg über beobachten können, ist wohl einer nähern Zeichnung wert. Dem Aeussern nach möchten wir ihn für einen Advokaten halten. Eine lange, klapperdürre Figur von aschgrauer Gesichtsfarbe. Unter borstigen Braunen quillt ein kulpiges Auge hervor, bald umher rollend, bald hinstarrend. Mit der Linken hat der Mann den Kopf gestützt, mit der Rechten hält er eine Zeitung sich vor. Fortwährend fletscht er die Zähne als wolle er die ganze Welt zermalmen, und lässt die gewaltige flappige Unterlippe unaufhörlich auf und ab-

entgegentretenden Figuren mit den stark geröteten, blutigen Gesichtern, dem herkulischen Körperbau, den unschönen Formen, den unermesslich vollgefressenen Bäuchen billigerweise bezweifeln, dass solche Gestalten jemals zum Charakterbilde der Söhne des stolzen Albions gezählt, dass solche Mischungen von Vertieruug und Narrentum je existiert haben. Und doch ist es so. Diese Gestalten haben nicht nur leibhaftig existiert, sie sind sogar der Durchschittstypus des englischen Volks jener Tage, also der vollendetste, weil sicherste Ausdruck des öffentlichen und privaten Lebens der damaligen Zeit, einer Zeit, die wir schon früher als die Flegeljahre des in den glorreichen Kämpfen des grossen Lord-Protektors geborenen Bürgertums bezeichnet haben. Es mag als charakteristisch hervorgehoben werden, dass, wie der Franzose fast immer „liebend", der Engländer dagegen stets „fressend und saufend" dargestellt wird. Und forscht man dieser Erscheinung eingehender nach, so wird man finden, dass diese beständige Vorführung schmausender und zechender Lebemänner nichts als ein getreues Spiegelbild der Zeit ist. In englischen Quellen aus dem Anfang des 19. Jahrhunderts lesen wir: „Es waren brave, gute Burschen, jene Urgrosseltern, sie spülten ihre Riesenbeafsteaks mit ansehnlichen Quantitäten von „York" oder „Burtenale" hinunter, oder mit dem Porter, der Tranton von Whitechapel Weltruhm verschaffte." In derselben grotesken Art treten sämtliche Aeusserungen des physischen Lebens in Erscheinung, alles ist grob und ungeschlacht." E. Fuchs a. a. O. S. 266.

klappen. Ein grässliches Grimassieren. Was er im Innern verarbeitet, mag der Himmel wissen." [1]

Steht da nicht eine „Karikatur" lebend vor uns?

Wir verstehen deshalb das Staunen Goede's über die Mannichfaltigkeit der englischen Karrikaturen, über die bedeutende Rolle, die sie im öffentlichen Leben spielen, über das leidenschaftliche Interesse, das ihnen von allen Schichten des Volkes entgegengebracht wird.

„Keine Nation hat es bis jetzt hierin den Engländern gleich gethan, und die Londoner Karikaturzeichner behaupten noch immer ihren unbestrittenen Vorrang. Wie frostig und matt erscheint nicht alles, was die Franzosen und Deutschen in der Art versucht haben! So wenig auch die Kunst durch dergleichen Arbeiten gewinnt, die nur für den Moment berechnet werden; so wichtig sind sie für die Englische Nation in anderer Hinsicht. Die politischen Parteien benutzen sie, manche Ansichten dem Volke zu versinnlichen. Lächerlichkeiten aller Art werden in diesen lustigen Strafbildern vor dem Publikum zur Schau gestellt; und so findet das Englische Volk in jedem Karikaturgemälde sein grosses Vorrecht bestätigt, alle Thorheiten ohne Unterschied und ohne kleinliche, ängstliche Rücksichten frei und öffentlich zu belachen. Sie haben vielleicht auch bisweilen als Blitzableiter gedient, wenn sich ein elektrisches Revolutionsfeuer in einer Volksklasse angehäuft hatte; denn nichts entwaffnet die Leidenschaft leichter und schneller als das Lächerliche. Sie sind Warnungszeichen für die Grossen, die sie erinnern, dass ihre Schritte bewacht werden.

[1] Wilhelm Bornemann „Einblicke in England und London im Jahre 1818." Berlin 1819 S. 182.

Die berühmtesten Karikaturläden befinden sich bei Charing-cross, in Pall-Mall, Piccadilly, Oxford street und in Holborn. Die Läden bei Charing cross und in Pall-Mall sind dem Hofe am nächsten gelegen. Darum nehmen sich auch ihre Eigentümer die Freiheit, vorzüglich solche Artikel auszustellen, welche die höheren Klassen interessieren. Man sieht hier alle lächerlichen Erscheinungen der Mode, die Thorheiten der Elegants, die lächerlichsten Szenen aus grossen Assembleen und nicht selten eine ganze Bilderreihe zur Erläuterung der geheimen Kabinettsgeschichten. In Holborn hingegen schliessen sich die Karikaturen an die Welt der City an. John Bull spielt hier eine Hauptrolle, und zwar vor den Bildern so gut wie auf ihnen. Es ist erlaubt, seine eigenen Bemerkungen zu hören, wenn er sich in seinem niedlichen Conterfei erblickt. Der Eigentümer dieses Ladens verleiht ein, an Karikaturen sehr reichhaltiges Portefeuille zur Unterhaltung auf einen Abend für eine halbe Krone. Es ist, wie ich aus eigener Erfahrung weiss, sehr interessant, in der Gesellschaft eines unterrichteten Engländers, welcher den historischen Kommentar dazu geben kann, diese lustige Gallerie zu durchlaufen. Angesehene Londoner Kunsthändler nehmen nur diejenigen Karikaturen auf, die sich von Seiten der Kunst zu empfehlen scheinen; die gewöhnlichen Produkte der Art schliessen sie von ihrem Handel gänzlich aus."[1]

Die Karikaturenläden spielten am Ende des 18. und im ersten Drittel des 19. Jahrhunderts die Rolle einer öffentlichen Sehenswürdigkeit. Hier gab sich Vornehm und Gering ein Stelldichein.

---

[1] Goede a. a. O. Bd. III, S. 128—125.

Eine in dem Werke von Fuchs[1] reproduzierte Karikatur von James Gillray „vor Humphreys Laden in der St. James Street“ aus dem Jahre 1808 veranschaulicht uns in drastischer Weise das Volksleben vor diesem berühmtesten der Londoner Karikaturenläden.

Neben der politischen Karikatur bildete die Hauptanziehungskraft dieser Karikaturenläden die Schaustellung indecenter und obscöner Karikaturen, die zu jener Zeit en masse verbreitet wurden. „Den einzigen Laden der Mistress Humphrey ausgenommen, wo Gillray's Karikaturen verkauft werden, sind die übrigen samt und sonders öffentliche Schulen der Pöbelhaftigkeit, der zweideutigen Scherze und der niedrigsten Unfläterei.“[2] Im Jahre 1816 waren im „Strand“ an der Ecke von Beaufort Buildings die schmutzigsten Bilder ausgestellt. „Qu'on ne s'imagine pas,“ sagt der Verfasser des „Tableau descriptif de Londres,“ „qu'il s'agisse seulement de scènes grivoises; ce sont des scènes de corps de garde et de caserne. Il semble que l'imagination libidineuse des artistes se soit plue à reproduire, sous des formes différentes, les images de la débauche et du scandale. Attouchements, postures, déguisements, nudités, rien n'est oublié.“[3]

Auch die drei grössten englischen Karikaturisten, James Gillray, Thomas Rowlandson u. G. Cruikshank haben das Geschlechtliche in den Bereich ihrer künstlerischen Darstellung gezogen.

James Gillray (1757—1815) ist nicht nur durch seine glänzenden Karikaturen auf die französische Revolution und Napoleon I. bekannt, sondern hat auch

---

[1] E. Fuchs a. a. O. S. 171.
[2] Böttiger „London und Paris“ Weimar 1801 Bd. VIII S. 243.
[3] Tableau descriptif de Londres“ S. 195.

zahlreiche Karikaturen sittengeschichtlichen Charakters gezeichnet. Von diesen seien genannt „Das neueste Damenkostüm," eine Verspottung der von Madame Tallien eingeführten „Tracht der Nacktheit"[1]), die „Hochzeitsnacht," eine Karikatur auf die Heirat der Prinzessin Mathilde von England[2]), die Spottbilder auf die sexuellen Ausschweifungen des Prinzen von Wales und des Herzogs von Clarence[3]), „Dido in Verzweiflung" (auf Lady Emma Hamilton)[4]), „Die elegante Mama oder die Bequemlichkeiten der neuesten Mode"[5]), „Der frühere Beruf" (Madame Tallien und Josephine Beauharnais tanzen nackt vor ihrem Liebhaber Barras)[6]).

James Gillray hat auch zwei Flagellationsscenen gezeichnet. Die eine erschien am 25. Mai 1786 bei W. Holland, Drury Lane No. 66 unter dem Titel „Lady Termagant Flaybum going to give her stepson a taste of her dessert after dinner." (Preis des kolorierten Blattes 7 Schillinge 6 Pence, des nichtkolorierten 5 Schillinge). Es stellt eine vornehme Engländerin von imponierender Erscheinung dar, wie sie im Begriff ist, dem von dem Kammermädchen herbeigeführten und in sehr indecenter Weise berührten Stiefsohn die Ruthe zu geben.[7]

Noch freier ist ein anderes Flagellationsbild von Gillray. Eine Dame in hoher Haartracht und

---

[1]) Abbildung 202 bei Eduard Fuchs a. a. O. S. 201.
[2]) Abbildung 260, ibidem S. 257.
[3]) Bild 262 (ibidem S. 259), Bild 264 und 265 (ibidem S. 260), Bild 268 (S. 262) und 269 (S. 263).
[4]) No. 278, S. 272.
[5]) No. 289, S. 283.
[6]) ibidem S. 152.
[7]) Reproduktion bei P. Fraxi „Centuria" zu S. 456; vergl. ferner P. Fraxi „Index" S. 375 und „Catena" S. 425.

17*

mit decolletiertem Busen sitzt auf einem langen quer im Zimmer stehenden Sopha und bearbeitet einem auf ihrem Schosse liegenden Jungen mit der Rute die entblössten Posteriora. Ein hübsches Mädchen, mit einem runden Hute, steht hinter dem Sopha und hält mit ihrer linken Hand das linke Bein des Knaben. Im Vordergrunde rechts ist ein kleines Mädchen in einer sehr unanständigen Prozedur dargestellt. Die ganze Szene ist äussert geistreich aufgefasst. [1]

Hier sei gleich einer dritten, berühmten Karikatur auf die englische Flagellomanie gedacht. Sie stammt von H. F. Gravelot (1699—1773), dem in London lebenden französischen Künstler. Die Zeichnung geisselt die namentlich unter den englischen Frauen verbreitete Leidenschaft für die Anwendung der Rute. Wir erblicken eine Versammlung von vier Frauen, deren eine, ebenfalls mit decolletiertem üppigen Busen gerade nach der Rute greift, während im Hintergrunde ein kleines Mädchen von einer fünften Frau eine Züchtigung mit der Rute auf die entblösste Rückseite erhält. Draussen vor der Thür warten mehrere Kinder offenbar auf dieselbe Strafe. J. C. Hotten reproduziert diesen Kupferstich unter dem Titel „Molly's erste Züchtigung nach dem sehr seltenen Original von Hogarth". Das Bild ist aber nicht von Hogarth, sondern von Gravelot. [2]

Der unstreitig grösste Künstler in der Darstellung erotischer Gegenstände, den die Geschichte der Kunst vor Félicien Rops aufzuweisen hat, ist Thomas Rowlandson. Keiner vor ihm und nach ihm, selbst Rops

---

[1] Vergl. Fraxi „Catena" S. 425.
[2] Abbildung bei P. Fraxi „Centuria" zu Seite XVI.

nicht, dessen Grösse in einer anderen Richtung liegt, ist solch ein Meister in der rein humoristischen Auffassung des Geschlechtlichen und Obscönen wie Rowlandson. Dieser Humor spricht sich besonders darin aus, dass der Künstler der Darstellung des Geschlechtsaktes noch einige besonders humoristische Begleitumstände hinzufügt, deren ergötzliche Komik eben die ganze dargestellte Szene zu rein künstlerischer Wirkung emporhebt, sei es, dass diese Besonderheiten das Liebespaar selbst betreffen, dessen Kleidung oder sonstige eigentümliche Situation, oder dass sie in die Umgebung desselben verlegt werden und in dem Zuschauen oder den Handlungen von Menschen oder Tieren zum Ausdrucke kommen.

Trotzdem bisweilen das Obscöne selbst von Rowlandson übertrieben wird, durch dessen massvollere Andeutung die Wirkung der Zeichnung ohne Zweifel gewonnen hätte, überschreitet er doch niemals die Grenzen des Menschlichen und Natürlichen. Er ist niemals bestialisch oder widernatürlich, sondern beschränkt sich auf die allerdings äusserst mannichfaltige Darstellung des natürlichen Geschlechtsaktes. Hierdurch unterscheidet er sich von manchen modernen Künstlern, die sich auf dem Gebiete der erotischen Zeichnung versucht haben und die Figurae Veneris durch die unnatürlichsten und unwahrscheinlichsten Handlungen zu vermehren suchen.

Zwar vermisst man in Rowlandson's Zeichnungen die Sorgfalt in der Ausführung und in den Details, wie sie z. B. die gleichzeitigen französischen Künstler erkennen lassen. Er warf die Gebilde seiner fruchtbaren Phantasie in Eile hin und legte wenig Gewicht auf die feinere Ausführung und peinliche Genauigkeit der Zeichnung. Er sah mehr auf eine plötzliche, drastische Wirkung des Ganzen.

Von Interesse ist Rowlandson's Auffassung des weiblichen Körpers. Anfangs den Ueberlieferungen der klassischen Kunst in der Darstellung desselben huldigend, kombinierte er später in einer durchaus originellen Weise die vlämische und englische Kunstauffassung in seinen Zeichnungen weiblicher Körper. Einen kleinen Fuss, einen eleganten Wuchs, Köpfe von wahrhaft englischer Schönheit auf der einen — Körper von echt Rubens'scher Fülle und Ueppigkeit auf der anderen Seite. Aus dieser eigenartigen Verschmelzung verschiedener Schönheitstypen gehen die Rowlandson'schen Frauengestalten hervor.

Thomas Rowlandson wurde ein Jahr vor James Gillray, im Juli 1756 in der Old Jewry zu London geboren und starb in seiner Wohnung in den Adelphi ebendaselbst am 22. April 1827.

In früher Kindheit bezog er die Akademie in London, nachdem er kurze Zeit lang die Schule von Dr. Barvis in Soho Square besucht hatte, wo Richard Burke, der Sohn des grossen Edmund Burke, der Dramatiker und Schauspieler J. G. Holman, der Schauspieler John Bannister und vor allem sein späterer intimster Freund Henry Angelo seine Schulkameraden waren.[1] Im Alter von 16 Jahren wurde er nach Paris geschickt, wo er zwei Jahre blieb und von einer reichen französischen Tante freigebig unterstützt wurde, welche ihm auch 7000 Pfund Sterling und andere Besitztümer bei ihrem Tode hinterliess.

---

[1] J. Grego „Rowlandson the Caricaturist" London 1880. Bd. I, S. 51.

In Paris studierte Rowlandson eifrig die französische Kunst und erlangte auch dank seinem ausgezeichneten Französisch bald eine sehr genaue Kenntnis der französischen Zustände.

Nach London zurückgekehrt stürzte er sich mit eben so viel Eifer in das tolle Treiben der Lebemänner jener Zeit, spielte [1]), trank, und verbrachte seine Abende an den berühmten Vergnügungsorten Londons, besonders in Vauxhall, überall Motive für seine Bilder und Zeichnungen suchend. „Rowlandson und ich," erzählt Henry Angelo in seinen Memoiren, „sind oft dort (in Vauxhall) gewesen und er hat sehr viel Beschäftigung für seinen Stift dort gefunden. Sein Hauptwerk ist die Zeichnung von Vauxhall, auf welcher er eine Menge von bekannten Personen jener Zeit, besonders meinen alten Schulfreund von Eton, Major Topham, den Macaroni des Tages, dargestellt hat." Auf einer seiner nächtlichen Streifereien wurde er von Dieben angefallen, welche Szene er in einer überaus humoristischen Zeichnung veranschaulicht hat. [2])

Diese unruhige Lebensweise drängte Rowlandson immer mehr auf das Gebiet, auf dem er es zu einer glänzenden Meisterschaft brachte, auf das Gebiet der Karikatur. Denn hier konnte die Ausführung beinahe ebenso schnell erfolgen wie die Conception der Idee, und die langen vorbereitenden Studien fielen fort. So entstanden seine zahlreichen hauptsächlich mit der Rohrfeder gezeichneten, leicht kolorierten Karikaturen, die nur selten politische, meist sittengeschichtliche Gegen-

---

[1]) Er soll einmal 36 Stunden ununterbrochen am Spieltische gesessen haben.

[2]) Vergl. die Reproduktion bei Grego a. a. O. Bd. I, S. 65.

stände betrafen und in denen er vor der Darstellung
der obscönsten Dinge nicht zurückschreckte. Der berühmte Kunsthändler Rudolf Ackermann[1]) vom Strand
gab ihm viele Aufträge, u. a. lieferte er für denselben
die Illustrationen zu „Dr. Syntax auf der Suche nach
dem Malerischen" (Dr. Syntax in Search of the Picturesque)
und zu „Der Totentanz" und „Der Tanz des Lebens."
Von seinen Gefährten wurde er „Master Rowley" genannt, und alle, die mit ihm verkehrten, schätzten trotz
mancher Schwächen seine Aufrichtigkeit und Treue.
Es steht jedenfalls fest, dass wohl selten ein Künstler
mit so wenig Mitteln so sehr viel ausgedrückt hat, und
wirklich berufene Kenner wie Sir Joshua Reynolds
und Sir Benjamin West erklärten, dass einige seiner
Zeichnungen einem Rubens oder irgend einem der
grössten Meister der alten Schulen Ehre gemacht haben
würden. Von der unglaublichen und genialen Leichtigkeit, mit welcher Rowlandson seine herrlichsten
Karikaturen hinwarf, giebt ein ihm 40 Jahre lang be-
freundeter Schriftsteller kurz nach Rowlandson's Tode
eine interessante Schilderung.[2])

Dasselbe günstige Urteil über die Originalität
Rowlandson's in Beziehung auf Humor und Kraft in
der Darstellung, auf die koloristische Ausführung, die
Zeichnung und Composition, fällt Mr. William Bates
in späterer Zeit.[3])

------

[1]) Vergl. über ihn die ausführlichen Nachrichten bei Grego
a. a. O. Bd. I, S. 89—98.

[2]) „Gentleman's Magazine" Juni 1827 Bd. 97, S. 564.

[3]) „In originality of humour, vigour, colour, drawing, and
composition, he exhibits talents which might, but for the recklessness
and dissipation of his character, his want of moral purpose, and his
unrestrained tendency to exaggerate and caricature, have enabled

Das schönste Denkmal hat Rowlandson's unzertrennlicher Gefährte Henry Angelo, der auch mit John Bannister und Rudolph Ackermann ihm das letzte Geleit gab, dem Leben und Wirken des grossen Künstlers in seinen hochinteressanten „Reminiscences" gesetzt, der wichtigsten biographischen Quelle für das Studium Rowlandson's.[1])

Zunächst sei von den erotischen Bildern Rowlandson's derjenigen gedacht, die 1872 in der Reproduktion von J. C. Hotten in der Oeffentlichkeit erschienen sind. Es ist dies eine Kollektion von zehn Kupfern unter dem Titel:

„Pretty Little Games for Young Ladies and Gentlemen. With Pictures of Good Old English Sports and Pastimes. By T. Rowlandson. 1845. A few copies only printed for the Artist's Friends."

Kl. 4°; 62 S. Das wirkliche Datum der Herausgabe durch den bekannten Verleger Hotten (vergl. über diesen Kapitel 11) ist 1872. Es wurden 100 Exemplare zum Preise von 3 Pfund und 10 Shillingen abgezogen.

In dieser Kollektion sind zehn erotische Kupfer Rowlandson's, die um 1810 einzeln erschienen waren,

---

him to rank with the highest names in the annals of art. In his tinted drawings with the reed-pen, as in the productions of his inimitable and too facile needle, his subjects seem to extend over the whole domain of art, and remind one in turn of the free and luxuriant outlines of Rubens, the daring anatomy of Mortimer, the rustic truth and simplicity of Morland, the satiric humour of Hogarth, and perhaps, even, the purity and tender grace of Stothard. I have seen artists stand astounded before the talent of his works, and marvel at their own utter ignorance of one whose genius and powers were so consummately great." Notes and Queries 4th Series Bd. IV, S. 89, 224, 278, 490.

[1]) „Reminiscences of Henry Angelo, with Memoirs of his late Father and Friends, etc. London. Henry Colburn etc. 1830. 8°. 2 Bände.

vereinigt. Jedes Blatt hat als Unterschrift einige gestochene obscöne Knüttelverse, wahrscheinlich von Rowlandson selbst verfasst, der beigedruckte Text enthält
die Erklärungen Hottens. Die zehn Blätter, seien,
soweit dies statthaft ist, kurz beschrieben:

No. 1. The Willing Fair, or any Way to
Please. Ein Interieur mit Aussicht auf einen Garten
durch ein offenes Fenster. Ein junger Mann sitzt mit
einem sehr plumpen und fast nackten Mädchen auf
einem Stuhle. Auf dem Boden zur Rechten wird ein
Waschbecken und eine Giesskanne sichtbar, und im
Hintergrunde links stiehlt ein Hund etwas von einer
auf einem Tische stehenden Schüssel. Darunter stehen
die Verse:

> The happy captain full of wine
> Forms with the fair a new design:
> — — — — — — — — — — — —
>
> — — — — — — — — — — — —
> She ever ready in her way
> — — — — — — — — — — — —
>
> — — — — — — — — — — — —
> — tries her best his mind to please.
> Ah! happy captain, charming sport!
> Who would not storm so kind a fort?

No. 2. The Country Squire new Mounted.
Interieur, zwei Tische und zwei Stühle, darüber an der
hintern Wand ein erotisches Bild. Zwei Personen, Mann
und Frau. Die Dame, fast ganz in adamitischem Kostüm,
hat eine Feder im Haar. Der Squire ist nur mit einem
Gehrock bekleidet. Darunter die Erklärung:

The Country Squire to London came,
And left behind his dogs and game,
Yet finer sport he has in view,
— — — — — — — — — —
The lovely lass her charms displays,
— — — — — — — — — —
— — — — — — — — — —
— — — — — — — — — —
— — — — — — — — — —

No. 3. The Hairy Prospect or the Devil in a Fright. Interieur, ein Bett zur Linken, eine offene Thür zur Rechten. Ein junges Mädchen hebt ihr Hemd in die Höhe. Satan starrt sie erstaunt und erschreckt an. Beide stehen. Der Teufel hat Hörner und Flügel.

Once on a time the Sire of evil
In plainer English call'd the devil,
Some new experiment to toy
Af Chloe cast a roguish eye;
But she who all his arts defied,
Pull'd up and shew'd her sexes pride:
— — — — — — — — — —
So much it made old Satan stare,
Who frightened at the grim display
Takes to his heels and runs away.

No. 4. The Larking Cull. Schlafzimmer, links ein Toilettentisch, rechts ein Spiegel an der Wand, im Hintergrund ein Blumentopf auf einem kleinen Tische, alles sehr schön gezeichnet. Ein Jüngling cum membro elephantiastico[1]) opus inter mammas peragit.

No. 5. The Toss off. Darstellung des Verkehrs eines alten Juden mit einem jungen, derben Mädchen,

---

[1]) Das ist eine Spezialität ganz à la Rowlandson, wie Pisanus Fraxi bemerkt. „Centuria librorum absconditorum" S. 851.

wobei er sehr ernsthaft in einen zu seiner Linken befindlichen Spiegel blickt. An der hinteren Wand hängt ein Gemälde, welches die Stadt Jerusalem und den Tempel Salomonis darstellt.

No. 6. New Feats of Horsemanship. Darstellung des Verkehrs von Mann und Frau auf einem galoppierende Pferde, neben dem ein Hund läuft.

No. 7. Rural Felicity, or Love in a Chaise. Derselbe Akt in einem fahrenden Wagen.

> The Winds were hush'd, the evening clear,
> The Prospect fair, no creature near,
> When the fond couple in the chaise
> Resolocd each mutual wish to please.

No. 8. The Sanctified Sinner. Durch ein Fenster an der hinteren Wand eines hübsch ausgestatteten Zimmers beobachtet ein hässlicher alter Mann eine Flagellationsszene zwischen einem andern Alten als passiven und einem Mädchen als aktiven Teilnehmer. Links im Vordergrunde eine abgebrochene Kerze in einem Leuchter und ein aufgeschlagenes Buch mit dem Titel „Der entlarvte Heuchler" und „Verrückte Erzählungen." Vortreffliche Zeichnung.

> For all this canting fellow's teaching
> He loves a girl as well as preaching.
> With holy love he rolls his eyes,
> — — — — — — — — — — --
> — — — — — — — — — —
> — — — — — — — — — —
> When flesh and spirit both combine
> His raptures sure must be divine.

No. 9. The Wanton Frolic. Ein hübsch möblliertes Zimmer. Ein Mädchen wird von einem Jüngling in sehr indecenter Weise betrachtet.

No. 10. The Curious Wanton. Ein Schlafzimmer. Ein Mädchen beugt sich über ein Bett, während eine andere ihr knieend einen Spiegel vorhält, in welchem sie ihre Reize betrachtet. Ein Hund springt an ihr empor. Darunter folgende Verse:

> Miss Chloe in a wanton way
> Her durling (sic) would needs survey.
> Before the glass displays her thighs,
> And at the sight with wonder cries:
> Is this the thing that day and night
> Make (sic) men fall out and madly fight,
> The source of sorrow and of Joy
> Which king and beggar both employ,
> How grim it looks! Yet enter in
> You'll find a fund of sweets begin.

Diese Verse sind eine sehr schlechte Paraphrase von Hildebrand Jacobs originellem Gedichte „The Curious Maid" (Das neugierige Mädchen):

> And is this all, is this (She cry'd)
> Man's great Desire, and Woman's Pride;
> The Spring whence flows the Lover's Pain,
> The Ocean where 'tis lost again,
> By Fate for ever doom'd to prove
> The Nursery and grave of Love?
> O Thou of dire and horrid Mien,
> And always better felt than seen!
> Fit Rapture of the gloomy Night,
> O, never more approach the Light!
> Like other Myst'ries Men adore,
> Be hid, to be rever'd the more.[1]

---

[1] The Works of Hildebrand Jacob, Esq., London, Lewis. 1785, 8°.

Dieses Gedicht stellt gewissermassen ein poetisches Extrakt des glänzenden Kapitels bei Schopenhauer über die Illusionen und Vorspiegelungen des Geschlechtstriebes dar.

Hotten rühmt diese letzte Zeichnung in enthusiastischer Weise, besonders wegen des Gesichtsausdruckes und der Figuren der beiden dargestellten Mädchen.[1]

In sehr dankenswerter Weise hat Pisanus Fraxi 107 erotische und obscöne Kupfer von Thomas Rowlandson zusammengestellt.[2] Vierzig davon waren in Photographien verbreitet worden, zwanzig vorher incorrect in der „Jconographie des Estampes à Sujets Galants" beschrieben worden. Die Originalzeichnungen zu 30 dieser Kupferstiche besass der berühmte englische Bibliophile Frederick Hankey in Paris (vergl. über ihn Kapitel 11). Viele Specimina von indecenten Kupfern Rowlandson's befinden sich jetzt in der Bibliothek oder im Kupferstichzimmer des Britischen Museums.

Die am meisten für den Humor Rowlandson's charakteristischen und ein erheblicheres kulturgeschichtliches Interesse darbietenden Specimina dieser Kupfer sollen im Folgenden kurz beschrieben werden.

No. 3. The Star Gazer (Der Sternengucker). Motto. „Ich habe manchen Mann gekannt, der beim Glanz eines Sternes zum Habnrei gemacht wurde."

---

[1] Eine Beschreibung dieser zehn Kupfer findet sich in: Le Bibliophile Fantaisiste ou choix de pièces Désopilantes et Rares réimprimées en 1869, Turin 1869, S. 47 und (incorrect) in: Iconographie des Estampes à Sujets Galants et des Portraits de Femmes célèbres par leur beauté etc. Par. M. le Ce d'J***, Genève, J. Gay et fils 1868, S. 658.

[2] P. Fraxi „Centuria" S. 355—393.

Interieur. Ein gewölbtes Zimmer. Auf dem Boden Bücher und zwei Globen. Ein Hund im Vordergrunde. Ein alter Mann, in Schlafrock und Pantoffeln, schaut mit offenem Munde durch ein Fernrohr, während in einem anstossenden Zimmer, dessen Thüren halboffen sind, ein Paar auf einem Bette sich vergnügt. Das durch das Fenster, an dem der alte Mann sitzt, herein-strömende Mondlicht ist ganz vorzüglich wiedergegeben.

No. 4. Carnival at Venice. Eine Strasse. Zahl-reiche Personen, in deren Mitte ein nacktes Mädchen auf Händen und Füssen in einem Reifen steht. Ein anderes nacktes Mädchen sammelt Geld von den Zu-schauern ein, und ein Mann spielt eine Orgel. Die Zu-schauer sind stark karikiert und in obscöner Stellung dargestellt. In drei Fenstern, die nach der Strasse gehen, spielen sich libidinöse Scenen ab. An dem Ende der Strasse applicirt ein Quacksalber einer auf einer Plattform knieenden Frau ein Klystier. Die Komposition ist sehr witzig und satirisch und ein vortreffliches Specimen von Rowlandsons Talent. (Original war im Besitze von Hankey).

No. 6. Lady Hamilton's Stellungen (vergl. darüber Bd. II dieses Werkes S. 207–208).

No. 7. French Dancers at a Morning Rehearsal. (Französische Tänzer bei einem Morgenvergnügen). Inneres eine Art von Scheune. Sieben Personen; ein ziemlich stark dekolletiertes Mädchen mit zwei Federn im Haare,[1] tanzt mit einem ebensolchen Manne, der die Geige spielt; zur linken macht sich ein anderer die

---

[1] Diesen Schmuck giebt Rowlandson mit Vorliebe seinen sonst nur sehr dürftig bekleideten weiblichen Figuren, vielleicht in ähnlicher Absicht wie Rops seine Frauen nur mit einem Korsett bekleidet.

Violine spielender Mann mit einem vor ihm knieenden
Mädchen zu schaffen. Rechts steht ein nacktes Mädchen
vor einem Waschkübel. In der Mitte des Hintergrundes
sitzt ein Mann auf einem Nachttopf und neben ihm
schlägt ein Mädchen das Tamburin. Das tanzende
Mädchen ist sehr schön gezeichnet, die anderen Personen
sind nur mitttelmässig ausgeführt. (Original war im
Besitz von Hankey.)

No. 13. Inquest of Matrons or Trial for a Rape.
(Untersuchung durch Matronen oder der Notzuchtprozess).
Interieur. Die Zeichnung ist geteilt. Rechts wird ein
nacktes Weib von einer alten Matrone untersucht.
Links ist der Gerichtshof mit dem Gefangenen auf der
Anklagebank und den Advokaten auf ihren Plätzen dargestellt. Ein alter Mann von abschreckender Hässlichkeit beobachtet durch die Thür die Untersuchung der
Frau. Die Zeichnung ist nicht gut und der Kupferstich
sehr rauh, aber die Komposition ist höchst originell und
verblüffend. [1]

No. 17. Meditation among the tombs. (Betrachtung zwischen Gräbern). Ein Kirchhof. Eine
fette Person liest Begräbnisgebete über einem von
mehreren Trauernden umgebenen Grabe, während zur
Linken vor einem Fenster der Kirche ein Bauer und
ein Mädchen sich der Liebe hingeben. Die Grabsteine
tragen Phallus-Ornament und folgende Inschrift.:

Life is a jest and all things shew it

I thought so once but now I know it.[2]

Vortreffliche Zeichnung. (Original im Besitze von
Hankey).

[1] Die rechte Hälfte dieses Kupfers ist in Reproduktionen veröffentlicht worden. Vergl. P. Fraxi „Catena" S. 455.

[2] Jedem Besucher der Westminster-Abtei bekannte Grab-
inschrift des Dichters John Gay.

No. 18. Les Lunettes from les Contes de La Fontaine. Inneres eines Klosters. Eine alte Nonne in einem Armstuhl, umgeben von zehn stark dekolletierten Nonnen in verschiedenen Stellungen. Vor ihnen ein junger Mann in Nonnentracht, der auf eine höchst eigentümlich-obscöne Weise das Auge der alten Nonne bedroht. Höchst originelle Komposition. (Original im Besitze von Hankey).

No. 19. Such Things are or a peep into Kensington Gardens. (Solche Dinge giebt es, oder ein Blick in den Kensington-Garten). Eine höchst merkwürdige und bizarre Komposition. Verschiedene Figuren von groteskem Aussehen, einige davon enorme Phalli vorstellend, umarmen sich in sehr lasciver Weise. Ein junges Weib läuft voll Schrecken fort. Auf einer Bank links zwei Phalli. Im Hintergrund Bäume. Die ganze Idee zeugt von originellstem Humor.

No. 20. Lord Barr-res Great Bottle Club. (Lord Barrymore's grosser Flaschenklub)[1] Mit dem folgenden Couplet:

With Women and Wine I defy every care
For Life without these is a volume of care.

Interieur. Sechs Paare an einem Tisch sitzend, in verschiedenen Stellungen. Ein nacktes Mädchen tanzt mit einer Punschbowle in der Hand auf dem Tische.

---

[1] Die Familie der Barrymores bestand aus drei Brüdern und einer Schwester, die wegen ihrer Eigentümlichkeiten die Spottnamen „Hell-gate". „Cripple-gate, „New-gate" und „Billingsgate" führten. Vergl. J. Richardson „Recollections, Political, Literary, Dramatic and Miscellaneous, of the Last Half-Century" London 1856 Bd. II, S. 127; Henry Angelo „Reminiscences" London 1830 Bd. I, S. 287; Bd. II, S. 78, 94, 135, 411; Angelo's Pic-Nic; or Table Talk including numerous Recollections of Public Characters, London 1834, S. 182.

Trunkenheit und Debauche erfüllen die ganze Szene, die sehr lebhaft ist. (Original im Besitze von Hankey).

No. 21. Vor einer Hütte. Stellt zwei menschliche Paare rechts und links dar. Ein altes Weib treibt mit einem Besen zwei Hunde auseinander, während ein anderes Weib vom Fenster aus zwei auf dem Dache sich vergnügende Katzen zu vertreiben bemüht ist.

Die Tiere sind sehr schlecht gezeichnet. (Original im Besitze von Hankey).

No. 23. Harlekin und Colombine von einem Pierrot beim vertraulichen Tête-à-tête überrascht. (Original im Besitze von Hankey).

No. 24. In einer offenen Strasse balanciert ein starker Mann, umgeben von zahlreichen Personen, eine Vase auf merkwürdige Weise und ein dekolletiertes Mädchen fängt mit ihrem Unterrocke das aus den Fenstern zugeworfene Geld auf. Ein kleiner Teufel schlägt das Tamburin und tanzt mit einer Trompete, die hinten auf sehr indecente Weise befestigt ist, hinter dem Mann und dem Mädchen. Eine sehr extravagante Conception.

No. 25. Ein auf einem Teppich sitzender Türke, mit der Pfeife in der linken Hand, beschaut eine grosse Zahl Frauen, die in zwei Reihen, eine über der andern, vor ihm stehen. Schlecht ausgeführt. (Original im Besitze von Hankey).

No. 28. Klosterinterieur. Ein Mönch mit zwei Nonnen. Im Hintergrunde Altar und Kruzifix. Sehr kühne Komposition, schöner Kupferstich. Es existiert eine andere Ausführung dieser Zeichnung in Aquatinta.

No. 29. Rural Sports or Coney Hunting. Auf einem von Bäumen umgebenen Platze lassen drei Mädchen sich von einem auf einem Zaune sitzenden alten Manne mit Perrücke und Dreispitz bewundern. Hinter ihm steht ein jüngerer Mann und schaut auf die Mädchen. Links erhebt sich ein grosser Baum, dessen Zweige drei Viertel des Bildes überschatten. Eine vorzüglich gezeichnete und gestochene Komposition.

No. 30. Ein auf einem Lager ruhendes Liebespaar wird von einem mit einer Rüstung bekleideten Gespenst überrascht, welches drohend ein Beil über ihnen schwingt. Grosser Schrecken malt sich auf den Gesichtern des schuldigen Paares. Das Zimmer ist das eines alten Schlosses. Links die Statue eines gewappneten Ritters. Die Zeichnung ist nicht ganz korrekt, aber das Liebespaar ist höchst ausdrucksvoll wiedergegeben. (Original im Besitze von Hankey).

No. 31. Ein Weib wird von einem alten Manne in grosser Perrücke und Hut durch die Brille examiniert. (Original im Besitze von Hankey).

Die Komposition ist in einem Kupfer mit dem Titel „The Connoisseur" nachgeahmt worden.

No. 33. Interieur. Eine hübsche Frau hält in ihrer rechten Hand diejenige eines kleinen hinter ihr stehenden Knaben. Links ein Mädchen und eine Priapusstatue, rechts eine Silenstatue.

No. 34. Ein hübsches, derbes Mädchen sitzt in einem altertümlichen Lehnstuhl. Im Vordergrunde eine auf einem Piedestal sitzende Person, eine Frauenbüste und ein Dildo. Im Hintergrunde rechts Statuen. Gute Zeichnung (Original im Besitze von Hankey).

No. 35. Fantocinni. Interieur. Ein Mann lehnt sich gegen eine Drehorgel, vor ihm eine Frau, die

18*

einem Puppenspiel zuschaut. Er hält eine Trompete ad sua posteriora. Dahinter schlägt ein anderes Mädchen Tamburin. Rechts ein Affe. Sehr seltsame, originelle Komposition. (Original im Besitze von Hankey).

No. 36. Ein Mädchen von zehn Männern in grossen Perrücken beschaut. (Original im Besitze von Hankey).

No. 37. Ein lachendes Mädchen von zwei alten Männern beäugelt. (Original im Besitze von Hankey).

No. 38. Ein Mädchen lässt sich in einer Schaukel schwingen. Vier sonderbar kostümierte Musiker stehen darunter und spielen verschiedene Instrumente. Höchst originelle, bizarre Komposition.

No. 39. Ein alter Mann und ein Mädchen schwingen sich in verschiedenen Schaukeln. Das Mädchen trägt zwei grosse Federn auf dem Kopfe. Der alte Mann ist sehr hässlich, trägt eine Brille und Stiefel mit Sporen. In einiger Entfernung ein Fluss mit zwei Segelbooten. (Original im Besitze von Hankey).

No. 40. Klosterinterieur. Nonne mit Dildo. Ein alter Mann betritt die Zelle. (Original im Besitze von Hankey).

No. 41. Interieur. Ein junges Mädchen von sechs alten Männern betrachtet. Rechts auf dem Boden eine mit Dildoes gefüllte Vase. Neben dem Bett ein offenes Buch. (Original im Besitze von Hankey).

No. 42. Ein hässlicher alter Mann, eine lange Pfeife rauchend, in der Linken eine Flasche, in der Rechten ein Glas, vor ihm ein junges hübsches Mädchen mit einem breitrandigen Hute auf den Locken. Im Vordergrunde eine Kaffeekanne und eine Fruchtschale (Original im Besitze von Hankey).

No. 43. Inneres eines Stalles. Liebesszene zwischen einem Jäger und einer schönen Frau. Daneben Pferd und zwei Hunde.

No. 44. Sehr elegantes Zimmer mit Statuen und einer grossen antiken Vase. Liebesszene zwischen Jüngling und Mädchen. Geistreiche Zeichnung im Stile der italienischen Meister.

No. 45. Empress of Russia reviewing her Body Guards (Die Kaiserin von Russland besichtigt ihre Leibgarde). (Original im Besitze von Hankey.)

No. 46. Interieur. Ein alter Mann mit Perrücke und Brille, appliciert einer Frau ein Klysma. Links sitzen drei Frauen an einem Tische. Rechts ein Nachtstuhl. Hinter dem Doktor ein Kasten mit der Inschrift „Medizinkasten" (Original im Besitze von Hankey).

No. 47. Am Ufer des Meeres. Zwei Paare in einem Boote, das teils auf dem Strand, teils im Wasser ist. Links schreit ein korpulentes Weib um Hülfe. Höchst originelle Komposition. (Original im Besitze von Hankey).

No. 48. Inneres eines Weinkellers. Alter Mann und Mädchen. Ein Krug, aus dem der Wein überläuft, steht unter dem ersten Fasse. Links eine Treppe.

No. 49. Essay on Quakerism. Titel in der Zeichnung auf einem alten Buche. Inneres eines schön möblierten Schlafzimmers. Quäker vor einem Mädchen, das eine grosse Feder im Haar trägt. Sehr humoristische Komposition. (Original im Besitze von Hankey.)

No. 50. Ein gichtischer alter Mann mit der Brille auf der Nase, sitzt in einem niedrigen Armstuhl und spielt Violine nach dem Notenbuch; das auf dem Rücken

eines vor ihm stehenden Mädchens liegt. Ein anderes
Mädchen spielt Violoncello, ein drittes Mädchen schlägt
ein Tamburin. Alle vier singen. Rechts an der Wand
ein Violincello-Kasten, links auf dem Boden eine Fruchtschale, ein Weinglas und eine Flasche mit der Aufschrift „Rumbo". Korrekte Zeichnung, originelle Komposition.

No. 51. The Merry Traveller and kind Cham-
bermaid (Der fröhliche Reisende und das freundliche
Kammermädchen). Schlafzimmer. Junger Offizier und
hübsches Dienstmädchen, das eine Wärmepfanne in ein
Bett schiebt. Auf dem Boden steht eine brennende
Kerze. Sehr schöner vorzüglich ausgeführter Kupferstich. Der libidinöse Gesichtsausdruck des Mädchens
ist in höchst meisterhafter Weise wiedergegeben.

No. 52. Cunnyseurs. Inneres einer Hütte. Mädchen
und drei alte Männer. Die Gesichter von zweien
drücken Vergnügen, das des Dritten Ekel aus. Ein
vierter alter Mann guckt durch die halb geöffnete Thür.
Das Gesicht des Mädchens ist hübsch, und sie lächelt.
Sehr originelle Komposition.

No. 54. Interieur. Ein Jüngling und ein Mädchen
schlafen auf einem Sopha. Ein alter Mann, dessen Gesicht höchste Wut ausdrückt, ist im Begriff den Jüngling mit einem Dolche zu erstechen, den er in der
Rechten schwingt, während er in der Linken eine
brennende Kerze hält. Eine Frau tritt durch die Thür,
die er offen gelassen hat, herein.

No. 55. Ein Garten. Ein Mann auf einer Leiter
bringt einen Baum, der die Form eines Phallus hat, in
Ordnung. Zwei Frauen beobachten ihn. Die eine steht

und hält einen Sonnenschirm über ihre Schultern. Die andere sitzt auf der Erde. Weiter unten im Garten ein Paar auf einer Bank. Zwei Kübel stehen daneben, aus deren jedem ein Phallus herauswächst. Rechts eine männliche Statue. Sehr merkwürdige Komposition von guter Zeichnung.

No. 56. Soldat und Bauerndirne auf freiem Felde hinter einem Heuschober, um welchen ein Landmann mit einer Heugabel in der Hand herumkommt und sie überrascht. Ein sehr schönes kleines Kupfer mit guter Perspektive und amüsanter Komposition.

No. 58. Mann und Frau auf einem Stuhle sitzend, spielen zusammen dieselbe Harfe, sie trägt zwei Federn auf ihrem Kopfe. Links hinter einem Schirm sitzt ein schlafendes altes Weib vor dem Feuer. Unter ihrem Stuhle stehen eine Flasche und ein Glas. Rechts ist ein Fenster mit einem kleinen Tische und einem Stuhle davor. Auf dem Boden ein offenes Notenbuch. Hübsch ausgeführte Zeichnung.

No. 59. Ein junger Mann und ein Mädchen in einem Boot auf einem Flusse; das junge Mädchen handhabt die Ruder, indem sie von einem alten Manne fortrudert, der mit einem Stocke in der Hand am linken Ufer steht und wütende Gesten macht. Am rechten Ufer ein von Bäumen umgebener italienischer Tempel; auf dem Flusse im Hintergrunde zwei Schwäne. Gute, sehr delikate Zeichnung.

No. 60. Interieur. Ein Mann und drei Mädchen, von denen eines sich in einer Schaukel schwingt. Nach ihr bellt ein kleiner Hund. Im Vordergrunde rechts ein antiker Krug.

No. 61. Interieur. Zwei Mädchen bieten ein drittes Weib einem Manne dar, hinter dem eine vierte Frau steht. Im Vordergrunde auf dem Boden ein Schwert, Schild und eine antike Schale. Sehr charakteristische Zeichnung.

No. 62. The Dairy Maids Delight (Das Vergnügen der Milchmagd). Landmädchen und Neger. Rechts schlürft eine Katze Milch aus einer Schüssel auf dem Tische. Darüber ein kleines Fenster. An der Wand im Hintergrund ein Sims mit zwei Schüsseln. Darunter hängt ein Krug. Im Vordergrunde ein Eimer und eine tiefe Schüssel.

No. 64. Ein auf einer Ottomane sitzender Türke und fünf Mädchen. (Original im Besitze von Hankey.)

No. 66. Vier Matrosen und drei Seejungfern in einer Höhle am Meeresufer. Ein anderer Mann beschäftigt sich mit dem Boote, das ans Land gezogen wird, während ein zweiter mit dem Ruder in der Hand bereit ist, mit einem Meergreise zu kämpfen, der, seine Fäuste zum Zeichen seiner grossen Wut in der Luft schüttelnd, gegen sie heranschwimmt.

No. 68. Ein Mädchen bewundert sich vor dem Spiegel, unter dem Toilettentische ein alter Mann.

No. 69. Ein Jüngling und zwei Mädchen. Eines hält ein Glas in der rechten und einen Fächer in der linken Hand. Auf dem Tische rechts eine Fruchtschale.

No. 70. Prediger und Mädchen unter einem Baume. Im Hintergrunde eine Kirche, im Vordergrunde links Bibel und Dreimaster. Die Komposition ist voll Leben und Humor.

No. 72. Zwei Liebespaare, vor ihnen auf dem Fussboden eine Frau, die sich erbricht. Sehr kühne Zeichnung.

No. 73. Bacchus und Mädchen unter einem Baume. Beide sind ganz nackt und mit Trauben und Weinblättern bekränzt. Im Hintergrunde sieht man fünf Satyre und Nymphen tanzen und Possen treiben. Im Vordergrunde rechts eine Vase und ein Krug. Halbklassische Behandlung. (Original im Besitze von Hankey.)

No. 74. Schlafzimmer. Sehr korpulenter Mann und Kammermädchen, das mit der Kerze in der rechten Hand sein Haar versengt. Eine Wärmepfanne, deren Griff die Form eines Phallus hat, ist auf dem Bette, aus welchem Dampf aufsteigt. Links ein Stuhl mit einer Katze darauf. Sehr humoristisch-burleske Komposition.

No. 75. Zwei Frauen, offenbar von der Jagd ermüdet, ruhen am Fusse eines Baumes. Ein Köcher und Speer liegen neben ihnen. Sie sind von Wild umgeben. Zwei Satyre entdecken sie. Hinter dem Baum links werden Kopf und Schultern einer dritten Frau sichtbar. Ein Paar Hunde liegen im Vordergrunde. Signatur: Rubens pinxit Rowlandson sculp.

No. 76. Ein junges, schönes Weib weist die Bewerbungen eines nackten Cupido zurück, der sie an der rechten Hand zieht. Drei obscöne Satyrgestalten um sie. Im Vordergrunde rechts eine Vase.

No. 77. Leda und der Schwan. Leda sitzt in einer Art von Höhle und trägt einen Kranz auf ihrem Kopfe. Sie presst den Schwan an sich, sein Schnabel und ihr Mund berühren sich Im Hintergrunde zwei nackte Kinder, ein

El im Vordergrunde rechts. Signatur: Michael Angelus inv. Etched by Rowlandson 1792.

No. 83. Ein Mädchen steht bis an die Hüften im Wasser and wünscht den nackten Fuss eines anderen Mädchens, das im Begriff ist, ins Wasser zu gehen. Zu ihren Häupten die sich ausbreitenden belaubten Zweige eines Baumes. Vorzügliche Zeichnung nach klassischer Manier. Unterschrift: „Gezeichnet und veröffentlicht von T. Rowlandson, 20. Mai 1790."

No. 85. The Sad Discovery or the Graceless Apprentice (Die schlimme Entdeckung oder der gottlose Lehrling). Interieur. Eine Frau fleht drei Männer and eine Frau um Erbarmen an, die ihren Geliebten, den Lehrling, unter dem Bett hervorziehen. In der Verwirrung wird der Nachttopf umgeworfen. Die Komposition ist sehr geistreich und wirksam. Signatur: „Rowlandson 1785."

No. 86. Lust and Avarice (Wollust und Geiz). Ein hübsches Mädchen bittet einen alten runzeligen Mann um Geld, der die Zunge aus dem Munde steckt und die Augen verdreht. Signatur: Publ. Novr. 29, 1789, by Wm Rowlandson No. 49 Broad Street Bloomsbury.[1]

No. 87. Liberality and Desire (Freigebigkeit und Wollust). Pendant zu No. 86. Ein alter einäugiger Pensionär mit einem hölzernen Beine giebt einem Mädchen seine Börse, während er mit der anderen Hand ihren Busen drückt. Signatur wie No. 86.[2]

---

[1] Reproduktion bei Grego a. a. O. Bd. I, S. 206.
[2] Reproduktion ibidem Bd. I, S. 205.

No. 89. Who's Mistress now (Wer ist jetzt die Herrin?) Ein Dienstmädchen, angethan mit dem Putz ihrer Herrin, bewundert sich vor einem Spiegel in der Küche, während durch die halboffene Thür drei andere Mädchen sie beobachten und über sie lachen. Links im Vordergrunde verzehrt eine Katze einen Fisch. Signatur: „Rowlandson del.“

No. 91. New Shoes (Neue Schuhe). Inneres einer Molkerei. Eine Milchmagd zeigt Füsse und Knöchel einem Studenten, der sich bückt, um sie zu betrachten und sehr eifrig dieser Untersuchung obzuliegen scheint. Ein alter Mann beobachtet sie durch ein Gitterfenster. Signatur: „Rowlandson 1793.“

No. 93. A Dutch Academy (Eine holländische Akademie). Interieur. Ein sehr fettes und hässliches Weib sitzt hoch oben auf einer Art von Bank, von zwölf Männern umgeben, die teils zeichnen, teils rauchen. Signatur: „Pubd by T. Rowlandson. No. 52 Strand. March 1792.“

Dieses Werk wird ausführlich von Henry Angelo in seinen „Erinnerungen“ besprochen. [1]

No. 93. Intrusion on Study or the Painter disturbed (Eindringlinge oder der gestörte Maler). Inneres eines Ateliers. Zwei Herren kommen plötzlich herein, während ein Künstler ein Mädchen, das auf einem Sopha vor ihm sitzt, malt. Er hält die Hände

---

[1] „It is a Dutch Life Academy, which represents the interior of a school of artists, studying from a living model, all with their portfolios and crayons, drawing a Dutch Venus (a vrow) of the make, though not of the colour, of that choice specimen of female proportion, the Hottentot Venus, so celebrated as a public sight in London few years since.

empor, wie um sie zu bitten, sich zurückzuziehen. Das Mädchen weint. [1]

No. 94. Connoisseurs (Kunstkenner). Inneres einer Gemäldegallerie. Vier alte Männer glotzen ein Bild von Venus und Cupido auf einer Staffelei an. Die Komposition ist nicht indezent, aber der Gesichtsausdruck der alten Herren ist in höchstem Grade lasciv. Signatur: „Rowlandson. 1799. Pubd. June, 20. 1799, by S. W. Fores No. 50 Piccadilly".

No. 95. Symptoms of Sanctity (Symptome der Heiligkeit). Inneres eines Klosters. Ein kahler und sehr hässlicher Mönch betrachtet lüstern ein hübsches Mädchen, das neben ihm steht und die Hände im Gebete gefaltet hat. Des heiligen Mannes rechte Hand ruht auf der Brust seines Beichtkindes und seine Linke auf ihrer linken Schulter. Signatur: „Rowlandson fec. 1800" und: „Pub. Jany. 20. 1801. by S. W. Fores, No. 50 Piccadilly." [2]

No. 96. Touch for Touch, or a Female Physician in Full Practice (Probe gegen Probe, oder ein weiblicher Arzt in voller Thätigkeit). Interieur. Ein schönes

---

This very whimsical composition, however, cannot fairly be classed with caricature, for we may refer to the scarce print, scraped, or scratched, on copper, by Mynheer Rembrant, now in the custody of Mr. John Thomas Smith, at the British Museum, as a grave refutation of such an aspersion of the verity of an English artist. In this favourite print of the peering old connoisseurs, Madame Potiphar is represented according to the gusto of Dutch epic design, twice as voluminous of flesh as even the beauties of Rubens. Rowlandson, then, is rather within, than without the prescribed line of Dutch and Flanderkin beauty." Henry Angelo „Reminiscences etc." Bd. I, S. 233; Bd. II, S. 324.

[1] Reproduktion bei Grego a. a. O. Bd. I, S. 169.
[2] Die Reproduktion dieses Kupfers findet sich bei Grego a. a. O. Bd. II, S. 27.

Mädchen mit frechem Gesichtsausdruck und zwei Federn auf dem Kopfe empfängt Geld von einem alten Manne, der ihr folgt, als sie mit ihrer Linken die Thür öffnet, um fortzugehen; das Gesicht des Alten drückt wollüstige Begierde im höchsten Grade aus. An der Wand hängt ein Bild einer Frau. Eine sehr originelle Komposition. Sign.: Rowlandson Del.

No. 97. The Ghost of my Departed Husband, or Whither my Love ah! wither art thou gone. (Der Geist meines verstorbenen Gatten, oder wohin mein Lieb, wohin bist Du gegangen?) Ein Kirchhof. Ein hässliches altes Weib ist, offenbar sich vor dem Wächter, der ihr seine Laterne vors Gesicht hält, fürchtend, auf den Rücken gefallen. Unter ihrem Leibe liegt ein nacktes Gespenst flach auf dem Boden. Signatur: Rowlandson scul.

No. 98. The Discovery. (Die Entdeckung). Ein fetter Alter mit einem Schüreisen in der Hand hat ein junges Paar in flagranti delicto entdeckt. Der Jüngling kniet vor ihm, während das Mädchen weint. Eine sehr gute Zeichnung. Signatur: „Published Jan. 1800. Rowlandson 1798.“

No. 99. Washing Trotters. Inneres eines ärmlich ausgestatteten Zimmers. Ein hässlicher Mann und ein hübsches junges Mädchen sitzen einander gegenüber, und halten ihre Füsse in dasselbe Waschfass. Ein Lied „The Black Joke“ hängt an der Wand. Sehr schöne Zeichnung. Signatur: „Rowlandson del“ und ausserhalb der Zeichnung: „Published by Hixon 355, near Exeter change Strand. Jan. 20. 1800.“

No. 100. Work for Doctors-Commons (Arbeit für die Advokaten). Interieur. Zwei Männer, davon einer offenbar der Gatte, beobachten hinter einem Schranke stehend, ein Liebespaar, das sich auf dem Sopha küsst. Ein Feuer brennt, und eine Guitarre und Noten liegen auf dem Boden. Dieser Kupferstich stellt General Upton und Mrs. Walsh vor, deren Skandalaffäre um jene Zeit grosses Aufsehen erregte. Signatur: „Pubd. by T. Rowlandson. Strand Feby. 1792."[1]

No. 101. Opening the Sluces or Hollands last Shift. (Oeffnung der Schleusen oder Hollands letztes Auskunftsmittel). Einige Dutzend fette Weiber hocken am Ufer, während ein grosser Mann sie aus einer Flasche mit Branntwein versorgt. Einige Soldaten stehen bis zur Mitte des Körpers im Wasser. Sehr flüchtig ausgeführte Skizze. Signatur: Pubd. Oct. 24., 1794 by J. Adken. No. 14 Castle St. Leicester Sqr."

No. 102. Rural Sports. Or a pleasant way of making hay. (Ländlicher Sport oder eine angenehme Art, Heu aufzuladen). Auf einem Heufelde tollen sich zwei Jünglinge und drei Mädchen umher, während ein viertes Mädchen dabei ist, Heu auf sie zu werfen. Im Hintergrunde beladen drei Frauen und ein Mann einen Wagen.

No. 103. A View on the Banks of the Thames. (Ein Blick von den Ufern der Themse). Zwei Frauen, eine alte und eine hübsche und junge entfernen sich vom Flusse, in welchem mehrere Männer baden; sie blicken jedoch über ihre Schultern nach der offen-

---

[1] Vergl. auch Grego a. a. O. Bd. I, S. 306. Derselbe vermutet, dass vielleicht Morland der eigentliche Zeichner des Bildes sei.

bar für sie sehr anziehenden Szene zurück und die Aeltere ruft aus: „O Schande über diese unflätigen Kerle, bitte Sophie, erzähle mir, wenn wir weit genug fort sind."ʻ Signatur: „Rowlandson inv."

Diese und die vier folgenden Nummern wurden von Thomas Tegg, 111 Cheapside veröffentlicht und zu einem Schilling für das kolorierte Exemplar verkauft.

No. 104. Off She Goes (Sie läuft davon). Eine sehr korpulente Frau ist bei der Entführung durch einen Offizier von der gegen das Fenster gestellten Leiter auf die Erde gefallen. Ein alter Mann in der Nacht- mütze steckt seinen Kopf und eine brennende Kerze aus dem Fenster. Der Postjunge, der bei dem Post- wagen steht, lacht über die Katastrophe. Ein Hund bellt. Signatur: Thos. Tegg. Rowlandson scul."

No. 105. Neighbourly Refreshment (Nachbar- liche Erfrischung). Ein junger Mann und ein junges Mädchen lehnen sich aus zwei halb geöffneten Thüren und küssen sich einander. Der Jüngling hängt mit der Rechten einen Vogelkäfig auf, während seine Linke nach dem Busen des Mädchens fasst, hinter ihm steht eine alte Frau, hinter dem Mädchen ein alter Mann. Ein Hund springt nach einem sich mit einer Henne beschäf- tigenden Hahn. Eine Katze klettert erschreckt an einer der halbgeöffneten Thüren empor. Sehr originelle Com- position. Signatur: „Rowlandson 1815."

No. 106. A Spanish Cloak (Ein spanischer Mantel). Schildwache und junge Frau. Ein alter Offizier kommt um die Ecke und überrascht sie. Geistreiche Karikatur. Signatur: „Rowlandson Del."

No. 107. Puss in Boots. Or General Junot taken by surprise. (Das Mädchen in Stiefeln, oder General Junot durch Ueberraschung gefangen ge= nommen). In einem Zelte schwingt ein kräftiges, junges Mädchen in einem Federhute und hohen Stiefeln ein Schwert mit der Rechten. Ein Mann im Bette scheint um Hülfe zu rufen. Links im Vordergrunde ein schlecht gezeichneter Hund oder Katze. Signatur: „Row- landson Del."

Ausser den bisher aufgezählten Blättern, die als Kupferstiche erschienen sind, hat Thomas Rowlandson noch eine zahllose Menge erotischer und obscöner Zeichnungen und Skizzen hinterlassen, die fast alle mit demselben graziösen Talent ausgeführt sind. Die meisten dieser Zeichnungen befinden sich in den Händen englischer Sammler, im British Museum, im South Kensington Museum und an anderen Orten. Die folgenden acht sehr charakteristischen hat Pisanus Fraxi ge- nauer beschrieben [1]).

No. 1. Ein nacktes Mädchen liegt auf einem Teppich unter einem Baume; unter ihrem Kopf ein Tamburin. Zwei nackte Kinder. Das eine kniet und bläst die Flöte, das andere, geflügelt, tanzt, ebenfalls die Flöte blasend und das Tamburin schlagend. Klassische Manier.

No. 2. Interieur. Vierzehn Personen in Paaren um einen Tisch. Rechts der Präsident mit einem Glas in der Linken und einer Flasche in der Rechten. Links erbricht sich ein Mann, neben ihm ein betrunkenes Weib. Die anderen Paare in verschiedenen Stellungen. Aehn-

---

[1]) P. Fraxi „Centuria librorum absconditorum" S. 898—895; S. 439.

licher Gegenstand wie der des Kupfers: „Lord Barr ** res Great Bottle Club" (s. oben No. 20).

No. 3. The Road to Ruin. (Der Weg zum Verderben). Titel in Rowlandson's Handschrift. Interieur. Ein junger Squire sitzt mit seiner Maitresse, deren Busen entblösst ist, an einem runden Tische. Beide haben Gläser in der Hand. Gegenüber verteilt ein Kapitän ein Spiel Karten. Zwischen diesen ist ein fetter, alter Kaplan mit sinnlichem Gesichtsausdrucke beschäftigt, zwei Flaschen Wein zugleich in eine geräumige Punschbowle zu entleeren. Diese Scene veranschaulicht Spiel, Wein und Weib.

Der Besitzer dieser Zeichnung, einer der besten englischen Kunstkenner, versichert, dass sie über alle Massen „wirksam und originell sei, schöner als ein Hogarth."

No. 4. Eine alte Kupplerin demonstriert die Reize eines jungen, unschuldig aussehenden Mädchens einem alten Wüstling, der dasselbe durch ein Augenglas betrachtet.

(Ein ähnliches Motiv stellt John Collet's gesellschaftliche Karikatur „Das Opfer (um 1780) dar, von dem Eduard Fuchs a. a. O. S. 277 eine gute Reproduktion giebt, nebst folgender Erklärung (S. 288—289): „Mit seinem Gelde erwirbt sich der alte und erschöpfte, nur durch die raffinierten Mittel geschickter Aerzte sinnlich noch reagierende Lebemann den Besitz der noch herben, erst halb erblühten Reize des jungen Mädchens. Ein alter wüster Affe, der ein unschuldiges Kätzchen in seine Arme zwingt.")

No. 5. Fünf Feuerwehrmänner bemühen sich die Flammen zu löschen, die aus einem Hause herausschlagen, aus welchem ein sehr fettes altes Weib sich flüchtet. Sie trägt einige Haushaltungsgegenstände in ihrem Unterrock. Die Feuerwehrleute beobachten sie mit sehr lüsternen Mienen. Die ganze Komposition ist voll Kraft und Geist.

No. 6. Leda und der Schwan. Im Hintergrunde verfolgt ein anderer Schwan ein nacktes Weib. Sehr feine Zeichnung.

No. 7. Ein Jüngling und ein Mädchen sitzen auf einer Bank. Er hat seine rechte Hand auf ihren Kleidern.

No. 8. Cricket Matchs at the 3 Hats, Islington (Cricket Spiel bei den „drei Hüten" in Islington). Diese Zeichnung, voll Leben und Humor, ist ganz im Stile des grossen Künstlers. Die Partie wird von Weibern in allen Gestalten und Grössen gespielt, die ihre Energie in der kräftigsten und komischsten Weise entfalten.

Ausser den erotischen und obscönen Karikaturen ist Rowlandson für das Ende des 18. und das erste Drittel des 19. Jahrhunderts, was Hogarth für die erste Hälfte des 18. Jahrhunderts gewesen ist, nämlich der grösste Sittenschilderer seiner Zeit. Er hat alle Verhältnisse des öffentlichen und gesellschaftlichen Lebens seiner Zeit, die markantesten Erscheinungen der englischen Volksseele in den Bereich seiner künstlerischen Darstellungen gezogen.

An dieser Stelle wollen wir nur die allerwichtigsten der ein sittengeschichtliches Interesse darbietenden Zeichnungen und Kupfer Rowlandson's erwähnen, indem wir für ein genaueres Studium auf die wertvolle Monographie von Joseph Grego verweisen.

Ein Bordell in Cleveland Row, London, aus dessen Fenster zwei Nymphen auf einen gerade die Thür öffnenden jungen Offizier herabschauen, veranschaulicht das Kupfer „Charity covereth a multitude of sins" (1781)[1].

Das Treiben der Herzogin von Devonshire, die zu Gunsten ihres Lieblings Charles Fox bei den Wahlen von 1784 im wahren Sinne des Wortes zum Volke herabstieg, geisseln verschiedene höchst witzige Karikaturen z. B. „The Devonshire, or most approved manner of securing votes", wo sie auf offener Strasse einen dicken Schlachter küsst, dessen Stimme sie für Fox ergattern möchte[2]), oder „Wit's Last Stake, or the cobbling voter and abject canvassers" (die Herzogin sitzt inmitten des Pöbels auf dem Schosse von Fox).[3])

Die Galanterien in den Opernlogen erblicken wir auf den verschiedenen Skizzen „Opera Boxes" (1785)[4]), die wollüstige Ueppigkeit des Orients in „The Polish Dwarf (Count Boruwloski performing before the Grand Seigneur" (1786)[5]) und „Love in the East" (1787)[6]) den Schmutz in den englischen Gasthäusern veranschaulicht das Bild „Damp Sheets" (Feuchte Wäsche) (1781)[7]), die Mode der engen Schnürbrüste „A Little Tighter" (1791)[8]); die Ergötzlichkeiten und modischen Narreteien in den englischen Bädern werden uns in den Illustrationen zu Christopher Austey's poetischer

---

[1]) Reproduktion bei Grego I, 104.
[2]) ibidem I, 126.
[3]) ibidem I, 181.
[4]) ibidem I, 177—178.
[5]) ibidem I, 187.
[6]) ibidem I, 218.
[7]) ibidem 298.
[8]) ibidem I, 292.

19*

Schilderung „The New Bath Guide" (London 1798) vorgeführt [1]) und dem berüchtigen Skandal zwischen Mrs.
Mary Anne Clarke und dem Herzog von York hat
Rowlandson zahlreiche Karikaturen aus dem Jahre
1809 gewidmet. [2])

Die Verschleppung und den Verkauf englischer
Mädchen nach Ostindien führt uns „A Sale of English
Beauties in the East Indies" (1810) vor, die bis auf
den heutigen Tag berüchtigten englischen Ehebruchs-
prozesse werden auf den zwei Kupfern „The Secret
History of Crim Con" (1812) karikiert.

Endlich seien noch erwähnt die „Matrosenhochzeit"
(1814) [3]), der „Fortschritt der Galanterie" [4]), ein englisches
„Speisehaus" [5]), „Lady Hamilton zu Hause" (1816) [6]) ein
„Wochenbettbesuch" (1816) [7]).

Fast alle Nebenbuhler Rowlandson's auf dem
Gebiete der Karikatur haben sich ebenfalls auf dem
Gebiete der erotischen und obscönen Zeichnung versucht.

Zunächst muss da der berühmten Familie der
Cruikshanks gedacht werden. Der Vater Isaac Cruikshank hat u. a. ein Titelbild zu der erotischen Schrift
„The Cherub: or Guardian of Female Innocence" (London:
Printed for W. Locke, No. 12, Red Lion Street, Holborn, 1792. Gr. 8°. 57 S.). Es stellt ein junges Mädchen dar, welches vor einer alten Wahrsagerin steht,
die mit einem Stock auf ein Zeichen an ihrem Körper

---

[1]) Gedicht und Bilder bei Grego a. a. O. Bd. I, S. 334—349.
[2]) ibidem Bd. II, S. 135—162.
[3]) ibidem II, 276.
[4]) ibidem II, 275.
[5]) ibidem II, 296.
[6]) ibidem II, 810—811.
[7]) ibidem II, 318.

weist. Eine dritte Frau steht im Hintergrunde, während
das Gesicht eines durch ein Fenster lugenden Mannes
im oberen Teile des Bildes sichtbar wird. Ovale, von
einem Cherub gekrönte Zeichnung mit der Unterschrift:
„Die verderbte Wahrsagerin und die listige Verführerin,
mit dem kleinen Cherub darüber. Veröffentlicht von
W. Locke, 15. März 1792."

. Ein anderes Titelbild von Isaac Cruikshank, ge-
nannt „The Invitation" (Die Einladung) ziert die
Anekdotensammlung „Useful Hints to Single Gentlemen
respecting Marriage, Concubinage and Adultery etc. By
Little Isaac. London: Printed for D. Brewman
No. 18, Little New Street, Shoe Lane; and sold by
H. D. Symonds, No. 20, Paternoster Row. 1792"
(gr. 8°, 52 S.). Es stellt ein auf einem Sopha sitzendes
Mädchen dar, welches durch das Fenster mit einem
Manne spricht, den sie auffordert, neben ihr Platz zu
nehmen. In ihrer rechten Hand hält sie einen Fächer.
Der Mann scheint ihre Einladung abzuschlagen. Es
handelt sich offenbar um ein Freudenmädchen. Im
„Bon Ton Magazine" Mai 1795 ist dasselbe Kupfer
reproduziert, mit der Unterschrift „Fallen für Männer"
und dazu wird folgende Anekdote erzählt: „Ich machte
Halt und flüsterte Mrs. Primstaff etwas ins Ohr, indem
ich auf eine schöne junge Dame zeigte, die das Gesicht
dem Fenster zuwendend auf dem Sopha sass. Die Roll-
gardine war emporgezogen, um den Zuschauern einen
besseren Anblick ihrer Reize zu gewähren. Die Nymphe
war nur sehr leicht bekleidet. Ihr lieblicher Busen
war völlig den Blicken preisgegeben und wogte weisser
als Schnee in einer anmutigen Hin- und Herbewegung
(pitty-pat motion), während ihre schönen, ausdrucks-

vollen, leuchtenden Augen genug Feuer ausströmten, um auch das kalte Herz eines Einsiedlers zu schmelzen."

Isaac's Sohn, der grosse George Cruikshank (1792—1878) hat eine Serie von Bildern zu John Cleland's berühmtem obscönen Romane „Fanny Hill, or the Memoirs of a Woman of Pleasure" gezeichnet und in Kupfer gestochen. Die genaue Zahl derselben lässt sich wegen ihrer grossen Seltenheit nicht feststellen. Jedoch ist es nach Pisanus Fraxi über jeden Zweifel erhaben, dass diese obscönen Bilder wirklich von dem grossen Künstler stammen. [1])

Rein sittengeschichtliche, nicht obscöne Bilder hat George Cruikshank bekanntlich zu Pierce Egan's „Life in London" (1821) gezeichnet, die den Ruf des Künstlers als eines der grössten Karikaturisten begründeten.

Einer ähnlichen Auffassung des Geschlechtlichen wie bei Rowlandson begegnen wir bei dessen Freunde George Morland (1763—1804). Besonders die Darstellung des weiblichen Körpers ist bei Beiden von auffallender Aehnlichkeit. [2]) Morland ist aber noch gleich Gainsborough ein „Rokokomeister", der uns eine kleine „aparte, ästhetische Welt" vorzaubert, die sich aus „hellblauen Bändern und riesigen gelben Strohhüten, aus weissen Häubchen und weissen Schürzen, rosa Seidenkleidern und dekolletierten Schultern" zusammensetzt [3]).

George Morland hat, meist in Verbindung mit seinem Schwager William Ward und dem Kupferstecher

---

[1]) P. Fraxi „Catena librorum tacendorum" S. 83.
[2]) Vergl. darüber auch Grego a. a. O. Bd. I, S. 86.
[3]) Richard Muther „Geschichte der englischen Malerei" Berlin 1903, S. 62.

John Raphael Smith, eine grosse Zahl von höchst obscönen Bildern gezeichnet und in Mezzotintomanier gestochen. Der grösste Teil dieser künstlerisch vollendeten Bilder war für die Illustration verschiedener berühmter Romane des 18. Jahrhunderts bestimmt.

Als Illustrationen zu Fielding's „Tom Jones" erwähnt Pisanus Fraxi[1]) die folgenden Mezzotintos von George Morland und John Raphael Smith:

No. 1. Tom Jones and Molly Seagrim in the Grove (Tom Jones und Molly Seagrim im Gehölze). Molly und Tom unter einem Baume. Thwackum und Square betrachten sie aus der Ferne erstaunt. Sophia Weston klettert, unterstützt von dem Squire, über eine Hecke.

No. 2. Tom Jones, Molly Seagrim und Square. Tom und Molly von Square überrascht. Im Vordergrunde ein Hund.

No. 3. Tom Jones and Mrs. Waters in the Jnn at Upton after the Battle — Tom Jones Book IX, Chap. V. (Tom Jones und Mrs. Waters im Wirtshause zu Upton nach der Schlacht).

No. 4. Lady Bellaston and Tom Jones after their return from the Masquerade, Tom Jones book 13 Chapt 7.

Eine Scene aus Sterne's „Sentimentaler Reise" karikiert die folgende Zeichnung in obscöner Weise:

No 5. La Fleur taking leave of his Sweethearts. (La Fleur nimmt Abschied von seinen Ge-

---

[1]) P. Fraxi „Catena" S. 408—409.

liebten). La Fleur und zwei Mädchen. Yorick lugt zum Fenster herein.

Die beiden folgenden Zeichnungen geben nach gleicher Manier Episoden aus Rousseau's „Confessions" und „Nouvelle Héloïse" wieder.

No. 6. Rousseau and Madam de Warens, Rousseau's Confessions. Liebesszene zwischen Rousseau und Mme. de Warens. Ein runder Spiegel an der hinteren Wand giebt das Bild der Dame wieder.

No. 7. St. Preux und Eloisa. I feel you are a thousand times more dear to me than ever — O my charming Mistress! my Wife! my Sister! my friend! By what name shall I express what I feel. Eloisa Vol. I, Page 185. (Ich fühle, ich fühle, dass du mir tausend Mal teurer bist als je. O meine reizende Geliebte, mein Weib, meine Schwester, meine Freundin! Mit welchem Namen soll ich meine Gefühle ausdrücken!) St. Preux und Eloisa.

Auch Zeichnungen zu eigentlichen obscönen und erotischen Schriften hat George Morland in Verbindung mit Ward und J. R. Smith geliefert, vor allem die fünf folgenden vortrefflichen Mezzotintos zu John Cleland's „Memoirs of a woman of pleasure"[1]):

No. 1. Fanny Hill and Phoebe. Phoebe berührt Fanny in indecenter Weise. Rechts ein Tisch mit einer brennenden Kerze.

No. 2. Mrs. Brown, the Horse Grenadier, and Fanny Hill. Fanny beobachtet durch eine Glasthür die fette Mrs. Brown in einer Liebesszene mit einem Soldaten.

---

[1]) „Le Bibliophile Fantaisiste" S. 48; Pisanus Fraxi „Catena" S. 83—85.

No. 3. Fanny Hill, Louisa, and the Nosegay Boy. Der Junge und die zwei Freudenmädchen. Im Vordergrunde ein Korb mit Blumen. Rechts auf dem Stuhl eine Rute.

No. 4. Harriet ravish'd in the Summer House (Harriet wird in dem Sommerhäuschen genotzüchtigt).

No. 4 a. Dieselbe Szene ohne Titel, mit leichten Differenzen in Haartracht und Kleidung der Frau, der Ausstattung des Raumes u. s. w. Ist wohl die ältere Zeichnung, und No. 4 eine spätere Kopie.

No. 5. Harriet and the Barronet (sic). Ein Paar auf einer Ottomane, während zwei andere Paare hinter demselben stehen und sie beobachten.

No. 5a. Dieselbe Scene mit leichten Aenderungen. Sopha, Haarfarbe und Haartrachten sind verschieden, rechts ist ein Lehnstuhl, links im Vordergrunde Männerhut und Stiefel.

Ein anderes obscönes Mezzotinto, von G. Morland gezeichnet, von W. Ward in Kupfer gestochen, illustriert eine Scene aus Courtney Melmoth's d. i. Samuel Johnson Pratt's erotischer Schrift „The Pupil of Pleasure" (vergl. darüber Kap. 10). Er hat die Unterschrift: „Mrs. Homespun and Sedley. Pupil of Pleasure" und stellt Harriet, mit der Rechten die Wange Sedley's streichelnd, während sie mit der Linken ihn in indezenter Weise zu sich heranzieht.

Wahrscheinlich stammt das obscöne Mezzotinto „Emily Palmer afterwards Countess de Barre and Mr. de C —" ebenfalls von George Morland. Dasselbe veranschaulicht eine Szene aus einer sehr interessanten englischen Schrift, die im Jahre 1771 in London erschien:

„The Authentic Memoirs of the Countess de
Barre, the French King's Mistress, Carefully collated
from a Manuscript in the Possession of the Dutchess of
of Villeroy, by Sir Frances N —.

Si l'on se plait a l'image du vray,
Combien doit on rechercher le vray même?

The Second Edition. London: Printed for the Edi-
tors, and Sold by J. Roson, No. 54, St. Martins Le
Grand; and G. Reily, Queenstreet, May Fair, 1771.
Price Bound Three Shillings." ¹). 8⁰, 216 S.

Diese „Memoirs" bestehen aus 24 Briefen, alle mit
dem Datum 1770, angeblich von einem Pariser Herrn
an einen englischen Freund geschrieben. In ihnen
werden die Liebesabenteuer einer gewissen Emily Palmer erzählt, die während der Regentschaft des Herzogs
von Richelieu die Maitresse Ludwigs XV. wird. Auf
dem Titel steht der Name ohne Accent, im Texte heisst

¹) Andere Angaben: London 1772; Bern 1775; London bei
Rason (Roson) 1777. Neudruck von William Dugdale unter
dem Titel „The Lover's Festival, or Melting Moments" und
in der erotischen Zeitschrift „The Exquisite" (vergl. über diese
Kapitel 10) als „Memoirs of the Countess de Barre" (mit dem
dritten Briefe beginnend). Eine französische Uebersetzung erschien
1772 bei den ursprünglichen Londoner Verlegern unter dem Titel
„Mémoires Authentiques de la Comtesse de Barre, Mai-
tresse de Louis XV etc.", Londres 1772 (8⁰, 136 Seiten), Deutsch:
„Glaubwürdige Nachrichten von der Gräfin von Barre
in Briefen; Aus dem Englischen übersetzt. Cölln am Rhein, bey
Peter Marteau, dem Jüngern. 1772." (8', 176 Seiten, Leipzig
Hertel). Andere Ausgabe 1778, 8⁰. — Vergl. Robert Watt
„Bibliotheca Britannica; or a General Index to British and Foreign
Literature" Edinburgh 1824 Bd. III, Artikel „Rason." — E. M.
Oettinger „Bibliographie biographique universelle" Paris 1866
Bd. I Col. 439; Fernand Drujon „Catalogue des Ouvrages etc.
Condamnés etc." Paris 1878 S. 246; Hayn „Bibliotheca Germanorum
erotica" 2. Auflage, Leipzig 1885 S. 8.

es überall „De Barré". Im ersten Briefe sagt der Verfasser: „Das Leben der Gräfin de Barré, bevor der König von Frankreich sich in sie verliebte, ist mir ins Ohr geflüstert worden. Aber es unterscheidet sich so sehr von dem Bericht, den die Herausgeber einiger Zeitschriften Ihnen von dieser Dame gegeben haben, dass es eher als Roman denn als Wirklichkeit erscheint. Es ist in jeder Beziehung das Gegenteil von dem, was Sie von ihr wissen." Das Buch hat natürlich mit der wirklichen Madame Du Barry nicht das Geringste zu thun[1]) und ist nur die interessante Geschichte einer gewöhnlichen galanten Abenteurerin.[2])

Die oben erwähnte Zeichnung von G. Morland veranschaulicht den auf S. 128 dieser Schrift erzählten Vorfall, aus dem auch drei Zeilen auf dem Kupfer vermerkt sind. Emilie liegt auf einer Ottomane, mit einem Fusse den Boden berührend. Mit ihrer rechten Hand

---

[1]) „C'est un petit roman qui n'a pas le moindre rapport avec l'histoire de Madame du Barry" La Du Barry par Edmond et Jules de Goncourt Nouvelle Edition. Paris 1872 S. 2 Anmerkung.

[2]) P. Fraxi verzeichnet folgende Urteile über dasselbe (Catena 101—102): „Another heap of rubbish, swept out of Mons. Vergy's garret. This foreigner, who has so impudently thrust himself into the English Grubean society, appears determined to fill all our booksellers shops, stalls, and circulating libraries with lies and obscenity; the only studies in which he seems ambitious of excelling. In truth, we are sorry to see the Chevalier so grossly misapplying his talents; for he certainly is capable of better things." So scharf urteilte ein Zeitgenosse in der „Monthly Review" 1771 Bd. 44 S. 92 über das Buch. — Der Bibliograph Arthur Dinaux schrieb 1857 in sein Exemplar: „Ouvrage singulier, dont l'auteur ou l'éditeur a la singulière prétention de donner, en le publiant, les véritables mémoires de la Comtesse Dubarry. Et rien, positivement rien de ce qui est dans ce livre, n'a le moindre rapport avec la véritable histoire de la dernière maîtresse de Louis XV. L'imagination d'un écrivain anglais a tout fait; il ne faut donc pas chercher en cet ouvrage la moindre parcelle de vérité historique."

bemüht sie sich, die Annäherung des Herrn de C— von sich abzuwehren.

Pisanus Fraxi hält noch die folgenden drei Kupfer für das gemeinsame Werk von G. Morland und John Raphael Smith:

No. 1. Mock Husband (Der falsche Gatte). Lesbische Szene zwischen zwei Mädchen. Ein drittes angekleidetes Mädchen steht hinter dem Sopha und appliciert dem einen Mädchen die Rute ad posteriora. Signatur: „J. R. Smith, Fecit.“

No. 2. The Nobleman's Wife and the Taylor Crazy Tale. Ein sehr fetter Mann bemüht sich anscheinend vergeblich den Liebhaber einer Frau zu spielen.

No. 3. The Female Contest; or, my C...'s larger than thine! Fünf junge Frauen werden von einer sechsten untersucht. Sie steht hinter einem langen, schmalen Tisch, der mit einem weissen Tuch, welches quer über das Bild geht, bedeckt ist.[1]

John Raphael Smith allein[2] ist der Schöpfer der folgenden in Mezzotintomanier ausgeführten Kupfer:

No. 1. Interieur. Liebesszene zwischen Jüngling und Mädchen auf einem Sopha.

No. 2. Interieur. Ein starker Jüngling und ein derbes Mädchen. Der obere Teil ihres Körpers ist verhüllt. Ihr linker Fuss ruht auf dem Boden. In der rechten Ecke ein Nachttopf.

No. 3. Interieur. Puella cum Phallo. Cupido baculum ano inserit et muliebria titillat.

---

[1] P. Fraxi „Catena“ S. 409—410.
[2] ibidem S. 410—412.

No. 4. Eine Frau, mit langem auf den Rücken
wallenden Haar, sitzt auf einem Bette und stützt mit
der Linken ihren Kopf. Gesichtsausdruck und Haltung
zeigen grossen Kummer an. Klassische Manier.

No. 5. Interieur. Ein Mönch und ein hübsches
junges Mädchen.

No. 6. Holländisches Interieur. Ein Mann im hohen
Hute, eine lange Pfeife rauchend, die er in der rechten
Hand hält, berührt mit der Linken eine Frau, die
anscheinend schlafend auf einem Stuhle sitzt.

No. 7. Interieur. Eine Frau sitzt auf einem Stuhl
mit einem Traghimmel und hält ihre linke Brust in
ihrer rechten Hand, während sie mit der Linken auf
einen angekleideten Mann hinweist. Links gewährt ein
Fenster die Aussicht in einen Garten mit Cypressen.

No. 8. Interieur. Ein junger Mann mit blossem
Kopfe, sonst aber angekleidet, berührt mit einem Bogen
in seiner Rechten ein zu seiner Linken sitzendes Mädchen.
Auf ihrem rechten Oberschenkel liegt ein Notenblatt.
Sie hat eine hohe Haartracht. Davor ein Tisch mit
Flasche, Weinglas und einem Violoncell. Rechts ein
kleines Mädchen und des Mannes Hut.

No. 9. In einem Parke schläft unter einem Baume
ein Mädchen mit hoher Haarfrisur. Sie hat ein Schönheitspflästerchen auf der rechten Wange und trägt Schuhe
mit grossen Schleifen.

No. 10. Interieur. Ein Mann sitzt auf einem
Stuhle und entkleidet sich. Eine Katze daneben. Links
ein Bett und rechts ein Fenster. Ein Schwert und eine
Perrücke hängen an der Wand.

John Grand-Carteret nennt in einer interessanten
Parallele zwischen der englischen und französischen
Erotik in der Kunst am Ausgange des 18. Jahrhunderts [1]
neben Rowlandson Richard Newton als einen
Meister des Naturalismus auf diesem Gebiete.

Er giebt die Reproduktion von drei sehr charakteristischen Karikaturen Newton's; nämlich: „Which
way shall I turn me?" (Wohin soll ich mich wenden).
London 1791 Pub. by W. Holland, Oxfordstreet. Ein
Genussmensch hat die schwere Wahl zwischen den
Freuden der Tafel auf der einen Seite und den Freuden
der Liebe (in Gestalt eines auf dem Divan ruhenden
schönen Weibes) auf der anderen Seite. — „Old Goals
at the Sale of a French Kid (Alte Böcke bei dem Verkaufe einer französischen Ziege) London, W. Holland

---

[1] „On a déjà pu voir par l'estampe de Hogarth que les
Anglais ne reculaient point devant un certain réalisme qui, de tout
temps, plus ou moins, constitua une des particularités de leur
caractère artistique. Avec Rowlandson, avec Richard Newton,
avec Gillray, avec tous les dessinateurs des dernières années du
dix-huitième siècle, le léger devait atteindre des proportions
dépassant de beaucoup tout ce qu'on l'avait pu voir jusqu'alors.
Singulier mélange de décolleté et de bouffonnerie, de liberté
complète du crayon et de satire outrée et dans un esprit si différent
du nôtre qu'il fallut un certain temps pour que cette façon de
voir put entrer dans la conception française. Certes, sous la
Révolution, avec Debucourt et Boilly, le léger s'était porté jusqu'
aux extrêmes limites de la bienséance, mais entre le Honny soit
qui mal y pense de Boilly et les croquis gros de traits et
d'audace de Rowlandson ou de Richard Newton, il y a un
monde. Ce qui prédomine en France c'est la grivoiserie, c'est
l'allusion légère, l'allusion à une chose qui ne sera comprise que
de quelques personnes. En Angleterre, il est impossible que tous
le monde ne voie pas; car les dessinateurs caricaturistes exécutent
des images d'une clarté telle qu'il faudrait être aveugle pour ne
point, du premier regard, tout saisir et tout comprendre." John
Grand-Carteret „Le Décolleté et le Retroussé" Paris 1902,
5e Fascicule.

1796. Amor verkauft öffentlich meistbietend eine auf dem Auktionstische ihre Grazie in kokettester Weise zur Schau stellende Pariser Schönheit, die von den zahlreich erschienenen Liebhabern angestaunt wird. Amor ruft: „Zweiundfünfzig Pfund das Jahr, ein Cabriolet und ein Pony war das letzte Gebot. Kommen Sie, Gentlemen, bieten Sie mit Verstand auf diese Pariser Schönheit. Sehen Sie diese Stellung! Welch eine Grazie, welche Eleganz! Sie sind alle erstaunt. (Dieses Erstaunen hat der Künstler auf den verschiedenen Physiognomieen der anwesenden Männer in köstlicher Weise wiedergegeben). Fünfhundert Pfund das Jahr. Danke Euer Gnaden. Also für fünfhundert!" — Die dritte Zeichnung veranschaulicht uns in sehr drastisch-realistischer Weise die körperliche Ermüdung nach dem Genusse der physischen Liebe, nach dem „Kampfe", in der Gestalt eines üppigen, träge in einen Lehnsessel gesunkenen Weibes.

Vielleicht ist Newton auch der Urheber der acht obscönen Mezzotintos, die Pisanus Fraxi in die Zeit von Newton und Rowlandson verlegt und als ganz vortrefflich bezeichnet.[1]) Es sind die folgenden:

No. 1. Interieur. Liebesszene zwischen Mann und Frau. Sie küssen einander. Ein Knabe kniet mit einem Beine und beobachtet den Vorgang. Er hält seinen Hut in der linken Hand, während seine rechte Hand eine erstaunte Geste macht.

No. 2. Unter einem Baume in einem Parke ein junger Mann und ein Mädchen. Sie ruht auf einem grossen Buche.

---

[1]) P. Fraxi „Catena" S. 413—415.

No. 3. Coitus a posteriori.

No. 4. Interieur. Ein auf einer Ottomane sitzender Alter liebkost ein sich rückwärts gegen ihn lehnendes Mädchen. Er stützt sie mit seiner linken Hand, während seine Rechte auf ihrer Brust ruht.

No. 5. Interieur. Mann und Frau im Zustande sexueller Erregung dargestellt.

No. 6. Liebesszene zwischen einem Jüngling und Mädchen im Walde.

No. 7. Interieur. Liebesszene zwischen Mann und Frau auf einer Ottomane.

No. 8. Interieur. Ein Mann zeigt mit der linken Hand auf die stark entwickelten kallipygischen Reize eines Mädchens und macht mit der rechten Hand eine bewundernde Geste.

No. 9. Darstellung eines Coitus a posteriori. Eine Gardine fällt auf den Rücken des Mädchens, und rechts an der Wand hängt ein Gemälde „Leda und der Schwan". Der junge Mann soll Georg IV. als Prinzen von Wales darstellen.

No. 10. Schlafzimmer. Liebesszene zwischen einem auf einem Stuhle sitzenden jungen Manne und einem jungen Mädchen. Der Künstler hat die höchste Ekstase durch Darstellung eines „Seraphinenkusses", den sich die Beiden geben, zum Ausdruck gebracht. Im Hintergrunde ein Bett und eine Thür, vor letzterer ein Tisch mit einer Karaffe und zwei Weingläsern. Schlechte Zeichnung.

Von einem unbekannten Künstler existiert ferner eine Serie von vierzehn obscönen Mezzotintos zu Sterne's „Life and Opinions of Tristram Shandy", nämlich ein

Porträt und dreizehn Zeichnungen, offenbar für eine spezielle Ausgabe des Werkes hergestellt, da Band und Seitenzahlen auf zwei derselben angegeben sind. Das Porträt, mit der Unterschrift „Tristram Shandy" ist der Kopf eines Pfarrers, dessen Nase und Oberlippe einen Phallus darstellen. Auf den einzelnen Bildern stehen folgende Unterschriften: „Such a silly question" — „Par le moyen d'une petite Canulle" — „Right end of a Woman" — „A Limb is soon broke in such Encounters" — „Vol. IV p. II J will touch it" — „Vol. IV p. 75. The Intricacies of Diego and Julia" — „Whiskers" — „Take hold of my Whiskers" — „Widow Wadman" — „Yes, Yes, Isu the duce (sic) take that slit" — „I seiz'd her hand" — Tom's had more gristle in it". [1]

Aus der Zeit nach 1830 giebt es nur wenige erotische Zeichnungen von wirklich künstlerischem Werte, dagegen eine Unzahl schlechter kolorierter Lithographien, die teils separat erschienen, meist aber den zahlreichen erotischen Schriften beigegeben wurden. Eine Ausnahme macht ein Album mit zwölf kolorierten Lithographien, die H. K. Browne, einem Künstler von Bedeutung, zugeschrieben werden. Der Titel dieses Albums lautet:

„The Pretty Girls of London; Their little Love Affairs, Playful Doings, etc. By J. R. Adam, Esq., Depicted in Twelve Spirited Lithographic Drawings, By Quiz, from Designs by One of Themselves. Wm. Edwards, Importer of Parisian Novelties, 183, Fleet Street, London; and Paris. Price Twelve Shillings." Gross 8°. Ohne Jahr. In Tuchenveloppe.

---

[1] P. Fraxi „Catena" S. 415—416.

Diese kolorierten Lithographien sind sehr schön gezeichnet und fein ausgeführt. Ohne ganz obscön zu sein, sind sie doch überaus frei und wirken sehr drastisch. Unter jeder stehen ein paar humoristische oder erläuternde Worte. Es sind folgende Darstellungen: 1. Das Ballettmädchen (auf der Bühne), 2. Das Ballettmädchen (im Zwischenakt), 3. Das Austernmädchen, 4. Die Theaterdame (in der Loge), 5. Die Kellnerin, 6. Das Obstmädchen, 7. Die Cigarrenverkäuferin, 8. Die Kammerjungfer, 9. Das Dienstmädchen, 10. Die Konditoreimamsell, 11. Das Bar-Fräulein, 12. Das Kindermädchen. Jedes Blatt wird von einer einseitig mit einigen beschreibenden Knüttelversen bedruckten Seite begleitet.

Einige dieser Lithographien wurden später in einer periodischen Zeitschrift „Gems for Gentlemen" wieder reproduziert. [1]

Aus neuester Zeit erwähnt Pisanus Fraxi in seinem „Index librorum prohibitorum" eine Serie von obscönen Illustrationen zu Cleland's „Fanny Hill" von einem damals (1877) noch lebenden grossen Künstler, den er Hogarth völlig an die Seite stellt. [2]

Auch George Augustus Sala, der bekannte Schriftsteller und Journalist, Verfasser des 1882 erschienen flagellantistischen Romanes „The Mysteries of Verbena House", hat sich in kolorierten Darstellungen flagellantistischer Szenen versucht. Pisanus Fraxi erwähnt 37 solcher Flagellationsskizzen Sala's von sehr guter Ausführung. [3]

---

[1] P. Fraxi „Centuria", S. 399.
[2] P. Fraxi „Index", S. XVIII.
[3] Derselbe „Catena", S. 261.

Die Renaissance des Puritanismus in der Victoria-
nischen Aera, die sich auf allen Gebieten nachweisen
lässt, rief auch in der englischen Kunst eine Reaktion
gegen den derben Naturalismus der früheren Zeit hervor. Alles „Nackte" in der Kunst wurde verpönt, die
geringste körperliche Berührung zwischen Mann und
Weib galt für unanständig. „In der Darstellung des
Nackten", sagt Muther, „zeigt sich, welche engen
Grenzen heute dem englischen Kunstschaffen gesteckt
sind. Man denke nur einen Augenblick an Frankreich;
denke an die Publikationen „Le nu au Salon", die dort
alljährlich gemacht werden; denke an Degas, Carrière,
Besnard, für die das Spiel des Lichtes auf nackten
Frauenkörpern ein so unermesslich reiches Studienfeld
ist. Ja, man denke an das England von früher. Hogarth konnte wagen, in seiner Mariage à la mode den
Hausfreund zu malen, wie er halbnackt zum Fenster
hinaussteigt. Noch um 1860 siedelten Etty, Eastlake
und Hilton in der Welt des Tizian und Rubens sich an.
Heute hat die Feigenblattmoral dieses ganze Gebiet ver-
femt. Der Geist der Lex Heinze scheint über dem
Lande zu schweben. Watts sogar, der grosse vergötterte
Meister, erregte Anstoss, war gezwungen, den Leuten
schriftlich zu explizieren, weshalb er seine Psyche und
das junge Mädchen des Mammonbildes nur nackt, nicht
bekleidet hätte geben können. Kommt bei den letzten
Klassizisten — bei Poynter, Tadema und Crane — zuweilen noch Nacktes vor, so sind die Gestalten ihrer
Weiber alles Fleischlichen entkleidet, ins Marmorne,
Statuenhafte übersetzt und obendrein an den chokierend-
sten Partien noch von jenen Florgewändern umhüllt,
die schon bei Leighton eine so mildernde Rolle spielten.

20*

Im übrigen nuditas vacat. Babies, die in die Badewanne steigen; Buben, die im Nachen ins Meer segeln und sich dort des Hemdes entledigen — in Gottes Namen, das geht noch an. Doch soll ein nackter Frauenleib gemalt werden, so ist wenigstens eins zu fordern: dass die Nudität kirchlich motiviert sei. Ein solches Motiv fand Philipp Calderon in der Saints Tragedy von Kingsley. Er malte die Szene, wie ein junges Mädchen, vor dem Kruzifix knieend, gelobt, auf alle Eitelkeit der Welt zu verzichten, „nackt ihrem nackten Lord zu folgen". Das ist die einzige Nudität, die es ausser Watts und Leightons Werken in der Tate Gallery giebt. Dass einer der Priester, die der Szene beiwohnen, gleich der Vergognosa di Pisa, die Hand vor die Augen hält, um den grazilen Mädchenleib nicht zu sehen, ist ebenfalls eine recht englische Nüance. Und welches unendliche Reich von Schönheit den Künstlern durch diese zimperliche Prüderie verschlossen wird, braucht man kaum zu betonen."[1]

Die Bewegung gegen alles Nackte in der Kunst, die bei uns zu dem berüchtigten Vorschlage der „Lex Heinze" geführt hat, ist in England noch viel nachhaltiger als bei uns. Die Führer derselben waren in den 80er Jahren Mrs. Grundy und der alte Maler Horsley. Sie denunzierten den unbekleideten menschlichen Körper als schamlos, indecent und unmoralisch und beschuldigten so, wie Hector France sich geistreich ausdrückt, den Schöpfer indirekt des „schlechten Geschmackes". Ein Ueberpietist wollte gar auf einer Ausstellung der Royal Academy einige Gemälde mit

[1] R. Muther, „Geschichte der englischen Malerei", S. 330 bis 331.

dem Regenschirm durchstossen, weil er den Anblick un-
schuldiger Nuditäten auf ihnen nicht ertragen konnte.[1]

Trotz und vielleicht wegen dieser Perhorreszierung
der Darstellung des nackten menschlichen Körpers in
der englischen Kunst der zweiten Hälfte des 19. Jahrhunderts erfuhr die künstlerische Auffassung des rein
Erotischen eine neue Steigerung, die das Geschlechtliche
in einer ganz neuen Nüance zum Ausdruck brachte. Da
die Liebe nicht mehr in ihren einfachen natürlichen
Erscheinungen wiedergegeben werden konnte, wie sie
der im Grunde naive Naturalismus eines Hogarth,
Rowlandson, George Morland u. A. konzipiert
hatte, so entstand jene künstliche Erotik, die, absehend
vom rein Körperlichen, rein seelische, innerliche Ausdrucksmittel sucht, hierbei aber notwendigerweise eine
viel raffiniertere Sinnlichkeit entwickelt, als sie selbst
in der blossen obscönen, aber immer noch natürlichen
Darstellung wirklicher Geschlechtsakte zu Tage tritt.

Diese Bewegung ging von der Schule der sogenannten
Praeraphaeliten aus, als deren berühmteste Vertreter
Holman Hunt, Dante Gabriel Rossetti, Edward
Burne-Jones genannt seien. Seelenzustände, Empfindungen, Gefühle, das psychologische Erlebnis wurden
der Hauptgegenstand der von den Praeraphaeliten ver-
tretenen Kunstrichtung, die sich in dieser Beziehung
völlig an die Frühitaliener und an die Gothik anlehnte.

Dante Gabriel Rossetti (1828—1882), die „Seele"
der Praeraphaelitenbrüderschaft, ist auch der Begründer
einer ganz neuen Auffassung des Erotischen in der englischen Kunst. In den von ihm gemalten Liebesszenen

---

[1] Hector France, „En Police-Court" ,Paris 1891, S. 246.

aus der Bibel, aus der Arthursage, aus dem Decamerone,
der göttlichen Komödie, dem Roman de la Rose wird
eine ganz neue Art der „bebenden Sinnlichkeit" sichtbar, die den früheren englischen Künstlern vollkommen
fremd war.

„Nie handelt es sich um Sinnlichkeit in antikem
Sinne, sondern um jene schwüle, sich als sündhaft
empfindende Leidenschaft, die erst das Christentum in
die Welt gebracht. Hingebung, Schmachten und Sehnsucht, Liebe, über der ein dunkles Verhängnis schwebt,
Blutschande, Liebe auf Gräbern — das ist das Thema
der Werke. Unendlich oft wird geküsst. Doch diese
Küsse sind nicht die tändelnden, wie sie Fragonard
malte. In schmerzvollem, seelenaussaugendem Kuss
pressen sich die Lippen aufeinander. „Ich trinke dir
die Seele aus, die Toten sind unersättlich." ..... Alle
Begehrlichkeit seiner Sinne giesst Rossetti in die Formen
hinein. Er malt „la bella mano" — da ist der ganze
Inhalt des Bildes die Empfindung einer weichen, weissen
langen Hand, deren Berührung erschauern macht, malt
Venus Astarte, da ist der ganze Inhalt die Empfindung
eines schlanken Halses, der unter wahnsinnigen Küssen
sich zurückbiegt; malt die Frau mit dem Spiegel, da
denkt man an einen Menschen, der seinen Kopf in diese
Haare presst, und bebend die berauschenden Düfte ein-
saugt. Stets ist die Liebesgöttin Rossettis ein gewaltiges
Wesen von grausamer, beunruhigender Schönheit. Mächtig
ist der Leib. Wogendes, dickes, kastanienbraunes Haar
flutet tief in Stirn und Nacken hernieder. In verzehren-
dem Feuer, in dunklem, nervösem Verlangen lechzen
die Augen. Zu dämonischen Küssen bäumen sich die

schwellenden Lippen... Nie vorher wurden in England Bilder von so vibrierender Sinnlichkeit gemalt." [1])

Erotische Feinheiten wie den Zauber der Frauenhand, den Duft des Haares, den „grausam roten Mund, der einer Giftblume gleicht, schlürfend mit weissem Zahn der Adern Saft", den grausam-wollüstig-rätselhaften Ausdruck des Auges schöner Frauen hat Rossetti wie keiner vor ihm und nach ihm in seinen Bildern wiedergegeben. Er ist ein neuer Psychologe der Liebe, der in ihr das „inbrünstige Verlangen der Seele aus dem Grau des Alltags nach neuen Schönheiten, verkörpert in der Figur des Weibes als Priesterin dieser Seelenwünsche" sieht. [2])

Die natürliche Entwickelung dieser Richtung musste zur Mystik und Askese führen, wie wir sie in den Bildern des Burne-Jones (1833—1898) finden. Seine ätherischen Frauengestalten wenden sich von den irdischen Wonnen den himmlischen zu. Sie schwelgen in mystischen Genüssen. Die doch bei Rossetti noch gewaltig zum Ausdruck kommende körperliche Sinnlichkeit wird durch die rein geistige ersetzt, die üppigen Formen des weiblichen Körpers verschwinden, um einer übermässigen ätherischen Schlankheit Platz zu machen. So wurde Burne-Jones der „Abgott der Aestheten, die einen pikanten Reiz darin sahen, für das Schlanke, Dünne zu schwärmen, nachdem sie am Breiten, Runden sich satt gesehen .... Ja, das ganze Leben stilisierte sich auf Burne-Jones. Die Natur gab — wie Oskar Wilde sagt — wie ein geschickter Verleger in Tausenden von Exemplaren

---

[1]) R. Muther a. a. O. S. 216; S. 219; S. 222.
[2]) Rudolf Klein „Aubrey Beardsley" Berlin 1902 S. 9.

heraus, was ein Maler ersonnen hatte. Auf die Bilder des Burne-Jones geht der Typus der modernen Engländerin zurück." [1])

Gewissermassen eine Synthese der malerischen Auffassung des Erotischen von Rossetti und Burne-Jones hat der geniale, schon mit 26 Jahren verstorbene Aubrey Beardsley (1872—1898), der englische Rops, in seinen Werken vollbracht. Er hat das ganze Raffinement der modernen Liebe dargestellt und den Spuren von Rops nachfolgend das satanistische Element derselben vor allem zum Ausdrucke gebracht, hat das „Lied vom Geschlecht als satanische, kosmische, schaffende, zerstörende Macht" gesungen [2]). Vom „Schönheitspriester der Sünde" wurde er der „Geschlechtsphilosoph".

Die Werke Beardsley's sind die „betäubendsten Blüten", die dieser wunderbare Frühling englischer Buchkunst trieb. „Am Ende der alten Jahrhunderte, wenn die edlen Doktrinen im Absterben begriffen sind, erscheinen die freien, reizenden und wunderbaren Verfallzeitler, die Abenteurer der Linie, die alles wagen und in ihrer Phantasie eine sanfte Korruption mit einer köstlichen Verwegenheit vereinen." Diese Worte, die Edmond de Goncourt in seinem Tagebuch über Fragonard sagt, gelten in noch höherem Grade von Beardsley. Von Burne-Jones, seinem Lehrer, nahm er den Ausgang, und seine ersten Werke zeigen das Praeraphaelitentum in seiner keuschesten, duftigsten Zartheit. Es ist etwas Unschuldiges, Thränenschimmerndes, etwas wie Vogelgezwitscher in seiner reizenden Kunst. Engelrein

---

[1]) R. Muther a. a. O. S. 239.
[2]) R. Klein „Aubrey Beardsley" S. 11.

sind seine Frauen mit ihren sanften Augen, ihren rosigen Lippen, ihren leisen Bewegungen. Von einem mystischen Hauch zitternder Wehmut ist alles verklärt. Da trat Rops in den Gesichtskreis des jungen Meisters ein, Rops, der Sataniker, dem das Weib die Inkarnation der Wollust, die Tochter der Finsternis, die Dienerin des Teufels bedeutete. Und auch in Beardsley's Werke kam nun die „note macabre", die Linie der Perversität. Himmel und Hölle, Askese und Wollust, altenglische Bigotterie und modernste Fäulnis verbinden sich zu einem dämonischen Potpourri. Was vorher heilig war, wird gemein. Aus Rosen werden Sumpfblumen. Die entsagungsvollen Weiber des Burne Jones verwandeln sich in Dirnen: mit gaminhaften, stengeldünnen Gliedern; totem, absinthgetrübtem Auge, gefärbtem, kupferrotem Haar, obscönen, welken, in allen Künsten geübten Lippen. Es ist, als ob ein Engel plötzlich Zoten sagte und sich in hysterischen Krämpfen wände. Gerade das giebt Beardsleys Blättern ihre unheimliche, infernale Wirkung. Während alle anderen Künstler die Delikatesse und Sanftmut der englischen Seele feiern, zeigt Beardsley den Schlamm, der auf dem Grunde dieses stillen, scheinbar so reinen Sees lagert. Doch es genügt nicht, auf die Praeraphaeliten und auf Rops zu weisen. Denn Beardsley liebt alles, worin verderbte Säfte, seltene, aussergewöhnliche Düfte sich mischen." [1]

In der ersten Periode, unter dem Einflusse von Burne-Jones hat Beardsley das Weib wesentlich als Priesterin der Askese gezeichnet, wie in „Adoramus te", in „A Christmas Carol", „A Head" und anderen, ganz

---

[1] R. Muther, a. a. O. S. 260—262.

im Stile der florentinischen Frührenaissance gehaltenen Werken. In der zweiten Periode, von Rops beeinflusst, entwickelte er den ihm eigentümlichen Linienstil zu einer wunderbaren Meisterschaft. Erst hierdurch wirken die Frauengestalten dieser zweiten Phase so überaus suggestiv. Die Liebe als Sünde, als Laster wird uns hierdurch noch deutlicher, noch schmerzhafter offenbart als durch die mehr plastisch wirkenden Werke von Rops.

Wohl niemals ist das Tier im Weibe, die wilde Obscönität des rein Geschlechtlichen künstlerisch so zum Ausdruck gebracht worden wie in „Incipit vita nova", „Messalina" und „The Wagnerites" von Aubrey Beardsley.

„Nacht ist es; dem fieberglühenden Weib erscheint der Embryo seines in Greuel empfangenden Leibes: „incipit vita nova."

Nacht ist es; wie eine höllisch gleissende Riesen-Furie, geschwollen an tausend saugenden Lüsten, zieht die Baalspriesterin auf Raub aus: „Messalina".

Nacht ist es; ein Heer furchtbarer, halb entblösster Vampyr-Weiber lauscht mit wiehernden Leichenschänder-lippen in satyriasischen Krämpfen halb irrsinnig ver-zückt der Tristan-Musik: „The Wagnerites."[1])

In der letzten Periode seiner kurzen Schaffenszeit ist Beardsley von der Darstellung des Sündigen, des Lasterhaften in der Liebe zu einer weniger raffinierten Auffassung des Erotischen fortgeschritten. „Das Weib ist üppig, doch ohne Sünde. Die Lüste seines Körpers scheinen nicht mehr Selbstzweck, sondern Mittel. Seine

---

[1]) R. Klein a. a. O. S. 47—48.

Brüste milchen wieder, sind nicht mehr ein Gegenstand steriler Lust. Ein Symbol segenbringender Fruchtbarkeit ist dies Weib, eine gesunde Kybele. Voll indischer Feierlichkeit. Und erreicht seinen Höhepunkt in einem Volpone-Initial. Links und rechts eine indische Herme. Unter dem Kopfe sechs fettstrotzende Brüste. Im Buchstaben-Ornament ein Weib, halb Michel-Angelo, halb Indien. Keine Spur von Sünde, von Laster. Der Leib hochschwanger, und ein Kind streckt verlangend die Hände nach der alma mater aus."[1]

Als höchst eigenartigen Karikaturisten und Sittenschilderer lernen wir Beardsley aus den Illustrationen zu drei Bänden der von Walter Jerrold herausgegebenen „Bon Mots" kennen.[2]

Die Darstellung rein sexueller Gegenstände durch die Kunst kann, wie schon erwähnt, nur dann als berechtigt anerkannt werden, wenn sie von wirklichen Künstlern ausgeht und für einer künstlerischen Betrachtungsweise fähige Personen bestimmt bleibt. Sobald aber die erotische „Kunst" zum gewöhnlichen pornographischen Bilde niedrigster Sorte herabgewürdigt wird, welches für eine wahllose Massenverbreitung bestimmt ist, handelt es sich nicht mehr um eine künstlerische Wirkung, sondern um eine Spekulation auf eben

---

[1] R. Klein a. a. O. S. 49—50.

[2] Die wertvollsten Zeichnungen Beardsley's sind gesammelt in „The Early Work of Aubrey Beardsley"; „The later Work"; „A Book of fifty Drawings", „A second Book of fifty Drawings."

den Trieb, der bei jener ersten Gattung gerade künstlerisch überwunden werden soll.[1])

In England kamen für diese Massenverbreitung
ausser den bereits erwähnten obscönen Lithographieen
in früherer Zeit besonders o b s c ö n e S p i e l k a r t e n und
T a b a k s d o s e n, in den letzten Dezennien die o b s c ö n e n
P h o t o g r a p h i e e n in Betracht.

Die Spielkarten, die am Ende des 15. Jahrhunderts
in England eingeführt wurden[2]), wurden seit 1700 häufig
mit sittengeschichtlichen Zeichnungen à la Hogarth
versehen, die sich auch auf erotische Sujets bezogen.
T h o m a s H e y w o o d in Pendleton bei Manchester besass
ein solches Spiel erotischer Karten. Eine der Karten
stellte einen Cupido dar, der eine Rose pflückt, mit der
Unterschrift: „In der Liebe giebt es kein Vergnügen
ohne Schmerz" und den folgenden Versen:

> As when we reach to crop yᵉ blooming rose
> From off its by'r yᵉ thorns will interpose;
> So when we strive the beauteous nymph to gain,
> Ye pleasures we pursue are mixed with pain.[3])

Aus späterer Zeit berichtet R y a n über die ausserordentlich grosse Verbreitung von Spielkarten mit
schmutzigen Darstellungen.[4]) Meist handelt es sich um
transparente Karten, auf denen erst beim Durchfallen
des Lichtes die obscönen Bilder sichtbar werden.

---

[1]) Vgl. darüber die näheren Ausführungen bei J. B l o c h „Beiträge zur Aetiologie der Psychopathia sexualis" Teil I, S. 204—210.

[2]) C h a t t o, „Facts and speculations on the origin and history
of playing cards", London 1848, S. 97.

[3]) ibidem, S. 157—158.

[4]) R y a n a. a. O., S. 112

Seit Anfang des 19. Jahrhunderts war eine beliebte Verbreitungsweise obscöner Bilder die durch Tabaksdosen (snuff-boxes) mit lasciven Darstellungen auf der Innenseite des Deckels vermittelte. Der Verfasser des „Tableau descriptif de Londres" berichtet, dass anno 1816 der Gerichtshof einen Kaufmann zu einer hohen Geldstrafe verurteilte, weil er Tabatièren, auf denen man obscöne Bilder sah, verkaufte[1]), und im September desselben Jahres passierte in Union Hall der folgende anrüchige Fall. Ein gewisser James Price wurde von dem die Aufsicht über die Hausierer führenden Beamten verhaftet, da er keinen Erlaubnisschein hatte. Der Inspektor hatte ihn in Richmond von Haus zu Haus gehen und Zwirn und Schnupftabaksdosen verkaufen sehen. Bei genauerer Untersuchung der letzteren stellte sich heraus, dass viele derselben höchst obscöne Bilder und Kupfer hatten, von welchen einige wirklichen künstlerischen Wert besassen. Diese pflegte Price besonders in Mädchenschulen zum Verkaufe vorzulegen, und fand damit grossen Absatz bei den Backfischen. Er wurde zu 10 Pfund Geldstrafe verurteilt, die bei der Zahlungsunfähigkeit des Angeklagten in 3 Monate Korrektionshaus umgewandelt wurden. [2])

Ryan berichtet noch aus dem Ende der 30er Jahre, dass man indecente Tabaksdosen überall in den Fenstern der Tabaksläden ausgestellt sähe. [3])

Nach Pisanus Fraxi[4]) wird England durch kein

---

[1]) „Tableau descriptif de Londres", S. 195.
[2]) Ryan, a. a. O., S. 106—107.
[3]) ibidem, S. 98.
[4]) P. Fraxi, „Index", S. XIX.

einziges Land der Welt in der Quantität der Produktion von obscönen Photographien, der sogenannten „smutty photos" übertroffen. Man bekommt dieselben meist in gewissen Buch- und Papierhandlungen in der Umgebung des Leicestersquare. Anfangs der 70er Jahre genoss Mr. Henry Hayler wegen solcher photographischer Studien „nach dem Leben" einen europäischen Ruf. Der Chef der Sittenpolizei, Mr. Collette machte am 31. März 1874 dem Treiben desselben ein plötzliches Ende. An diesem Tage wurden in seinen Ateliers, Bloomfield Terrace No. 20 und Pimlico Road No. 61 nicht weniger als 130248 obscöne Photographien und 5000 Platten beschlagnahmt. Hayler selbst flüchtete und entging so der Bestrafung; er wandte sich nach Berlin und blieb seitdem verschollen. Auf den schlimmsten Photographien waren die Porträts von Hayler, seiner Frau und zwei Söhnen erkennbar! Man fand ausserdem eine grosse Zahl von Briefen, aus denen hervorging, dass der Vertrieb der obscönen Photographieen sich über ganz Europa und Amerika erstreckte. [1]

Ueber eine höchst eigenartige Verwendung der Photographie in einem fashionablen Londoner Bordelle berichtet Rémo. Beim Betreten des Salons glaubt man sich im Vorzimmer eines photographischen Ateliers zu befinden. Ueberall Photographieen an den Wänden, freilich nicht solche von alten Herren und alten Jungfern, sondern von hübschen jungen Damen, darunter von vielen, die man gelegentlich in der besten Gesellschaft antrifft. Kein Name, jedes Bild hat eine Nummer.

---

[1] Vergl. „The Morning Advertiser" vom 1. April 1874; „The Daily Telegraph" vom 4. April; „The Times" vom 20. April.

Der Besucher wählt sich dasjenige, von dessen Gegenstand er sich am meisten verspricht, und zur festge-
setzten Stunde liefert ihm die Kupplerin das betreffende
junge Mädchen. [1])

Das erinnert an ähnliche Einrichtungen, die aus
holländischen Bordellen beschrieben worden sind.

---

[1]) Rémo, „La vie galante en Angleterre“, S. 258.

Zehntes Kapitel.

Die Litteratur.

Mehr noch als in der Kunst hat die Auffassung des Erotischen in der Litteratur eine ausserordentliche Bedeutung für die Erkenntnis des Charakters eines Volkes und einer bestimmten Kulturepoche desselben. „Von allen Gefühlen," sagt Georg Brandes, „welche die Dichtkunst behandelt, spielt das erotische die grösste Rolle. Wie es aufgefasst und dargestellt wird, ist ein Moment von der höchsten Bedeutung zum Verständnisse des Zeitgeistes. An der Auffassung des Erotischen kann man, wie an dem feinsten Messinstrumente, die Stärke, die Art und den Wärmegrad des Gefühlslebens einer ganzen Zeit erkennen." [1]

Dieses allgemeine Urteil über die Bedeutung des Erotischen in der Poesie und Prosa der Völker lässt sich auf seine Richtigkeit am besten prüfen, wenn man den krassesten Ausdruck des Erotischen, wie er in der sogenannten „erotischen" Litteratur im engeren Sinne sichtbar wird, ins Auge fasst. In der That spiegelt

---

[1] Georg Brandes „Die Hauptströmungen der Litteratur des 19. Jahrhunderts" 6. Auflage, Leipzig 1899 Bd. III. S. 230.

sich der Charakter eines Volkes in der erotischen Litteratur desselben sehr deutlich wieder. Jene extremen Auswüchse des englischen Nationalcharakters, die in der Einleitung zum ersten Bande des vorliegenden Werkes geschildert wurden, die Brutalität, Roheit, Exzentrizität, sie stossen uns in der eigentlichen erotischen Litteratur noch mehr auf als in den der gewöhnlichen Belletristik und Dichtkunst angehörigen Schriften, die daneben doch auch die ganze Gediegenheit, Tiefe, Sentimentalität und Schwermut der englischen Volksseele uns offenbaren.

Das Wort Boileau's:

Les Anglais dans les mots bravent l'honnêteté,

gilt also uneingeschränkt nur von der erotisch-obscönen Litteratur. Von dieser urteilt der weitaus gründlichste und berufenste Kenner, Pisanus Fraxi: „Die englischen erotischen Erzählungen sind traurige Produkte vom litterarischen Standpunkte, der allein sie in den Augen eines gebildeten Menschen entschuldigen könnte. Es scheint in der That, dass die englische Sprache sich nicht für die Darstellung erotischer Gegenstände eignet und dass uns eine delikate Behandlung derselben unmöglich ist. Jene raffinierte und verfeinerte Sinnlichkeit, welche Eugène Sue, selbst ein grosser Held in der Debauche, die „religion des sens — non la sensualité vulgaire, ignare, inintelligente, mais cette sensualité exquise qui est aux sens ce que l'atticisme est à l'esprit" nennt, findet sich selten, ich kann wohl sagen, niemals bei uns. Im Gegenteil bestreben sich unsere Schriftsteller auf diesem Gebiete das dem Buffon zugeschriebene Wort „qu'il n'y avait de bon en amour que le physique" breit auszuführen und das mit den rohesten Worten und brutalsten, gemeinsten Ausdrücken, so dass ihre Erzählungen unglücklicher- oder vielmehr glücklicherweise eher abstossen als anziehen und nur durch unser sehr vielsagendes Wort „bawdy" qualifiziert werden können."[1])

Er führt diesen abstossenden Charakter der englischen Erotik zu einem grossen Teil auch auf den Umstand zurück, dass, während in Frankreich, Italien und selbst in Deutschland hervorragende Denker und Schriftsteller es nicht verschmäht haben, das Gebiet des eigentlich Erotischen zu betreten, in England nur die „veriest grubbians", meist Leute ohne jede litterarische und künstlerische Bildung ihre Federn in den Dienst von Venus und Priapus gestellt haben. Der grösste Name, dessen England sich rühmen kann, ist John Cleland, und auch er ist nur ein Stern niederer Grösse in Vergleichung mit zahlreichen französischen Pornographen seiner Zeit.[2])

Noch schlimmer wurde die Sache als der Einfluss der fremden, namentlich französischen Erotik sich besonders im Laufe des 19. Jahrhunderts bemerkbar machte. Man übernahm alle Unnatürlichkeiten, alles Raffinement von den Franzosen, aber ohne ihre Delikatesse im Ausdruck und in der Form. Und so bietet die neuere englische Erotik ein widerliches Gemisch von gemeinster Roheit und gröbster Widernatürlichkeit dar. „Wenn wir", sagt Fraxi, „Erzählungen wie die „Memoirs of a Woman of Pleasure", die „Memoirs of a Coxcomb" mit der „Romance of Lust", der „Experimental Lecture" oder den „Lascivious Gems" vergleichen, so bemerken wir, dass in den erstgenannten Büchern die

---

[1]) P. Fraxi „Catena" S. XL—XLII.
[2]) Vergl. P. Fraxi „Index" S. XVIII.

Charaktere, Szenen und Zufälle natürlich sind, die Sprache
nicht übermässig roh ist, dass dagegen in den letzteren
die Charaktere und Ereignisse unmöglich, die Worte
und Ausdrücke höchst schmutzig und gemein sind.
Clelands Charaktere — Fanny Hill, der Geck, die
Kupplerinnen und Wüstlinge, unter die sie geraten, sind
nach der Natur geschildert und thun nur, was sie unter
den sehr natürlichen Umständen, in die sie versetzt
worden sind, gethan haben könnten und wollten, während
die Personen der letztgenannten Werke ganz unwirk-
liche Erzeugnisse verrückter Phantasie sind, deren Handlungen ganz unwahrscheinlich oder unmöglich sind."[1])

Im Ganzen ist der erotische Wortschatz der
Engländer ein ziemlich grosser, jedenfalls ein grösserer
als der deutsche, wenn auch lange nicht so mannich-
faltig und fein nüanciert wie das obscöne Argot der
Franzosen. John Bee in seinem „Sportman's Slang"
(London 1825) hat zahlreiche solche Worte verzeichnet.
Ausführlicher ist das englische Wörterbuch des Kapitän
Grose:

„A Classical Dictionary of the vulgar tongue (by
Captain F. Grose F. S. A.), London 1785, 8°." Zweite
Auflage, bedeutend vermehrt, von Pierce Egan,
London 1823, 8°.

Die erotischen Ausdrücke dieses Wörterbuchs sind
unter dem Titel „An Erotic English Dictionary" aus-
gezogen und zusammengestellt im zweiten Bande der
Sammlung „Κρυπτάδια" (Heilbronn 1884 Bd. II, S. 271-276).
Da sie für Linguisten, Kultur- und Litterarhistoriker
ein grosses Interesse darbieten, auch manche derselben

---

[1]) P. Fraxi „Catena" S. XLII.

bei den besten Prosaschriftstellern des 18. und 19. Jahrhunderts angetroffen werden (namentlich bei den Humoristen), so teile ich dieselben an dieser Stelle[1]) gleichfalls mit:

A b b e s s, or Lady Abbess = eine Bordellbesitzerin, Kupplerin.

A c a d e m y, or pushing school = ein Bordell.

A n k l e = man sagt von einem geschwängerten Mädchen, dass es seinen Knöchel (ankle) verstaucht hat.

A r m o u r, to fight in = ein Condom benutzen.

A u n t = Kupplerin (eigentlich „Tante").

———————

B a c k g a m m o n p l a y e r = ein Päderast.

U s h e r or g e n t l e m a n o f t h e b a g d o o r = ein Päderast.

T o B a g p i p e = irrumare.

B a s k e t m a k i n g = Kopulation (eigentlich „Korbmachen").

B a w b l e s = Testiculi. ·

B e a r d s p l i t t e r = ein Wüstling.

B e a s t w i t h t w o b a c k s = Mann und Weib in coitu (das „Tier mit zwei Rücken" nach der bekannten Stelle in Shakespeare's „Othello").

B l o w e r = eine Hure.

B o b t a i l = Hure, Eunuch,

B r i m = Prostituierte.

B r o t h e r S t a r l i n g = einer, der bei derselben Frau schläft (eigentlich „Bruder Staar").

B r u s h, to have a, with a woman = Coitus.

B u c k - f i t c h = ein lüsterner Alter.

B u m b o = Negerwort für pudendum muliebre.

B u t t e r e d b u n = von jemandem, der mit einem eben von einem Anderen benutzten Mädchen verkehrt, sagt man, dass er einen „buttered bun" hat.

B u t t o c k = Hure.

B u t t o c k b e l l = Coitus.

———————

[1]) Es ist dies zugleich eine Ergänzung zu den früher, namentlich im 7. Kapitel mitgeteilten erotischen Termini technici.

Cat = Dirne.
Cauliflower = pudendum muliebre.
Clicket = Coitus.
Cockalley or Cocklane = pudendum muliebre.
Coffeehouse = Coitus prolongatus oder interruptus.
Cooler = Frau.
Commodity = pudendum muliebre.
Corporal: to mount a corporal and 4 = Onanie (corporal =
    Daumen; 4 (fingers) = Genitalien).
Crack = Hure.
Crinkums = Syphilis.
Cundum = Condom.

Dock = futuere.
Doodle = membrum pueri.
Dripper = Gonorrhoe.
Dry bob = Coitus sine emissione.
Dumb glutton = Pudendum muliebre.
Dumb watch = Bubo.

Facemaking = Coitus.
Fen = Kupplerin oder Lustmädchen.
Fireship = syphilitische Frau.
Flyer = Coitus extra lectum.
Frig, to = masturbare.
Fuck = futuere.

Games = Hure.
Gap-stopper = Bordellwirt.
Gigg = pudendum muliebre.
Giblets, to join = futuere.
Gingambobs = testiculi.
Goats giggs = Coitus.
Gobble prick = ein wollüstiges Weib.

Old Hat = pudendum muliebre.
Hooks, cunt = Finger.
Horn colick = Priapismus.

Huffle = Bestialität.
Hump, to = futuere.

Indorser = Päderast.
Jock or Jockun cloy = futuere.

Kettle drums = Mammae.
Knock = futuere.

Ladybirds — Huren.
Larking = a lascivious practice that will not bear explanation.
Lobcock = membrum magnum relaxatum.

Machine = Condom.
Madge = Pudendum muliebre.
Madge Culls = Päderasten.
Mantrap = Pudendum muliebre.
Mettle = Sperma.
to fetch mettle = onanieren.
Molly = Päderast
Mow = futuere (schottisch).
Muff = Pudendum muliebre.

Nigling = futuere.
Notch = Pudendum muliebre.
Nub = Coitus.
Nutmegs = Testiculi.

Peppered = syphilitisch.
Plug tail = Membrum virile.
Prick = Membrum virile.
Prigging = Coitus.

Riding St. George = Coitus inversus.
Roger = Membrum virile.
to roger = futuere.
Running horse or nag = Syphilis.

Screw = futuere.
Strapping = Coitus.

Stroke, to take a = futuere.
Strenn = futuere.
Sunburnt = mit Gonorrhoe inficirt.
Swive = futuere.

Tallywags oder tarrywags = Testiculi.
Thomas, Man = Membrum virile.
Tiffing = Coitus.
Token = Syphilis.
Tomhup = futuere.

Wap = futuere.
Whiffles = scrotum relaxatum.
Whirligigs = Testiculi.
Windwind passage, one who uses or navigates the = Päderast.

Es lässt sich nicht leugnen, dass sich in diesen Paraphrasen geschlechtlicher Dinge mitunter ein sehr drastischer und origineller Humor ausspricht, der, grob und ungeschlacht wie er ist, doch recht treffende Vergleichungen zu wählen versteht. Diese zahlreichen Vergleichungen und Benennungen obscöner Dinge mit anderen Namen haben der englischen Sprache einen grossen Schatz von zweideutigen Worten hinzugefügt, die der Fremde kennen muss, um nicht — was sehr oft passiert — einen argen gesellschaftlichen Verstoss gegen die gute Sitte zu begehen. Der gelehrte Kenner des Londoner Jargon, Heinrich Baumann, hat in seinen „Londinismen" diese equivoken Wörter in folgenden Versen zusammengestellt:

> Sprich niemals backside anstatt back,
> Mit Wörtchen bottom nicht erschreck'.
> Verwechsl' pot ja nicht mit po;
> Hüt' dich zu sagen: I' sh'd think so!
> In farther sprich das te-age aus.
> In sting ist k dem Ohr ein Graus.

Zu englischen Ohres Schreck' und Weh'
Sprich niemals hart das b und g:
In cog, frog und big,
In fog, brig und brick.
Ruf immer psh! und niemals pist!
Hüt' dich vor grind, spent, clap und kissed!
Nie Damen nach ihrem kitten frag',
Nie von ihren flowers zu sprechen wag'.
Wort purse mit grosser Vorsicht brauch',
„My precious stones" zweideutig auch!
Cock-chafer bedeutet ein Insekt,
Doch darin noch was andres steckt.
Übersetze stets das deutsche Büttel
Mit beadle, aber nie mit piddle.
Verwechsle nimmer chair mit stool
Hab' acht auf die Wörtchen yard und tool!
Das Wörtchen foot sprich rasch, nicht food,
Doch mit Wort shööt dich ja nicht sput'.
Bomb, bum man verschieden prononciert:
Bomb nach oben, bum nach unten explodiert.
Wenn eine Dam' von Hitz ist rot,
So frage niemals: „Are you hot?"
Frag' nie, ob sie „with balls" gern spiel',
Noch gar, ob foot-balls ihr gefiel'.
Ob nuts sie lieb', sie auch nicht frag',
Anstatt des „nut" stets „walnut" sag'.
Ihr „leg" bezeichne stets mit „foot".
Den Bauch der „stomach" vertreten thut.
Verwechsle breast, chest, bosom nie,
Sag' nie, du wohnest in W. C.!1)

Eine letzte Eigentümlichkeit der englischen Erotica, die denjenigen anderer Völker abgeht, ist der vielversprechende, ausserordentlich lange, meist stark gewürzte (highly spiced) Titel der meisten von ihnen.

---

1) H. Baumann „Londinismen, Slang und Cant." Berlin 1887. S. LXXXIX—XC.

Man kann wohl sagen, dass je länger der Titel ist, desto wertloser der Inhalt. Besonders zahlreiche kleine Broschüren von ein paar Seiten Umfang, meist aus den fünfziger und sechziger Jahren des 19. Jahrhunderts, suchten durch derartige raffinierte Inhaltsangaben von bedeutender Länge auf dem Titel Käufer anzulocken. Als Spezimen sei an dieser Stelle ein sehr charakteristisches Beispiel eines solchen Titels angeführt:

„Yokel's Preceptor: or, More Sprees in London! being a regular and Curious Show-Up of all the Rigs and Doings of the Flash Cribs in this Great Metropolis; Particularly Goodered's Famous Saloon — Gambling Houses — Female Hells and Introducing Houses! The Most Famous, Flash, and Cock—and—Hen Clubs, etc. -- A full Description of the Most Famous Stone.— Thumpers, particularly Elephant Bet, Finnikin Fan, the Yarmouth Bloater, Flabby Poll, Fair Eliza, the Black Mott, etc.: And it may be fairly styled Every Swankey's Book, or The Greenhorn's Guide Thro' Little Lunnon. Intended as a Warning to the Inexperienced — Teaching them how to Secure their Lives and Property during an Excursion through London, and calculated to put the Gulpin always upon his guard. — Here will be found A Capital Show—Up of the Most Infamous Pegging Kens. Bellowsing Rooms. Dossing Hotels Sharking Fakes. Fencing Cribs. Fleecing Holes. Gulping Holes. Molly Clubs. etc. etc. etc. To which is added A Joskin's Vocabulary Of the various Slang Words now in constant use; the whole being a Moving Picture of all the New Moves and Artful Dodges practised at the present day, in all the most notorious Flymy Kens and Flash Cribs of London! By which the Flat is put Awake to all the

Plans adopted to Feather a Green Bird, and let him
into the Most Important Secrets. With a Characteristic
Engraving. Price One Shilling. London: Printed and
Published by H. Smith, 37, Holywell street, Strand.
Where may be had a Catalogue of a Most Extensive
Variety of every choice and Curious Facetious Work."

Diesem ersichtlich sehr viel versprechende Titel folgt
eine Broschüre von 31 Seiten in Duodezformat!

Die Geschichte der eigentlichen „erotischen" Litteratur
in England d. h. jener Schriften, die das Geschlechtliche
um seiner selbst willen zum Gegenstande der Behandlung
machen, beginnt erst mit der Restauration. Da erst
wird die Erotik zu einem Raffinement, das als Würze,
Abwechselung und Steigerung der Alltagsliebe betrachtet wird. Schriften werden nur zu diesem Zwecke
verfasst.

Dem derben Naturalismus der mittelalterlichen
englischen Litteratur bis auf Shakespeare und seine
Zeitgenossen war diese künstliche, absichtliche Betonung
des Geschlechtlichen ebenso fremd wie die spätere
Prüderie, deren Anfänge im Puritanismus der Protektorats-
epoche zu suchen sind. Von Chaucer bis auf Marlowe
und Shakespeare wurde viel gezotet, aber die Obscönität
war eine naive. „Prüderie war damals und noch lange
nachher ein unbekanntes Ding. Frisch von der Leber
weg zu sprechen, auch da, wo es geschlechtliche Verhältnisse und andere Natürlichkeiten galt, lag im Charakter
einer Zeit, deren Menschen laut auflachen müssten, er-
führen sie, zu welchen minniglichen, sinniglichen, innig-

lichen, fühlsamlichen Traganthpuppen läppische Romantiker unserer Tage sie gemacht haben. [1]

Wharton weist darauf hin, dass im ganzen Mittelalter nicht nur die schlimmsten Verletzungen der Keuschheit erlaubt und gang und gäbe waren, sondern auch die schändlichsten Laster als harmlos galten. Erst die bewusste Verfeinerung des Lebens ergrübelt neue lasterhafte Genüsse, verhindert aber auch zu gleicher Zeit so kolossale Ungeheuerlichkeiten auf geschlechtlichem Gebiete, wie sie im Mittelalter vorkamen und verlegt vor allem die Ausschweifungen von der Oeffentlichkeit in geheime und verborgene Schlupfwinkel. [2]

Bei Geoffrey Chaucer, dem ersten englischen Dichter, finden wir daher obscöne, sehr obscöne Stellen. Besonders in den „Canterbury Tales" ist die verblümte und unverblümte Zote oft sehr stark vertreten. Einige Stellen aus dem „Prologe des Weibes von Bath" dürften genügen, um eine Vorstellung von der natürlichen Derbheit jener Zeiten zu geben. So wird lang und breit die Thatsache erörtert, dass die Geschlechtsteile gleichzeitig auch für das Uriniren eingerichtet sind:

Tell me also, to what conclusion
Were membres made of generation,
And of so parfit wise a wight ywrought?
Trusteth me wel, they were nat made for nought.
Glose who so wol, and say bothe up and doun,
That they were made for purgatioun
Of urine, and of other thinges smale,
And eke to know a female from a male:

---

[1] Johannes Scherr, „Geschichte der Englischen Literatur". 2. Aufl. Leipzig 1874. S. 38—39.
[2] Vergl. Thomas Wharton, „History of English Poetry". London 1775. Bd. II, S. 266.

And for non other cause? say ye no?
The experience wot wel it is not so.
So that the clerkes be not with me wroth,
I say this, that they maked ben for both,
This is to sayn, for office, and for ese
Of engendrure, ther we not God displese.
Why shuld men elles in hir bookes sette,
That man shal yelden to his wif hire dette?
Now wherwith shuld he make his payement,
If he ne used his sely instrument?
Than were they made upon a creature
To purge urine and eke for engendrure.[1]

In höchst naiver Weise schildert uns die gute Frau
von Bath, die fünf Männer begraben hat, ihre stark
entwickelten Neigungen für die Freuden der Venus und
des Bacchus:

As helpe me God, I was a lusty on
And faire, and riche, and yonge, and wel begon:
And trewely, as min husbondes tolden me,
I had the beste queint that mighte be.
For certes I am all venerian
In feling, and my herte is marcian:
Venus me yave my lust and likerousnesse,
And Mars yave me my sturdy hardinesse.
I folwed ay min inclination
By vertue of my constellation:
That made me that I coude nat withdraw
My chambre of Venus from a good felaw.
Yet have I Martes merke upon my face,
And also in another privee place.
For God so wisly be my salvation,
I loved never by no discretion,
But ever folwed min appetit,

---

[1] „The Canterbury Tales. By Geoffrey Chaucer. From the Text and with the Notes and Glossary of Thomas Tyrwhitt. London (Routledge) o. J. S. 160.

All were he shorte, longe, blake, or white,
I toke no kepe, so that he liked me,
How poure he was, ne eke of what degree . . . .

— — — — — — — — — —

And I was yonge and ful of rageric,
Stibborne and strong, and joly as a pie.
Tho coude I dancen to an harpe smale,
And sing ywis as any nightingale,
Whan I had dronke a draught of swete wine.
Ne shuld he nat have daunted me fro drinke:
And after wine of Venus most I thinke.
For al so siker as cold engendreth hayl,
A likerous mouth most han a likerous tayl.
In woman vinolent is no defence,
This knowen lechours by experience,[1]

und noch naiver, ohne ein Blatt vor den Mund zu
nehmen, erzählt sie uns ihre Erlebnisse im Ehebette:

But in our bed he was so fresh and gay,
And therwithal he coude so well me glose,
Whan that he wolde han my belle chose,
That, though he had me bet on every bon,
He coude win agen my love anon.[2]

Das Masslose, Barocke, Bizarre in der Liebe,
das Ungeheure einer wahnsinnigen Leidenschaft,
gigantische kolossale Ausschweifungen der Wollust —
alle diese satanischen Elemente der Liebe findet man
in den Dramen und poetischen Träumen einiger Vorgänger und Zeitgenossen des Shakespeare, bei
Marlowe, Greene, Ford, Webster, Massinger
u. A. Die „Einbildungskraft unterdrückte in ihnen die
Vernunft." Die Liebe wird zu einem Delirium, das mit

---

[1] ibidem S. 172; S. 168—169.
[2] ibidem S. 170.

rasender Gewalt alles um sich her und zuletzt sich selbst vernichtet. Alle diese Dichter, die Friedrich Bodenstedt in seinem geschätzten Werke „Shakespeare's Zeitgenossen und ihre Werke" (Berlin 1858, 3 Bände) ausführlich behandelt hat, kennen nur die Schrecken und Leiden der Liebe, nicht ihre Freuden. Das Weib wird zu einem Teufel, wie in Webster's „Vittoria Accoramboni", welches Drama auch den Untertitel „Der weisse Teufel" (The white devil) führt.

Doch auch weibliche Anmut, der alte „echt germanische" Instinkt weiblicher Treue und ehelicher Liebe wird uns von diesen Dichtern in einzelnen Typen vorgeführt, wie Beaumont und Fletcher's Bianca, Ordella, Arethusa, Juliane, Webster's Herzogin von Amalfi und Isabella, Ford's und Greene's Penthea und Dorothea solche darstellen.[1]) Die verlassene Aspasia in Beaumont und Fletcher's „Die Braut" ist dieselbe zarte, rührende Gestalt wie Shakespeare's Ophelia. Sie

> Ist ganz untröstlich, ihre nassen Augen
> Zur Erd' gekehrt. Die unbesuchten Wälder
> Sind ihr Vergnügen. Wenn sie einen Hügel
> Voll Blumen sieht, mit Seufzern sagt sie dann
> Den Dienerinnen, wie er schön sich schicke
> Zum Grab für Liebende und lässt von ihnen
> Sich dann damit bestreu'n gleich einer Leiche.

> ("Die Braut" Akt 1, Szene 1).

Solche rührenden poetischen Gestalten treten in krasser Weise oft unmittelbar neben Morden, Erdrosselungen, Schlachtgeheul und den rohesten Ausschweifungen auf und wirken dadurch um so stärker.

---

[1]) Vergl. Taine a. a. O. Bd. I, S. 408.

Als der Moralist dieser Zeit muss Ben Jonson betrachtet werden. Sprach aus den Schilderungen der vorgenannten Dichter lebendiger Wirklichkeitssinn, der in der Beschaffenheit dieses rohen, ausschweifenden Zeitalters wurzelte, so ist Ben Jonson mehr Theoretiker, er zeigt das Laster — freilich in seiner ganzen Ueppigkeit und Masslosigkeit — nur, um es zu bekämpfen. So entfaltet sich in seiner berühmten „Volpone" die „volle Schönheit der bösen Gelüste". Die „Ausschweifung, Grausamkeit, Liebe zum Golde und Schamlosigkeit des Lasters schwelgen in einer glänzenden und unheimlichen Poesie, die einer tizianischen Bacchanalie würdig ist." [1]) Ein Zwerg, ein Eunuch und ein Mannweib treten in diesem Stücke auf, als Typen der Stadt sinnlicher Lüste und der Königin der Laster: Venedigs.

Alle Erscheinungen und Aeusserungsweisen der Liebe, das Gemeine und Ideale in ihr, das Tragische und Komische, ihre Narretei und Weisheit, Ausschweifung und Treue, ihre guten und bösen Folgen hat Shakespeare mit unnachahmlicher Meisterschaft dargestellt. Finck nennt ihn daher den ersten Dichter der modernen Liebe.

„Es sind die Werke Shakespeares, in denen die verschiedenen Gefühle, Antriebe und Stimmungen, welche die Liebe ausmachen — die sinnliche, die ästhetische und die geistige — zum ersten Mal im richtigen Verhältnis mit einander gemischt erscheinen. Shakespeares Liebe ist moderne Liebe, in ihrem vollsten Wachstum, und darum erfordert sie zu ihrem Verständnis keine besondere Analyse. Es ist eine ursprüngliche Leiden-

---

[1]) Taine a. a. O. Bd. I, S. 442.

schaft, gereinigt und veredelt durch geistige, sittliche und ästhetische Kultur."[1])

Im allgemeinen ist die Liebe bei Shakespeare eine „übermenschliche" Leidenschaft, etwas mit irdischer Vernunft nicht zu Begreifendes, jenseits von Gut und Böse Liegendes, das den Menschen wider seinen Willen ergreift und zu allem Erhabenen oder Schändlichen mit sich reisst. Die Liebe ist eine Ekstase, eine Verzückung, daher auch die hauptsächliche Triebfeder des poetischen Schaffens.

Sehr schöne Ausführungen über diese Auffassung und Bedeutung der Liebe in Shakespeare's Werken finden sich in einer Schrift von Ludwig Büchner.[2])

„Der grösste aller Dichter und Menschen, Shakespeare, nimmt keinen Anstand, die Liebe vom Himmel abzuleiten und ihr Gesetz als ein allen menschlichen Satzungen, aller menschlichen Ordnung weit übergeordnetes darzustellen:

Es sprach der Himmel selbst aus Deinem Aug'
(Ihm kann die Welt nicht bändig widersprechen)
Und liess mein Herz sein falsch Gelübde brechen;
Drum bin ich frei von der Vergeltung Branch.

Die Frau'n verschwor ich, doch ich kann beweisen,
Du Göttin Du, es galt nicht Deiner Huld!
Mein Eid war irdisch, doch aus Himmelskreisen
Stammst Du, und sühnst durch Liebe jede Schuld!

Mein Schwur war Hauch, und blosser Dunst ist Hauch.
Den sauge auf, du schönes Sonnenlicht,
Dann ist er dein, und wenn gebrochen auch,

---

[1] H. F. Finck „Romantische Liebe und persönliche Schönheit" Breslau 1894 Bd. I, S. 223.
[2] L. Büchner „Liebe und Liebesleben in der Tierwelt" Berlin 1879 S. 6—8.

So brach ich selber mein Gelübde nicht.
Und bräch' ich's, welcher Thor wär' nicht so klug,
Zu tauschen Himmelsglück für solchen Bruch!

So entschuldigt sich Longaville, einer der vier gegen die Liebe Verschworenen in „Liebes Leid und Lust", wegen des schnellen Bruches seines voreilig abgelegten Gelübdes; und als nun endlich alle vier gleichmässig den Pfeilen des Liebesgottes erlegen und ihren feierlichsten Schwüren untreu geworden sind, da suchen sie bei Biron, dem scharfsinnigsten und wortgewandtesten der vier Gesellen, Trost und Hülfe gegen sich selbst. Diese Hülfe wird ihnen denn auch mit leichter Mühe gewährt in einer Ansprache, welche als ein wahrer Dithyrambus der Liebe und des Frauenlobs angesehen werden kann, und welcher gewissermassen als die Krönung des ganzen, der Verherrlichung der Liebe gewidmeten Gedichts erscheint:

Die niedren Künste halten ganz das Hirn
Gefangen; trockne Geister finden kaum
Für schweres Mühen einen magren Lohn.
Doch Liebe, die aus Frauenaugen leuchtet,
Lebt nicht allein vermauert im Gehirn:
Nein, mit Bewegung aller Elemente
Strömt sie gedankenschnell durch jede Kraft,
Verleihend jeder Kraft zweifache Stärke
Weit über Pflicht und Wirkungskreis hinaus.
Sie leiht dem Aug' ein wunderbares Licht,
Und schärfer ist ihr Blick, als der des Adlers.
Ihr Ohr vernimmt das leiseste Geräusch,
Wo selbst der Dieb argwöhnisch nichts entdeckt.
Der Liebe Fühlen ist so fein und leis,
Dass sie besiegt der Schnecke zartes Horn
Und an Geschmack selbst Bacchus übertrifft.
Ist sie an Stärke nicht ein Herkules

Und raubt gleich ihm der Hesperiden Frucht?
An Schlauheit gleich der Sphinx? An Harmonie
Apollo's haarbespannter Leier gleich?
Wenn Liebe spricht, macht aller Götter Mund
Den Himmel trunken von harmon'scher Lust.
Nie rührt' ein Dichter eine Feder an,
Eh' er die Tinte mischt' mit Liebesseufzern.
Dann erst entzückt sein Lied der Wilden Ohr
Und wecket Milde in Tyrannenbrust.
Daher aus Frauen-Augen folgt der Schluss:
Sie sprühen noch jetzt Prometheus' echtes Feuer,
Sie sind die Bücher, Künste, hohe Schulen,
Umfassend und ernährend alle Welt,
Und ausser ihnen giebt es nichts Vollkommnes.

Und der grosse Dichter selbst, der alle Höhen und
Tiefen des Lebens und der Menschenbrust ausgemessen
und von allem, was Dichtkunst bis jetzt liefern konnte,
das Vollkommenste geliefert hat, erklärt offen die Liebe
für die eigentliche Triebfeder seines gesamten geistigen
Schaffens und giebt uns darüber Rechenschaft und Auf-
schluss in jenem berühmten Sonett, in welchem er uns
mit einfachen Worten das letzte und einfachste Geheimnis seiner Kunst enthüllt, und uns in die ver-
borgensten Falten seines grossen Dichterherzens
sehen lässt:

O wisse, süsse Liebe, immer sing' ich
Nur Dich allein, Du meines Lieben Leben!
Mein Bestes nur in alte Worte bring' ich,
Stets wiedergebend, was schon längst gegeben.
Denn wie der Sonne Auf- und Untergang,
Alt und doch täglich neu ist mein Gesang!

Kein Dichter, selbst Goethe nicht, hat so viele
und mannigfaltige Frauengestalten geschaffen, wie

Shakespeare, deren eigenartiger Reiz unsere Heine[1]) und Bodenstedt[2]) zu einer monographischen Behandlung begeistert hat. Ophelia, Miranda, Julia,[3]) Desdemona, Virginia, Imogen, Cordelia, sind Verkörperungen zarter Lieblichkeit, echt weiblicher Sanftheit und Anmut. Es sind „reizende Kinder, die masslos fühlen und wahnsinnig lieben. Sie haben Anwandlungen von Ungezwungenheit, kleine Zornesausbrüche, hübsche Freundschaftsworte, kokette Widerspenstigkeiten, eine anmutige Beweglichkeit und erinnern an das Gezwitscher und die Niedlichkeit der Vögel. Während die Heldinnen der französischen Bühne fast Männer sind, sind die Shakespeare's Weiber im vollsten Sinne des Wortes."[4])

Kommt in diesen Frauen die romantisch-ideale Liebe zu einem herrlichen Ausdrucke, so hat Shakespeare auch die dämonisch-bacchantischen Züge in der Frauenliebe in der Gestalt der Kleopatra geschildert. Kleopatra „repräsentiert die Liebe einer schon erkrankten Zivilisation, einer Zeit, deren Schönheit schon abwelkt, deren Locken zwar mit allen Künsten gekräuselt, mit allen Wohldüften gesalbt, aber auch mit manchem grauen Haar durchflochten sind, einer Zeit, die den

---

[1]) Heinrich Heine „Shakespeare's Mädchen und Frauen" (1838) in: Sämtliche Werke herausgegeben von Otto F. Lachmann, Leipzig (Reclam) Bd. II, S. 390—486.

[2]) Friedrich Bodenstedt „Shakespeare's Frauencharaktere" 4. Aufl. Berlin 1887.

[3]) „Womit aber soll ich euch vergleichen, Julia und Miranda? Ich schaue wieder nach dem Himmel und suche dort euer Ebenbild. Es befindet sich vielleicht hinter den Sternen, wo mein Blick nicht hindringt. Vielleicht, wenn die glühende Sonne auch die Milde des Mondes besässe, ich könnte dich mit ihr vergleichen, Julia! Wäre der milde Mond zugleich begabt mit der Glut der Sonne, ich würde dich damit vergleichen, Miranda!" Heinrich Heine a. a. O. S. 486.

[4]) Taine a. a. O. Bd. I, S. 508.

22*

Kelch, der zur Neige geht, um so kräftiger leeren will.
Diese Liebe ist ohne Glauben und ohne Treue, aber
darum nicht minder wild und glühend. Im ärgerlichen
Bewusstsein, dass diese Glut nicht zu dämpfen ist,
giesst das ungeduldige Weib noch Oel hinein, und stürzt
sich bacchantisch in die lodernden Flammen."[1]

Shakespeare hat nicht bloss das Wesen der menschlichen Liebe und ihre verschiedenen Aeusserungsweisen
auf eine geniale Weise erschaut. Er ist auch ein höchst
realistischer Beobachter aller rein körperlichen Erscheinungen derselben. Freilich ist das berühmte „Tier
mit zwei Rücken" im Munde Jago's (the beast with
two backs) nur eine Uebersetzung eines alten französischen Sprichworts, das schon von Rabelais gebraucht
wird, wie Le Roux in seinem „Dictionnaire Comique"
nachgewiesen hat[2], aber sonst finden sich mancherlei
feine Beobachtungen über die physische Liebe bei
Shakespeare.

Hierher gehört z. B. die Aeusserung über den Ge-
schlechtstrieb der Kastraten in „Antonius und Kleopatra":

Kleopatra.   Du Hämmling, Mardian.
Mardian.   Was gefällt Euer Hoheit?
Kleopatra.   Nicht jetzt Dich singen hören. Nichts gefällt mir
             An einem Hämmling. Es ist gut für Dich,
             Dass, ohne Saft und Mark, Dein freier Sinn
             Nicht fliehn mag aus Ägypten. — Kannst Du lieben?
Mardian.   Ja, gnäd'ge Fürstin.
Kleopatra.   In der That?
Mardian.   Nicht in der That! Ihr wisst, ich kann nichts thun,

---

[1] H. Heine a. a. O. S. 485—486.
[2] Vergl. John Davenport „Curiositates Eroticae Physio-
logiae" London 1875 S. 18.

Was in der That nicht ehrsam wird gethan.
Doch fühl' ich heft'ge Trieb', und denke mir,
Was Venus that mit Mars.

(Antonius und Kleopatra, Akt I, Szene 5).

Wohl kein Dichter hat ferner so häufig auf die bösen Folgen unreiner Liebe hingewiesen wie Shakespeare. Namentlich die Syphilis wird ausserordentlich oft erwähnt und an einigen Stellen sehr naturwahr und drastisch geschildert. So sagt Timon zu den Courtisanen Phrynia und Timandra:

Buhlt fort!
Schminkt, bis ein Pferd euch im Gesicht bleibt stecken:
Runzeln, was Runzeln!
Auszehrung sä't ins hohle
Gebein des Mannes, lähmt ihm der Schenkel Knochen;
Des Reiters Kraft zerbrecht; des Anwalts Stimme,
Dass er nie mehr den falschen Spruch vertrete,
Und Unrecht kreische laut. Umschuppt mit Aussatz
Den Priester, der, auf Sinnenschwachheit lästernd
Sich selbst nicht glaubt: fort mit der Nase, fort,
Glatt weg damit! nehmt alle Spürkraft dem,
Der, fern der Fährte des gemeinen Wohles,
Für sich nur schnüffelt; macht krausköpfige Raufer kahl;
Dem unbenarbten Kriegesprahler gebt
Doch ein'ge Qual von euch: verpestet Alles
Und eure Thätigkeit erstick' und dörre
Die Quelle aller Zeugung. — Nehmt mehr Gold! —
Verderbt die Andern, und verderb' euch dies
Und Schlamm begrab' euch Alle!

(Timon von Athen, Akt IV, Szene 8).

Proksch, der die Stellen über Syphilis bei Shakespeare zusammengestellt hat,[1] urteilt von dieser

---

[1] J. K. Proksch „Einige Dichter der Neuzeit über Syphilis. Ein Beitrag zur Geschichte und Litteratur dieser Krankheit." Wien 1881 S. 4—6.

Schilderung: „Trotzdem hier Shakespeare den Namen
der Krankheit gar nicht nennt, so wird es doch keinen
einzigen gebildeten Arzt gegeben haben, noch je geben,
welcher aus diesem, vor nahezu 300 Jahren geschriebenen
Fluche des Timon von Athen nicht augenblicklich und
klar das getreue Bild der Syphilis erkannt hat und
fürder erkennen wird. Exanthem (und, wie das Wort
Aussatz sagt, kein leichtes), Alopecie, Kehlkopfaffectionen,
Knochenleiden und „fort mit der Nase, fort, glatt weg
damit" — so malt nur ein Meister von so unerreich-
barer Grösse wie Shakespeare."

Andere, mehr humoristische Erwähnungen der Lust-
seuche finden sich im „König. Heinrich der Vierte,
Zweiter Teil" (Akt I, Szene 2), in „König Heinrich der
Fünfte" (Akt V, Szene 1), in „Hamlet" (Akt V, Szene 1),
in „Maass für Maass" (Akt I, Szene 2).

Die Geschichte der eigentlichen grob-erotischen
und obscönen Litteratur in England beginnt mit dem
Zeitalter der Restauration, wo der Kultus des Geschlechtlichen um seiner selbst willen die Sitten, das Theater
und die Litteratur beherrscht. Nach den titanenhaften
Gestalten eines Marlowe und Shakespeare und ihren
ebenfalls von einem genialen Schwunge und von Grösse
erfüllten Zeitgenossen kam unter den Königen Karl II.
und Jakob II. ein jüngeres Geschlecht von Schön-
geistern auf, das von Dryden bis auf Durfey das
Obscöne und Zweideutige vor allem pflegte und eine
„hartherzige, schamlose und polternde Zügellosigkeit"
zur Schau trug.

„Der Einfluss dieser Schriftsteller," sagt Macaulay, „war ohne Zweifel schädlich, aber weniger schäd-

lich, als er gewesen sein würde, wenn sie weniger
verworfen gewesen wären; das Gift, welches sie ver-
breiteten, war so stark, dass es nach nicht langer Zeit
durch Erbrechen wiederum beseitigt ward. Keiner von
ihnen verstand die gefährliche Kunst, die Bilder un-
erlaubter Freuden mit dem zu schmücken, was sie hebt
und reizend macht; keiner von ihnen gewahrte, dass
ein gewisser Anstand selbst für die Wollust unentbehr-
lich ist, dass Verhüllung mehr fesselt als Blossstellung,
und dass die Einbildungskraft viel mächtiger erregt
wird durch feine Winke, welche sie selbst zur Thätigkeit auffordern, als durch grobe Enthüllungen, welche
sie im Zustande der Unthätigkeit lassen." [1]

Der krasseste Vertreter der Restaurationserotik ist
ohne Zweifel John Wilmot, Earl of Rochester, [2]
von dem der allerdings etwas mehr als prüde Hume
sagte, dass schon sein Name ein schamhaftes Ohr be-
leidige. [3] In der That ist Rochester in seinen Gedichten und Dramen der Begründer einer neuen Art der
Erotik: der obscönen Satire, in welcher er, was
frechen Witz, drastisches Aussprechen der gemeinsten
Zoten, aber auch Eleganz des Verses betrifft, wohl un-
erreicht ist.

„Nie hat jemand," heisst es schon in Grammont's
Memoiren, „anmutiger, feiner und gewandter geschrieben,
als dieser Lord; doch in der Satire war dafür seine
Feder auch von unerbittlicher Schärfe." [4]

---

[1] Thomas Babington Macaulay's „Geschichte von
England seit dem Regierungsantritte Jacob's II." Deutsch von
Wilhelm Beseler, Braunschweig 1852 Bd. II, S. 193.
[2] Vergl. über sein Leben Bd. II dieses Werkes S. 68—72.
[3] J. Scherr a. a. O. S. 119.
[4] „Memoiren des Grafen Grammont" Leipzig 1853 S. 187.

Ein anderer Zeitgenosse, Bischof Burnet, rühmte vor allem den Witz Rochester's, der hierin Cowley und Boileau zu Vorbildern genommen, aber doch seinem Witze noch eine ihm eigentümliche boshafte Nüance gegeben habe.[1]

Selbst die obscönen Lieder und Stücke Rochester's haben, wie ein dritter zeitgenössischer Biograph urteilt, noch ihre „eigentümlichen Schönheiten", deren ähnliche man nur im Petronius und in den „Elegantiae latini sermonis" des Meursius finde.[2]

Am besten von den modernen Litterarhistorikern hat Taine den Charakter der Dichtungen Rochester's geschildert.[3]

„Rochester beraubt die Liebe zunächst allen Schmuckes, und um sie desto sicherer fassen zu können, verwandelt er sie in einen Stock. All die edlen Empfindungen, all die süssen Träumereien, all der holde Zauber, jener lichte, goldne Strahl von oben, der in einem Nu unser elendes Dasein erhellt und erheitert, jene Illusion, die in der Zusammenfassung aller Kräfte unsres Seins uns Vollendung vorspiegelt in einem endlichen Wesen und ewige Wonne und Glückseligkeit finden lässt in einer flüchtigen Wallung — alles ist dahingeschwunden, zurück bleibt nur übersättigte Gier, abgestumpfte Sinnlichkeit. Das Schlimmste dabei ist, er schreibt zu korrekt, ohne geistvollen Schwung, ohne natürliches Feuer, ohne pittoreske Sinnlichkeit; seine Satiren zeigen ihn als Schüler Boileau's. Nichts ist

---

[1] The Works of the Earls of Rochester, Roscommon, Dorset etc. London 1714 Bd. I, S. XXXVII.
[2] ibidem Bd. I, S. XX—XXI.
[3] Taine a. a. O. Bd. II S. 20.

widriger als eine frostige Obscönität. Man erträgt die obscönen 'Werke eines Giulio Romano und seine wollüstige venetianische Ueppigkeit, weil hier der Genius den sinnlichen Trieb adelt und die glänzende Farbenpracht seiner Draperien die Orgie zum Kunstwerk macht. Wir verzeihen Rabelais, wenn wir den tiefen Strom jugendlich frischer Lust und markiger Kraft erkannt haben, der seine Schmausereien durchzieht: wir brauchen uns blos die Nase zuzuhalten und folgen dann mitten durch Kot und Schlamm mit Bewunderung, ja mit Sympathie dem klaren Strome seiner geist- und phantasievollen Gedanken. Aber ein Mensch, der elegant zu sein versucht und doch gemein und schmutzig bleibt, der die Gefühle eines Lastträgers in der feinen Sprache der gebildeten Welt zu schildern unternimmt, der angelegentlichst für jede Obscönität eine passende Metapher sucht, der geflissentlich, mit Vorbedacht seine Zoten reisst, der den feinen Stil zu solchem Dienst herabwürdigt, ohne zu seiner Entschuldigung Natürlichkeit, Schwung, Genialität, Wissen anführen zu können, der gleicht einem schmutzigen Schuft, der einen köstlichen Schmuck in den Rinnstein taucht. Zuletzt stellt sich Ekel und Krankheit ein."

Trotz alledem hat Rochester als Satiriker eine unbestreitbare litterarische Bedeutung, und man kann unbedenklich der Ansicht Grässe's[1] beistimmen, dass er bei längerem Leben Englands grösster Satiriker geworden wäre. Auch ist er durchaus nicht immer obscön, wie z. B. das folgende schöne Liebeslied[2] beweist:

---

[1] J. G. Th. Grässe „Handbuch der allgemeinen Litteraturgeschichte" Leipzig 1850 Bd. III, S. 375.
[2] The Works of Rochester I, 105.

Song.

My dear Mistress had a Heart
Soft as those kind Looks she gave me,
When with Love's resistless Art,
And her Eyes, she did enslave me.

But her Constancy's so weak,
She's so wild, and apt to wander,
That my jealous Heart would break,
Should we live one Day asunder.

Melting Joys about her move,
Killing Pleasures, wounding Blisses;
She can dress her Eyes in Love,
And her Lips can arm with Kisses.

Angels listen when she speaks,
She's my Delight, all Mankinds Wonder;
But my jealous Heart would break,
Should we live one Day asunder.

Ebenso zart empfunden sind die folgenden Verse
an die Geliebte [1]:

To his Mistress.

Why dost thou shade thy lovely Face? O why
Does that eclipsing Hand of thine deny
The Sun—shine of the Sun's enlivening Eye?

Without thy Light, what Light remains in me?
Thou art my Life, my Way, my Light's in thee?
I live, I move, and by thy Beams I see.

Freilich ist die Zahl dieser poetischen Ergüsse einer
reinen Liebeslyrik nur gering in Vergleichung mit derjenigen der obscönen Lieder, die oft trotz aller Zierlichkeit
und Leichtigkeit des Verses im Zustande des Priapismus oder
auch des physischen und moralischen Katzenjammers nach

---

[1] ibidem S. 95 – 97.

einer durchschwärmten Nacht gedichtet zu sein scheinen.
Bald deutet er das Obscöne durch eine Umschreibung an,
bald schwelgt er im möglichst drastischen Aussprechen
schmutziger Worte. Von der ersteren Methode giebt
ein sehr gutes Beispiel das Lied „Et Caetera" [1]):

Et Caetera. A Song.

In a dark, silent, shady Grove,
Fit for the Delights of Love,
As on Corinna's Breast I panting lay,
My right Hand playing with Et Caetera.

A thousand words and am'rous Kisses
Prepar'd us both for more substantial Blisses;
And thus the hasty Moments slipt away,
Lost in the Transport of Et Caetera.

She blush'd to see her Innocence betray'd,
And the small opposition she had made;
Yet hugg'd me close, and with a Sigh did say,
Once more, my Dear, once more, Et Caetera.

But oh! the Power to please this Nymph was past,
Too violent a Flame can never last;
So we remitted to another Day
The Prosecution of Et Caetera.

Ein Anfall von Satyriasis scheint dem Dichter den
folgenden „Wunsch" [2]) eingegeben zu haben:

The Wish.

Oh! that J could by some new Chymick Art
Convert to Sperm my Vital and my Heart;
And, at one Thrust, my very Soul translate
Into her ·—, and be degenerate.
There steep'd in Lust nine Months I would remain,
Then boldly f . . . my Passage back again.

---

[1]) ibidem Bd. I, S. 113.
[2]) ibidem S. 112.

Diese grandiose satanische Obscönität, wie sie uns in diesem letzten Gedichte entgegentritt, hat nur ein neuerer Poet wieder erreicht, der offenbar Rochester gelesen haben muss: Edmond Haraucourt in seiner „Légende des Sexes", in der wir ähnliche tolle Ausgeburten einer ausschweifenden Phantasie antreffen.

Weitere Erwähnung verdienen die höchst lascive Vergleichung einer Jungfernschaft mit einem Schornsteine in „A Description of a Maidenhead"[1]), die drastische Schilderung seiner eigenen Impotenz bei einem Liebesabenteuer in „Die Enttäuschung" (The Disappointment)[2]), seinen eigenen täglichen ausschweifenden Lebenswandel in „The Debauchee"[3]). Er glaubt, um so eher sich obscöner Ausdrücke in seinen Gedichten bedienen zu dürfen, als dieselben nach seiner Meinung die sinnliche Leidenschaft eher dämpfen als steigern.

> But obscene Words too grosse to move Desire,
> Like heaps of Fuel do but choak the Fire.
> That Author's Name has undeserved Praise,
> Who pal'd the Appetite he meant to raise.

Stärker noch als in der Lyrik ist Rochester in der Satire, wofür ihn ein stark entwickelter kaustischer Witz in hohem Grade befähigte. Er hat selbst eine „Verteidigung der Satire" (In Defence of Satire)[4]) verfasst, in der er über die moralische Bedeutung der Satire folgendermassen urteilt:

---

[1]) ibidem, S. 148.
[2]) ibidem, S. 114—116 (mit Bild).
[3]) ibidem, S. 147.
[4]) ibidem, S. 75—78.

And (without Doubt) though some it may offend,
Nothing helps more than Satire to amend
Ill Manners, or is trulier Vertue's Friend.
Princes may Laws ordain, Priests gravely preach,
But Poets most successfully will teach.

Die berühmtesten Satiren Rochester's sind diejenigen gegen die Heirat (Satire against Marriage)[1],
deren Inhalt durch die charakteristischen Schlussverse:

With Whores thou can'st but venture; what thou'st lost,
May be redeem'd again with Care and Cost;
But a damn'd Wife, by inevitable Fate,
Destroys Soul, Body, Credit and Estate.

deutlich bezeichnet wird, wie denn eine bekannte Stelle
daraus das Weib folgendermassen charakterisiert (nach
der Uebersetzung bei Taine a. a. O. II S. 21):

Wenn sie noch jung, buhlt sie aus Lust, wenn alt,
Verkuppelt sie zu ihrem Unterhalt . . . .
Gibt schamlos preis den Leib im Hurenhaus,
Wählt Speis und Trank zum Reiz der Wollust aus
Sie gibt sich um so mehr der Trägheit hin,
Weil so sie reizt den buhlerischen Sinn.
Undankbar, falsch, die Bestie wird gezähmt,
Die Wasserflut viel leichter eingedämmt,
Als ihr rebell'scher Geist . . . . . .
Sie kann nicht zähmen ihre wilden Triebe,
Masslos im Hass, frech masslos in der Liebe.
Sieht wie der Teufel aus, will ernst sie sein,
Wie eine tolle Dirn', ist höflich sie und fein.
Boshaft hegt sie nur Arg in ihrer Brust,
Der Feilheit Lohn vergeudet sie in Lust,

und die Satire gegen Karl II. (Satire on the King)[2],
wegen derer er vom Hofe verbannt wurde. In dieser

---

[1]) ibidem, S. 42—44.
[2]) ibidem, S. 24—25.

geisselt er auf die frechste Weise des Königs aussergewöhnliche Leistungen auf geschlechtlichem Gebiete
und seine consecutive Impotenz:

> His Scepter and his — are of a Length;
> And she that plays with one, may sway the other.
>
> — — — — — — — — — — — —
>
> Restless he rolls about from Whore to Whore;
> A merry Monarch, scandalous and poor.
> To Carewell, the most dear of all thy Dears,
> The sure Relief of thy declining Years;
> Oft he bewails his Fortune, and her Fate
> To love so well, and to be lov'd so late.
> For when in her he settles well his Tarse,
> Yet his dull graceless Buttocks hang an Arse.
> This you'd believe, had J but Time to tell ye,
> The Pain it costs the poor laborious Nelly,
> While she employs Hands, Fingers, Lips and Thighs,
> E'er she can raise the Member she enyoys.

Die obscönen Lieder und Satiren Rochester's
werden aber noch an schamlosem Cynismus, ätzender
Schärfe und obscönster Kleinmalerei geschlechtlicher
Details bei weitem überboten durch sein berüchtigtes
Drama „Sodom“, in welchem wir eine auf wirkliche
Verhältnisse sich beziehende Schilderung der Päderastie
am Hofe Karls II. erblicken dürfen. Es ist jedenfalls
ein Stück, welches ganz einzig in seiner Art dasteht.
Die erste Erwähnung von „Sodom“, welche dem besten
Bibliographen dieses Dramas, Pisanus Fraxi, unbe-
kannt geblieben zu sein scheint, finde ich in dem schon
öfter erwähnten Reisewerke von Uffenbach, der uns
weiter unten als einer der wenigen Besitzer eines
Originalmanuskriptes von „Sodom“ begegnen wird. An

der genannten Stelle[1]) sagt er unter dem 21. Oktober 1710: „Von dem Grafen von Rochester hören wir, dass seine hessliche Satyre gegen den König Carl II. und seine schändliche Comödie Sodom nicht bey seinen anderen Werken gedruckt, ja jene seye gar nicht gedruckt worden, diese aber gar schwer zu haben. Man muss aber erstaunen, dass ein solch gottlos und entsetzliches Thema nicht nur von einem Menschen ausgearbeitet, sondern auch vor einem Könige auf die hesslichste Manier auf dem Theater gespielet worden, wiewohl sonst die übrigen und sonderlich venerischen Ausschweifungen dieses Königs, dabey der Graf Rochester jederzeit seinen Antheil gehabt, in Engelland noch allzu bekannt sind, auch davon in des Earl von Rochester Schrifften wie auch in Burnets Beschreibung seiner Bekehrung viel zu lesen."

Alle weiteren Nachrichten über „Sodom" finden sich in der eingehenden kritischen Untersuchung von Pisanus Fraxi[2]), auf die wir uns im Folgenden beziehen.

Derselbe verzeichnet den folgenden frühen Druck des Stückes:

„**Sodom.** A Play, By the E. of R.

Mentula cum Vulva saepissime jungitur una
Dulcius est Melle, Vulvam tractare Puellae

Antwerp: Printed in the Year 1684."

Dieses Exemplar ist ohne Zweifel in dem angegebenen

---

[1]) „Herrn Zacharias Conrad von Uffenbach merkwürdige Reisen durch Niedersachsen, Holland und Engelland" Ulm 1754 Bd. III, S. 200—201.

[2]) Pisanus Fraxi „Centuria librorum absconditorum", S. 826—845.

Jahre gedruckt[1]): es ist in Oktavformat[2]), scheint aber in dieser Form ganz verschwunden zu sein, da Fraxi es niemals zu Gesicht bekommen hat. Er glaubt, dass ein Exemplar dieser Ausgabe in der Heber-Sammlung existierte, aber mit anderen obscönen Büchern vernichtet wurde. Er kennt kein weiteres gedrucktes Exemplar, sah aber drei Manuskripte von „Sodom."

Das erste Manuscript befindet sich in der Stadtbibliothek zu Hamburg, es ist in kleinem Quartformat und enthält 39 auf beiden Seiten beschriebene Blätter. Die Schrift ist schlecht, nachlässig, und das Manuscript wimmelt von Fehlern. Es ist offenbar eine von einem nicht mit der englischen Sprache Vertrauten, wohl einem Deutschen, hergestellte Abschrift, die mit einem anderen Manuscript: Beverlandi „Otia Oxoniensia" zusammengebunden ist. Dieser Band gehörte früher dem Bibliographen Zacharias Conrad Uffenbach[3]) in Frankfurt a. M., nach dessen Tode er in den Besitz des Professor Wolff und von diesem in den der Stadtbibliothek zu Hamburg überging, an der Wolff Bibliothekar war. Uffenbach selbst hat den Titel „E of R" in der Handschrift in „Earl of Rochester" umgeändert. Das Exemplar enthält 5 Akte und einen Prolog von 100 Zeilen, die „Dramatis Personae", und

---

[1]) Vergl. „Memoriae librorum Rariorum", S. 150.

[2]) Fraxi sah ein Exemplar von Rochester's „Poems", auf deren Titel Name und Druck genau so angegeben sind, wie bei „Sodom": „Poems on several Occasions: By the Right Honourable the E. of R. — — Printed at Antwerpen." Kl. 8⁰, 136 S. Kein Datum. Aber aus jener Zeit.

[3]) In dem Exemplare der „Bibliothecae Uffenbachianae" der Hamburger Bibliothek befindet sich - auf der S. 750 des dritten Bandes eine Bemerkung über „Sodom" in der Handschrift Uffenbach's, dessen Ex-libris auch das Buch schmückt.

schliesst mit zwei Epilogen, deren einer von „Cunti-cula", der andere von „Fuckadilla" gesprochen wird, und mit 10 Zeilen, betitelt „Madame Swivia in Praise of her C...".

Das zweite Manuscript befindet sich in einem Bande, der verschiedene Dichtungen enthält. Es ist ebenfalls auf beiden Seiten in einer guten Kalligraphie geschrieben. Obgleich der Text korrekter ist, als der des Hamburger Exemplares, fehlen doch Titelblatt, Prolog, Epiloge und „dramatis personae", und das Spiel selbst endet mit dem 4. Akte, wo „Bolloxinion" die Prügel von „Tarse-hole" empfängt.

Ein drittes Manuscript, betitelt: „Sodom or The Quintessence of Debauchery. By E of R Written for the Royall Company of Whoremasters", befindet sich in Band 7312 der Harleian Manuscripts des British Museum. Ohne Jahreszahl, Motto und Anzeige, dass es gedruckt sei. In 5 Akten und 2 Prologen (einer von 72, der andere von 29 Zeilen) und 2 Epilogen (der eine von „Cuntigratia" gesprochene enthält 29 Zeilen, der andere von „Fuckadilla" rezitierte 51 Zeilen, ausserdem noch 10 Zeilen von „Madame Swivia in praise of her C..."). Der Text ist besser und vollständiger als der der beiden ersten Manuscripte.

Es ist behauptet worden, dass „Sodom" vor dem Könige (Karl II.) und dem Hofe aufgeführt worden sei,[1] und dass Frauen bei dieser Vorstellung zugegen waren. Diese Vermutung beruht wahrscheinlich auf den folgenden Versen des Prologs:

---

[1] Prosper Marchand „Dictionnaire Historique", Bd. I, S. 164, Anmerkung.

Dühren, Das Geschlechtsleben in England ***. 28

I do presume there are no women here,
'T is too debauch'd for their fair sex I fear,
Sure they will not in petticoats appear,
And yet I am informed here's many a lass
Come for to ease the itching of her a . . .,
Damn'd pocky jades, whose c . . . s are hot as fire,
Yet they must see this play t'increase desire,
Before three acts are done of this our farce,
They'll scrape acquaintance with a standing tarse,
And impudently move it to their a . . . etc.

Der wahre Verfasser des Gedichtes ist ohne Zweifel der Graf von Rochester. Eine Zeit lang herrschten darüber Zweifel. Denn in ähnlicher Weise, wie am Ende des 18. Jahrhunderts der Königsberger Kriegsrat Scheffner seine obscönen „Gedichte im Geschmacke des Grécourt" beharrlich verleugnete, hat Rochester die Verfasserschaft des „Sodom" bestritten, ja er hat sogar an den vermeintlichen Verfasser ein Schmähgedicht gerichtet, in welchem er denselben fürchterlich heruntermacht[1]) und in dem er denselben (also sich selbst) folgendermassen apostrophiert:

Tell me, abandon'd Miscreant, prithee tell
What damned Power, invok'd and sent from Hell,
(If Hell were bad enough) did thee inspire?
To write what Fiends asham'd won'd blushing hear?
— — — — — — — — — — —
Disgrace to Libels! Foil to very Shame!
Whom 'tis a Scandal to vouchsafe to name.
What foul Description's foul enough for Thee,
Sunk quite below the Reach of Infamy?
Thon covet'st to be lewd, but want'st the Might,
And art all over Devil, but in Wit.
Weak feeble Strainer at mere Ribaldry,
Whose Muse is impotent to that Degree,

---

[1]) The Works of the Earls of Rochester, Roscommon etc. Bd. I, S. 98—99 (To the Author of a Play call'd Sodom).

That 't needs, like Age, be whipt to Lechery,
Vile sot, who clapt with Poetry art sick,
And void 'st Corruption like a shanker'd pr . . .,
Like Ulcers thy imposthum'd addle Brains
Drop out in Matter, which thy Paper stains.

Nachdem er noch die Zunge dieses „Moor-Fields Author" und seinen Mund mit Teilen der Genitalien verglichen hat, schliesst er mit folgendem obscönen Wunsche für das Schicksal dieses infamen Buches:

Or (if I may ordain a Fate more fit
For thy soul nasty Excrements of Wit)
May they condemn'd to th'publick Jakes be lent,
(For me, I'd fear the Piles in Vengeance sent
Shoo'd I with them profane my Fundament).
There bugger wiping Porters when they shite,
And so thy Book itself turn Sodomite.

Obgleich auch andere hieraus die Veranlassung nahmen, das Werk einem anderen, unbekannten Schriftsteller, Fishbourne, zuzuschreiben, ergiebt schon eine oberflächliche Prüfung die Autorschaft Rochesters. Denn Stil, Witz, Pointen, die ihm und nur ihm eigentümlichen Worte und Ausdrücke sind dieselben wie in seinen übrigen Schriften. Die Päderastie, die Rochester in dem eben erwähnten Gedichte so perhorresciert, hat er selbst im „Valentinian",[1]) einer Tragödie, die er für die Bühne vorbereitete und die auf dem „Theatre-Royal" gespielt wurde, verherrlicht:

---

[1]) „Valentinian: A Tragedy. As 'tis Alter'd by the late Earl of Rochester, And Acted at the Theatre-Royal. Together with a Preface concerning the Author and his Writings. By One of his Friends. London: Printed for Timothy Goodwin at the Maidenhead against St. Dunstans-Church in Fleetstreet. 1685." 4°, 82 S. und 88 unnummer. S. Titel, Vorrede und Epilog. Die vortreffliche Vorrede ist von Robert Wolseley, einem Genossen Rochesters.

28*

'Tis a soft Rogue, this Lycias
And rightly understood, ' ...
He's worth a thousand Womens Nicenesses!
The Love of Women moves even with their Lust,
Who therefore still are fond, but seldom just:
Their love is Usury, while they pretend,
To gain the Pleasure double which they lend.
But a dear Boy's disinterested Flame
Gives Pleasure, and for meer Love gathers pain;
In him alone Fondness sincere does prove,
And the kind tender Naked Boy is Love.

(Valentinian, Akt II, Szene 1).

Ich erblicke einen weiteren Beweis dafür, dass Rochester der Verfasser von „Sodom" ist, in dem Umstande, dass sich in seinen Werken das kurze Fragment eines ähnlichen obscönen Dramas wie „Sodom" findet, betitelt „An Interlude", wovon „Actus primus, Scena Prima" mitgeteilt wird, in der „Tarsander" und „Svivanthe" (Namen, die an ähnliche in „Sodom" anklingen) auftreten. [1]

Gehen wir jetzt in Kürze auf den Inhalt des berüchtigten „Sodom" ein. Es treten darin folgende Personen auf:

Dramatis Personae.

Bolloxinion — König von Sodom	Pine ⎱ — Zwei Ehrenkuppler
Cuntigratia — Königin	Twely ⎰
Picket — Prinzessin	Fuckadilla ⎫
Swivia — Prinzessin	Officina ⎬ — Ehrenjung-
Buggeranthos — General der Armee	Cunticula ⎬ frauen
	Clitoris ⎭
Pockenello — Prinz, Oberst, Günstling des Königs	Flux — Leibarzt des Königs
Borastus — Das Haupt der Päderasten	Virtuoso — Hoflieferant von Dildoes

Knaben, Schurken, Zuhälter und anderes Gesindel.

---

[1] „The Works of the Earls of Rochester, Roscommon etc." Bd. I, S. 155 – 156.

Nach Aufgehen des Vorhangs erblickt man ein Vorzimmer, in dem rings an den Wänden Bilder mit Aretino's Figurae Veneris hängen. Der König tritt auf, umgeben von Borastus, Pockenello, Pine und Twely. Bolloxinion beginnt:

> Thus, in the zenith of my lust, I reign;
> I eat to swive, and swive to eat again;
> Let other monarchs who their scepter bear
> To keep their subjects less in love than fear
> Be slaves to crowns, my nation shall be free;
> My p . . . . only shall my sceptre be,
> My laws shall act more pleasure than command,
> And with my pr . . . I'll govern all the land.

Diese liberalen Aeusserungen, welche die völlige, durch keinerlei Gesetze beschränkte Geschlechtsfreiheit proklamieren, werden von den Höflingen mit gebührendem, ja begeistertem Danke aufgenommen. Jeder bemüht sich, dem Könige etwas Schmeichelhaftes zu sagen. Hierauf fährt Bolloxinion in seiner Erklärung fort:

> I do no longer old stale c . . . s admire,
> The drudgery has worn out my desire.
>
> — — — — — — — — —
>
> My pr . . . no more shall to bald c . . . s resort,
> Merkins rub off, and sometimes spoil the sport.
>
> — — — — — — — — —
>
> As for the Queen, her c . . . no more invites,
> Clad with the filth of all her nasty whites.
> Borastus, you spend your time I know not how,
> The choice of buggery is wanting now.

Der erfahrene Päderast Borastus erteilt hierauf dem nach diesen Genüssen begierigen König den Rat:

> I would advise you, Sire, to make a pass,
> Once more at Pockenello's royal a . . .;
> Besides, Sir, Pine has such a gentle skin,
> 'T would tempt a Saint to thrust his p . . . . . in.

Der König erwählt Pockenello und Twely zu seinen Liebhabern und erlässt die folgende Proklamation, die allen Homosexuellen und Päderasten völlige Freiheit in der Bethätigung ihrer Neigungen zusichert:

Henceforth, Borastus, set the nation free,
Let conscience have its right and liberty:
I do proclaim that bugg'ry may be us'd
Through all the land, so c . . . be not abus'd
That's the proviso.
To Buggeranthos let this charge be given,
And let them bugger all things under heaven.

Borastus und Pine gehen ab. Pockenello enthüllt nun dem Könige, dass Pine mit der Königin verkehrt hat, und Twely fügt hinzu, dass „he swiv'd her in the time of term." Bolloxinion weitherzig wie er ist, nimmt aber keinen Anstoss daran und schliesst Szene und Akt mit den Worten:

With crimes of this sort I shall now dispense,
His a . . . shall suffer for his pr . . .'s offence;
In roopy seed my spirit shall be sent,
With joyful tidings to his f . . . .
Come, Pockenello, o're my p . . . . . burns,
In, and untruss, I'll bugger you by turns.

Die erste und zweite Szene des zweiten Aktes spielen in einem „schönen Garten, der mit vielen Statuen nachher Männer und Frauen in verschiedenen Stellungen geschmückt ist. In der Mitte des Gartens stellt eine Frau eine Fontäne dar, indem sie auf dem Kopfe steht und „pissing bold upright". Diese Beschreibung scheint aus Rabelais' „Gargantua", Buch I, Kapitel 55 entlehnt zu sein: „Au milieu de la basse estoit une fontaine magnifique, de bel alabastre: au dessus les trois Grâces, avecques cornes d'abondance; et jettoient l'eau par les

mammelles, bouche, aureilles, yeux et aultres ouvertures
du corps." Man hört sanfte Musik und Gesang, worauf
die Königin eintritt, begleitet von Officina, Clitoris und
Cunticula. Sie beklagen sich sehr über die Vernachlässigung durch den König, erinnern sich aber daran,
dass es noch bessere Männer giebt als ihn. Die Königin
Cuntigratia erklärt, dass sie nicht eifersüchtig sei und
lässt sich gern die Männlichkeit des Buggeranthos von
ihren Hofdamen in verlockenden Farben schildern:

> He has such charms,
> You'd swear you had a stallion in your arms,
> He swives with so much vigour, in a word,
> His pr . . . is as good metal as his sword.

In der dritten Szene werden von den Hofdamen
die Dildoes in Thätigkeit gesetzt, wobei sich ein Gespräch über die verschiedenen Qualitäten derselben
entspinnt. Die Königin erwartet ungeduldig die Ankunft
von Buggeranthos und befiehlt Fuckadilla, ihr die Zeit
mit einem obscönen Liede zu vertreiben. Der Akt
schliesst mit einem Tanze nackter Männer und Frauen
und mit einer geschlechtlichen Orgie derselben.

Der dritte Akt hat mit dem eigentlichen Thema
wenig zu thun, indem in demselben fast nur die Verführung des jungen Prinzen Pricket durch seine Schwester
Swivia geschildert wird. Bei einem zweiten Verführungs-
versuche der unersättlichen Swivia werden sie von der
betrunkenen Cunticula überrascht, die sich dann eifrig
an dem Liebeswerke beteiligt, welches damit endet,
dass das junge Prinzlein erschöpft zu Bett gebracht
werden muss.

In der ersten Szene des vierten Aktes finden wir
die Königin und den General im zärtlichen Tête-à-Tête.

Sie ist begeistert von den Proben der Kraft ihres neuen Geliebten und bedrängt ihn immer wieder, bis er zuletzt ihren Wünschen nicht mehr zu entsprechen vermag, denn:

> love, like war, must have its interval;
> Nature renews that strength by kind repose,
> Which an untimely drudgery would lose.

Und er verlässt sie, die „lassata, sed non satiata" zurückbleibt und in einem Monolog sich über die Verspottung durch diesen „satten Wüstling" beklagt.

Die zweite Szene führt uns zum Könige, zu Borastus und Pockenello zurück, die sich weitläufig über die Freuden der Päderastie und ihre Superiorität gegenüber dem normalen Geschlechtsverkehr verbreiten. Buggeranthos tritt ein und wird vom König gefragt, wie die Soldaten seine Proklamation aufgenommen haben.

Bolloxinion. How are they pleased with what J did proclaim?
Buggeranthos. They practise it in honour of your name;
> If lust present, they want no woman's aid,
> Each buggers with content his next comrade.

Buggeranthos berichtet dann über den Zeitvertreib der Weiber des Reiches:

> Dildoes and dogs with women do prevail,
> J caught one frigging with a cur's bob tail.

Er erzählt dann dem Könige ausführlich von einer Frau, die faute de mieux ihre Gelüste mit einem Hengste befriedigte, worauf Bolloxinion sehr befriedigt erklärt, ihr zu gleichem Zwecke einen — Elephanten zur Verfügung stellen zu wollen.

Jetzt tritt Twely auf und überbringt die Nachricht von der Ankunft eines Fremden, den Tarse-hole, König von Gomorrah, mit 40 Knaben geschickt habe. Bolloxinion ist darüber sehr entzückt und zieht sich sogleich mit einem der Knaben, den er sich aussucht, zurück.

Die erste Szene des fünften Aktes ist die humorvollste des ganzen Stückes. Die jungen Hofdamen beklagen sich gegenüber dem Dildoe-Lieferanten Virtuoso über die schlechte Qualität und Dürftigkeit seiner Fabrikate und veranlassen ihn schliesslich, seine eigenen „natürlichen" Fähigkeiten anstatt der künstlichen zu produzieren.

Die letzte Szene ist im Gegensatze zu der vorigen die tragischste. Man erblickt einen „Hain von Cypressen und Bäumen in Gestalt eines Phallus mit einem Banketthause." Nach einem Liede eines unter einer Palme sitzenden Jünglings treten Bolloxinion, Borastus und Pockenello auf, kurz nach ihnen Flux, der Leibarzt, der die schrecklichen Folgen der herrschenden Anarchie auf geschlechtlichem Gebiete in den schwärzesten Farben schildert. Schanker, Gonorrhoe, Satyriasis u. s. w. grassieren in einer schrecklichen Weise. Die Königin ist bereits ihren Liebhabern erlegen. Der Prinz hat Gonorrhoe u. s w. Erschreckt fragt der König den Arzt, ob es kein Mittel gebe, um diesem Verderben Einhalt zu thun, worauf Flux erwidert:

> To Love and Nature all their rights restore,
> F . . . women, and let bugg'ry be no more,
> It doth the procreative end destroy,
> Wich Nature gave with pleasure to enjoy,
> Please her, and she'll be kind, — if you displease,
> She turns into corruption and disease.

Doch Bolloxinion schaudert vor dem Gedanken an ein Weib zurück. Er weigert sich, die Proklamation aufzuheben. Da bersten die Wolken auseinander, feurige

Dämonen erscheinen und verschwinden wieder. Der Geist Cunticulas zeigt sich. Schauerliches Gestöhn und Geseufze dringt aus der Tiefe hervor und man sieht gespenstische Gestalten auftauchen.

Pockenello — Pox on these rights, I'd rather have a whore.

Bolloxinion. — Or c . . .'s rival.

Flux. —   For heaven's sake no more;
> Nature puts on me a prophetic fear,
> Behold, the heavens all in flame appear.

Bolloxinion. — Let heav'n descend and set the world on fire,
> We to some darker cavern will retire.

> Feuer, Schwefel und Rauchwolken.

> Der Vorhang fällt.

„Sodom" scheint mehrere Male ins Französische übersetzt worden zu sein. Soleinne hatte drei Manuskripte in seiner grossen Sammlung von Theaterstücken, von denen zwei Uebersetzungen des englischen Originals gewesen zu sein schienen Sie wurden jedoch vernichtet. Ebenso giebt es einige Dramen, die ebenfalls den Titel „Sodom" führen und die geschlechtliche Corruption zum Gegenstande haben. [1]

---

[1] Philomneste Junior (Gustave Brunet) „Les Priapeia" Brüssel 1866, S. 80. — Es sind folgende Uebersetzungen: Le Roi de Sodôme, tragédie en prose, en 5 actes, par le comte de Rochester, en 1658, traduite de l'anglais, par M****, 1744. 4º. Handschrift der Zeit. — Sodome, comédie en 5 actes et en prose, par le Comte de Rochester, traduite de l'anglais, 1682, in 8º, sur pap., écrit. in commencement in 18e s. Même pièce que la précédente, avec des changements. — L'Embrasement de Sodome, comédie (5 a pr.). traduite de l'anglais sur manuscrit du seizième siècle, 1740. In 8º. Joli manuscrit imitant l'impression. — Le sujet de cette pièce en annonce assez l'obscénité; cependant elle est écrite facétieusement, dans le goût du Saül de Voltaire, et l'on voit que l'auteur a songé moins à faire une comédie impure qu'une critique divertissante de la Bible. — In einem anderen Katalog fand Pisanus Fraxi ein möglicherweise mit dem letzt-

Eine offenbare Nachahmung von Rochester's
„Sodom" ist ein 1879 von vier Gentlemen verfasstes
Stück:

„Theatre Royal, Olimprick. New and Gorgeous
Pantomime, entitled: Harlequin Prince Cherrytop,
and the Good Fairy Fairfuck; or, The Frig — The
Fuck — And the Fairy. Oxford: Printed at the University Press, 1879."

8°, 31 Seiten, blauer Umschlag (gedruckt in London,
Juli 1879 in 150 Exemplaren, Preis 1 Pfund 11½
Schillinge; drei obscöne, kolorierte Lithographien, die
etwas später erschienen, gehören dazu).

Das Werk ist ganz nach Art des „Sodom" angelegt.
In beiden Stücken finden wir dieselbe „Clitoris a waiting
maid, or maid of honour."

„Harlequin Prince Cherrytop" ist als eine Art
Weihnachtspantomime aufgefasst. Das erste Tableau
zeigt uns die Höhle des Dämons „Masturbation", der
den Prinzen Cherrytop durch Zauber unterjocht und zu
einem Märtyrer der Onanie gemacht hat. Die folgenden
Szenen führen uns den Kampf zwischen der Selbst-
befleckung und der guten Fee vor, die den Prinzen zur
Liebe mit der Prinzessin Shovituppa verlockt. Ein
Zwischenspiel bezieht sich auf die dagegen gerichteten
Bemühungen von „Bubo", König von Raperia, dessen
Diener die venerische Krankheit in allen ihren Ge-

genannten Manuskript identisches: L'Embrasement de Sodome,
tragicomédie en prose et en cinq actes, 1767. — Ich glaube, dass
letztere Uebersetzungen des von Andreas Saurius verfassten
Dramas „Conflagratio Sodomae", Strassb. 1607 (Kl. 8°, 64 S.) oder
des „Bustum Sodomae, Tragoedia sacra" von Cornelius a Marca,
1615, sind. Vergl. auch wegen des Titels Hermann Suder-
mann's „Sodoms Ende".

stalten und Formen personifizieren. — Diese drollige
Idee ist sehr gut ausgeführt und mit einem Libretto
versehen, welches Parodieen auf populäre Melodien enthält. Auch dieses Stück schliesst mit der Moral, dass
das grösste Glück auf der reinen Liebe beruht, die allen
unnatürlichen Genüssen bei weitem vorzuziehen sei.

Neben Rochester treten die gleichzeiten Vertreter
der obscönen und galanten Lyrik, ein Dorset, Roscommon, Edmund Waller, Buckingham, Otway
u. A. völlig in den Hintergrund. Erwähnung verdient nur
die bezeichnende Thatsache, das auch die Frauen jener
Periode sich in obscönen Dichtungen versuchten. Man
kann in dieser Beziehung von einem erotischen Drei-
gestirn reden: Aphra Behn[1]), Susanna Centlivre,
von der Graesse sagt, dass sie ebenso gut Susanne
von ihrer Unzüchtigkeit als lucus a non lucendo heissen
könne[2]) und Mary Manley, deren „Atalantis“, ein
satirisch indecenter Roman, eine getreue Sitten-
schilderung aus dem England um 1700 darstellt[3]). Im
Vorbeigehen mag auch auf die zahlreichen Cynismen in
Butler's berühmtem „Hudibras“ hingewiesen werden.

Von dem durchaus erotisch-frivolen Charakter der
dramatischen Litteratur der Restauration ist schon früher
die Rede gewesen. Selbst ein Dichter wie Dryden
hielt sich nicht frei davon. Den Höhepunkt in dieser

---

[1]) „Poems“, London 1684—1688, 3 Bände; „Plays“ (London
1702), „Histories and novels“, (London 1696), besonders den berühmten Roman „Oronooko“, Vorläufer von „Onkel Toms Hütte“.
[2]) „The old batchelor“, London 1693; „The double dealer“,
London 1694; „Works“, London 1752. — Vergl. Thorabury
„Haunted London“, S. 230.
[3]) Vergl. O. L. B. Wolff, „Allgemeine Geschichte des
Romans“, 2. Aufl. Jena 1850, S. 227.

Beziehung bezeichnen die Stücke von **Wycherley,**
Congreve, Vanbrugh und **Farquhar,** deren Lektüre;
wie **Thackeray** sagt, [1]) Empfindungen weckt, als ob
man in Sallust's Hause in Pompeji die Ueberbleibsel
einer Orgie anschaut, und deren Autoren nach **Taine** [2])
alle Laster besassen, die sie schilderten. Ich verweise
auf die glänzende Analyse dieser von Obscönitäten
wimmelnden Komödien bei **Taine** [3]).

Die erste Hälfte des 18. Jahrhunderts ist die Zeit
der moralisierenden und satirischen Schriften, jener
Litteratur, die durch die Namen De Foe, Swift,
Richardson, Sterne, Smollett, Fielding repräsentiert wird.

Der erstere verdient an dieser Stelle eine Erwähnung
wegen seiner beiden Prostituiertenromane „Moll Flanders" [4])
und „Mother Ross"; wo **Swift** das Sexuelle berührt,
thut er es nur, um dessen widrige Seiten zu zeigen. Er
zieht im wahren Sinne des Wortes die Liebe in den
Kot, schändet sie durch ein „Gemisch von Pharmacie
und Medizin" (vergl. „A Love-poem from a Physician").
Sterne hat, besonders in dem so viele anstössige Stellen
enthaltenden „Tristram Shandy", ähnliche seltsame Ge-

---

[1]) **Thackeray,** „Englands Humoristen". S. 65.

[2]) **Taine** II, 86.

[3]) ibidem S. 90 ff.

[4]) **Daniel De Foe** „The Fortunes and Misfortunes of the
Famous **Moll Flanders** etc. who was Born in Newgate, and
during a Life of continu'd Variety for Threescore Years, besides her
Childhood, was Twelve Year a Whore, five times a Wife (where-
of once to her own Brother) Twelve Year a Thief, Eight Year
a Transported Felon in Virginia, at last grew Rich, liv'd Honest
and died a Penitent. The Third Edition Corrected." London 1722,
8°. — Französische Uebersetzungen, London 1761. 8° und Paris 1895
(von Marcel Schwob).

lüste. „Er liebt die Nuditäten, nicht etwa aus Schönheits-
gefühl, wie die Maler, nicht aus Sinnlichkeit und Frei-
mütigkeit, wie Fielding, nicht aus Sucht nach Vergnügen und Lust, wie Dorat, Boufflers und alle die
feinen Lüstlinge, die zu derselben Zeit jenseits des
Kanals reimen und sich belustigen. Wenn er an schmutzige
Orte geht, so geschieht es, weil sie verboten und nicht
besucht sind. Was er dort sucht, ist nur Sonderbarkeit
und Skandal. Was ihn anlockt in der verbotenen Frucht,
ist nicht die Frucht, sondern das Verbot. Denn diejenige
in die er mit Vorliebe beisst, ist ganz verwelkt oder
wurmstichig. Dass ein Epikuräer Vergnügen darin findet,
die hübschen Sünden einer hübschen Frau ausführlich
zu erzählen, ist nicht zu verwundern; dass aber ein
Romanschriftsteller sich darin gefällt, das Schlafzimmer
eines alten ranzigen Paares zu überwachen, die Folgen
einer heissen, in eine Hose gefallenen Kastanie zu beobachten, die Fragen der Witwe Wadman über die
Bedeutung von Wunden in der Schamleiste zu detaillieren,
das kann nur durch die Verirrung einer verdorbenen
Phantasie erklärt werden, die ihr Vergnügen in wider-
lichen Ideen findet.“[1])

Die gleichen Cynismen und schmutzigen Anspielungen
finden sich in Smollett's und Fielding's allbekannten
Romanen.[2])

Wir wenden uns nunmehr zur Betrachtung der
eigentlichen „erotischen“ Litteratur im 18. Jahrhundert
und erwähnen zunächst die beiden berühmtesten Schriften
dieser Art aus der ersten Hälfte desselben, nämlich

[1]) Taine a. a. O. Bd. II. S. 433—434.
[2]) Vergl. darüber die Werke von O. L. B. Wolff, Taine,
Scherr, Thackeray u. A.

Dr. William King's „The Toast" und John Cleland's „Fanny Hill or Memoirs of a Woman of Pleasure."

Die erste Ausgabe des „Toast" stammt aus dem Jahre 1732 und hat folgenden Titel:

„The Toast, an Epic Poem In Four Books. Written in Latin, by Frederick Scheffer, Done into English by Peregrine O. Donald, Esq.; Vol. I.

> Siquis erat dignus describi, quod Malus, aut Fur,
> Quod Moechus foret, aut Sicarius, aut alioqui
> Famosus; multâ cum libertate notabant. Hor.

Dublin: Printed in the Year MDCCXXXII."

8⁰, 96 S. — Die Ausgabe enthält zwei Bücher in einem Bande, die auf dem Titel erwähnten beiden übrigen Bücher wurden in dieser Form nie veröffentlicht. (S. 1—6 „The Translator's Preface"; S. 7—9 „The Author's Preface"; S. 21—96 Drei Widmungen in Versen, lateinisch und englisch und Buch I und II des „Toast" mit „Notes and Observations.")

Die zweite Ausgabe ist folgende:

„The Toast. An Heroick Poem In four Books, Written originally in Latin, by Frederick Scheffer: Now done into English, and illustrated with Notes and Observations, by Peregrine Odonald Esq; Dublin: Printed. London: Reprinted in the Year MDCCXXXVI."

4⁰, 309 S. Mit schönem Frontispiz von Gravelot, auf dem Lord George Granville dem Apollo ein ovales Bild, das Porträt der Lady Frances Brudenel, der „Myra" des „Toast", hinhält, welches sie in der Blüte der Jugend darstellt, während ein Satyr auf sie zeigt, wie sie in Wirklichkeit ist: alt, hässlich, kokett, mit einem Fächer in der Hand, das Gesicht voller Runzeln und Schönheitspflästerchen.

Diese Ausgabe ist gegenüber der ersten bedeutend
vermehrt. (Inhalt: S. III—XI „Frederici Schefferi
Epistola ad Cadenum". S. XII—XXVI „Notae"; Seite
XXVII—XLVIII „The Translator's Preface"; S. XLIX—
LI „The Author's Preface"; S. LII—LIX Drei poetische
Widmungen; S. LX—LXVII „The Arguments to the
Four Books of The Toast"; S. 1—196 „The Toast";
S. 197—232 „The Appendi" und ein unpaginiertes
Blatt „Advertisement" [1] nebst „Errata" auf dem Verso.)

Sowohl die Verse als auch die Anmerkungen sind
in dieser Quartausgabe bedeutend vermehrt [2].

---

[1] Diese „Anzeige" ist für die Geschichte der Schrift von
Interesse. Sie lautet: „Anzeige des Londoner Buchhändlers.
Das Gedicht wurde von einem Ausländer verfasst, der zwei oder
drei Jahre in Irland lebte. Er war an einige Personen von Rang
empfohlen worden, die ihn unter der Maske der Freundschaft um
eine grosse Summe Geldes betrogen und nachher versuchten, ihn
nächtlicher Weile in den Strassen Dublins zu ermorden. Diese
Thatsache ist von dem Uebersetzer an zwei oder drei Stellen
erwähnt worden und kann in der That nicht oft genug wiederholt
werden, weil sie genügend alle Freiheiten der Satire rechtfertigt.
Ich nehme die Gelegenheit wahr, um einen Irrtum zu berichtigen,
den der Verfasser der Vorrede infolge eines Missverständnisses
aufgenommen hat. Er sagt, dass der Verfasser den Prozess durch
gerichtlichen Vergleich beendet habe. Ich habe aber von einigen
irischen Herren die Versicherung erhalten, dass er weder durch
einen Vergleich noch durch andere Mittel einen Teil des Geldes,
um das man ihn betrogen hatte, wiedererlangen konnte. Ich
erwarte nicht, dass man die nachfolgende Darstellung
in London ebenso gut aufnimmt wie in Dublin, wo die
Handlung spielt, wo die Personen bekannt sind und jede
Anspielung auf private Verhältnisse wohl verstanden
wird. Da jedoch einiger Humor in dem Werke ist, hoffe ich,
dass es dem englischen Leser nicht unwillkommen sein wird und
dass ich bei dem Neudrucke meine Rechnung finden werde. London,
den 1. Dezember 1736."

[2] Buch I enthält in der Oktavausgabe 276 Zeilen, in der
Quart 292 Zeilen, Buch II in 8° 340, in 4° 392 Zeilen. Die
„Epistola ad Cadenum", „Notae" „Arguments" und „Appendix"
sind ganz neu.

Die nächste Quartausgabe von 1747 gleicht äusserlich der von 1736, weist aber beträchtliche Veränderungen auf, da sie 118 neue Verse und Anmerkungen enthält und im ganzen 323 Seiten umfasst. Um das Werk aber wirklich vollständig zu haben, muss man beide Quartausgaben besitzen.

Fernere Ausgaben des „Toast" sind die in den „Opera" des Will. King (Oxford 1754) abgedruckte, eine in demselben Jahre erschienene neue Separatausgabe und ein späterer Abdruck in „Almon's New Foundling Hospital of Wit."

Obgleich die Verbreitung durch den Buchhandel nur eine beschränkte war, sind die ersten Ausgaben des „Toast" nicht so selten. Das Britische Museum besitzt drei Exemplare der Quartausgaben und diejenige in den „Opera".

Der Verfasser von „The Toast" ist Dr. William King, Sohn des Pfarrers Peregrine King und Vorsteher von St. Mary Hall, Oxford (geboren zu Stepney in Middlesex 1685, gestorben den 30. Dezember 1763), wo er auch seine Studien gemacht hatte. Er ging 1727 nach Irland, wo er das erwähnte Gedicht schrieb. Er wurde von den ersten Männern seiner Zeit, besonders von seinem Freunde Swift, wegen seines Witzes und seiner Gelehrsamkeit geschätzt, war ein vortrefflicher Redner, ein eleganter Schriftsteller, der die lateinische Sprache ebenso gut beherrschte wie die englische. [1]

Dr. Johnson sagte: „Ich habe bei Dr. King's Rede so lange mit den Händen geklatscht, bis sie wund

[1] John Nichols „Literary Anecdotes of the Eighteenth Century" London 1812 Bd. II, S. 608.

waren,"[1]) und der Dichter Thomas Warton schildert King's glänzendes Rednertalent in folgenden Versen seines „Triumph of Isis":

> See, on you Sage how all attentive stand,
> To catch his darting eye and waving hand.
> Hark! he begins, with all a Tully's art,
> To pour the dictates of a Cato's heart.
> Skill'd to pronounce what noblest thoughts inspire,
> He blends the speaker's with the patriot's fire;
> Bold to conceive, nor timorous to conceal,
> What Britons dare to think, he, dares to tell, etc.

Andererseits fehlte es auch nicht an Gegnern, die ihn beschuldigten, revolutionäre Lehren vorzutragen und die Ausschweifung zu predigen, und die die Reinheit seines Lateins bezweifelten. Churchill sagt im „Candidate":

> King shall arise, and, bursting from the dead,
> Shall hurl his piebald Latin at thy head,

und in einem Gedichte „A Satire upon Physicians, or an English Paraphrase, with Notes and References, of Dr. King's most memorable Oration, Delivered at the Dedication of the Radclivian Library in Oxford. To which is added, A curious Petition to an Hon. House, in Favour of Dr. King. London: Printed for R. Griffiths, in Pater-Noster-Row. 1758," (8°, 63 S.) lässt der Verfasser King sich selbst folgendermassen schildern:

> In me, ah! pity to behold!
> A Wretch quite wither'd, weak and old;
> Who now has pass'd by heaven's decree,
> The dangerous year of Sixty-three;
> On asses milk, and caudle fed,
> I doddle on my cane to bed,
> Of every step I take, afraid;

---

[1]) ibidem Bd. IX, S. 778.

My coat unbutton'd by my maid.
My memory oft mistaking names,
For G-rge I often think of I-mes;
Am grown so feeble frail a Thing,
I scarce remember who is King!
Th' imperial purple which does wear,
A lawful or a lawless Heir!

Ein schönes in Mezzotinto ausgeführtes Portrait von
King stellt den berühmten Mann in seinem 75. Lebens-
jahre dar („Gulielmus King LLD Aetat. 75, T. Hudson
Pinxt, Is. Mc. Ardell fecit.")[1])

Die Schrift „The Toast" ist eines der merkwürdigsten
Erzeugnisse der englischen satirisch-erotischen Litteratur.
Schon allein der Umstand überrascht darin, dass ein ungeheurer Aufwand von Mühe und Gelehrsamkeit auf den An-
griff auf eine einzige Frau, die noch dazu keineswegs her-
vorragend war, verwendet worden ist. Noch sonderbarer
ist es, dass eine so hässliche Satire aus der Feder eines
Theologen hervorgegangen ist. Es handelt sich bei
dem „Toast" um das Werk eines wirklich genialen, tief-
gelehrten Mannes, der die Welt und ihre Laster gründlich
kennt und sowohl die englische als auch die lateinische
Sprache in geradezu meisterhafter Weise beherrscht.
Ob die englischen Verse oder die gereimten Verse des
angeblichen lateinischen Originals oder die curiosen
Anmerkungen in Prosa merkwürdiger sind, lässt sich
schwer entscheiden. Das Ganze ist erstaunlich und voll
Witz, Humor, Gelehrsamkeit und Satire, es ist ein
„poème extraordinaire" wie Sylvain van de Weyer,
einer der besten Kenner der englischen Curiosa es nennt,

---

[1]) P. Fraxi „Catena" S. 456.

24*

und Octave Delepierre pflichtet ihm in seiner in den „Macaroneana" gegebenen Analyse des „Toast" bei.

Ueber die Veranlassung der Niederschrift des „Toast" und die darin vorkommenden Persönlichkeiten belehrt der Artikel „By-Ways of History. History of an Unreadable Book" in „Bentley's Miscellany (Juni 1857, S. 616—625).

Die Vorgeschichte des Gedichtes dreht sich um die Person der Lady Frances Brudenell, verwitweten Gräfin von Newburgh, die 1699 in zweiter Ehe sich mit Richard Lord Bellew, einem irischen Edelmanne vermählte, dem sie einen Sohn John, späteren Lord Bellew gebar. Ihr zweiter Gatte starb 1714 und liess die „himmlische Myra" des späteren Gedichtes in einer sehr prekären Lage zurück, da die Schulden ihres Gemahles sehr beträchtliche waren. Sie entlieh von allen Seiten Geld, u. a. von Sir Thomas Smith, dem Inspektor des Phoenix Parkes in Dublin und Onkel unseres William King, da seine Halbschwester Peregrine King geheiratet hatte.

Nachdem Dr. Thomas Smith der Lady Bellew bereits sehr grosse Summen vorgestreckt hatte, veranlasste er seinen reichen Neffen William King diese Ansprüche zu übernehmen, wobei dieser von der raffinierten Lady um viele Tausende Pfund Sterling betrogen wurde, die er auch durch langwierige Prozesse nicht wieder erlangen konnte.

Die einzige Rache, die der grundgelehrte King nehmen konnte, war die Abfassung des „Toast", einer der sonderbarsten Schmähschriften, die es giebt, in welcher die tiefste Gelehrsamkeit darauf verwendet wird, um den Gegenständen des Hasses die ungeheuerlichsten und unnatürlichsten Eigenschaften, Laster und Verbrechen anzudichten.

Die Personen des „Toast" werden in einer selt-samen Mischung antiker Mythologie und moderner Phantastik als „dramatis personae" eines Gedichtes an-geführt, das angeblich die englische Uebersetzung lateinischer Fescenninischer Verse ist, die wiederum durch einen grundgelehrten Kommentar erläutert werden! Der Verfasser verbirgt sich hinter dem Namen Schaeffer. Die Helden und Heldinnen treten in mythologischem Gewande auf. Lady Newburgh ist „Myra", eine un-natürliche, unzüchtige alte Hexe, Sir Thomas Smith, der Onkel des Verfassers, figuriert als ein alter, widriger, wollüstiger „Mars", den der Verfasser als dritten Gatten der Lady hinstellt, der nach langer Liebelei zu dieser Heirat verführt und zuletzt zur Enterbung seines von ihm betrogenen Neffen verleitet wird. „Myracides" ist Lord John Bellew, während Lady Allen als „Ali" eine Helfershelferin der Myra darstellt. „Pam" ist Bischof Hort, der auch mit Anspielung auf seinen Namen „Hort-ator Scelerum" genannt wird. Mehrere andere Personen der Zeit treten ebenfalls unter fingiertem Namen auf. Davis und Martin haben einen eigenen „Schlüssel" zum „Toast" geschrieben; der beste aber befindet sich in den Randbemerkungen eines Exemplares, das der Autor 1747 dem John Gascoigne schenkte. Er ist von Pisanus Fraxi mitgeteilt worden. [1])

King hat offenbar in dem „Toast", von dem er selbst sagte, dass er ihn im Aerger begonnen, aber in froher Laune beendigt habe, neben der obscönen und

---

[1]) P. Fraxi, „Centuria" S. 820—322.

scharfen Satire auf seine Gegner, die er später selbst
verurteilte, auch seine gelehrten Kenntnisse glänzen
lassen wollen und so eins der eigenartigsten Produkte
klassischer Studien[1]) geschaffen.

Um einen Begriff von der Art und dem Inhalte
des „Toast" zu geben, teilen wir die für denselben am
meisten charakteristische Stelle mit, nämlich die Beschreibung der Person Myra's, die King selbst[*]) in
späterer Zeit missbilligt hat:

There he saw the huge Mass tumble out of her Bed;
Like Bellona's her Stature, the Gorgon's her Head;
Hollow Eyes with a Glare, like the Eyn of an Ox;
And a Forehead deep furrow'd and, matted grey Locks;
With a toothless wide Mouth, and a Beard on her Chin,
And a yellow rough Hide in the Place of a Skin;
Brawny Shoulders up-rais'd; Cow-Udders; Imp's Teat;
And a Pair of bow'd Legs, which were set on Splay Feet.
With the Figure the God was surpris'd and offended,
When he mark'd how these various Defects were amended;
How her Back was laid flet with an Iron Machine,
And her Breasts were lac'd down, with a sweet Bag between:
How she shaded her Eyes, and the squalid black Beard
Was so smoothly shav'd off, scarce a Bristle appear'd;
How she clear'd the old Ruins, new plaister'd her Face,
And apply'd Red or White, as it suited the Place:
With a Set of Wall's Teeth, and a Cap of Deard's Hair,
Like a Virgin she bloom'd, and at sixty seem'd Fair.
Thus you see an old Hulk, many Years Weather—beaten,
All the Timbers grown rotten, the Plank all Worm—eaten,

---

[1]) Er sagt von diesen letzteren: „I have a veneration for
Virgil: I admire Horace: but I love Ovid." Political and
literary anecdotes of his own Times" By Dr. William King.
Second Edition London 1819 S. 29—80.
[*]) „Particularly the description of Mira's person in the third
book is fulsome, and unsuitable to the polite manners of the
present age" a. a. O. S. 98.

Which the Owners, who doom her to make one more Trip,
Scrape and calk, tar and paint, till she seems a new Ship.
But alas! for the Wretches, whose Gods have forgot' em,
That are bound to adventure in such a foul Bottom.
Here his Godship (inclin'd to examine the whole,
Which compos'd this odd Creature) look'd into her Soul.
He conceiv'd a faint Hope, that within he should find
Hidden Beauties, good Sense, and a virtuous fair Mind:
Which, he knew, for Exteriors would make full Amends,
And enrol her a Toast among Platonic Friends.
But again he was baulk'd: — For a Soul he espy'd
Full of Envy, black Malice, base Leasing, and Pride;
Hypocritical, sordid, vain-glorious, ingrate;
In her Friendships most false, and relentless in Hate.
He beheld, at one View, all the Acts of her Life;
How experienc'd a Miss; how abandon'd a Wife!
Then advancing in Years, all her Wants she supply'd,
By an Art, which the fam'd Messalina ne'er try'd.
Tho' her Gallants were few, or not made to her Mind;
Yet her Joyance was full, if the Jewess was kind.
While the God, that no Room might be left for a Doubt,
Turn'd her upside and down, and then inside and out;
And survey'd all her Parts; many more, than is fit
For the Bard to describe; — but still found himself bit etc.

Diese liebliche Schilderung der Myra geht noch
weiter in demselben Tone fort. Endlich ist sie bereit,
ihre Liebhaber zu empfangen, die nacheinander erscheinen:

First approaches majestic the tall Grenadier,
All her Fury the Sight of such Manhood suppress'd;
And a train of soft Passions re-enter her Breast.
She embrac'd the great Soldier; she measur'd his Length;
Into Action she warm'd, and experienc'd his Strength:
Nor so much had false Dalilah's Spouse in his Locks:
Nor the Witch was more pleas'd, when she strove in the Box.
Introduc'd in good Order, succeed to the Fight
A Mechanic, a Courtier, a Collier, and Knight:
As he finish'd to each she assign'd a new Day,
And, extolling his Labours, advanc'd a Week's Pay.

Aber sie hat an diesen Männern noch nicht genug, sondern huldigt ausserdem dem Amor lesbicus, wobei sie auch die Rute zu Hülfe nimmt.

O ma Vie, ma Femme! What a Shape, and a Face!
Then impatient she rush'd to a closer Embrace.
Let the rest be untold! — And thus ever forbear,
Lest thy Numbers, O Scheffer, offend the chaste Fair.

Als Probe des lateinischen Originals mögen die folgenden zu der obigen „Uebersetzung" gehörigen Verse dienen, die die wollüstige Natur Myra's schildern:

Quos puellulae calores,
Nuptae vidit quos furores!
Quae libido, cum vetu-la,
Inflat tetra et Mascu—la!
Messalina si certaret,
Messalinam superaret,
Mira, Priapeium decus,
Moechi, moechae, moecha, moechus.
Quid, quod juvenes protervi?
Quod suorum rigent nervi?
Tribadum dum Shylockissa,
Venere non intermissa,
Miram patitur, amorum
Haud indocilis novorum.

Das berühmteste Werk der erotischen Litteratur Englands und eines der hervorragendsten Spezimina der ganzen erotischen Belletristik überhaupt ist John Cleland's berühmter Roman „Fanny Hill, oder Denkwürdigkeiten eines Freudenmädchens" (Fanny Hill, or Memoirs of a Woman of Pleasure), welchem deshalb eine ausführliche Betrachtung an dieser Stelle gewidmet werden muss.[1]

---

[1] Sie schliesst sich im wesentlichen an die ausführliche Abhandlung von P. Fraxi „Catena" S. 60—91 an, bringt aber nicht unwichtige bibliographische und litterarhistorische Ergänzungen, so dass die folgende Darstellung die bisher erschöpfendste genannt werden kann.

Ueber den Verfasser dieses kulturgeschichtlich höchst wertvollen Buches, John Cleland (1707—1789), findet sich in Bd. 59 des „Gentleman's Magazine" eine längere biographische Notiz, die zwar nach einem Korrespondenten der „Notes and Queries"[1] in einigen Punkten ungenau, dennoch aber die beste bisher bekannte ist. Es wird darin mitgeteilt, dass John Cleland der Sohn des Obersten Cleland war, jenes berühmten fictiven Mitgliedes des Spectator's Club, den Steele unter dem bekannten Namen „Will Honeycombe" schildert.

In Swift's Tagebuch steht unter dem 30. März 1713: „Ich ass in der City bei Pontac mit Lord Dupplin und einigen Anderen. Wir wurden von einem Oberst Cleland bewirtet, der gern Gouverneur von Barbadoes werden möchte, und nun diese groben Schlingen für mich und die Anderen auslegt, um uns für sein Interesse einzufangen. Er ist ein echter Schotte."[2] Dieser Oberst Cleland war einer der bekanntesten Lebemänner Londons am Anfange des 18. Jahrhunderts. Sein Porträt hing in des Sohnes Bibliothek bis zu des letzteren Tode.

John Cleland erhielt im Westminster College, wo er 1722 aufgenommen wurde, zusammen mit Lord Mansfield eine gute Erziehung und ging nach dem Tode seines Vaters, dem er in Hinsicht des lockeren Lebenswandels ähnlich war, mit den Ueberresten des väterlichen Vermögens als englischer Konsul nach

---

[1] „Notes and Queries" 2. Series Bd. II, S. 351, 376, 418.
[2] „Swifts Tagebuch in Briefen an Stella". Deutsch von Claire von Glümer. Berlin 1866. S. 528.

Smyrna, wo er vielleicht die frivolen Grundsätze und
Anschauungen einsog, die er später als Autor eines der
berüchtigsten Bücher entwickelte. Nach der Rückkehr
von Smyrna ging er nach Ostindien, von wo er aber bald
in Folge von Streitigkeiten mit den Mitgliedern der
Präsidentschaft von Bombay fast mittellos nach England
zurückkehrte, um hier in grosse pekuniäre Schwierig-
keiten zu geraten, die Gefängnis und andere Leiden
zur Folge hatten. In dieser Lage erhielt er den
Antrag eines Verlegers, eine erotische Schrift zu verfassen, dem er durch die Herausgabe der „Fanny Hill"
entsprach, wegen deren er sich vor dem „Privy Council"
verantworten musste. Der Präsident desselben John,
Earl Granville, unterstützte ihn aber nachher in der
edelsten Weise durch eine jährliche Pension von
100 Pfund Sterling, um ihn von weiterer ähnlicher
litterarischer Bethätigung abzuhalten, mit dem Erfolge,
dass ausser den „Memoirs of a Coxcomb", die noch der
frivolen Litteraturgattung angehören, und dem „Man of
Honour", einer Art von litterarischer Busse für die
„Memoirs of a Woman of Pleasure" Cleland seine Zeit
nur noch politischen und philologischen Publikationen
widmete, welche letzteren besonders die keltische Sprache
betrafen. Er lebte von seiner Pension viele Jahre in
einem abgelegenen Heim in Petty France, umgeben von
einer guten Bibliothek und erheitert durch die gelegentlichen Besuche einiger litterarischen Freunde, denen
er ein sehr angenehmer Gesellschafter war. Er starb
im vorgerückten Alter von 82 Jahren. Er besass eine
sehr lebhafte Unterhaltungsgabe, verstand sehr viele
lebende Sprachen, die er alle geläufig sprach. Als
Schriftsteller bekundete er sein Talent am meisten durch

Novellen, Lieder und leichtere Belletristik. Seine
politischen Schriften sind langweilig.

Nichols urteilt über ihn: „In these publications
Mr. Cleland has displayed a large fund of ingenuity
and erudition not unworthy the education he received
at Westminster [1]).

Was speziell die litterarische Bedeutung seiner
berühmtesten Schrift, der „Fanny Hill" betrifft, so
mögen hier nur die Urteile zweier in Sachen der
litterarischen Kritik gewiss kompetenter deutscher Schriftsteller mitgeteilt werden.

J. J. Winkelmann sagt von diesem Werk
John Cleland's, dass es von einem „Meister in der
Kunst, von einem Kopfe von zärtlicher Empfindung und
von hohen Ideen, ja, in einem erhabenen pindarischen
Stile" geschrieben sei. [2]) v. Murr, der diese Stelle
zitiert, bemerkt dazu: „Und das ist Wahrheit." [3])

Lichtenberg schreibt unter dem 23. Januar 1785
an Wolff: „Diesen Schwein-Peltz von Buch (nämlich:
Lindamine oder Lindamire, histoire indienne, tirée de
l'Espagnol" Paris 1638) kenne ich schon, ich hatte nur
den Titel vergessen. Dieterich hat es mir einmal herauf-
gebracht. Ich sende es also sogleich, da sich die
Gelegenheit trifft, in dem viertel Tag zurück, an dem
ich es empfangen habe. Es ist schlecht geschrieben.
„Dom Bougre" und „The History of a Woman of
pleasure" ist viel besser, die Kupferstiche im letztern

---

[1]) John Nichols „Literary Anecdotes" Bd. II S. 458.
Bd. VIII S. 98, 412.
[2]) „Winkelmann's Briefe an seine Freunde" Dresden 1777.
Bd. I S. 91.
[3]) Chr. G. v. Murr a. a. O. Bd. XIV S. 48.

(schwarze Kunst) sind würcklich schön, das Büchelchen ist aber teuer."[1]

Die Bibliographie und buchhändlerische Geschichte der „Memoirs of a Woman of Pleasure" ist eine ziemlich verwickelte und bedarf einer ausführlichen Besprechung, die nicht in den engen Rahmen rein bibliographischer Aufzählung zusammengedrängt werden kann. Schon Ferdinand Drujon nennt die Bibliographie dieses bestbekannten englischen Eroticums „la plus obscure"[2] Pisanus Fraxi konnte trotz eifrigster Bemühungen kein Exemplar der Editio princeps auffinden. Man erzählte ihm zwar von der Existenz eines solchen Exemplares im Britischen Museum, wo er es aber nicht nachweisen konnte. James Campbell, einer der gelehrtesten Kenner der erotischen Litteratur, versicherte ihn, dass auch er niemals ein Exemplar der Originalausgabe gesehen habe, welche demgemäss von grösster Seltenheit sein muss.

Die Urteile der Bibliographen über das Jahr der ersten Ausgabe haben sehr geschwankt. Die englischen Bibliographen[3] entschieden sich für 1750; Gay giebt die Zeit zwischen 1747 und 1750 an.[4] Hiermit stimmt überein, dass die 1750 erschienene gemilderte Ausgabe der Schrift, die der Londoner Buchhändler Griffiths in einem Bande veranstaltete in dessen „Monthly Re-

---

[1] „Lichtenberg's Briefe" ed. Leitzmann und Schüddekopf. Leipzig 1902, Bd. II, S. 187.

[2] F. Drujon, „Catalogue des Ouvrages condamnés" S. 168.

[3] „The Bibliographer's Manual of English Literature" by William Thomas Lowndes. Revised by Henry G. Bohn. London 1860 Bd. I, S. 477.

[4] Gay, „Bibliographie des ouvrages relatifs à l'amour." Bd. V, S. 50.

view" als Auszug aus einem sehr freien Werke, das
„etwa zwei Jahre vorher in zwei Bänden"
gedruckt worden sei, angekündigt wird. Weiteren Auf-
schluss bringen die im Jahre 1763 veröffentlichten „Ent-
scheidungen des Gerichtshofes King's Bench" gegen die
Autoren und Verleger verderblicher Schriften. Hier
wird unsere Schrift zweimal erwähnt:

„Memoirs of Fanny Hill. Warrant dated March 15,
1749—50. Holles Newcastle. And another for

The Memoirs of a Woman of Pleasure. „To make
strict and diligent Search for the Author, Printer and Publishers
of a most obscene and infamous Book, entitled, the Memoirs
of a Woman of Pleasure, of whom you shall have Notice, and
him, them, or any of them, having found, you are to seize and
apprehend, for writing, printing, and publishing the said most
obscene and infamous Book, and to bring him or them, together
with such of the said Books as you shall find in his or their Custody, safe before me, to be examined concerning the Premises,
and further dealt with according to Law. Nov. 8, 1749. Holles
Newcastle."[1])

Endlich löst der schon erwähnte Artikel in Griffith's „Monthly Review" vom April 1750 jeden Zweifel,
wenn man ihn mit den eben mitgeteilten Daten in Verbindung bringt. Dieser Artikel lautet:

„Denkwürdigkeiten von Fanny Hill. Ein
Band in 12⁰. Preis in Kalbsleder gebunden 3 Sh. Dies
ist eine Novelle in Form von Briefen von einer reuigen
Prostituierten an ihre Freundin. Sie enthält die Denkwürdigkeiten ihres Lebens und schildert die Wege, auf
denen sie zum Laster und zur Schande geführt wurde.
— Obgleich dieses Buch auf einem vor ungefähr zwei

---

[1]) P. Fraxi, „Catena" S. 509.

Jahren erschienenen freien Werke in zwei Bänden beruhen soll und daher ein starkes Vorurteil wider sich hat, glauben wir doch nicht, dass die vorliegende Darstellung, was auch jene beiden Bände sein mögen (denn wir haben sie nicht gesehen) irgendwie mehr die Schamhaftigkeit oder das Zartgefühl verletzt als unsere Novellen und Unterhaltungsbücher im allgemeinen thun. Denn in Wirklichkeit sind die meisten von ihnen, besonders unsere Komödien und nicht wenige unserer Tragödien in dieser Beziehung zu tadeln.

Der Verfasser von Fanny Hill scheint nicht geschrieben zu haben, um die praktische Ausübung der Immoralität zu ermuntern, sondern um die Wahrheit und Wirklichkeit zu schildern und jene Mysterien des Lasters an den Tag zu bringen, deren Offenbarung Viele vor dem Hineingeraten in dieselben schützt. Der Stil hat eine besondere Reinheit und die Charaktere sind natürlich gezeichnet ..."[1])

Hieraus ergiebt sich, dass die erste Ausgabe unter dem Titel „Memoirs of a Woman of Pleasure" wahrscheinlich in das Jahr 1749 fällt, während die kastrierte Ausgabe von Griffiths unter dem Titel „Memoirs of Fanny Hill" dem Jahre 1750 angehört.

Diese erste Ausgabe von 1749, die Pisanus Fraxi völlig unbekannt geblieben war, ist neuerdings entdeckt und nach ihr von Isidore Liseux in Paris ein Neudruck veranstaltet worden. Sie führt den Titel:

1. Memoirs of a Woman of Pleasure. London.

---

[1]) ibidem S. 63—64.

Printed for G. Fenton in the Strand 1749. — 12°,
2 Bände, 172 u. 187 S. Mit Kupfern.[1])

In demselben Jahre (1749) erschien eine
zweite Ausgabe, die Pisanus Fraxi bekannt ist:

2. Memoirs of a Woman of Pleasure. London.
Printed for G. Fenton in the Strand 1749. — Gr. 12°,
2 Bände, 228 und 250 S. Grosser Druck. 12 Mezzotinto-Kupfer.

3. Memoirs of Fanny Hill. London, Griffiths,
1750. — 12°, ein Band.

4. Memoirs of a Woman of Pleasure. London.
Printed in the Year 1777. — 12°. 2 Bände mit fort-
laufender Paginierung von 307 S. Bd. I endigt mit
S. 146.

5. Memoirs of a Woman of Pleasure. London.
Printed for G. Fenton in the Strand 1781. — 12°,
2 Bände, 172 u. 187 S.[*])

6. Memoirs of a Woman of Pleasure. London.
Printed for G. Fenton in the Strand 1784. — 12°
2 Bände, 154 und 168 Seiten. 12 (?) Kupfer.

---

[1]) Folgende Neudrucke dieser Erstausgabe sind mir bekannt:
a) „Memoirs of Fanny Hill by John Cleland. A new and
genuine edition from the original text (London) 1749)“, Paris,
Isidore Liseux, 19, Passage Choiseul 1888; 8°, XI, 825 S. b) Dasselbe unter dem Titel „Memoirs of a Woman of Pleasure (Fanny
Hill) etc.“ Paris, Liseux 1890, 12°. c) Dasselbe: Amsterdam, Au-
guste Brancart 1893, 12°, VIII, 307 S. (in Paris gedruckt). d) Dasselbe, Paris, chez tous les libraires, 1894, 12°, VIII, 874 S.
[*]) Die auffällige Uebereinstimmung der Paginierung dieser
Ausgabe mit der von Liseux als „Editio princeps“ herausgegebenen
Ausgabe von 1749 erweckt mir den Verdacht, dass es sich dabei
um unsere No. 5 handle. Dann würde allerdings die wirkliche Erstausgabe noch immer unbekannt sein.

A. S. L. Bérard besass ein Exemplar dieser Ausgabe, die er für die originale hielt. Er bemerkt in seinem Manuskript-Kataloge: „Les nombreuses figures qui accompagnent ce livre sont aussi mauvaises sous le rapport du dessin que sous celui de la gravure. Cette édition est d'une extrême rareté, même en Angleterre."

7. **Memoirs of F****** H*****. Vol. I. London: Printed for G. Fenton, in the Strand 1784. — 12°, 2 Bände, 132 und 144 S. —

Pisanus Fraxi erwähnt dieselbe Ausgabe mit den Zahlen 1779 auf dem Titel, die vielleicht die ursprüngliche ist.

8. **Memoirs of ********* ** **************. Vol. I: London: Printed for G. Fenton in the Strand. — 12°, 2 Bände, 228 und 252 Seiten; 11 Mezzotinto-Kupfer, koloriert (davon 6 im ersten, 5 im zweiten Bande). Ausgabe des 18. Jahrhunderts.

Frederick Hankey in Paris besass ein schönes Exemplar dieser Ausgabe.

9. **Memoirs of a Woman of Pleasure from the Original Corrected Edition with a Set of Elegant Engravings**. — 8°, 2 Bände, 152 und 167 Seiten.

Pisanus Fraxi erwähnt diese Ausgabe an erster Stelle, da er sie für eine sehr alte, jedoch nicht für die Editio Princeps hält, und da sie seiner Ansicht nach vollständiger ist als alle übrigen. Sie enthält nämlich im letzten Teile die genaue Schilderung einer päderastischen Szene, die Fanny bei einem Ausflug nach Hampton Court zu beobachten Gelegenheit hat und die in den anderen Ausgaben nur eben angedeutet wird.

Sie ist bei Fraxi a. a. O. S. 60—61 und in der Liseux-
schen Ausgabe wieder mit abgedruckt worden.

10. Es existiert eine Ausgabe von 1829 in 2 Bänden, 159 und 176 S. mit 18 Kupfern.

11. Memoirs of a Woman of Pleasure: Written
by Herself Embellished with Numerous Copper Plate
Engravings Vol. I. London; Printed for the Proprietors.
1831. — 12⁰, 2 Bände, 131 und 144 S. Zahl der Kupfer
unbestimmt. Ausserdem zwei obscöne gestochene Titel.
Kleiner, undeutlicher Druck. Der zweite Band schliesst
mit: „Madam Yours etc. . . Finis."

12. Eine andere Ausgabe aus demselben Jahre
(1831), mit der Variation, dass am Ende des zweiten
Bandes: „Yours etc." ausgelassen ist und umgekehrte
Initialen hinzugefügt sind, so dass der Schluss lautet:
„Madam, ** — H. — Ⱶ Finis."

13. Memoirs of a Woman of Pleasure or the
Life of Miss Fanny Hill. In two Volumes From the
Original Quarto Edition of the Author John Cleland.
Esq. Illustrated with Twenty-five Original Engravings.
London Printed by John Jones, Whitefriars 1832.
Price Three Guineas. — Gr. 12⁰, 120 und 135 S. Ver-
leger W. Dugdale. 25 kolorierte schöne Kupfer, davon
12 kleine im Text und 13 grosse, inklusive eines ge-
stochenen Titels mit der Ueberschrift: „Memoirs of
Miss Fanny Hill a Woman of Pleasure."

14. Neudruck dieser Ausgabe, ohne Jahreszahl,
mit denselben Kupfern, zum Preise von drei Guineen.

15. The Life and Adventures of Fanny Hill,
A Fair Cyprian, By John Cleland, Esq. -- 8⁰, 2 Bände
in einem, mit fortlaufender, aber unregelmässiger Pagi-

nierung, die im ersten Bande mit S. 80 endet, im zweiten mit S. 97 beginnt und mit S. 173 schliesst. — Eine obscöne kolorierte Lithographie auf dem Titel, der weder Ort noch Jahreszahl hat (Herausgeber W. Dugdale ca. 1850). 20 schlechte, kolorierte, obscöne Lithographien.

16. Zwei verschiedene Neudrucke von No. 15. Auf dem Titel ist „Esq." fortgelassen. In den neueren der beiden Drucke ist das „I" in „John" umgedreht, ebenso die Lithographieen. Dieselbe unregelmässige Paginierung in beiden Ausgaben wie in 15.

17. Memoirs of a Woman of Pleasure written by herself London. — 12°, 2 Bände mit fortlaufender Paginierung. 284 S. Lithographisches Frontispiz mit: „The Life and Adventures of Fanny Hill, a Fair Cyprian by John Cleland" und andere Lithographieen (Erschien in New-York ca. 1845).

18. The Memoirs of a Woman of Pleasure, or The Life of Fanny Hill. By John Cleland. Profusely Illustrated. Bond Street, London: Printed for the Booksellers. — 8°, 159 S. Fünf schlechte Lithographieen nach Illustrationen zu früheren Ausgaben wurden für diese Ausgabe hergestellt, obgleich man in einigen Exemplaren die Kupfer der früheren Ausgaben findet, besonders der von Dugdale veranstalteten. Erschien 1883 in 500 Exemplaren. Preis ₤ 4; 4 s. Einige Exemplare ohne Bilder wurden zu ₤ 2; 2 s. verkauft.

Es ist ein Nachdruck einer der Dugdale'schen Ausgaben.

19. Die Liseux'schen Ausgaben und ihre Nachdrucke (Vergl. die Anmerkung zu No. 1 S. 383.

Sehr wichtig ist für den Bibliographen die Kenntnis einiger castrierter englischer Ausgaben der „Memoirs of Fanny Hill", die noch häufig in den Handel gelangen und dann dem Käufer eine unangenehme Ueberraschung bereiten können. Die wichtigsten verstümmelten Ausgaben sind die folgenden:

1. The Singular Life and Adventures of Miss Fanny Hill, A Fair Cyprian, Many Years Resident in Russell Street, Covent Garden, Originally Written by John Cleland Esquire. First Published by R. Griffith, at the Dunciad, in St. Paul's Church Yard. London, Re-Printed by Turner, 23 Russell Court, Drury Lane.

Gestochener Titel mit schöner Vignette, die in freier, aber nicht obscöner Weise Mr. H. darstellt, wie er Fanny mit Will überrascht. — 12⁰, ca. 1830 bei W. Dugdale. Wahrscheinlich mit freien Bildern. Oeffentlich verkaufte, castrierte Ausgabe.

2. Memoirs of the Life of the Celebrated Miss Fanny Hill, Detailing, in glowing language, her Adventures as a Courtezan and Kept-Mistress; her strange vicissitudes and happy end. Illustrated by numerous elegant amorous engravings. Reprinted from the original Quarto Edition of John Cleland. „If I have painted vice in its gayest colours, if I hafe decked it with flowers, it has been solely in order to make the worthier, the solemner sacrifice of it, to virtue." London: Printed by H. Smith, 37, Holywell Street, Strand. 1841.

12⁰, 207 S., 8 colorierte, freie Kupfer. Castrierte Ausgabe von W. Dugdale, wahrscheinlich Neudruck der in der „Monthly Review" angezeigten Ausgabe von 1750.

25*

3. **Memoirs of the Life of Fanny Hill, or the career of a Woman of Pleasure. Illustrated with Coloured Plates. London: — Printed for the Booksellers.**

8°, 2 Bände in einem, 120 S. fortlaufender Paginierung. Ein Porträt von Fanny Hill als Frontispiz und 7 schlechte colorierte, decente Lithographieen. Wertlose castrierte Ausgabe.

4. **Dieselbe Ausgabe** ohne Porträt und mit 8 neuen freien Holzschnitten von schlechter Ausführung.

5. Original Edition. **Memoirs of the life of Miss Fanny Hill, Illustrated with beautifully Coloured Plates. Price One Guinea.**

8°, 2 Bände in einem, 144 S. 8 schlechte kolorierte, decente Holzschnitte. Derselbe Text wie in No. 3. Ohne Wert.

Es giebt wohl kein Eroticum, welches so zahlreiche Uebersetzungen, in die verschiedensten europäischen Sprachen aufweisen kann, wie Cleland's „Fanny Hill". Der Roman erschien in den meisten Hauptsprachen Europas. Nur eine spanische Uebersetzung konnte Pisanus Fraxi nicht nachweisen. Trotzdem dürfte eine solche existieren. Freilich bieten viele dieser fremden Versionen starke Veränderungen, Verkürzungen und Verstümmelungen dar.

Vor allem lässt sich von den älteren französischen Uebersetzungen, deren Zahl die bei weitem grösste ist, ohne Weiteres feststellen, dass nicht eine einzige von ihnen den vollständigen Text des englischen Originals wiedergiebt, auch nicht eine einzige die erwähnte päderastische Szene enthält, die, wie wir sehen werden, in einer der deutschen Uebersetzungen enthalten ist.

Die erste französische Uebersetzung ist die folgende:

1. **La Fille de Joye.** Ouvrage quintessencié de l'Anglois. A Lampsaque, 1751.

8°, 172 S. Monogramm in rot und schwarz auf dem Titel. Keine Bilder. Diese Uebersetzung ist stark verkürzt. Sie beginnt mit: „Tu veux ma chere Amie, que je retrace à tes Yeux les égaremens de ma première jeunesse" und schliesst: „Adieu, ma chére, ce qui (sic) j'exige de ton amitié, c'est de ne point divulguer mes égaremens et de me croire, etc. Fin." — Der Uebersetzer dieser ohne Zweifel ersten französischen Ausgabe hiess **Lambert** und war der Sohn eines französischen Bankiers. [1]

2. Neudruck dieser Uebersetzung um 1860 von **Fischaber** in Stuttgart, ohne Datum. Nur auf dem Titel: „Cologne Chez Pierre Marteau".

12°, 108 S. Ohne Bilder. 2 Theile oder Bände.

3. **Nouvelle Traduction de Woman of Pleasur** (sic), ou Fille de joie. Par M. Cleland, Contenant les Mémoires de Mademoiselle Fanny, écrits par elle-meme. Avec Figures. Première Partie. A Londres, Chez G. Fenton, dans le Strand, 1776.

12°, 119 und 132 S. 15 Kupfer, von denen nur das Titelbild eine Unterschrift hat, die sich auf Teil I, S. 55 bezieht. Diese beste aller französischen Ausgaben erschien bei Cazin in Paris. H. Cohen sagt über die Bilder derselben: „Les figures de cette édition très-rare comptent an nombre des plus belles de Borel el d'Eluin." [2]

---

[1] Gay, „Bibliographie", Bd. V, S. 50.
[2] H. Cohen, „Guide de l'Amateur des livres à figures du 18me siècle", Paris 1876, col. 78.

4. La Fille de Joie, Par M. Cleland, Contenant
les Mémoires de Mademoiselle Fanny, écrits par elle-
même. Avec Figures. Tome Premier. A Londres, 1776.
12°, 2 Bände, III, 128 S. 15 Kupfer, ähnlich denen
der Cazin-Ausgabe. Sie entsprechen dem französischen
Texte.

5. Titel und Grösse wie No. 4. 107 und 116 Seiten.
8 aus No. 4 übernommene Kupfer.

6. Wie No. 5. Auf dem Titel steht statt „Made-
mois.": „Mlle".

7. Titel wie No. 4. 107 und 116 Seiten. Zwei (?)
Kupfer (eins in jedem Bande), die ganz verschieden von
den obigen Bildern sind.

8. Nouvelle Traduction de la Fille de Joye.
Par Mr. Cleland, Contenant Les Mémoires de Mlle
Fanny, écrite (sic) par elle-même. Avec Figures. Premiere Partie. Londres 1776.
12°, 101 und 116 S. Schlechtes Titelbild und 13
kuriose, von den früheren verschiedene Kupfer, die alle
zum ersten Teil gehören. (Ihre Stelle ist im „Avis an
Relieur" auf der letzten Seite angegeben.)

9. La Fille de Joie, on Mémoires de Mademoiselle
Fanny, écrits par elle-même. Nouvelle Édition. Avec
Figures. Tome Premier. A Londres 1790.
12°, 143 und 142 S. Kupfer wie in No. 4, aber
nur 15 an der Zahl, obgleich das letzte die Zahl 16
trägt. Der zweite Band beginnt mit: „Ayant déjà
passé" anstatt mit: „Tandis que j'étois", wie in den
No. 4 bis 8.

10. Nouvelle Traduction de Woman of
Pleasur (sic) on Fille de Joye de M. Cleland Conte-

nant des Memoires de Mlle Fanny écrits par Elle-meme.
Avec XV Planches en taille douce partie I. Londres
Chez G. Fenton dans le Strand 1770,
    8⁰, 2 Teile, 170 S. (fortlaufende Paginierung). Ge-
stochener Titel mit Einrahmung, an deren unterem Rande
eine „2" steht. Zu jedem Teile das gleiche Titelbild:
eine nackte Frau steht in der Mitte eines Zimmers vor
einem Piedestal, aus dem ein Phallus hervorlugt. Darunter steht: „Voeux de Chasteté à la Moderne." In
Wirklichkeit nur 13 schlechte Kupfer. Anfang des
ersten Teiles: „Je vais te donner, ma chere Amie, une
preuve indubitable etc." und Schluss: „qui tenoit une
bonne hotellerie, l'épousa", Anfang des zweiten Teiles:
„Tandis que j'étois embarassée de ce que je deviendrois
etc.", Schluss: „c'est de ne point divulguer mes égare-
ments, et de me croire etc."

    11. La Fille de Joie, ou Mémoires de Miss
Fanny, Écrits par Elle-Même. A Paris, Chez Madame
Gourdan. 1786.

    Gr. 8⁰, 2 Teile, 235 S. (fortlaufende Paginierung).
Auf dem Titel eine Vignette mit zwei Cupidos, die um
ein Blumenbeet sitzen. Zwei gestochene Titelblätter in
jedem Teile mit: Nouvelle Traduction de Woman
of Pleasur (sic) ou Fille de Joye de M. Cleland Contenant Les Memoires de Mlle. Fanny écrits par Elle-
même. Avec des Planches en taille douce Pre. Partie.
A Londres. 1777, mit einer Vignette, die einen Cupido
cum membro erecto darstellt, wie er ein Messer auf
einem Schleifstein schärft, während ein weiblicher Cupido
mingens dargestellt ist. Die Vignette des Titelblattes
zum zweiten Bande stellt mehrere um einen Altar mit
einem Phallus tanzende nackte Kinder dar. Ferner

enthält der erste Teil ein Frontispiz mit einem nackten sich selbst in einem Spiegel bewundernden und von einem Cupido beobachteten Weib, welch letzterer eine Thür öffnet, durch welche geflügelte Herzen fliegen. In einer Nische steht eine Statue mit der Unterschrift „Priappe". Ueber der Thür steht „Fanny" und über dem ganzen Bilde „Frontispice". Ein Schlussstück zum ersten Teile stellt Merkur und Venus, umgeben von Blumen und Wolken dar, darüber die Worte: „Les Joies Célestes" und darunter: „Fin de la Premiere Partie." Am Ende des zweiten Bandes das Porträt eines anderen nackten Paares, wahrscheinlich Jupiter und Juno, auf Wolken, darüber: „Charme des Yeux" und darunter: „Fin de la Deuxieme et Derniere Partie". Ausserdem 31 obscöne (mit Ausnahme der No. 1 und 2, 10, 14—16, 21, 31—32) Kupfer, also im ganzen mit Titelbildern und Schlussstücken 36 Kupfer. Diese sind sicher nicht von Borel und Eluin, wie Gay behauptet, sondern wahrscheinlich von demselben Künstler, von dem die Kupfer in der grossen Octavausgabe der „Thérèse Philosophe", in der „L'Académie des Dames" (Venise chez Pierre Aretin, ohne Datum), und in „Le Portier" (Grenoble de l'Imprimerie de la Grande Chartreuse) stammen. Es ist die vorliegende Ausgabe die bei weitem luxuriöseste der „Fille de Joye". Der Text ist derselbe wie in No. 10.

12. Neudruck von No. 11 von Gay und Doucé in Brüssel 1881. Auf dem Titel steht nur noch: Boston, Chez William Morning.

8°, VI, 157 S. Die Bilder von No. 11 sind reproduziert und ein „Avaut-Propos" von 2 Seiten ist hinzugefügt.

13. La Fille de Joie ou Mémoires de Miss Fanny écrits par elle-même. Tome I. A Londres, Chez Les Marchands de Nouveautés. *1736.

Gr. 12°, 2 Bände, 92 und 84 S. Es ist eine Brüsseler Ausgabe von 1860. 15 Kupfer, identisch mit denen der Ausgabe von 1776 (No. 4).

14. La Fille de Joie ou Mémoires de Miss Fanny écrits par elle-même. Tome Premier. Amsterdam et Paris 1788.

Kl. 8°, 98 und 100 S. Brüsseler Neudruck von 1872 oder 1873 nach No. 13. Photographische Wiedergabe der 15 Bilder. Preis 20 Frcs.

15. Eine vollständige französische Uebersetzung der „Memoirs of a Woman of Pleasure" von Joseph de Chaignolles wurde Anfang der achtziger Jahre des 19. Jahrhunderts angekündigt und soll nach Fraxi 1885 bereits im Manuscript vorhanden gewesen sein.[1]

16. Mémoires de Fanny Hill, par John Cleland (XVIIIe Siècle) entièrement traduits de l'Anglais pour la première fois par Isidore Liseux. Imprimé à 165 exemplaires pour Isidore Liseux et ses amis. Paris 1887." Kl. 8°.

Einzige vollständige und wörtliche neuere französische Uebersetzung.

Einzelne Teile und stark verkürzte Auszüge aus Cleland's Roman findet man in anderen französischen Schriften, so in „La Brunette, ou Aventures d'une Demoiselle. A Amsterdam 1761" (8°, 96 S.), wo die zweite Erzählung „La Fille sans Feintise" (S. 25

---

[1] Vergl. auch Le Biographe 1873—74 S. 191.

bis 96) auf der „Fanny Hill" beruht. Ferner ist in den „Mémoires d'une célèbre courtisane des environs du Palais Royal, ou vie et aventures de Mlle. Pauline, surnommée la veuve de la Grande Armée. Paris, Terry, 1833, 8°" auf S. 178—189 der letzte Teil des Cleland'schen Romanes von der Badeszene bis zum Schlusse, aber verkürzt und anderweitig verändert reproduziert. In dem „La Lettre" betitelten Abschnitt von „Chérubin, ou l'Heureux libertin, suivi d'une lettre de Julie a Pauline sur quelques goûts bizarres de certains hommes avec lesquels elle s'est trouvée, illustré de 4 gravures sur acier. Amsterdam, 1796" S. 67 ist die Barville - Flagellationsszene aus „Fanny Hill" wiedergegeben.

Auch in Deutschland wurde Cleland's Schrift schon in verhältnismässig früher Zeit übersetzt. Diese erste Uebersetzung stammt aus dem Jahre 1765 und hat wie die meisten folgenden einem anderen Titel als das Original:

1. „Entdeckte Heimlichkeiten einer zuletzt glücklich gewordenen Maitresse (Aus dem Englischen des John Cleland). Haag (Görlitz, Pollmann) 1765. 8°. — Von grosser Seltenheit. „Libellus valde obscoenus" sagt davon die Bibliotheca Feuerlini, Nürnberg 1803 Bd. II S. 287 [1]).

2. Abenteuer eines Frauenzimmers von Vergnügen. Zwei Teile. London 1782. 8°. Ungemein selten.

3. Das Frauenzimmer von Vergnügen. O. O. 1788. 8°. Sehr selten.

4. Die irrende Venus 8°, 94 S. Berlin 1792,

---

[1]) Vergl. H. Hayn „Bibliotheca Germanorum erotica" 2. Aufl. Leipzig 1885 S. 107.

bildet einen Teil eines seltenen Sammelbandes „Nannette oder die tändelnde Venus". Mit 12 Kupfern. Berlin 1792. 8° (Darin: „Die tändelnde Venus" 78 S., [unvollständige Uebersetzung von „Histoire de dom B . . ., Portier des Chartreux], „die wachende Venus" 94 S., auch Uebersetzung eines französischen Eroticums und „Die irrende Venus" 94 S., alle einzeln paginiert.

5. Das Frauenzimmer von Vergnügen in Bd. I der „Priapische Romane", Berlin 1791—1797, 8°. 15 Kupfer.

Diese Uebersetzung enthält auch die päderastische Szene, ist daher die vollständigste.

6. Neudruck dieser Uebersetzung. 3 Teile. Boston bei Reginald Chesterfield (Altona, Verlags-Bureau) o. J. (circa 1865) 12°, 477, 454 und 477 Seiten. Dazu 15 Photographien nach den Kupfern.

7. Das Freudenmädchen. Bekenntnisse eines jungen Landmädchens. (Aus dem Französischen). Paris, Jules Flangarin (Altona, Verlags-Bureau) o. J. (ca. 1870) kl. 8°, 135 S.[1])

8. Hedwig, oder aufrichtige Geständnisse einer schönen Seele. Frei aus dem Englischen übertragen. (Uebersetzung von John Cleland's „Girl of Pleasure"?) New York. Verlag von James Chesterfield o. J. (ca. 1880) 12°, 112 Seiten.

9. Fanny's Unschuld oder Londoner Bordell-Leben, Amsterdam, im Jahre 1888 (Auf dem gelben Umschlage No. 60 „Fanny's Unschuld u. s. w. Berlin 1900). 12°, 84 S. (hinten noch eine Seite 86 angehängt, die eine Lücke zwischen S. 79 und 80 aus-

---

[1]) Hayn a. a. 0. S. 41.

füllt). Miserable, stark verkürzte Uebersetzung. Chemnitzer Schundausgabe der letzten Jahre.

Es giebt auch zwei italienische Uebersetzungen, von denen eine vom Grafen Carlo Gozzi sein soll (nach dem „Avant-Propos" des Brüsseler Neudrucks der „Fille de joie" s. No. 12 der französischen Ausgaben). Beide erlebten mehrere Auflagen. Fraxi sah nur:

La Meretrice Inglese o Avventure di Fanny Will. Parigi 1861. 8°, 95 Seiten. 4 schlechte Holzschnitte. Uebersetzung aus dem Französischen, noch dazu abgekürzt. Zweifelloser Neudruck.

Endlich sei noch die folgende portugiesische Uebersetzung erwähnt:·

O Vôo da Innocencia ao auge da Prostituiçáo, ou Memorias de Miss Fanny, escriptos por ella mesma, 2 tomos em 1 volume, com 7 estampas.

Unter den überaus zahlreichen Illustrationen zu Cleland's „Memoirs of a Woman of Pleasure" verdienen als die weitaus besten die Kupfer von Borel und Eluin und diejenigen von George Cruikshauk hervorgehoben zu werden.[1]

Die „Denkwürdigkeiten eines Freudenmädchens", wegen welcher Cleland vor dem „Privy Council" sich verantworten und der Buchhändler Drybutter anno 1757 am Pranger stehen musste, sind in England, Frankreich und Belgien wiederholt verboten und konfisziert worden.[2] Das Verlagsrecht wurde an den Buch-

---

[1] Ueber andere Illustrationen zu „Fanny Hill" vgl. oben das Kapitel „Die Kunst".

[2] „The Bibliographer's Manual" Bd. I S. 477; „Copies, taken from the Records", London 1769 S. 45, 46; „Catalogue des Ecrits etc. condamnés" Paris 1850 S. 108; „Catalogue des Ouvrages con-

händler Griffiths für 20 Guineen verkauft, der dann.
durch den Vertrieb des Werkes 10 000 Pfund verdiente.

„Fanny Hill" ist die beste erotische Erzählung in
englischer Sprache. Der Plan der Schrift ist ein sehr·
einfacher, die Reihenfolge der Szenen ist eine sehr natürliche und zusammenhängende und die Schilderung
sehr lebhaft und anschaulich. Die intimsten Details
werden erzählt, aber in so feiner und gewählter Sprache,.
wie man diese in den meisten andren englischen Eroticis nicht antrifft. Auch werden die Ausdrücke so geschickt variiert, dass der Leser keinerlei Langeweile
oder Widerwillen empfindet, welche Schwierigkeit der
Autor selbst sehr lebhaft empfunden hat, wie er im·
Beginn des zweiten Teiles ausspricht.[1]

Die folgende kurze Analyse wird in ausreichender
Weise den Inhalt des Romanes andeuten.

Fanny (Frances) Hill, die Tochter armer Eltern aus
einem kleinen Dorfe in Lancashire, kommt nach dem

---

damnés" Paris 1871 S. 84; „Catalogue des Ouvrages etc. pour-
suivis" Paris 1879 S. 164; „Catalogue des Livres défendus" Brüssel
1788 S. 29 und S. 55.

[1] „I imagined, indeed, that you would have been cloyed and
tired with uniformity of adventures and expressions, inseparable
from a subject of this sort, whose bottom, or ground-work being,
in the nature of things eternally one and the same, whatever variety of forms and modes the situations are susceptible of, there
is no escaping a repetition of near the same images, the same
figures, the same expressions, with this further inconvenience added
to the disgust it creates, that the words joys, ardours, trans-
ports, extasies, and the rest of those pathetic terms so con-
genial to, so received in the practice of pleasure, flatten
and lose much of their due spirit and energy, by the frequency
they indispensibly recur with, in a narration of which that practice professedly composes the whole basis." Memoirs of a Woman.
of Pleasure, Paris 1894 S. 187—188.

Tode ihrer Eltern, in Begleitung einer gewissen Esther
Davis mit der Chester-Post nach London, wo sie von
ihrer Freundin, einem sehr geriebenen Mädchen, schmählich im Stiche gelassen wird. Fanny wendet sich in
ihrer Verlassenheit an ein Vermittlungsbureau, wo sie
von einer alten Kupplerin, Mrs. Brown, engagiert und
mit nach Hause genommen wird. Fanny ahnt natürlich nicht, in wessen Hände sie geraten ist und muss
von ihrer Zimmergenossin Phoebe, die von Mrs. Brown
beauftragt ist, die ländlichen Vorurteile der neuen Ge-
fährtin zu zerstreuen, aufgeklärt werden. Einige Tage
vergehen, bis Mrs. Browm den richtigen Liebhaber für
Fanny's Virginität gefunden hat. Er erscheint in Gestalt
eines abschreckenden alten Mannes, dem der kostbare
Schatz für 50 Guineen verkauft werden soll. Fanny
weiss sich aber trotz Phoebe's Zureden geschickt diesem
scheusslichen Anschlage auf ihre Unschuld zu entziehen
und vertraut die letztere lieber einem schönen jungen
Manne an, der ein häufiger Besucher von Mrs. Brown's
Serail ist, und sie in seine Wohnung entführt, wo sie
sich willig ihm preisgiebt. Charles, ihr Befreier, ist
natürlich ebenso überrascht wie entzückt darüber, dass
er in der vermeintlichen gewöhnlichen Bordellnymphe
eine unberührte Jungfrau findet. Hieraus entwickelt
sich eine gegenseitige Neigung, die zu einem gemein-
samen Zusammenleben in einer eleganteren Wohnung
führt. Jedoch ist ihr Glück nicht von langer Dauer.
Man entdeckt Charles' Abenteuer, und er wird von
seinem Vater nach einer der Faktoreien in der Südsee
geschickt, und Fanny, die guter Hoffnung ist, wird
ihrem Schicksale überlassen. Der Schrecken wirft sie
aufs Krankenlager, wo eine Fehlgeburt erfolgt. Kaum

ist sie genesen, als ihre Wirtin, Mrs. Jones, die sie
während ihrer Krankheit sorgfältig verpflegt hat, ihr
einen Mr. H— zuführt, dessen Anerbietungen Fanny in
ihrer Not, wenn auch mit Widerstreben, annehmen
muss. Ihr neuer Beschützer ist, obgleich von vornehmer Geburt und Erziehung, nicht nach Fanny's Geschmack und vermag Charles nicht aus ihrem Herzen
zu verdrängen. Jedoch bleibt sie ihm treu, bis sie ihn
eines Tages im zärtlichen Tête-à-Tête mit ihrem eigenen
Dienstmädchen entdeckt, worauf sie Gleiches mit
Gleichem vergilt, indem sie Mr. H—'s eigenen Bedienten, einen Jüngling vom Lande, verführt und mit
ihm einige angenehme Stunden verbringt, an deren
Ende sie von Mr. H— überrascht wird, der ihr sofort
den Laufpass giebt. Jetzt erscheint eine berüchtigte
Bordellwirtin von Covent Garden, Mrs. Cole, auf der
Bildfläche, „a middle-aged discreet sort of woman",
die Fanny seit längerer Zeit kennt und bietet derselben
ihren Schutz an. Dies Anerbieten wird angenommen,
und Fanny bezieht eine neue Wohnung neben derjenigen der Mrs. Cole. Das Etablissement der Mrs. Cole
bildet einen angenehmen Gegensatz zu dem der Mrs.
Brown. Komfort, Ordnung und heimliche Stille herrschen
in demselben. Ein schöner, gut in Stand gehaltener
Laden verdeckt das Bordell — denn um ein solches
handelt es sich in Wirklichkeit —, und die Mädchen,
vier an der Zahl, werden sehr gut verpflegt und verhätschelt. Unter Mrs. Cole's Schutz und in der angenehmen Gesellschaft von Mädchen ihres eigenen Alters,
die ebensolche Neigungen haben wie sie, verlebt Fanny
eine glückliche Zeit, bis ihre Herrin, die die Schwächen
des Alters nahen fühlt, ihr Etablissement aufgiebt und

sich aufs Land zurückzieht, um den Rest ihrer Tage in
Ruhe zu verbringen. Fanny ergiebt sich mit trauriger
Resignation in die Trennung von ihrer „Wohlthäterin"
und mietet, da sie im Besitze einer kleinen Summe
Geldes ist, ein hübsches kleines Haus in Marylebone,
in dem sie als „junge Ehefrau, deren Mann auf See ist",
auftritt und ruhig eine andere Wendung ihres Ge-
schickes abwartet. Diese ist die denkbar glücklichste.
Ein alter Gentleman, dem sie bei einem Unglücksfalle
auf dem Felde zu Hilfe gekommen ist, nimmt sie zu
sich und hinterlässt ihr nach seinem Tode sein ganzes
grosses Vermögen. So wird Fanny eine grosse Dame
und ganz ihre eigene Herrin. Ihre Liebe zu Charles
war nie erloschen, und jetzt ist ihr einziger Wunsch
der, wieder mit ihm vereinigt zu werden. Nachdem
sie ihre Angelegenheiten geordnet hat, beschliesst sie,
ihren Geburtsort zu besuchen und reist zu diesem Zwecke
ab. Unterwegs steigt sie in einem Wirtshause ab, wo
zwei Reiter bei einem Unwetter ebenfalls Zuflucht
suchen. Zu ihrer unendlichen Freude und Ueberraschung
erkennt sie in dem einen derselben ihren ersehnten
Liebsten, der von seiner unfreiwilligen Reise zurückgekehrt ist. Das Glück hat unserem Charles zwar
nicht gelächelt, aber Fanny hat genug für Beide und
stellt ihm ohne jeden Vorbehalt ihren Reichtum zur
Verfügung. Auch legt sie ihm ein rückhaltloses Be-
kenntnis über den Lebenswandel ab, den sie während
seiner Abwesenheit geführt hat. Sie werden dann ge-
setzlich verbunden, und Fanny wird eine tugendhafte
Hausfrau. „The paths of Vice," so schliesst das Werk,
„are sometimes strewed with roses, but then they
are for ever infamous for many a thorn — for many a

canker-worm: those of Virtue are strewed with roses
purely, and those eternally unfading ones."

In diese Haupterzählung sind nun zahlreiche Schilderungen des Bordelllebens eingeflochten, sowie einzelne Biographieen von Fanny's Gefährtinnen in dem
Bordell der Mrs. Cole. Auch werden die verschiedenen
geschlechtlichen Passionen und Verirrungen der männlichen Klientel in dem letzteren Bordelle genau beschrieben, und es fehlt nicht an sehr lasciven Schilderungen von Szenen dieser Art, unter denen die
Flagellation eine grosse Rolle spielt.

Es soll besonders das Bordell der Mrs. Cole nach
der Wirklichkeit beschrieben sein. Diese Kupplerin soll
identisch sein mit „Mother Douglas" von der Piazza
in Covent Garden, welche berüchtigte Kupplerin auch
in Hogarth's „Marsch nach Finchley", „Fleiss und
Faulheit" (Blatt XI) und in „Enthusiasm delineated"
eine Rolle spielt. Foote bringt sie in seiner Komödie
„Der Spiegel" (The Mirror) als Mrs. Cole auf die Bühne,
die er selbst zu spielen pflegte. Joseph Reid's „Mrs.
Snarewell" in seiner Posse „The Register Office" soll
dieselbe Person darstellen.[1])

Die Tendenz des Werkes ist deswegen gefährlich,
weil die Heldin nicht wie gewöhnlich im Gefängnis
oder Hospital endet, sondern am Schlusse in ungewöhn-
licher Weise vom Glücke begünstigt wird.

Der Name von Cleland's Heldin ist häufig dazu
benutzt worden, um ganz wertlose litterarische Produkte anziehender zu machen, ohne dass der Inhalt
dieser Schriften etwas mit dem Titel zu thun hätte. So

---

[1]) Fraxi „Catena" S. 85.

Dühren, Das Geschlechtsleben in England.*** 26

erschien schon im Jahre 1773 in der Zeitschrift „The Covent Garden Magazine; or, Amorous Repository: Calculated solely for the Entertainment of the Polite World" ein Roman mit dem Titel: „Memoirs of a Woman of Pleasure", der nach Pisanus Fraxi[1]) nicht mit Cleland's Erzählung identisch ist. In derselben Zeitschrift findet sich eine Erzählung: „Memoirs of a Maid of Honour".

Ebenso haben die „Memoirs of a Woman of Pleasure" in der erotischen Zeitschrift „The Rambler's Magazine; or, The Annals of Gallantry, Glee, Pleasure, and the Bon Ton etc." (London 1783) nichts mit Cleland's Romane zu thun, obgleich der Name der Heldin ebenfalls „Fanny Hill" lautet.[2])

Wertlose Pennybroschüren sind ferner: „The Pathetic Life of the Beautiful Fanny Hill, Showing how she was seduced etc." und: „The Lust Legacy of Miss Fanny Hill, a Woman of Pleasure, Containing Useful Instructions for Young Men and Women etc."

Endlich sah man um 1880 in den Läden der Buchhändler in Holywell Street häufig die englische Uebersetzung von Erneste Feydeau's „Fanny" ausgestellt, auf deren Umschlag das Wort „Hill" hinzugefügt war, um den Anschein zu erwecken, als ob es sich um die berühmte Schrift von Cleland handle.[3])

Ein Gegenstück zu den „Memoirs of a Woman of Pleasure" bildet Cleland's nur einige Jahre später veröffentlichte Schrift „Memoirs of a Coxcomb"

---

[1]) ibidem S. 401.
[2]) ibidem S. 332.
[3]) Die echten älteren Ausgaben der „Memoirs of a Woman of Pleasure" kommen nicht häufig in Katalogen vor. Jedoch figuriert ein Exemplar der Ausgabe von 1749 (No. 2) in dem Auktionskataloge der Bibliothek des Grafen Du Bois du Bais, Paris 1882.

(London: Printed for R. Griffiths, at the Dunciad in Paul's Church-Yard. MDCCLI; gr. 12°, 386 S.), von der Lowndes sagt, dass es ein Werk von litterarischer Bedeutung sei[1]). Sie ist in einem leichten, angenehmen Stil geschrieben und enthält sehr getreue Schilderungen der zeitgenössischen Sitten, nur dass an Stelle des Freudenmädchens der Lebemann in den Mittelpunkt der Darstellung gerückt ist. Dieser Lebemann und Geck entwickelt bei aller leidenschaftlichen Jagd nach sinnlichen Genüssen eine sehr philosophische Ruhe, mit welcher er auf die Laster, an denen er selbst teilnimmt, gewissermassen herabblickt. Die Schilderungen dieser Laster und Ausschweifungen sind niemals indecent, so dass in dieser Beziehung die Schrift sich wesentlich von den „Memoirs of a Woman of Pleasure" unterscheidet.

An dieser Stelle mögen noch einige Erotica genannt sein, die ungefähr in die gleiche Zeit wie Cleland's ebengenannte Schriften fallen und zum Teil wohl von ihnen beeinflusst sind oder gleiche Vorwürfe behandeln.

Ein bekannteres Werk dieser Art ist:

The Pleasures of Love. Containing A Variety of entertaining Particulars and Curiosities, in the Cabinet of Venus. London: Printed in the Year MDCCLV.

Kl. 8°, 84 Seiten, 17 ovale Kupfer von sehr schöner Ausführung. Das Titelbild stellt ein fettes Mädchen dar, das mit seiner Rechten den Vorhang von einem Bette zieht, auf dem man vier nackte Beine sieht. Auf dem Vorhang steht: „The Pleasures of Love 1755".

Diese sehr seltene Erstausgabe wurde 1872 von J. Scheible in Stuttgart neugedruckt (12°, 65 Seiten,

---

[1]) Lowndes „The Bibliographer's Manual". Bd. I, S. 477.

26*

ohne Bilder, 100 Exemplare zu 1 Thaler 10 Groschen).
Eine dritte Ausgabe erschien (nach Scheible's Neudruck)
1881 in London, unter dem Titel:

The Adventures of a Rake. Containing A Variety
etc. Six Coloured Illustrations. Privately Printed.
London 1881.

8⁰, 60 Seiten, 6 sehr schlechte Lithographieen.
150 Exemplare zu 2 Pfund 2 Sh. In dieser Ausgabe
ist der Name der Heldin aus Betsy in Maria verändert
worden.

Die „Pleasures of Love" sind eine Art von Autobiographie, die der Held, der Sohn eines reichen Mannes
erzählt, und deren Wert in den Anfangsworten betont
wird.[1] Unser Galan wird zu einem Onkel aufs Land
geschickt, wo er sich in die Tochter eines Farmers
verliebt, die er heiraten will. Da diese Verbindung von
den beiderseitigen Familien nicht gebilligt wird, entflieht
der verliebte Jüngling mit seiner teuren Betsy. Sein Onkel
verfolgt ihn und bringt ihn mit Gewalt zurück, jedoch
hat er bereits die letzte Gunst von der willigen Schönen
erhalten. Er geht dann nach London zu einem Anwalte.
Weder dieser noch das Studium der Rechte sind nach
seinem Geschmacke, und seine Unruhe, die durch die
Trauer um die verlorene Geliebte noch vermehrt wird,
treibt ihn zu wilden Ausschweifungen. Obgleich sein
Vater, der ihn zufällig trifft; seine Schulden bezahlt,

---

[1] „Es giebt wohl keinen noch so unbedeutenden Menschen
in der Welt, dessen schriftlich aufgezeichnete Lebensbeschreibung
nicht in gewissem Grade unterhaltend wäre. Die Thorheiten unseres
eigenen Lebens und diejenigen, in welche wir durch andere hineingeraten, werden stets einen Stoff für ernsthafte Betrachtungen
abgeben. Die unschuldigen Thorheiten werden die unterhaltendsten
sein und die Laster können, wenn richtig erzählt, andere vom
gleichen Wege abschrecken".

ihn zu einem neuen Lehrmeister bringt und ihm verzeiht,
fällt er bald in sein früheres Leben zurück, bis er, durch
Not gezwungen, Diener einer Lady auf dem Lande wird.
Er erkennt nach der Ankunft bei derselben bald, dass
seine „Dienste" sehr persönlicher und intimer Natur
sein sollen. Da sie jedoch eine Frau in der Blüte des
Lebens ist, erweist er ihr diese Dienste nur allzu gern
und wird ihr „major-domo". Die Köchin und das Dienstmädchen empfangen aber ähnliche Gunstbezeugungen
von ihm, so dass seine Manneskraft stets in Anspruch
genommen wird. Später schickt die Lady ihm von
London aus ein neues Kammermädchen, die sich zu
unseres Helden Ueberraschung und Entzücken als seine
geliebte Betsy entpuppt, die er so lange vergeblich
gesucht hat. Zugleich erfährt er aus einer Zeitung in
Betsy's Besitz, dass sein Vater gestorben ist, wodurch
er Besitzer des väterlichen Gutes wird. Er heiratet
Betsy und geht mit ihr in die Heimat, wo sie entdecken,
dass sie nicht die Tochter eines Bauern, sondern eines
reichen Mannes ist und nicht weniger als 20000 Pfund
besitzt. Diese Schlussepisode erinnert in gewisser Beziehung an den Schluss von Cleland's „Fanny Hill".
Ausserdem enthalten die „Pleasures of Love" noch die
Erzählungen der Abenteuer zweier Londoner Freudenmädchen, mit denen unser Held verkehrt, und es werden
mehrere bekannte Londoner Bordelle der Zeit darin
erwähnt.

Ein sehr seltenes, kulturgeschichtlich interessantes
Buch ist die 1762 erschienene „Neue Attalantis," eine
Sammlung von fünf originellen Erzählungen, die ebenfalls
uns die Sitten jener Zeit in anschaulicher Weise vorführen.

Der genaue Titel dieser Sammlung lautet:

„New Attalantis For the Year 1762: Being A Select Portion of Secret History; Containing Many Facts, Strange! but True!

> The Godly dame who fleshly failings damns
> Scolds with her maid, or with her chaplain crams;
> Would you enjoy soft nights and solid dinners
> Faith, gallants, board with saints and bed with sinners.
>
> Pope.

London: „Printed for W. Morgan, in Pater-Noster-Row. M. DCC. LXII. Price 1 s. 6 d."

12°, 100 Seiten. Am Schluss des Bandes steht: „End of the First Part". Jedoch ist der Band vollständig und für sich abgeschlossen.

Das Werk enthält folgende Erzählungen:

1. The Amours of Lady Lucian. (Die Liebschaften der Lady Lucian). „Diese junge Dame," heisst es im Text, „war nicht schön, da sie einen etwas holländischen Körperbau besass, sehr korpulent war, gewöhnliche Züge hatte und ihren erträglichen Teint mehr dem Parfümeur als der Natur verdankte . . . Sie lebte in einem Zustande von Virginität so lange, bis sie glücklich so viele Jahre zählte als sie Zähne hatte. Wenn ich sage, dass sie in jungfräulichem Zustande lebte, so soll damit nicht mehr gemeint sein, als dass sie unverheiratet war. Denn, abgesehen von dem wirklichen Verkehr mit dem männlichen Geschlechte, ist es wohl bekannt, dass französische Fabrikanten mehr als ein Instrument verkaufen, um die Strenge des Cölibats einer Frau zu mildern. . . . Ein frommer und gelehrter Edelmann, genannt Lord Lucian, bombardierte sie mit Politik, Poesie und Religion (in welchen dreien er gleichmässig be-

schlagen war) so erfolgreich, dass er bald die Festung
eroberte. Aber siehe da, kaum waren drei Minuten der
Hochzeitsnacht verflossen, als sein Sinn sich darauf
richtete, nicht die Riten Hymens zu erfüllen, sondern
wieder aufzustehen und eine der Episteln des Paulus
zu transcribieren, was seine Gedanken und Zeit so sehr
in Anspruch nahm, dass er in dieser Nacht keine Musse
für etwas Andres fand."

Die nächste und die folgenden Nächte verfliessen
ebenso, bis die Neuvermählte ihres Gatten Vernachlässigung nicht länger ertragen kann und ihm eine
heftige Szene macht, in der sie statt seiner „süssen
Verse" etwas Realeres von ihm verlangt, aber von dem
unverbesserlichen Dichterling nicht erhält. Sie schüttet
nun ihr Herz der Madame Rouge aus, der „verkörperten
Idee einer Kupplerin und Schmugglerin", welche sich
bereit erklärt, ihr zu helfen. Jedoch schreckt Lady
Lucian vor den Folgen illegitimen Verkehrs zurück,
und die Rouge schlägt ihr einen Kastraten vor, denn
„diese Kreaturen sind sehr leicht zu behandeln. Es
schmeichelt ihrem Stolze, dass ein Weib von ihnen Notiz
nimmt", und ausserdem solle die äussere Fähigkeit bei
ihnen sogar verstärkt sein. Es findet hierauf in dem
Hause der Kupplerin ein Rendezvous zwischen Lady
Lucian und dem Sänger Signor Squalini statt, auf den die
Lady schon seit längerer Zeit ein Auge geworfen hat.
Er befriedigt sie in jeder Hinsicht, so dass sie ihn zu
ihrem Musikmeister ernennt. Eines Tages aber überrascht ihr Gatte sie in zärtlichstem Tête-à-tête, was die
Trennung des Ehepaares zur Folge hat, so dass Lady
Lucian „has full opportunity to enjoy the society of her
dear castrato without molestation." Aber Squalini ver-

lässt sie bald, und sie tröstet sich in den Armen eines anderen Kastratensängers. Die Erzählung schliesst mit zwanzig Versen, die von Lady Lucian „zum Lobe eines ihrer verstümmelten Günstlinge" geschrieben sind.

Die zweite Erzählung „Henry and Emma" schildert die Liebe von Emma, der Tochter des Albertus und Henry, dem Gatten der schönen Priscilla. Auch Emma ist nicht mehr frei, da sie mit dem ihr nicht unsympathischen Nauticus vermählt werden soll. Beide entfliehen auf den Kontinent, wo ihre weiteren Abenteuer geschildert werden. Das Ganze wird in einer trockenen, philosophischen Manier erzählt. Interessant ist darin nur ein Excurs über die Onanie junger Mädchen.

In No. 3 „The History of The Countess of B." wird zunächst in höchst realistischer Weise die Defloration der jungen Gräfin von B. durch ihren Gatten nach dreiwöchentlicher Rolle desselben als Ritter Toggenburg, ihre siebenjährige glückliche Ehe geschildert, der durch den Tod des Grafen ein allzu frühes Ende bereitet wird, worauf nach längerer Trauer die Gräfin in heftiger Liebe zu einem Squire Bullruddery entbrennt, den sie zufällig in einer sehr verfänglichen Situation erblickt hat, die ihr leider einige falsche Thatsachen in Beziehung auf dessen Männlichkeit vorgespiegelt hat, wie sich zu ihrer unangenehmen Ueberraschung bald nach der Hochzeit herausstellt, so dass sie ihm die weitere Erfüllung seiner ehelichen Pflichten verweigert und sich mit einem 18jährigen Jüngling tröstet, der aber schnell durch andre Liebhaber ersetzt wird.

Eine ähnliche Ueberraschung einer Frau durch den ungewohnten Anblick männlicher Nuditäten bildet den dramatischen Höhepunkt der vierten Erzählung der

„New Attalantis", die den Titel führt: „A Private Anecdote in the Fashionable World." Die schöne Melessa, Gemahlin eines vornehmen Mannes auf der Insel Angola, unterhält schon seit langer Zeit ein Liebesverhältnis mit dem jungen Lebemanne Hyppolitus. Dieser ist ihrer aber überdrüssig geworden, da eine Operntänzerin ihn gefesselt hat und befreit sich mit Hülfe eines in die Melessa verliebten Freundes, des Obersten Bevil, von den ihm lästigen Banden. Eines Tages, als Melessa ihren geliebten Hyppolitus wieder besucht — immediately after she had dined; she scarce allowed herself time to eat, so much more valuable in her sense were the pleasures of love — und dessen wegen der Mittagshitze verdunkeltes Schlafzimmer betritt, erblickt sie auf dem mit Blumen herrlich geschmückten Lager einen Jüngling, dessen Züge sie nicht genau erkennen kann, in sehr verführerischer Stellung, anscheinend schlafend. Unter den Küssen, mit denen sie ihren vermeintlichen Hyppolitus bedeckt, erwacht er und eignet sich die Rechte des Geliebten in vollem Masse an. Bald entdeckt Melessa den Betrug, ist aber mit dem Obersten so zufrieden, dass „she bestowed upon him what she before, in her own opinion, had bestowed upon Hyppolitus." Wie vorher verabredet worden ist, überrascht jetzt Hyppolitus die Beiden und schwört, der treulosen Dame niemals zu verzeihen.

Die fünfte Erzählung „The Royal Rake: or the Adventures of Prince Yorick" schildert die Extravaganzen einiger Edelleute, unter ihnen eines Prinzen Yorick, in der Umgebung von Drury Lane. Sie bemächtigen sich eines Mädchens, um es zu vergewaltigen, nehmen alle Freudenmädchen mit, die ihnen auf der Strasse begegnen und schleppen sie in eine Taverne, wohin sie durch den Hausknecht noch weitere Dirnen bringen lassen, bis zuletzt der grosse Raum so dicht wie das Parterre eines Theaters bei der Aufführung einer Première gefüllt ist. Dann sucht sich Jeder eine Schöne aus, und die übrigen werden „zu Mutter Godby geschickt, um die Sache dort zu erzählen." Hiernach geht's in ein Bordell, wo die Jungfernschaft eines derbwangigen Landmädchens für 20 Guineen offeriert wird. Der Prinz, der dies glückliche Los zieht, bezahlt das Geld und schickt sie in einer Postkutsche unberührt zu ihren Eltern zurück.

Den „Memoirs of a Woman of Pleasure" entspricht der folgende Neudruck einer 1769 unter dem Titel „The History of the Human Heart, or The Adventures of a Young Gentleman" (London 1769, 12⁰, 314 S.) erschienenen erotischen Schrift:

Memoirs of a Man of Pleasure; or the Amours, Intrigues, and Adventures of Sir Charles Manly. Interspersed with curious Narratives and Embellished with Numerous Elegant Engravings. London: Printed and Published by W. Dugdale, 23, Russell Court, Drury Lane. 1827. 12⁰, 306 S., 4 freie, aber nicht obscöne Kupfer.

Eine andere Ausgabe desselben Verlegers mit dem Aufdruck „Printed and Published by J. Turner; 50 Holywell Street, Strand" (8⁰, 231 S., 6 schlechte colorierte Lithographieen) erschien später, ebenso ein amerikanischer Neudruck „New York: Henry S. G. Smith & Co. 1855." (8⁰, 3 schlechte Holzschnitte, Preis 50 cents).

Die „Denkwürdigkeiten eines Lebemannes" beginnen mit der Zeugungs- und Geburtsgeschichte desselben ganz à la Tristram Shandy, nur dass der Verfasser sich noch dazu in weitläufiger Weise über die verschiedenen Zeugungstheorien verbreitet. Die schon in früher Jugend sich offenbarende Vorliebe des Helden für das schöne Geschlecht wird aus einer Art von „maternal impression", von Versehen der Mutter während ihrer Schwangerschaft erklärt. Diese wird nämlich plötzlich von einer wunderlichen, unklaren Sehnsucht nach einer Verwandten, die mit ihr in demselben Zimmer schläft, ergriffen und dieses Verlangen überträgt sich auf unseren Charles Manly, welcher denn auch schon mit 12 Jahren seine gleichaltrige Cousine verführt oder von ihr verführt wird. Als dies entdeckt wird, schickt man ihn für einige Zeit zu einem Freunde seiner Eltern, und später unter der Aufsicht eines Erziehers auf Reisen. Letzterer aber ermuntert ihn in seinem ausschweifenden Leben und führt ihn in schlechte Gesellschaft ein. Zahlreiche Liebesabenteuer, zum Teil sehr unwahrscheinlicher Art, werden uns vorgeführt, bis Charles zuletzt eine junge Dame heiratet, die er verführt und später im Haag verlassen hatte, die ihm aber nach London gefolgt war. „Adeline mischte Liebe und Ehe mit so viel Zartgefühl, dass sie den einst so wilden Charles vollkommen allein in Besitz nahm und ihm das Geständnis entlockte, dass eine einzige mit ihr verbrachte Stunde des Glückes mehr als alle jene sündhaften Szenen wert sei, auf der Jagd nach welchen er so viel Geld, Zeit und Jugend vergeudet hätte."

In den Text eingestreut sind einige interessante Berichte über die Vergnügungen der Lebemänner jener Zeit, die von einem Freudenmädchen erzählte eigene Lebensgeschichte u. a. m.

An dieser Stelle sind auch zwei höchst eigentümliche Erzeugnisse der obscönen Satire jener Zeit zu er-

wähnen, nämlich der „Fruit Shop" und der noch be-
rühmtere „Essay on Woman" von John Wilkes.

Der Titel der ersteren Schrift, die im Jahre 1765,
erschien, lautet:

„The Fruit-Shop, a Talc. Vol. I.

> Mais je l'aime et je veux que mes vers,
> Dans tous les coins de l'univers
> En fassent vivre la Mémoire;
> Et ne veux penser desormais
> Qu'a chanter dignement sa Gloire.
>
> Volt.

London: Printed for C. Moran, in Covent-Garden. 1765."
Kl. 8°, 2 Bände, mit unregelmässiger Paginierung des
ersten Bandes (XXII S. „Dedication, Invocation, Protest,
Caution und Advice; darauf beginnt der Text mit
S. 17—168); Bd. II, kl. 8°, 160 S. Bd. I enthält ein
curioses Titelkupfer, mit Signatur: C. Trim fect, welches
eine Gartenszene darstellt. Vor einem orientalischen
Tempel steht ein Baum in Form eines Phallus, über
welchen zwei Cupidos die Nachbildung eines weiblichen
Genitale halten. Ein Mann, der sich gegen einen Esel
lehnt, zeigt auf den Baum, neben ihm steht ein Knabe.
Der Mann stellt jene „hervorragende Persönlichkeit" dar,
der das Werk gewidmet ist und gegen den der Autor
in einer heftiger Tirade loszieht. Es ist der Verfasser
des „Tristram Shandy". Die Schrift führt ihren Titel
nach dem „Fruchtladen", wie der Verfasser das Weib
nennt und enthält eine humoristisch-allegorische Untersuchung über jene Teile des weiblichen Körpers, welche
der Zeugung und der Aufnahme der Frucht dienen.
Der Verfasser sucht besonders die Art und Weise von

Swift und Sterne nachzuahmen, erreicht aber niemals den sarkastischen Witz dieser Autoren, trotz zahlreicher Anspielungen auf lebende Persönlichkeiten.

Von den vier Teilen des Werkes behandelt der erste das Paradies, seine wahrscheinliche Lage u. s. w., in ziemlich langweiliger Weise. Der zweite berichtet über die Ereignisse nach dem Sündenfalle, die Erfindung des Feigenblattes u. s. w., handelt dann von Liebe, Ehe, Hahnreischaft und „den Unnatürlichen, oder den Deserteuren aus dem Frucht-Laden." Der dritte Teil enthält eine Uebersicht über die „unwearied passion for the Fruit-Shop" unter den Römern, die mit Jupiter beginnt und mit Julius Caesar schliesst. Die merkwürdigsten Ausführungen finden sich im vierten Teile, z. B. Kapitel über Conception, Coelibat und die Flagellation als einen „Umweg zum Himmel", indem, wie in letzterem ein Mönch predigt, bei der Flagellation auf die demütigste und gottgefälligste Art der höchste Teil des Körpers zu dem niedrigsten gemacht würde und der niedrigste zu dem höchsten. „In which situation they might be sure of receiving, anon, animating impressions and missionary irradiations, if they were destined to figure among the elect." Hieran knüpft der Verfasser noch weitere echt jesuitisch-kasuistische Betrachtungen über die echter Frömmigkeit entspringende Neigung zur Flagellation, wie sie sich in dem „Nez à Terre, Cul en l'air" ausspricht. Weiter bespricht er die platonische Liebe, den Eunuchismus und die „Philo-gonists, the truly Orthodox."

Das Thema des Buches ist das Weib als eine Quelle des Genusses und der Fortpflanzung des Menschengeschlechtes. Diejenigen, welche die Einrichtung der

Natur verschmähen oder nicht benutzen, die Cölibatäre, Onanisten und Päderasten, werden sehr scharf mitgenommen.

In dem „Appendix" und den „Anmerkungen" am Ende des zweiten Bandes wird u. a. der „Frucht-Laden von St. James Street" beschrieben, wo „matters never proceed further in this chaste domain than to a kiss or a feel, transiently and with the greatest decorum", ferner wird der Gegenstand und Titel des Werkes erklärt und zuletzt werden mehrere Citate in verschiedenen Sprachen über die weiblichen Brüste angeführt.

Neben William King's „Toast" ist unstreitig des berühmten Politikers John Wilkes „Essay on Woman", eine obscöne Parodie auf Pope's „Essay on Man", das hervorragendste satirische Eroticum des 18. Jahrhunderts.

John Wilkes wurde geboren den 17. Oktober 1727 in St. John's Street, Clerkenwell, London und starb am 26. Dezember 1797 in seinem Hause in Grosvenor Square. Es ist hier nicht der Ort, über seine wunderbare politische Laufbahn und seine Verfolgung als Redakteur des „North Briton", besonders in Folge der berüchtigten No. 45 desselben ausführlicher zu berichten. Bezüglich dieser merkwürdigen Schicksale, deren hauptsächliche Momente seine Ausschliessung aus dem Unterhause, seine Gefängnisstrafe und seine Erhebung zum Lord Mayor von London darstellen, sei auf die Geschichtswerke verwiesen, und hier nur der persönliche Charakter dieses eigenartigen Mannes näher betrachtet.

Obgleich er selbst ein Lebemann und Wüstling war, war seine öffentliche Laufbahn frei von Eigennutz und Anmassung. Er war ein liebevoller, von seiner Tochter

abgöttisch verehrter Vater. Seine Manieren waren die
eines Gentleman, und trotz seiner Hässlichkeit[1]) hatte
er zahlreiche Erfolge bei dem schönen Geschlecht. Er
soll sich gerühmt haben, innerhalb einer Stunde den
schönsten Mann aus der Gunst eines schönen Weibes
verdrängen zu können, und soll diese Wette oft gewonnen haben. Man schrieb diese magnetische Anziehungskraft, welche er auf Frauen ausübte, seinem
glänzenden Unterhaltungstalent und gewissen körperlichen Eigenschaften zu, die in das Gebiet der sogenannten „sexuellen Osphresiologie" gehören.[2]) Lord
Brougham (in den „Historical Sketches of Statesmen
who flourished in the Time of George III" 3d series,
London 1843), Charles Johnston (in „Chrysal, or
the Adventures of a Guinea: By an Adept", London 1821
Bd. III Kapitel 20) und Gibbon in den („Miscellaneous
Works") geben gute Charakteristiken der Persönlichkeit
des Wilkes, seines Witzes, geistigen Hochfluges und
seiner einzigen Unterhaltungsgabe. Nichols sagt: „Full
of wit, easy in his conversation, elegant in his manners
and happy in a retentive memory, his company was a
perpetual treat to his friends."[3])

Eine charakteristische Anekdote über Wilkes, die
zugleich seine moralische Skrupellosigkeit in drastischer
Weise beleuchtet, wird in der „City Biography"
(London 1800, S. 110) erzählt. Wilkes ging auch bei

---

[1]) Lichtenberg schreibt an Dieterich aus London
(27. Oktober 1775): „Wilkes hat kleine blinzende Augen, sodass
man kaum sehen kann, dass er schielt, und von der Seite etwas
sehr Vornehmes und gar nichts Unangenehmes." Lichtenberg's
Briefe Bd. I, S. 231.

[2]) Vergl. „Untrodden Fields of Anthropology" Bd. I, S. 247.

[3]) Nichols a. a. O. IX p. 477.

seinen geschlechtlichen Ausschweifungen sehr fein und
vorsichtig zu Wege. Er holte einst den juristischen Rat
des Sir Fletcher Norton ein, wie er die Handlung
einer „Verführung" (seduction) vermeiden könnte, wenn
er ein gewisses Mädchen von ihrem Vater zu sich ins
Haus nähme. Sir Fletcher, ein sehr geriebener Advokat,
riet Wilkes zur Umgehung des Gesetzes das Mädchen
als eine höhere Dienerin (upper servant) zu nehmen und
ihr doppelten Lohn zu geben, Extralohn, wodurch eben
zum Ausdruck käme, dass etwas mehr als „gewöhnliche
Dienste" von ihr verlangt würden. Wilkes verstand
den Wink und engagierte thatsächlich das Mädchen als
„fille de joie" und Dienerin für zwanzig Pfund jährlich,
indem er dabei den Advokatenberuf fürchterlich herunter-
machte und bei seiner Göttin Venus schwor, dass Advokat
und Schurke identisch seien.

Wilkes' Erscheinung, seine lange, überaus magere
Gestalt, sein hässliches Gesicht mit den schielenden
Augen, machten ihn zu einem sehr geeigneten Objekt
für Karikaturen. [1]) Es sei nur an Hogarth's berühmtes
Porträt erinnert, eine grobe Karikatur, die Wilkes aber
gut aufnahm. In einem Epigramme der Zeit heisst es

Says John Wilkes to a lady, pray name if you can,
Of all your acquaintance the handsomest man.
The lady replied, if you'd have me speak true,
He's the handsomest man that's the most unlike you.

Das berüchtigte Gedicht des Wilkes führt in der
ältesten bekannten Ausgabe des Jahres 1763, die aber
nicht die erste ist[2]) den folgenden Titel:

„City Biography" S. 102; „The Georgian Era" London 1832,
Bd. I, S. 312.
[2]) Diese wurde nur in 12 von Wilkes selbst abgezogenen
Exemplaren gedruckt. Mr. W. F. Rae bemerkt, dass kein Exem-

„An Essay on Woman; By Pego Borewell Esq.; With Notes by Rogerus Cunaeus, Vigerus Mutoniatus, etc. And A Commentary by the Rev. Dr. Warburton. Inscribed to Miss Fanny Murray.

Ὡς ουκ αινοτερον και κυιτερον (sic) *αλλο γυναιχος.*

Hom. Od. II, B. 6.

Ex Archetypo saepe in Femoralibus (sic) Reverendissimi Georgii Stone, Hiberniae Primatis, Saepius in Podice Intrepidi Herois Georgii Sackville."

Kl. 8⁰, 30 Seiten; der Band enthält „Advertisement by the Editor" (S. 3—8); „The Design" (S. 9—12); („An Essay on Woman" (S. 13—22); „The Universal Prayer" (S. 23—26); „The Dying Lover to his Pr . . ." (S. 27—28), „Veni Creator; or the Maid's Prayer" (S. 29—30). Ausserdem zahlreiche Anmerkungen mit den Unterschriften „Warburton," „Vigerus Mutoniatus," „Rogerus Cunaeus" und „Burman."

Der „Essay on Woman" enthält 94 Verse und besteht aus einer „invocation" und drei Abteilungen. Er beginnt mit den Worten:

> Awake my Fanny[*])! leave all meaner things;
> This morn shall prove what rapture swiving brings!
> Let us (since life can little more supply
> Than just a few good f. . . . , and then we die)
> Expatiate free," etc.

und schliesst:

> Hope humbly then clean Girls; nor vainly soar
> But f . . . the C . . . at hand, and God adore.

---

plar derselben heute noch bekannt sei. Nach P. Fraxi war aber in den 50iger Jahren des 19. Jahrhunderts ein solches Exemplar dieses opus rarissimum bekannt. P. Fraxi „Index librorum prohibitorum" S. 200—201.

[*]) Bezieht sich auf Fanny Murray.

What future F.... he gives not thee to know,
But gives that C.... to be thy Blessing now.

Das „Universal Prayer" hat Anmerkungen und besteht aus 13 Stanzen, jeder zu 4 Zeilen, deren erste und letzte folgendermassen lauten:

Mother of all! in every Age,
In ev'ry Clime ador 'd,
By Saint, by Savage, and by Sage,
If modest, or if whor 'd

To thee whose F... thro'out all space,
This dying World supplies,
One Chorus let all Beings raise!
All Pr.... in rev'rence rise.

Aehnlich cynisch ist die aus 18 Versen bestehende Anrede des „Dying Lover to his Pr...."

„Veni Creator; or the Maid's Prayer" besteht aus 15 Stanzen, deren erste beiden 6 Verse, deren letzte drei 5 Verse enthalten. Der Anfang lautet:

Creator Pego, by whose Aid,
Thy humble Suppliant was made, etc.

der Schluss:

Immortal Honour, endless Fame,
Almighty Pego! to thy Name;
And equal Adoration be
Paid to the neighbouring Pair with Thee,
Thrice blessed Glorious Trinity.

Der Inhalt des „Essay on Woman" ist vom litterarischen Standpunkte aus ein sehr dürftiger. Die Anmerkungen sind vielleicht das Beste daran. Wäre Wilkes nicht wegen dieser Schrift von der Regierung so schmählich verfolgt worden, so würde das Machwerk

wohl niemals bekannt geworden und auf uns gekommen
sein. Es wurde beim Erscheinen in der schärfsten
Weise verurteilt.[1] Im Hause der Lords bezeichnete
man dasselbe als „eine höchst skandalöse, obscöne und
gottlose Schmähschrift, als eine grobe Profanation vieler
Theile der heiligen Schriften, und als einen höchst bös-
artigen und blasphemischen Versuch, die Person des
Erlösers zu erniedrigen und lächerlich zu machen."
Bischof Warburton sprach in dem Oberhause davon
als von einer Schrift, die die „scheusslichsten Be-
schimpfungen der Religion, Tugend und Humanität und
die erschreckendsten Blasphemieen gegen den All-
mächtigen" enthielte, nebst einer „Reihe von Anmerkungen, welche an Bestialität und Blasphemie noch
schlimmer seien" und „die frechsten Bewohner der Hölle
zum Erröten und Erzittern" bringen könnten. Horace
Walpole nannte die Schrift „das gotteslästerlichste und
anstössigste Gedicht, das jemals verfasst worden sei"
und weiter: ein höchst obscönes Produkt, das eine Parodie
von Pope's „Essay on Man" und von anderen Gedichten
darstelle, wobei die gröbsten Profanationen verwendet
seien."

Die bemerkenswerteste Analyse des „Essay on
Woman" gab Kidgell in seinem „Narrative." Dieselbe
eröffnet uns das beste Verständnis für dieses Gedicht
und sei deshalb in extenso mitgeteilt.

„Dieser „Essay on Woman" ist fast Zeile für Zeile
eine Parodie auf Mr. Pope's „Essay on Man."

---

[1] Auf der anderen Seite erklärte ein Anhänger von Wilkes,
dass er in demselben wenigstens in Beziehung auf das Gefühl einen
Rochester oder Aristoteles erreicht, wenn nicht übertroffen
habe. Vergl. „The Life of John Wilkes, Esq. London, J. Wilkie.
MCCLVXXIII (sic)."

27*

Das kuriose Titelblatt enthält den Titel des Gedichtes „An Essay on Woman", ein für das Werk sehr passendes Motto, welches das weibliche Geschlecht verhöhnt, und ein obscönes Kupfer, unter welches in griechischer Sprache die Bezeichnung „Der Erlöser der Welt" gedruckt ist. Darunter findet sich etwas so Skandalöses, dass es nicht beschrieben werden kann. Ausserdem wird auf dem Titel in der schamlosesten Weise ein Kommentar erwähnt, den man mit dem Namen eines höchst ausgezeichneten und gelehrten Mannes zu verknüpfen sich nicht gescheut hat.

Dem Titel folgen einige Seiten „Advertisement" und „Design" voll 'gröbster Indecenz als würdige Vorbereitung auf die scheussliche Sprache und die unglaubliche Gottlosigkeit des eigentlichen Textes, auf dessen obscöne Ausdrücke, die höchst handgreifliche Schilderung der ekelhaftesten Verrichtungen, auf eine Gemeinheit ohnegleichen, auf die schimpflichsten, erniedrigendsten, unkeuschesten Betrachtungen über das schöne Geschlecht.

In den Variationen und Anmerkungen zu dieser obscönen Parodie werden die Heiligen Schriften ausgiebig prostituiert, um die rohen Ideen eines wollüstigen Gotteslästerers zu illustrieren.

Die durch das ganze Werk gehende Roheit ist von einer abstossenden, neuen und wunderbaren Originalität. Viele ernste Stellen des Evangeliums werden in zweideutiger Weise ins Obscöne gewendet, besonders der pathetische Ausruf des Paulus: O Tod wo ist dein Stachel? O Grab, wo ist Dein Sieg? wird in gottloser Weise zu einem brutalen Ausspruch herabgewürdigt, über den die höllischen Wesen sich freuen könnten.

In einer anderen dieser scheusslichen „Erläuterungen"

werden die natürlichen Funktionen des Esels zum Gegenstand einer schmutzigen Beschreibung gemacht, wofür ebenfalls die Hl. Schrift herangezogen wird. Dann wird der unwissende Leser darüber aufgeklärt, dass „jenes Tier einst grosse Achtung genoss, aber lächerlich geworden sei, seitdem es als Vehikel der Gottheit in Jerusalem gedient habe."

Der Gipfel der · Obscönität und Roheit ist die obscöne Wiedergabe des von Pope verfassten „Allgemeinen Gebets" (Universal Prayer), und der denkwürdige Monolog des Kaisers Hadrian, den Pope als die Worte eines „sterbenden Christen an seine Seele" betrachtet hat, wird von unserem schamlosen Autor ohne Erröten als „Der sterbende Liebhaber an seine Genitalien" betitelt, ebenso tritt als Paraphrase des „Veni Cocator" das „Gebet des Mädchens" auf, wobei der Gipfel der Blasphemie erreicht wird. Gottes Name und Eigenschaften werden auf unerhörte Weise herabgewürdigt. Der Heilige Geist wird durch eine Aufzählung höchst fleischlicher Obscönitäten in Form eines Gebetes auf die gemeinste Weise beschimpft und ebenso dient der Ausdruck „Dreimal gesegnete, glorreiche Dreifaltigkeit" als Objekt einer höchst schmutzigen und scheusslichen Paraphrase.

Eine ähnliche Charakteristik des „Essay on Woman" findet sich im 33. Bande von „The Gentleman's Magazin" (Jahrgang 1763 S. 526).

Wilkes verteidigte sich gegen diese Vorwürfe in einem lesenswerten Briefe an die Wähler von Aylesbury mit grosser Beredsamkeit.[1])

---

[1]) The Gentleman's Magazine Bd. 84 S. 580.

Dass er der einzige Verfasser der Schrift war, wenn er es überhaupt war, ist zweifelhaft. Die Regierung erbrachte keinerlei Beweis dafür, und Wilkes selbst gestand niemals die Autorschaft des Gedichtes zu. In „Notes and Queries" (Series II Vol. 57 pp. 1, 21, 41 und 113, finden sich einige interessante Abhandlungen über den „Essay on Woman", deren Verfasser, Mr. Dilke, zu beweisen sucht, dass Wilkes ihn überhaupt nicht verfasst haben könne. Diese Meinung wird von Mr. W. F. Rae geteilt.[1]) Horace Walpole behauptet in den „Memoirs of King George III"., dass Wilkes und Potter, der Sohn des verstorbenen Erzbischofs von Canterbury dieses obscöne Machwerk bei einem Bacchanale gemeinsam verfasst hätten, und dass Wilkes nachher dasselbe eigenhändig gedruckt habe. Dieser Thomas Potter war der Liebhaber der Frau des Bischofs Warburton, was der Affäre noch eine besondere Würze gab und gerade nicht dazu beitrug, die Erbitterung des Bischofs zu vermindern.

Das Verfahren der Regierung bei der Verfolgung des Wilkes war in jedem Falle willkürlich, ungesetzlich und parteiisch. Auf Veranlassung der königlichen Minister wurde ihm der Prozess gemacht und er der Urheberschaft eines Gedichtes beschuldigt, dessen Exemplare ihm mittelst einer ungesetzlichen Vollmacht gestohlen wurden und dessen Inhalt von Lord Sandwich im Oberhause verlesen wurde. Für seine Verfasserschaft konnte aber keinerlei überzeugender Beweis beigebracht

---

[1]) W. F. Rae „Wilkes Sheridan Fox. The Opposition under George the Third" London 1874 S. 48.

werden.[1]) Nähere Einzelheiten über diesen Vorgang teilt
Horace Walpole mit. Hiernach hatte zuerst Philip
Carteret Webbe auf ungesetzliche Weise sich in den
Besitz eines Exemplares des „Essay ou Woman" aus
dem Hause von Wilkes gesetzt. Später gelang es dem
heuchlerischen Prediger Kidgell, dem Hauskaplan des
berüchtigten Herzogs von Queensberry (Earl of March[2])
mit Hülfe eines verräterischen Druckers von Wilkes,
des Michael Curry, sich Probebogen des Gedichtes
zu verschaffen. Später kauften Kidgell und Webbe
auf Veranlassung des Earl of March, der Lords Bute
und Sandwich das ganze Gedicht, welches dann
von Sandwich im Hause der Lords teilweise vorge-
lesen wurde. Lord Lyttelton, Bischof Warburton
u. A. verlangten sofortiges gerichtliches Einschreiten
gegen Wilkes, welchem Wunsche auch stattgegeben
wurde, wobei jedoch die öffentliche Meinung wegen des
illegalen Verfahrens und nicht weniger wegen des sehr fragwürdigen moralischen Charakters seiner Ankläger sich
auf die Seite von Wilkes stellte. Denn Lord Sandwich und Lord Le De Spencer waren zwei Gründer
der berüchtigten „Medmenham Abbey"[3]), der Herzog
von Queensberry war einer der tollsten Lebemänner
seiner Zeit und William Warburton, Bischof von
Gloucester, vereinigte nach Johnson die Kräfte eines
Riesen mit der Sinnesart eines Wüstlings, soll aber
trotzdem impotent gewesen sein, worauf der Dichter
Churchill in „The Duellist" satirisch anspielt und woraus
sich auch wohl das Liebesverhältnis seiner Frau mit

---

[1]) Rae in „Fortnightly Review" September 1869.
[2]) Vergl. über diesen Bd. II. dieses Werkes S. 172—176.
[3]) Vergl. über dieselbe Bd. I dieses Werkes S. 411—415.

Potter erklärt. John Kidgell endlich, der Rektor von Horne und Verfasser des langweiligen Romanes „The Card" (London 1755) unterschlug später eine ihm anvertraute Geldsumme und entfloh nach Flandern, wo er starb, nachdem er zum katholischen Glauben übergetreten war. Churchill sagt ironisch in seinem Gedichte „The Author":

> Kidgell and I have free and modest souls:
> We scorn preferment which is gained by sin,
> And will, though poor without, have peace within.

Der durch die Verfolgung von Wilkes verursachte Skandal steigerte die Nachfrage nach „Essays on Woman," und mehrere gefälschte Ausgaben entsprachen diesem Bedürfnisse. Ebenso rief Kidgell's „Narrative" nicht wenige Antworten hervor [1]).

Von den zah'reichen echten und apokryphen Ausgaben des „Essay on Woman", welche Pisanus Fraxi a. a. O. verzeichnet, seien nur die wichtigsten erwähnt.

Da ist zunächst ein „Essay on Woman," der offenbar als eine Antwort auf Kidgell's „Narrative" und als Verteidigung von Wilkes aufgefasst werden muss:

„An Essay on Woman. A Poem. By J. W. Senator. With Notes, by the Bishop of G.

Dux Faemina Facti. Virg.

London: Printed for the Editor; And sold by J. Freeman, in Avemary-Lane. MDCCLXIII."

4°, 28 S. Das Gedicht enthält eine „Invocation,"

---

[1]) Z. B. „The Priest in Rhyme etc." 4°: „An Expostulatory Letter to the Rev. Mr. Kidgell etc. By a Layman." London 1763, 4°, 11 S.; „A Letter to J. Kidgell etc." 1763, 4°, 21 S.; „The Plain Truth etc." 1763, 4° u. s. w.

zwei „Cantos," „Conclusion und „Epilogue." Canto I beginnt:

> But to our purpose, Invocation — · — — stop!
> Now recollect the theme I meant to write on,
> My ever faithful and obedient umse.
> O it is woman! lovely! beauteous Woman!
> Say, what is Woman? what? what is she not?
> Life of this world! the cordial of existence!
> The grot of bliss! the alcove of delight!

Dann wird das Weib genauer beschrieben:

> The hairy honours of the well formed head.

Die „dünne" Ober- und „dicke" Unterlippe, die „mit Grübchen versehenen Wangen" (dimpling cheeks):

> The turret head is on a column propt,
> Exceeding those from parian marble rais'd;
> Its wondrous flexures charm a lover's eye.
> But a more charming object strikes our view;
> O! the red-rose-tipt globes on her white breast,
> That rise and fall alternate! sweet vicissitude!
> To them a lover's heart beats sympathy,
> His fond soul gazing thro' enraptur 'd eyes,
> And ev'ry fibre throbbing for enjoyment;
> Essay on Woman instantly to make:
> Essay on Woman be this Poem nam'd.
> Down o'er the velvet plain, Abd-o-men call'd,
> The hand slides, glowing, to the zone of bliss — -
> Stop hand, stop muse, nor farther now proceed,
> But, from th' extreme below, resume thy plan.
> On foot that's small, not large, she stands erect.
> Neat moulded legs shoot upwards to the knee;
> Whence (cones invers'd) the thighs alluring swell,
> Plump instruments in amorous debate,
> With pow'rs re-active fraught, when close imping'd
> To bound resilient, and give Quid pro Quo.

Her turning arms hold fast th' impulsive culprit,
Till ample satisfaction be effus'd
For the bold inroad; and till fall'n his crest
Submissive he withdraws, and sins no more.

Wilkes wird als „Florio" folgendermassen an-
geredet:

fair Freedom's voluntary champion,
Unbrib'd, unpension'd, he stept forth, the cause
Of ev'ry true born subject to maintain; etc.

Now guess the mighty charge they brought against him;
He had a poem, ay, a bawdy book;
Nay, a profane one, left him by a friend,
Its merry theme sweet Tuzzi of the vale! etc.

Der Vorwurf, die Schrift öffentlich verbreitet zu
haben, wird dann auf die Ankläger des Wilkes ab-
gewälzt. Die Angelegenheit wird zwischen Männern
und Frauen erörtert. Letztere sind für die Freisprechung
des Wilkes, da seine Verbrechen nicht widernatürliche
scien:

the Women, furious grown,
Exclaim'd 'Ye can't say Florio sodomiz'd;
Some merit, sure, in these degen'rate days.

Wichtig ist ferner die folgende von Martin und
Lowndes fälschlich für die echte Ausgabe von Wilkes
gehaltene Edition:

„An Essay on Woman, in Three Epistles
London: Printed for the Author. (Price One Shilling
and Sixpence)."

Kl. 4°, 17 S. 253 Verse im Ganzen, nach dem

„Essay on Man," aber nicht obscön[1]). Daneben steht in Prosa eine französische Uebersetzung. Anfang:

> Awake my C. . . . .[2]) leave all things beside,
> To low ambition, and to Scottish pride:
> Let us (since life can little more supply,
> Than, just to fight a duel[3]) and to die)
> Expatiate, freely, upon Woman-kind;
> And trace, the mighty errors of her mind.

Schluss des Gedichtes:

> In Men we various ruling passions find,
> In Women . . . two alone divide the mind;
> Those only fixed, they first or last obey,
> The love of pleasure, and the love of sway.

Eine Ausgabe, die Graf Stanhope ebenfalls fälschlich für die von Wilkes herrührende hielt[4]), ist die, deren Anfangsverse an Lord Sandwich gerichtet sind:

An Essay on Woman, by the celebrated John Wilkes, Esq., M. P., Alderman, Lord Mayor, and Chamberlain of the City of London. Suppressed by Authority. Price Half-a.-Crown. London: Printed and Published by R. Smith, Drury Lane. 12⁰, 24 S. Einteilung in 4 Bücher. Der Anfang lautet:

---

[1]) Eine andere Ausgabe derselben Nachahmung ist: „An Essay on Woman, in Three Epistles. London: Printed for the Author. And Sold by Mr. Gretton, in Bond-Street. And Mr. Pottinger, in Pater-Noster-Row." — Französisch: „Essai sur la Femme, en Trois Epitres. Traduit de l'Anglois. Londres: Imprimé pour L'Auteur. Et se vend. Chez M Gretton, dans le Bond-Street & M. Pottinger, in Pater-Noster-Row. 8⁰, 40 S. Vergl. J. Martin „Bibliographical Catalogue of privately printed Books" 1854 S. 58 und Addenda S. 565. — J. M. Quérard „La France Littéraire" Paris 1827, Bd. X S. 514.

[2]) Wahrscheinlich Churchill.

[3]) Spielt auf das Duell zwischen Wilkes und Martin an.

[4]) Vergl. seine Ausführungen in der „History of England." Bd. V, S. 66.

Awake my Sandwich, leave all meaner joys,
To Charles[1]) and Bob[2]), those true poetic boys;
Let us, since life can little more supply,
Than just to kiss, to procreate, and die,
Expatiate free o'er all the female sex,
Born to subdue, and studying to perplex.

Die echten Ausgaben von Wilkes' „Essay on Woman" müssen nach P. Fraxi[3]) den folgenden bibliographischen Anforderungen entsprechen. 1. Muss es sich um eine Parodie auf Pope's „Essay on Man," Zeile für Zeile handeln. 2. Muss die Schrift in Rot gedruckt sein. 3. Muss sie ein Titelkupfer enthalten, welches den Titel „An Essay on Woman" und das obscöne Motto aufweist nebst der griechischen Uebersetzung der Worte: „Der Erlöser der Welt." 4. Müssen dem Titel einige Seiten „Advertisement" und „Design" folgen.

Nach diesen echten Ausgaben, von denen Fraxi nur zwei ältere kennt, wurden im 19. Jahrhundert von Hotten und Redway je zwei Neudrucke veranstaltet Hotten's Ausgabe hat folgenden Titel:

An Essay on Woman and Other Pieces printed at the private press in Great George-street, Westminster, in 1763, and new reproduced in fascimile from a copy believed to be unique. To which are added Epigrams and Miscellaneous Poems Now first Collected by the Right Hon. John Wilkes M. P. for Aylesbury, and afterwards Lord Mayor of London Preceded by an introductory narrative of the extraordinary circumstances

---

[1]) d. i. Churchill.
[2]) d. i. Lloyd.
[3]) Frxai „Index" S. 231.

connected with the prosecution of the author in the
House of Lords, digested and compiled from contem-
porary writers London Privately Printed, September
MDCCCLXXI.

4°, V, XVI und 263 S. Ausgabe in 250 Exemplaren zu 4 Pfund Sterling, von denen 225 im Jahre
1873 an Mr. Bouton in New-York verkauft wurden.
Der Band enthält ausser dem „Essay on Woman" und
dessen Anhängseln noch 22 nicht obscöne Gedichte von
Wilkes, eine Einleitung und einen Appendix mit 27
historischen Excerpten über Wilkes, seine Werke, seinen
Charakter und sein Leben.

Einen sehr sorgfältigen Neudruck des „Essay on
Woman" veranstaltete George Redway (Chelsea, Sep-
tember 1883, 4°, 23 S.), der nur in 50 Exemplaren für
Subskribenten ausgegeben wurde und auf der letzten
Seite eine kurze bibliographische Notiz nach Fraxi
enthält.

Einer der interessantesten sittengeschichtlichen
Schriftsteller des 18. Jahrhunderts war George Alexander Stevens, der bereits im zweiten Bande dieses
Werkes als einer der fashionablen Lebemänuer erwähnt
wurde. Er wurde in London um 1720 geboren und
starb zu Baldock in Hertfordshire am .6. September
1784. Obgleich von liebenswürdigem Charakter, war
er ein böser Thunichtgut, ein sich herumtreibender
Spieler, Dichter, dramatischer Schriftsteller und Dar-
steller in Gesellschaften, den sein Freund Sparks zugleich als den besten Kenner des Griechischen in England bezeichnete. Stets in Not, bisweilen im Gefängnis,
erfuhr er alle Extreme sowohl von Glück und Lust als

auch von Mangel und Bedürftigkeit und führte ein zwar
durch Verbrechen unbeflecktes, jedoch durch Roheit und
Unregelmässigkeiten aller Art wenig achtungswürdiges
Leben. Er besass einen lebhaften Witz und eine sehr
ausgebreitete Menschenkenntnis. Stevens ist der Er-
finder einer besonderen Art von theatralischen Darstellungen, der sogenannten „Lecture upon Heads"
(Vorlesung über Köpfe), mit denen er zuerst im
April 1764 im Haymarket-Theater auftrat und fortan
viel Beifall und Einnahmen erntete. Archenholtz erzählt darüber:

„Ein im vorigen Jahre gestorbener Engländer,
Namens Stevens, erfand ein Schauspiel von einer
sonderbaren Art. Er nannte es: „Lectures upon heads"
und trat damit alle Winter im Theater am Haymarket
auf. Es waren eigentlich satirisch-komische Vorlesungen
über alle Stände und Volksklassen der britischen Nation
mit tiefer Welt- und Menschenkenntnis, mit Witz, Laune
und grosser Kunst gehalten. Um einen Vortrag sinnlich zu machen, bediente er sich einer Menge Büsten von
Pappendeckel, deren Bildung und Kopfputz die verschiedenen Stände, Gewerbe und Charaktere der Menschen bezeichneten, die er durch Nachäffung der Sprache,
Ton und Geberden darstellte. Hofleute, Aerzte, Advokaten, Prediger, Krämer, Landleute, Militärpersonen,
Gelehrte, Künstler, Hofdamen und Fischweiber, alle
kamen nach der Reihe vor. Man hörte sehr wenig
Triviales, aber viel Belehrendes in dieser Menschenschule,
die auch, wenngleich nicht in Betracht der Kenntnisse,
die zur Philosophie des Lebens gehören, sondern wegen
der ergötzlichen Mimik häufig besucht wurde. Er be-
schloss seine Vorlesungen gewöhnlich mit einer Satire

auf sich selbst, um bei dem so reichlich ausgeteilten Spotte nicht allein leer auszugehen."[1])

Diese interessanten Vorlesungen sind in einem kleinen Bande, der nicht häufig im Buchhandel anzutreffen ist, gesammelt worden. Die vor mir liegende Ausgabe ist 1799 erschienen und hat folgenden Titel: A Lecture on Heads by Geo. Alex. Stevens, with Additions by Mr. Pilon; as delivered by Mr. Charles Lee Lewes. To which is added An Essay on Satire. With twenty-four heads by Nesbit, from designs by Thurston. London; Printed by T. Bensley, Bolt Court, Fleet Street etc. 1799. 12°, XII, 116 S.

Unter den zum Teil überaus köstlichen Schilderungen einzelner Londoner Typen um 1770, die in der „Lecture on Heads" sich finden, verdienen u. a. besondere Hervorhebung: Der Effeminierte oder „Master Jackey" (S. 11—12), die Virago (S. 12—13), die Prostituierte (S. 17), die Präsidentin eines weiblichen Debattierklubs (S. 33—34), die alte Jungfer (S. 48), der Hagestolz S. 48—40)[2]). Ergötzlich ist auch die Beschreibung seiner eigenen Person (S. 2 - 3). Auch an zwei anderen Stellen hat er sich selbst sehr getreu geschildert. In seinem Gedichte „Die Religion oder der reuige Libertin" (1751) giebt er die folgende Skizze seines eigenen Lebenslaufes:

---

[1]) v. Archenholtz „England" Bd. III, S. 195—196.

[2]) Von diesem sagt er: „When they become superannuated, they set up for suitors, they ogle through spectacles, and sing love songs to ladies with catarrhs by way of symphonies, and they address a young lady with „Como my dear, I'll put on my spectacles and pin your handkerchief for you; I'll sing you a love song:
How can you, lovely Nancy! [Laughs aloud]
How droll to hear the dotards aping youth,
And tale of love's delight without a tooth!
[Gives the head off].

By chance condemn'd to wander from my birth
An erring exile o'er the face of earth;
Wild through the world of vice, — licentious race!
I've started folly, and enjoy'd the chace:
Pleas'd with each passion, I pursu'd their aim,
Cheer'd the gay pack, and grasp'd the guilty game;
Revel'd regardless, leap'd reflection o'er,
Till youth, till health, fame, fortune, are no more.
Too late I feel the thought-corroding pain
Of sharp remembrance and severe disdain:
Each painted pleasure its avenger breeds,
Sorrow's sad train to Riot's troop succeeds;
Slow-wasting Sickness steals on swift debauch;
Contempt on pride, pale Want on waste approach.

Eine andere autobiographische Betrachtung steht in der sittengeschichtlich höchst interessanten Schrift:

The Adventures of a Speculist; or, a Journey through London. Compiled from Papers written by George Alexander Stevens (author of a lecture upon heads) with his Life, a Preface, Corrections, and Notes, by the Editor. Exhibiting a Picture of the Manners, Fashions, Amusements, etc. of the Metropolis at the Middle of the Eighteenth Century: and including Several Fugitive Pieces of Humour, By the Same Author, now first collected and published. In Two Volumes. London, Printed for the Editor: and sold by S. Bladon, No. 13. Paternoster-Row. MDCCLXXXVIII.

8°, Bd. I, XXVIII und 268 S. Bd. II, 286 S.

Die „Adventures of a Speculist" sind eine höchst wichtige und inhaltreiche Schrift über das Leben und Treiben in London um 1760. „A more truthful and striking picture of London life during the middle of the 18th century it would be difficult to find; and who knew it better than Stevens, a regular man about town, and constant frequenter of its most doubtful haunts!" (Pisanus Fraxi.) Der „Speculist" beginnt seine Reise in der City, besucht dann das Fleetgefängnis, Exchange Alley, das Jonathan's- und Bedlam-Hospital, die er alle mit kräftigem Humor beschreibt, wobei offenbar dem Leben entnommene Charaktere eingeführt werden. Sein Freund Flight, den er begleitet, händigt ihm ein Manuskript „Authentic Life of a Woman of the Town" (Bd. I S. 129 bis zum Ende von Bd. II.) ein, indem er dazu bemerkt: „Die Abenteuer sind wirklich erlebt und die Beobachtungen richtig. Sie liefern eine ausgezeichnete Ergänzung zu Euren eigenen Beobachtungen, so dass Ihr Euch eine authentische Meinung über die moralische Entartung der Menschheit bilden könnt." Es folgen dann humoristische und interessante Skizzen der Tavernen und Nachtkeller und ihrer Besucher, einiger Klubs wie der „Jolly Dog's", der „Damn'd High Fellows" (Bd. II. S. 15), des „Momus Court" im White Horse, Fetter Lane (Bd. II. S. 16.) Covent Garden wird geschildert „wie es war und wie es ist" (Bd. I S. 258), ebenso die Bordelle von Jenny Douglas (Bd. I. S. 243) und Bob Derry (Bd. II S. 51). Weiter werden Anekdoten von ausgehaltenen Frauenzimmern, Prostituierten u. s. w. erzählt, über die „Tavernplyers" kuriose Details mitgeteilt.[1] In das „Leben eines Freudenmädchens" sind zwei andere Erzählungen eingeschaltet, nämlich „History of a Reforming Constable (Bd. I S. 218 ff) und „Life of a Young Criminal" (Bd. II S. 196). Alle drei sind höchst unterhaltend und lebendig geschrieben und verraten

---

[1] Vergl. darüber Bd. I dieses Werkes S. 283—284.

Dühren, Das Geschlechtsleben in England.***   28

eine sehr gründliche Kenntnis der zeitgenössischen Korruption. Bd. II S. 20 schildert Stevens sich selbst: „Jener frischwangige Bursche, der ihm folgt, ist ein unerklärliches Wesen. Er hat einige erträgliche lustige Lieder geschrieben, verdirbt sie aber durch den Versuch, sie selbst zu singen. Er hat beiden Theatern angehört, konnte es aber in keinem zu etwas bringen. Er hat zu viel Verstand für einen Narren und zu wenig, um klug zu sein. Er könnte entweder besser oder schlechter sein als er ist, wenn er sich einige Mühe darum gäbe. George ist weder unfähig, noch abgeneigt daran zu denken, wie er handeln sollte, aber er lässt die Dinge kommen und gehen, wie es sich gerade trifft, zu sorglos, um etwas anderes als das Gegenwärtige für wichtig zu halten und wie ein Grashüpfer die Hälfte des Jahres vergnügt, die andere Hälfte tiefunglücklich.“

Stevens ist auch der Verfasser von fünf Dramen, ein oder zwei Gedichten, dem Romane „The History of Tom Fool“ (1760). Auch finden sich einige gute Produkte seiner Muse in einem kleinen, seltenen Bande „The Humours of London, A choice Collection of Songs etc.“ und endlich erschien im Jahre 1801 eine Sammlung „Songs, Comic and Satirical, written by George Alexander Stevens etc.“ mit zahlreichen Holzschnitten auf jeder Seite nach der Manier von Bewick. Stevens konnte, wie W. Davis bemerkt, durch seine Schriften und Vorträge ein Auditorium vier Stunden ununterbrochen in gespannter Aufmerksamkeit an sich fesseln.[1]

Eine ähnliche litterarische Erscheinung wie G. A. Stevens war Samuel Johnson Pratt (geboren

[1] William Davis „An Olio of Bibliographical and Literary Anecdotes." London 1817, S. 47.

zu St. Ives in Huntingdonshire am 25. Dezember 1749, gestorben zu Birmingham am 4. Oktober 1814), der unter dem wohl von seiner Maitresse, der Schauspielerin Mrs. Melmoth abgeleiteten Pseudonym Courtney Melmoth schrieb. Er war Schauspieler, Dichter, Buchhändler, Recitator und Verfasser mehrerer Romane und anderer Schriften, in der That „a very voluminous gentleman,“ der sich aber nicht scheute, sich von der oben genannten Geliebten unterhalten zu lassen.[1]) Pratt interessiert uns als Verfasser der folgenden Schrift:

„The Pupil of Pleasure: or, The New System Illustrated. Inscribed to Mrs. Eugenia Stanhope, editor of Lord Chesterfield's Letters. By Courtney Melmoth. Versatile Ingenium. Vol. I. London, Printed for G. Robinson, and J. Bew, in Pater-Noster-Row. 1776.“

12°, 2 Bände, XV, 230 und 252 Seiten. — Neuausgabe 1783 (A New Edition, Corrected) mit dem wirklichen Namen des Autors und einem schönen Kupfer (mit Signatur: Dodd Delin. T. Cook sculp.), 2 Bände, 12°, X, 234 und 252 Seiten. Die erste Ausgabe enthält 111, die zweite 110 Briefe, der Brief 92 fehlt, in dem Sedley die Verführung einer jungen Frau in sehr lebhaften Farben schildert. Nach der Angabe auf dem Titel der folgenden französischen Uebersetzung würden wenigstens noch zwei spätere englische Ausgaben existieren. Die letztere lautet:

L'Elève du Plaisir, Par M. Pratt. Traduit de l'Anglois sur la quatrième Edition, Par M. L. D. Premiere Partie. A Amsterdam, Chez D. J. Changnion, Et se

---

[1]) Notes and Queries 6 s. Bd. VII S. 87; Bd. VI S. 212.

trouve A Paris, Chez Théophile Barrois le jeune,
Libraire, quai des Augustins, no. 18, M.DCC.LXXXVII.
12°, 2 Teile, VIII, 158 und 142 Seiten. Diese
Uebersetzung enthält nur 106 Briefe. Neudruck 1788.
Der Uebersetzer ist A. J. Lemierre d'Argy.[1])

Der „Zögling des Vergnügens" hat eine moralische Tendenz. Die Schrift widerlegt die Maximen des Lord
Chesterfield und zeigt an einem Beispiele deren ver-
derbliche Tendenz. Sedley, ein schöner und reicher,
gründlich mit Chesterfield's Lehren durchtränkter
junger Lebemann besucht Buxton, wo es ihm gelingt.
zwei verheiratete Damen, Harriet Homespun und Fanny
Mortimer zu verführen. Seine Schurkerei wird zuletzt
entdeckt und er wird von dem rasenden Gatten Mortimer
getötet. Die Geschichte wird in 111 Briefen von verschiedenen Personen erzählt, hauptsächlich von Sedley
und seinem Freunde Thornton. Trotz unverkennbarer
Originalität ist „The Pupil of Pleasure" in dem Stile
einer faden, affektierten Sentimentalität geschrieben, die
für den modernen Geschmack ungeniessbar ist. Obgleich
die Erzählung sich gänzlich um die Verführung von
Frauen dreht, fehlen alle obscönen Schilderungen und
schmutzigen Worte. In mancher Beziehung erinnert die
Schrift an die „Liaisons Dangereuses." ;In der „Monthly
Review" (Bd. 56 S. 232) wird sie als „unnatürlich und
abstossend" bezeichnet, man könne sie nicht ohne
Ekel lesen.

Octave Mirbeau's „Journal d'une Femme de
Chambre" geht vielleicht der Idee nach auf die fran-

---

[1]) Gay „Bibliographie des Ouvrages relatifs à l'Amour" Bd. III
S. 156; La France Littéraire Bd. V S. 114.

zösische Uebersetzung „Memoires d'une Femme de Chambre" (1786) eines englischen Originals zurück, welches zuerst Ende der 70iger oder Anfang der 80iger Jahre erschien, vielleicht unter dem Titel „The Waiting Woman, or the Galanteries of the Times" (London 1735; vergl. Gay, Bibliographie etc. Bd. VI S. 444.) Jedenfalls beruht ein von John Duncombe um 1830 veranstalteter Neudruck[1]) auf diesem alten Werke, welches die Erlebnisse einer Kammerjungfer darstellt. Denn, wie es im Anfang der Schrift heisst, „die Neugierde einer Kammerjungfer ist sprüchwörtlich geworden. Es war

---

[1]) A New Edition. The Mysteries of Venus or Lessons of Love: exemplified in the Amatory Life and Adventures of Kitty Pry.

> Wishes unknown to fill her breast began;
> Through every vein the glowing transport ran!
> Now in his vigorous grasp, half-won, she pants
> Struggles, denies — yet in denying, grants
> White, like the wanton tendrils of the vine,
> Their limbs in eager amorous folds entwine.
> Breast joined to breast, caressing and caressed,
> Of all but love's last fondest bliss possessed;
> That to indulge did Nature give command,
> And grown impetuous does full joy demand:
> Then sunk the maid in her adorer's arms —
> No more a maid — she yields up all her charms!
> Half-pleas'd, half-pain'd, she sighs and smiles by turns
> And whilst she bleeds for what has hurt her, burns:
> Her lover clasps the murmuring, melting fair,
> And both each rapture of possession share.

Re-printed from the Original Edition of 1763. Without Abridgement. Embellished with Curious Coloured Plates. London: Printed and Published by M. Metford 19, Little Queen Street, Holborn.

12°, 144 S. Frontispiz und 4 freie Kupfer von J. L. Marks. Das Werk ist in 18 Kapitel eingeteilt. — Neudruck um 1835 oder 1840 von W. Dugdale in 12°, 180 S. Besserer Druck und Papier als die Ausgabe von Duncombe („Printed by H. Smith, 87, Holywell Street, Strand), (o. J.) mit 8 neuen Kupfern — Dritter Neudruck in Amerika.

mehr Neugierde als Notwendigkeit oder Neigung, die mich antrieben, eine solche Stellung anzunehmen, und damit es nicht heisse, dass ich mein Talent vergeblich geübt habe, habe ich meine „Entdeckungen" der Welt offenbart zum Nutzen und zur Unterhaltung der ganzen Menschheit." Das Kammermädchen Kitty Pry späht in allen Häusern, wo sie im Dienst ist, die geheimen Handlungen der Bewohner aus. So erhalten wir Schilderungen von Liebesszenen unter allen Klassen der Gesellschaft. Die Verfasserin schliesst mit der Erzählung zweier eigner Abenteuer. Das Buch ist nicht schlecht geschrieben, und obgleich jedes Kapitel eine unzüchtige Episode enthält, sind obscöne Worte vermieden. Personen von Rang, wie die Herzöge von York und Cumberland, Lady Grosvenor u. A. werden deutlich erwähnt, und es dürfte nicht schwer sein, andere aus den angegebenen Initialen zu erkennen.[1]

In Kürze seien an dieser Stelle noch einige andere Erotica aus der Zeit von 1780 bis 1810 erwähnt, wie

---

[1] Von dem Werke existieren zwei französische Uebersetzungen: 1. „Memoires d'une Femme de Chambre. Traduit de l'Anglois. Premiere Partie, 1786." 8°, 2 Teile, 179 und 177 Seiten. Auf dem Titel eine Vignette, einen Blumenkorb darstellend. Keine Einteilung in Kapitel. Der erste Teil folgt sehr genau den englischen Ausgaben und schliesst mit Kapitel 9. Der zweite weicht gegen Ende ziemlich stark ab und schliesst in der Mitte des 15. Kapitels, so dass mehr als 3 Kapitel fehlen. Da auf der anderen Seite mehrere Stellen der Uebersetzung nicht in den englischen Neudrucken enthalten sind, z. B. eine Anmerkung über Ehebruchsprozesse auf S. 139, so dürften letztere wohl Abweichungen vom Text der ersten englischen Ausgabe darbieten, die nicht mehr bekannt ist. — 2. Memoires d'une Femme de Chambre écrits par elle-même en 1786. Tome Premier, Bruxelles J. J. Gay, Editeur 1883"; 8°, 186 S. Preis 10 Francs.

„The Woman of Pleasure's Pocket Companion[1])" der „Dialogue between a Woman and a Virgin"[2]), „The Voluptarian Museum" und „The Adventures of Sir Henry Loveall."[3])

---

[1]) „The Woman of Pleasure's Pocket Companion. With Engravings etc. Paris (London): Reprinted in the year 1830." 12°, 48 S. Originalausgabe 1787. Enthält 6 erotische, aber nicht indecente Erzählungen, zum Teil humoristischer Art. Bei jeder Erzählung ein ziemlich schlechtes Kupfer, zum Teil aus anderen Werken entlehnt, wie das bei der ersten Erzählung „The Modern Susanna and the Two Elders" sich auch auf S. 60 von „Les Bijoux du Petit Neveu de d'Arétin" (1791) findet.

[2]) „Dialogue between a Woman and a Virgin. Printed for R. Borewell, South-Audley-Street. MDCCLXXXVI (Price Two Shillings)." 12°, 35 S. [Wiederabdruck im „Voluptarian Cabinet"] Dieser Dialog, der auf verschiedenen Quellen beruht, hat folgenden Inhalt. Volupta, die schon manches Mädchen „eingeweiht" hat, erklärt der Lydia, einer unreifen Jungfrau, die Genüsse des geschlechtlichen Verkehrs und erzählt ihr die Umstände und Entzückungen, welche den Verlust ihrer eigenen Jungfernschaft begleiteten. Mr. Do Little, ein impotenter alter Wüstling, kommt herein und wird für wenige Minuten der Liebeständelei mit Lydia um 100 Pfund Sterling erleichtert. Nach seinem Fortgange vollbringt Charles, ein kräftiger junger Mann und Bekannter der beiden Mädchen, das Werk der Defloration Lydias zu deren völliger Befriedigung.

[3]) „The Voluptarian Museum: or, History of Sir Henry Loveall. In a Tour through England, Ireland, Scotland, and Wales, Embellished with Six Highly Finished Prints. From Beautiful Paintings. Price One Guinea Plain, or One Guinea and a Half in Colours etc. Paris: Printed for the Proprietors." 8°, 162 S. mit guten Kupfern. Dies ist wahrscheinlich die erste Ausgabe des folgenden Werkes: „The Adventures of Sir Henry Loveall, In a Tour through England, Ireland, Scotland und Wales. Embellished with Ten Superb Coloured Plates etc. Price three Guineas and a Half. 8°, 2 Bände, jeder von 68 Seiten, 16 colorierte Lithographien (8 in jedem Bande). Es ist dies die von Dugdale um 1860 veranstaltete Ausgabe eines am Ende des 18. Jahrhunderts erschienenen Originals, von dem mehrere gute alte, aber seltene Ausgaben existieren. Eine der frühesten enthält „6 superb copperplates, price 18/—." Auf diesen Bildern tragen die Frauen grosse runde Hüte. Eine andere Ausgabe ist 1812 datiert und als „Mrs. Dawson's Octavo Edition" bekannt, für die 12 kolorierte Kupfer gestochen wurden, deren eines sehr selten ist, da die Collection selten mehr als 11 enthält, die alle sehr geistreich und vorzüglich

„A Cabinet of Amorous Curiosities"[1]) und „The Cabinet of Fancy."[2])

Besonders fruchtbar an erotischer Litteratur waren dann im 19. Jahrhundert die Zeiten zwischen 1820 und 1840, und 1860—1880, wofür bezüglich der ersteren

---

ausgeführt und mit fictiven Namen wie „Mary Wilson", „Sophia Cary", „Bolano" u. s. w. signiert sind. „Sir Henry Loveall" ist ein leicht und unterhaltend geschriebenes, nicht allzu obscönes Buch, welches auch ein oder zwei Flagellationsszenen enthält, ebenso eingestreute Verse. Widernatürliche Akte sind gänzlich vermieden. Dugdale bezeichnet es in seinem Kataloge als das Werk eines „man of fashion, of gallantry and of adventurous daring."

[1]) „A Cabinet of Amorous Curiosities. In Three Tales. Highly calculated to please. The Votaries of Venus. Tale I. The Village Bull. Tale II. Memoirs of a Feather-Bed. Tale III. Adventures of a Droll One; or the Broke Open Casket. Printed for R. Borewell, South-Audley-Street. MDCCLXXXVI (Price Two Shillings)." 12°, 88 S. Es giebt einen Neudruck von W. Dugdale. Diese drei Erzählungen behandeln alle dasselbe Thema, die Defloration ihrer verschiedenen Heldinnen. In den ersten Erzählungen widerfährt dieses Schicksal zwei Landmädchen, die eine Kuh zum Bullen bringen. In der zweiten wird Julia, die Tochter eines Landedelmannes, von Alexander, einem Londoner Stutzer verführt. In der dritten Erzählung vollbringt ein Quacksalber die Heldenthat an einem unschuldigen Mädchen, unter dem Vorwande, ihr medizinisch zu erklären, wie derselbe Vorgang bei ihrer — Grossmutter gewesen sei.

[2]) „The Cabinet of Fancy, or Bon Ton of the day: A Whimsical, Comical, Friendly, Agreeable Composition; Intended to please All, and offend None; suitable to amuse Morning, Noon, and Night, writte (sic) and compiled by Timothy Tickle-Pitcher.
With songs, and strange extravagancies
He tries to tickle all your fancies.
London: Printed for J. Mc Laen, Ship-Alley, Wellclose-Square. T. Sudbury. No. 16, Tooley-Street, Borough; and sold by all the Booksellers in Town and Country. MDCCXC." 12°, 60 S. Mit einem schönen Titelkupfer „Lady Lxxxx's whim, or the naughty Boy in Dumps." (Eine Dame in grossem Hut, nimmt eine Rute von einem Knaben entgegen, den sie züchtigen will). — Eine amüsante Collection von Stücken in Prosa und Poesie, Erzählungen, Anekdoten, Epigramme, Lieder; erotisch, aber nicht indecent.

Periode Verleger wie Brookes, Duncombe u. A., bezüglich der zweiten besonders der auf diesem Gebiete
unermüdlich thätige William Dugdale verantwortlich
zu machen sind. Auch hier muss wesentlich die bibliographische Registrierung der zum grössten Teile unbedeutenden Schriften sowie eine kurze Angabe des Inhalts
genügen. Dahin gehören u. a. „The Bedfellows: or Young
Misses Manual" [1]) „The Modern Rake [2]) „The Amorous In-

---

[1]) „The Bed-Fellows: or Young Misses Manuel (sic).
In Six Confidential Dialogues between Two Budding Beauties, who
have just fledged their teens. Adapted to the capacity of every
loving virgin who has wit enough in her little finger to know
the value of the rest etc. Printed and Published on Mons Veneris:
and may be had by all who seek it there." 12°, 150 S., 8 obscöne,
gewöhnlich kolorierte Kupfer. Vier Ausgaben. Die erste von
Dickenson um 1820, die zweite um 1830, kurz darauf die dritte
und 1860 die vierte von W. Dugdale (8°, 120 S. mit 8 schlechten
kolorierten Lithographieen). Ein gut geschriebenes Buch, das über
dem Durchschnitt ähnlicher Schriften steht. Lucy und Kate erzählen sich einander ihre Liebesabenteuer jeden Abend, wenn sie
zu Bette gehen, schildern u. a. bis in die kleinsten Details ihre
erste Verführung und unterbrechen diese lasciven Unterhaltungen
durch tribadische Praktiken.

[2]) „The Modern Rake; or the Life and Adventures of Sir
Edward Walford: Containing a Curious and Voluptuous History of
his luscious intrigues, with numerous women of fashion, his laugh-
able faux pas, feats of gallantry, debauchery, dissipation and
concubinism! His numerous rapes, seductions, and amatory scrapes.
Memoirs of the Beautiful Courtezans with whom he lived; with
some Ticklish Songs, Anecdotes, Poetry etc. Enriched with many
Curious Plates. J. Sudbury, Printer, Gate Street. 1824." Gr. 12°,
112 S., 9 sehr obscöne, geistreiche, kolorierte Illustrationen. Kata-
logpreis 3 £, 3 Schillinge. Neudruck einige Jahre später von
J. B. Brookes. Das Buch schildert, wie bereits der Titel angiebt,
die erotischen Abenteuer eines jungen Wüstlings in Paris, Spanien
und England bis zu seiner Bekehrung durch eine glückliche Heirat.
Ausserdem finden sich darin die Autobiographie einer französischen
Kurtisane, und Erwähnungen verschiedener erotischer Schriften wie
„Fanny Hill," „Letters of Two Cousins," „Intrigues of a Lady of
Fashion," „The Ladies' Tell Tale," and „Chevalier de Faublas."

trigues and Adventures of Don Ferdinand and Donna Maria"[1]) „The Seducing Cardinal"[2]), „The Lustful Turk"[3])

---

[1]) „The Amorous Intrigues and Adventures of Don Ferdinand and Donna Marie. Ferdinand's Intrigue with the Innkeeper's Wife. Cataline's Amour with Ferdinand. Donna Marie's Intrigue. Curious Adventures of the Duke & Duchess of Storza, London: Printed for the Booksellers." 124 S., ca. 1820 bis 1830. Der Inhalt ergiebt sich zur Genüge aus dem Titel. Auch das Motiv des „Faublas," ein als Mädchen verkleideter Mann, der bei Donna Maria, seiner Jugendgeliebten schläft, wird verwertet.

[2]) „The Seducing Cardinal, or, Isabella Peto. A Tale founded on Facts. London: Published as the Act directs, by Madame Le Duck, Mortimer Street; and to be had of all Respectable Booksellers. 1830. Price 1 l. 11 s. 6 d." 12°, 78 S. 5 obscöne, colorierte Kupfer. Verleger: J. B. Brookes. Der „verführerische Kardinal" ist „Johann Peter Caraffa, nachmals Papst Paul III." (diese Angabe ist falsch, da Paul III. ein Farnese und kein Caraffa war, auch ein Giovanni Pietro C. gar nicht existiert hat) und Isabella Peto ist eine Waise von 18 Jahren, im Begriff Signor Antonio Lucca zu heiraten. Der in sie verliebte Kardinal lässt sie in den Inquisitionskerker werfen, so dass sie als Preis ihrer Freiheit ihre Jungfrauschaft opfern muss. Als eine Woche nach der Heirat mit Lucca dieser nach Candia gerufen wird, erneuert der Kardinal seine Intimität mit Isabella. Sie reist bald zu ihrem Gatten, der im Kampfe mit den Türken getötet wird, worauf sie dem Harem des Bey von Adrianopel einverleibt wird. Hier wird sie aber gut behandelt. Zufällig besucht Caraffa Konstantinopel, befreit Isabella und Atalide, eine andere Lieblingssklavin des Beys und führt sie beide dem Kloster zu. Das Buch ist sehr obscön.

[3]) „The Lustful Turk. Part the First. A History Founded on Facts, Containing An interesting Narrative of the cruel fate of the two Young English Ladies, named Silvia Carey, and Emily Barlow. Fully explaining how Emily Barlow, and her servant, Eliza Gibbs, on their passage to India, were taken prisoners by an Algerine Pirate, and made a present of to the Dey of Algiers; who, on the very night of their arrival debauched Emily. — Containing also, every particular of the artful plans laid by the Dey, to get possession of the person of Silvia Carey etc. with the particulars of her becoming a victim to his libidinous desires. Which Recital is also interspersed with the Histories of several other Ladies confined in the Dey's Harem. One of which gives an account of the horrid practices then carrying on in several French and Italian Convents by a society of Monks, established at Algiers, under pretence ot redeeming Christian slaves; but who, in reality, Carried on an infamous traffic in Young Girls. — Also

und eine diesem ähnliche später erschienene Schrift „Scenes in the Seraglio"[1]) „Memoirs of Rosa Bellefille[2])

an account of the sufferings of Eliza Gibbs, from the flogging propensities of the Bey of Tunis. With many other curious circumstances, until the reduction of Algiers by Lord Exmouth; by which means these particulars became known. — The whole compiled from the Original Letters, by permission of one of the sufferers. Embellished with Beautiful Engravings. Published in Two Parts By An Arcadian, A 8 (sic) The Law Directs; And to be had of all the principal Booksellers in town or country. Price £ 2, 2 s. 1828." Gr. 12⁰, 2 Teile, 99 u. 94 S., 18 kolorierte Bilder. Verleger J. B. Brookes. Später noch zwei Mal Neudruck von Dugdale, die erste 1860 oder 1864. Der Inhalt dieser an höchst wollüstigen Schilderungen reichen Schrift ergiebt sich aus dem Titel.

[1]) „Scenes in the Seraglio. By the Author of „The Lusty (sic) Turk." With Numerous Coloured Plates. Price Two Guineas." 8⁰, 88 S., 6 schlechte colorirte Litographieen. Erschien zwischen 1855 und 1860 bei W. Dugdale. Kurz darauf erschien eine zweite Ausgabe. Beide beruhen auf einem Originale von 1820 oder 1830 mit 6 schönen colorirten Kupfern. Das Buch könnte sehr gut von dem Verfasser des „Lustful Turk" stammen. Adelaide, eine junge sicilianische Schönheit, wird von dem Korsaren Tick geraubt, um ihm als Maitresse zu dienen. Seine Geldgier siegt aber über seine Wollust, als er ihre Jungfräulichkeit entdeckt, die er teuer zu verkaufen beschliesst Er zwingt sie daher nur, sich seine weniger eingreifenden Liebkosungen gefallen zu lassen und Zuschauerin bei seinen Liebesgenüssen mit einer von ihm ebenfalls geraubten Gräfin zu sein. Er bringt dann sein Opfer nach Konstantinopel, wo er es an den Sultan Achmed verkauft, der Adelaide mit der grössten Freundlichkeit und Delikatesse behandelt und zuletzt sie dazu bringt, sich aus freien Stücken seinen Wünschen zu fügen. Eingestreut ist die Geschichte der „Liebschaften der Euphrosyne", einer anderen Haremsinsassin.

[2]) „Memoirs of Rosa Bellefille; or, A Delicious Banquet of Amorous Delights! Dedicated to the Goddess of Voluptuons Pleasure, and her soul-enamoured votaries etc. Paphian Press. — 1828." 12⁰, 99 S., 6 gut ausgeführte obscöne Kupfer. Erschien 1828 bei G. Cannon in London. Eine neuere Ausgabe erschien 1865 bei W. Dugdale (M. Sullivan, Printer, London. 8⁰, 96 S., 8 schlechte obscöne Lithographien, nicht identisch mit denen in der Ausgabe von Cannon). Eine ziemlich langweilige Geschichte. Rosa, ein junges Mädchen von stark entwickeltem erotischem Temperamente erzählt ihre verschiedenen Abenteuer. Sie entläuft aus der Schule und wirft sich thatsächlich jedem Mann, dem sie begegnet, an den Hals. Sie wird von mehreren Männern ausgehalten, verlässt aber jeden, sobald sie seiner überdrüssig ist oder findet,

„The Favourite of Venus"[1]) „How to make Love" und
„How to raise Love"[2]) „The Adventures, Intrigues and
Amours of a Lady's Maid" und deren Fortsetzung „The

---

dass er ihrer übermässigen Salacität kein Genüge leistet. Zuletzt
wird sie eine gewöhnliche Prostituierte und nimmt sich eine kleine
Wohnung in der Umgebung von Drury Lane.

[1]) „The Favourite of Venus; or, Secrets of My Note-
Book: Explained in the Life of a Votary of Pleasure. By Theresa
Berkley etc. Illustrated with Fine Engravings. London: Printed
and published by J. Sudbury, 252, High Holborn." 12°, 78 S.
Erschien zwischen 1820 und 1830 bei J. Sudbury. Neuausgabe
von 1870 von John Dugdale mit 6 Bildern. Schilderung der
Liebesabenteuer eines Ladengehülfen mit Prostituierten und aus-
gehaltenen Frauenzimmern, die er mit Waren aus dem Laden seines
Vaters beschenkt.

[2]) „How to Make Love, or, The Art of Making Love in
more ways than one, exemplified in a series of Letters between
two Cousins. Cythera Press, 1829." (London bei John Ascham
mit 12 schönen, obscönen Kupfern). 1829 gab derselbe Verleger
eine Fortsetzung: „How to Raise Love, etc." in 2 Bänden
heraus. Beide Werke zusammen unter dem Titel: „How to Raise
Love: or Mutual Amatory Series (sic); Disclosed in a Series of
Letters, between Two Cousins, Enriched with Fine Engravings.
Dedicated to the Voluptuous, Vol. I. London. Published for the
Purchasers, 1848," 2 Bände, 71 und 75 S. (Erschien in Amerika,
mit Lithographieen). — Ausgabe von Dugdale zwischen 1860 und
1865: „How to Raise Love; or the Art of Making Love, in more
ways than one; being the Voluptuous History and Secret Correspondence of Two Young Ladies (Cousins) handsome and accomplished etc. With Fine Engravings. Part the First. Printed for
the Society of Vice." 8°, 3 Bände, 104, 54 u. 75 S.; 24 obscöne
kolorierte Lithographieen. — Diese letzten Ausgaben stimmen nicht
genau mit der von Ascham überein, nur die ersten zwölf Briefe
sind identisch, alles Weitere weicht von einander ab. — Die
Correspondenten und hauptsächlich handelnden Personen in „How
to Raise Love" sind zwei Cousinen Stella und Theresa, Gabriele,
eine Freundin der Theresa, und ihre Schülerin Lalotte, Charles,
der spätere Gatte Stellas, Theresas Bruder und ein Schulkamerad
Friedrich. Es würde unmöglich sein, in einer kurzen Skizze den
Inhalt des Werkes anzugeben. Die verschiedenen Freunde und
Freundinnen erzählen sich die Abenteuer, die ihnen während ihrer
Trennung von einander begegnet sind. Ihre Briefe behandeln
hauptsächlich die Umstände ihrer ersten Einweihung in die sexuellen Geheimnisse. Das Buch ist nicht schlecht geschrieben, da
grobe und obscöne Worte vermieden sind.

Life of Miss Louisa Selby" [1]) „The Ladies' Tell Tale,
or Decameron of Pleasure" [2]) und Nachahmungen. [3])

---

[1]) „The Adventures, Intrigues and Amours of a
Lady's Maid! Written by Herself. Never before published etc.
Embellished with engravings. London, Printed by J. Ryder,
Portobello Passage, 1822. — „The Life of Miss Louisa Selby,
Being the Second Part of the Adventures etc. Written by Herself
etc. Embellished with Eight Engravings. London; Printed by
J. Ryder, Porto Bello Passage. 1822." 12⁰, 132 u. 169 S. —
Schildert die Liebescarrière von Louisa Selby, der natürlichen
Tochter eines Landpredigers, von dem sie auch zuerst verführt
wird, um dann von ihrer Mutter verkuppelt zu werden. Später
kommt sie als Dienstmädchen zu verschiedenen Herrinnen, darunter
einer Tribade, wird in ein italienisches Kloster verschlagen, erlebt
weitere Liebesabenteuer in Neapel, fällt in die Hände von Briganten
und heiratet schliesslich einen verwitweten englischen Prediger.

[2]) The Ladies' Tell Tale; or, Decameron of Pleasure. A
Recollection of Amourous Tales, as related by a party of young
friends to one another. With Characteristic Plates. London:
Published by May, Wilson and Spinster, 2, Portobello Passage,
Leicester Square. Price £ 1, 11 s. 6 d." 12⁰, 4 Bände. Die
ersten drei erschienen um 1880 bei John Ascham, Chancery
Lane, London, der vierte bei W. Dugdale. Jeder Band hat
sechs schöne Kupfer. Neuausgabe der ersten drei Bände 1868 bei
W. Dugdale, des ganzen Werkes 1865 in 5 Bänden (8⁰, 109, 75,
92, 118, 55 S. und 40 schlechte kolorierte Lithographieen. Der
Titel lautet hier „Love's Tell Tale"). Der Nebentitel „Decameron of Pleasure" rührt daher, dass der äussere Rahmen des
Werkes durch einen pornologischen Klub von Damen und Herren
gebildet wird, dessen einzelne Mitglieder eigene Erlebnisse erzählen,
die dann von der Präsidentin im vorliegenden Werke gesammelt
sind. Es sind grösstenteils eingehende Berichte über die erste
Verführung junger Mädchen und junger Männer. Die Titel der
einzelnen Erzählungen lauten: Vol. I Tale 1. „Little Miss Curi-
ous's Tale"; Tale 2. „The Young Gentleman's Tale"; Tale 3. „The
Young Lady's Tale"; Vol. II Tale 4. „The Traveller's Tale";
Tale 5. „The Amateur Artist's Tale"; Tale 6. „The Student in
Art's Tale." Vol. III Tale 7. „The School Master and Mistress's
Tale"; Tale 8. „The School Girl's Tale"; Tale 9. „The School
Boy's Tale"; Vol. IV Tale 10. „The Soldier's Tale"; Tale 11.
„The Sailor's Tale"; Tale 12. The Foster Brother and Sister's Tale";
Vol. V Tale 13. „The Philosophic Sister's Tale"; Tale 14 „The
Country Girl's Tale"; Tale 15. „The Country Boy's Tale".

[3]) „Bijou Edition. Love's Tell Tale, The Sailor's Yarn,
A Delicious Adventure in the Bay of Naples. Illustrated by Six
Coloured Plates. Printed for the Nihilists. Moscow (London)

Unter der grossen Zahl der erotischen Schriften, die in den 60iger bis 80iger Jahren des 19. Jahrhunderts in England erschienen sind, verdienen diejenigen des Kulturhistorikers und Anthropologen Edward Sellon eine ausführliche Erwähnung, da uns in Sellon vielleicht der einzige englische Pornograph des 19. Jahrhunderts entgegentritt, dessen Schriften in Beziehung auf ihre stilistische und litterar- und kulturgeschichtliche Bedeutung mit denjenigen von John Cleland verglichen werden können.

Edward Sellon (1818—1866) war einer jener geistreichen, aber im Herzen tiefunglücklichen Epikuräer, die nicht aus grobsinnlichen, sondern aus höheren Motiven von Begierde zum Genuss und vom Genuss zur Begierde taumeln, er war in dieser Hinsicht eine echte Casanova-Natur. Nur fehlte ihm dessen optimistische Lebensauffassung und dessen Religiosität, da Sellon als überzeugter Atheist starb. Er hat sein Leben selbst in einer höchst erotischen Schrift beschrieben, welche daher an die Spitze seiner Werke dieser Art zu stellen ist:

„The Ups and Downs of Life. A Fragment.

> „All the world's a stage
> And all the men and women merely players;
> They have their exits and their entrances,
> And one man in his time plays many parts."
>
> As you like it, act 2, scene VII.

London: Printed for the Booksellers. 1867."

1880." 8°, 40 S. Auflage: 150 Exemplare. Es ist ein Neudruck von Erzählung 11 aus „The Ladies' Tell Tale" (s. oben) mit Auslassung von drei Paragraphen und Aenderung der Namen.

„The Ladies' Tell-Tale; or, Decameron of Pleasure. A Collection of Amorous Tales, as related by a party of young friends to one an other. With Characteristic Plates. London: H. Smith, 37, Holywell Street, Strand. Price 2 s. 6 d. 12°, 19 S. Wertlose Broschüre im Verlage von W. Dugdale. Enthält „Recollections of my Youth" und vier sehr langweilige „Facetious Anecdotes."

Untertitel: „My Life: The Beginning and the End. A Veritable History." 8°, 110 Seiten und 7 erotische kolorierte Lithographieen, ein erotisches Bild auf dem Titel mit der Unterschrift: „The Ups and Downs of Existence." Preis 2 Guineen. Die Originalzeichnungen zu den Bildern existieren noch in einem Exemplare des Werkes, im Besitze eines Londoner Sammlers. Es sind 16 farbige Zeichnungen, 1 coloriertes Textbild, 2 Federskizzen und 1 Federtitelzeichnung. Da diese 20 Bilder zu viele waren, wählte der Verleger des Buches, W. Dugdale, 8 davon aus.

Wie erwähnt, ist diese Schrift die wirkliche Autobiographie des Kapitäns Edward Sellon. Im Originalmanuskript fanden sich die wahren Namen der Personen, welche der Herausgeber aber umänderte.

„Als Sohn eines mässig begüterten Vaters, den ich als Kind schon verlor, wurde ich von vornherein für die Armee bestimmt. Da ich schon mit 16 Jahren als Kadett angenommen wurde, reiste ich, sobald meine Ausrüstung vollendet war, mit der Post in einer kalten Februarnacht des Jahres 1834 nach Portsmouth ab. (S. 3). Er war dann 10 Jahre lang in Indien und wurde im Alter von 26 Jahren Kapitän. Der grösste Teil dieses Buches ist der Schilderung dieses Aufenthaltes in Indien, eines Duells und der verschiedenen Liebschaften mit europäischen und eingeborenen Frauen gewidmet. Die indischen Weiber zieht er bei weitem den englischen, französischen, deutschen und polnischen Mädchen aller Gesellschaftsklassen vor, da diese nicht entfernt die Vergleichung mit diesen „salacious, succulent houris of the far East" aushalten (S. 42).

Bei einem Urlaubsaufenthalt in England erfuhr

Sellon, dass seine Mutter ihn verheiraten wollte. Obgleich dies nicht nach seinem Geschmacke war, willigte
er ein, da die für ihn bestimmte Braut eine junge Dame
von grosser Anmut und eine einzige Tochter, Erbin
eines Gutes von 25000 Pfund Wert war. Er ver-
zichtete dann auf Wunsch seiner Schwiegereltern auf
die Rückkehr nach Indien und verlebte den Winter des
Jahres 1844 mit seiner ihm kurz vorher angetrauten
Gattin in Paris. Nach der Rückkehr nach England erfuhr er zu seiner unangenehmen Ueberraschung, dass
seine Frau nicht so reich war, wie ihm gesagt worden
war, und dass sie nur 400 Pfund jährliche Rente haben
würde. Auch erklärte ihm seine Schwiegermutter, dass
sie sich einschränken und in einer hübschen Cottage in
Devonshire, die sie ihnen eingerichtet habe, leben müssten.
Nach heftigen Vorwürfen verliess er darauf seine Gattin
und wohnte bei seiner Mutter in Bruton Street, London.
Während dieser zweijährigen Trennung von seiner Frau
tröstete er sich in den Armen eines „lieben Mädchens,"
das er in einer kleinen Villa in der Vorstadt aushielt.
Nachdem dann eine Verständigung zwischen den Verwandten zu Stande gekommen war, kehrte seine Frau
zu ihm in die Wohnung seiner Mutter zurück.

„Im ersten Monat ging alles gut, aber unglücklicher
Weise befand sich unter der Dienerschaft meiner Mutter
ein kleines Zimmermädchen, ein süsses Geschöpf, die
Tochter eines Kaufmanns. Sie hatte eine ziemlich gute
Erziehung empfangen und glich weder in Manieren noch
Erscheinung einem Dienstmädchen. Ich hatte vor der
Rückkehr meiner Frau dieses Kind verführt, obgleich
es erst 14 Jahre alt war, und jetzt erhob sich die
Schwierigkeit, wie ich dieses Liebesverhältnis nach ihrer

Ankunft weiter unterhalten könne, ohne entdeckt zu werden" (S. 78).

Diese Entdeckung erfolgte bald. Eines Sonntag Morgens fand seine Frau nach ihrer Heimkehr von der Kirche Emma's Hut auf ihrem Bette, nachdem ihr Gatte Kopfschmerz vorgeschützt und nicht eher sich erhoben hatte, als bis sie das Haus verlassen hatte. Es gab eine Szene, bei welcher unser Held sehr kühl blieb und sich weigerte, eine befriedigende Erklärung zu geben, sodass die empörte Frau ihre Selbstbeherrschung verlor, wie ein Panther auf ihren Mann lossprang und ihm eine ungeheure Ohrfeige auf die rechte Wange versetzte. „Ich warf sehr ruhig den Rest meiner Cigarre auf den Rost, packte sie mit eisernem Griff an beiden Handgelenken und drückte sie in einen Sessel. Nun, kleiner Teufel, sagte ich, bleib' hier sitzen, ich versichere dich auf Ehre, ich halte dich solange auf diese Weise fest, bis du de- und wehmütig um Verzeihung bittest für die grobe Beschimpfung, die du mir zugefügt hast." Trotz heftigen Kampfes und Beissens seitens der erbitterten Gattin gelang Sellon — aber erst nach mehreren Stunden — die Zähmung dieser Widerspenstigen, nachdem er selbst durch ihre Bisse viel Blut verloren hatte, sodass er nach Beendigung dieses Ehekampfes ohnmächtig wurde und noch an demselben Abend vom Arzt verbunden werden musste. Seine Frau war aber so gut von ihrer Eifersucht kuriert worden, dass sie ruhig, sogar mit einem Lächeln, zuliess, dass Emma, Sellon's Geliebte, mit an seinem Bette sass und mit ihnen gemeinsam speiste und nach dem Abendessen ihre Stelle im ehelichen Bette einnahm! Das hinderte aber nicht, dass in derselben Nacht auch die Gattin Augusta noch des maritalen Umganges gewürdigt wurde. Kein Wunder, dass nach solchen Kraftleistungen Sellon am folgenden Tage in eine schwere Krankheit verfiel, die einen Monat dauerte, während welcher Zeit er von seiner Mutter und seiner Frau gepflegt wurde. Nach seiner Genesung ging er mit seiner Gattin nach Hastings. Vorher war Emma entlassen worden. Aber eine andere frühere Maitresse tauchte wieder auf und[war die Ursache einer abermaligen Trennung von seiner Frau. Als dann seine Mutter durch fremden Betrug ihr ganzes Vermögen einbüsste, musste Sellon zur Bestreitung ·seines Lebensunterhaltes einen Beruf ergreifen und fuhr unter fremdem Namen zwei Jahre lang die Post nach Cambridge, wobei er zahlreiche Liebesabenteuer mit seinen weiblichen Fahrgästen erlebte. Dann leitete er eine Fechtschule in London. Hier suchte seine Frau ihn auf, schön wie je, und bewog ihn, wieder mit ihr zusammen zu leben. „Die Götter allein wissen, wie untreu ich ihr gewesen war, seitdem wir uns vor sechs Jahren getrennt hatten. Sie erfuhr niemals davon." Sie bezogen ein kleines, hübsches Landhaus nicht weit von Winchester in Hampshire, wo sie wahre erotische Orgien miteinander feierten, die Sellon zu einer dreijährigen Treue veranlassten. Aus diesem „goldenen Traume" erwachte er jäh durch die — Gravidität seiner Frau, die mit einem Schlage seiner Liebesleidenschaft ein Ende machte, zumal da seine Gattin jetzt alle ihre Zärtlichkeit dem zu erwartenden Sprössling zuwendete (S. 90—91). Sellon ging nach London, „indulging in every kind of debauchery," von wo er aber noch einmal durch seine wieder Liebesregungen verspürende Frau nach Hampshire zurückgeholt wurde, doch dauerte dieses letzte häusliche

Glück nur kurze Zeit, da Sellon eines Tages von seiner
Frau dabei überrascht wurde, wie er die Schülerinnen
einer Mädchenschule „zum Versteckenspielen" in den
Wald führte. „After this escapade, I could no longer
remain in Hampshire, so packed my portmanteau, and
was once more a gentleman at large in London"
(S. 110). Hier schliesst das Buch mit der folgenden,
scheinbar vom Verleger herrührenden, in Wirklichkeit
aber vom Autor selbst geschriebenen Anmerkung: „Die
Erzählung bricht hier plötzlich ab, und so weit sich dies
feststellen liess, hat es den Anschein, als ob der Verfasser
kurz nachher starb. Jedenfalls wurde er von keinem seiner
zahlreichen Bekannten mehr lebend oder tot gesehen."

Die traurige Wahrheit war, dass Edward Sellon
sich im April 1866 in Webb's Hôtel, No. 219—220,
Piccadilly (wo jetzt das Criterion-Restaurant sich befindet) erschoss. Seine Freunde veranlassten die Zeitungen,
über dieses unselige Ende des begabten Mannes zu
schweigen. Sellon hatte vor der Ausführung des Selbst-
mordes an einen Freund geschrieben und ihn von diesem
Entschlusse benachrichtigt. Der Brief kam aber erst
am folgenden Morgen an, als alles vorüber war. In
demselben befanden sich die folgenden Verse an eine
ihm in Liebe zugethane Frau, die auch, als er in Not
geraten war, ihm zu helfen gewünscht hatte. [1]

> No More!
> No more shall mine arms entwine
> Those beauteous charms of thine,
> Or the ambrosial nectar sip
> Of that delicious coral lip —
> No more.

[1] Das Gedicht ist auch auf S. 69 der Sammlung „Cyth era's"
Hymnal" (London 1870) abgedruckt.

29*

No more shall those heavenly charms
Fill the vacuum of these arms;
No more embraces, wanton kisses,
Nor life, nor love, Venus blisses —
        No more.

The glance of love, the heaving breast
To my bosom so fondly prest,
The rapturous sigh, the amorous pant,
I shall look for, long for, want
        No more,

For J am in the cold earth laid,
In the tomb of blood J've made.
Mine eyes are glassy, cold and dim
Adieu my love, and think of him
        No More.

    Vivat Lingam.
    Non Resurgam.

Mit diesem melancholischen Schwanengesang der Erotik endete die Laufbahn eines Mannes, der zu besseren Dingen berufen war. Sellon starb als überzeugter Atheist und glaubte fest an die Wahrheit des Wortes mit dem er sein Gedicht beschliesst. Die Lücke, welche zwischen dem plötzlichen Ende der Autobiographie und dem ebenso plötzlichen Ende des eigenen Lebens besteht, wird durch einen vom 4. März 1866 datierten Brief aus London ausgefüllt, der an denselben Freund gerichtet ist, den er auch von seinem Selbstmord benachrichtigte. In diesem Brief erzählt Sellon in sehr humoristischer Weise, wie er einen Freund und dessen Braut nach Wien begleitete und unterwegs die letztere verführte, dann kurz vor Wien in der Eisenbahn wegen dieses Freundschaftsdienstes mit jenem eine solenne Prügelei hatte, worauf er in Wien sein ganzes Geld durchbrachte und aller Mittel bar nach London zurückkehrte.

Bevor wir auf die erotischen Schriften Sellons eingehen, sei erwähnt, dass er sich um die Kenntnis der indischen Kultur wesentliche Verdienste erworben hat, wovon, abgesehen von den gleich zu nennenden Schriften auch mehrere Vorträge in der Londoner Anthropologischen Gesellschaft, die in deren Verhandlungen abgedruckt sind, Zeugnis ablegen. Schon sein erster leicht erotischer Roman „Herbert Breakspear"[1] führt uns auf sehr anschauliche Weise in das indische Leben ein, an der Hand des Schicksals zweier Vettern, des guten Herbert Breakspear und des bösen Everhard, welch letzterer durch den Verrat eines von ihm verlassenen eingeborenen Mädchens in die Hände des Mahrattahäuptlings fällt und als Spion hingerichtet wird, während der ebenfalls gefangene Herbert durch die Grossmut eines Mahratta, dem er einst das Leben rettete, nach Hause zurückkehren und das Mädchen seiner Liebe heiraten kann.

Weitere Beiträge Sellon's zur indischen Kulturgeschichte sind seine Abhandlung über die „Monolithic Temples of India", seine Uebersetzung der „Gita-Radhica-Krishna" und seine an interessanten Mitteilungen über die religiöse Prostitution in Indien reichen „Annotations on the Sacred Writings of the Hindus."[2]

---

[1] „Herbert Breakspear, A Legend of the Mahratta War. By Edward Sellon etc. London. Whittaker and Co., Ave Maria Lane. And sold by A. Wallis and R. Folthrop, Brighton. 1848." 8°, 148 S.

[2] „Annotations on the Sacred Writings of the Hindus, Being an Epitome of some of the most remarkable and leading tenets in the faith of that people, by Edward Sellon,

Den Uebergang zu den eigentlichen erotischen
Schriften Sellon's bildet seine heute sehr selten gewordene Uebersetzung ausgewählter Stücke des „Decamerone" von Boccaccio.[1])

In seinen letzten beiden Lebensjahren verfasste
Sellon, wahrscheinlich durch die Not getrieben, für den
Verleger William Dugdale mehrere erotische Schriften
die jedenfalls in litterarischer Hinsicht zu den besseren
ihrer Art gehören. Als erste derselben ist zu nennen:

„The New Epicurean; or, The Delights of Sex,
Facetiously and Philosophically Considered, in Graphic
Letters Addressed to Young Ladies of Quality.

> „— domi maneas paresque nobis
> Novem contInuas fututiones."
>
> Catullus. Carmen XXXII.

A New Edition. London: 1740. (Reprinted 1865.)"
8°, 92 Seiten. 8 kolorierte Lithographieen. Es ist
kein „Neudruck", sondern die von W. Dugdale in 500
Exemplaren zum Preise von 1 £, 11 s. 6 d. 1865 veranstaltete Originalausgabe. Neudruck 1875; kl. 8°, 117
Seiten mit denselben 8 Lithographieen. In Brüssel für
einen Londoner Buchhändler gedruckt. Der Zeichner
der Bilder ist ebenfalls Sellon.

Author of the „The Monolithic Temples of India," etc. etc. and
Editor of an English translation of the „Gita-Radhica-Krishna",
a Sanskrit Poem. London: MDCCCLXV (Printed for private
circulation)." 8°, 72 Seiten, gedruckt von H. Woede, 13 a High
Road, Knightsbridge.

[1]) „Selections from The Decameron of Giovanni
Boccaccio. Including all the Passages hitherto suppressed etc.
Translated from the Italian. London MDCCCLXV." Gr. 8°, VIII
78 S. Am Ende des Bandes ein Verzeichnis von „Seltenen heute
noch existierenden Ausgaben von Boccaccio's Werken" in 17
Nummern. — Der Band enthält nur wenig, was nicht auch in den
gewöhnlichen Uebersetzungen zu finden ist.

In dem „Neuen Epikuräer" hat Sellon in der Person des Sir Charles einen Charakter und eine Lebensweise ganz nach seinem Geschmacke gezeichnet. In der Vorrede (S. 3—7 der Ausgabe von 1875) erzählt uns dieser, der in der ersten Person auftritt: „Ich bin ein Mann, welcher, nachdem er den Rubikon der Jugend überschritten hat, in jenes Alter gelangt ist, wo die Leidenschaften eine mehr stimulierende Diät verlangen als sie in den Armen jeder geschminkten Kurtisane zu finden ist." Zu diesem Zwecke hat Sir Charles sich eine Villa in der Vorstadt gemietet, deren einsame, idyllische Lage hinter hohen Mauern sie den Blicken der Nachbarschaft völlig entzieht. Sie ist umgeben von einem echt englischen Parke mit herrlichen schattigen Alleen, Alkoven, Grotten, Fontänen, schönen Plätzen mit prächtigen Blumenbeeten, einer Venusstatue aus weissem Marmor inmitten eines Rosengebüsches, Priapusstatuen an jedem Ende der schattigen Wege und Thäler, bald wie ein indischer Bacchus, bald so weich und feminin, wie Antinous, bald als Hermaphrodit gestaltet. In den Teichen schwimmen gold- und silberfarbige Fische. Das Innere der Villa ist mit erlesener Eleganz ganz im Stile Ludwigs XV. eingerichtet, mit herrlichen Gemälden von Watteau geschmückt, mit einer ausgewählten Bibliothek erotischer Werke versehen, mit seidenen Betten, vergoldeten Möbeln, rosenfarbenen Venetianischen Rouleaux u. a. m. ausgestattet. In diesem Elysium schwelgt Sir Charles in sexuellen Orgien jeder Art, hauptsächlich mit jungen Mädchen, die von einer von ihm abhängigen Schulvorsteherin zu ihm gebracht werden. Er ist zwar verheiratet, aber Lady Cäcilia stört ihn durchaus nicht in seinen Liebhabereien, sondern nimmt

sogar daran Teil und hat selbst einen kleinen Pagen
zu ihrer Verfügung. Das Werk hat jedoch eine Art
von tragischem Abschluss. Cäcilia hat ohne Wissen
ihres Gemahls ein Verhältnis mit ihrem Vetter Lord
William. Sir Charles überrascht sie in flagranti. Es
findet auf der Stelle ein Duell zwischen den beiden
Männern statt, bei welchem Beide leicht verwundet
werden. Hierauf tritt die Lady in ein Kloster und
nimmt den Schleier. Sir Charles verkauft seine Villa
und zieht sich mit Phoebe und Chloe, seinen Dienerinnen,
Daphnis, dem Pagen der Lady und dem Hausverwalter
Jukes auf sein Gut Herfordshire zurück, wo er nur
noch als Voyeur dem Dienste der Venus obliegen kann

Auch der „New Epicurean" enthält ohne Zweifel
autobiographisches Material. Nicht minder gilt dies von
einem zweiten sich an diese Schrift anschliessenden
erotischen Werke Sellon's, dessen Titel lautet:

„Phoebe Kissagen; or, the Remarkable Adven
tures, Schemes, Wiles, and Devilries of Une Maquerelle
being a sequel to the „New Epicurean etc." London:
1743 (Reprint)."

8°, 96 Seiten, 8 schlechte kolorierte Lithographieen.
Kein Neudruck, sondern Original von 1866. Preis
2 Guineen. Auflage 500 Exemplare. Sellon sandte
dem Verleger W. Dugdale noch eine zweite erotische
Erzählung, da er „Phoebe Kissagen" nicht für umfangreich genug hielt. Diese wurde aber nicht mit abgedruckt. Ihr Titel lautet „Scenes in the Life of a
Young Man, a narrative of amorous exploits." „Phoebe
Kissagen" wurde Januar 1876 wieder gedruckt (kl. 8°,

99 Seiten, „London 1743 Reprinted 1875"), ohne Bilder. [1])

„Phoebe Kissagen" ist nach Art französischer Erotica des 18. Jahrhundert in Form von Briefen geschrieben, die an eine Dame von Rang, Lady G .... R. gerichtet sind. Die Schrift beginnt mit der Erzählung des Todes des Sir Charles, der während des Verkehrs mit seiner Lieblingskonkubine Phoebe vom Schlage gerührt wird. Phoebe sowohl als auch Chloe erhalten jede ein Legat von 3000 Pfund, mit denen sie nach London gehen und dort ein Bordell in Leicester Fields kaufen. Alle Zimmer in demselben haben Gucklöcher, durch welche die Bordellwirtin, ohne gesehen zu werden, alle Vorgänge beobachten kann. Die Schilderung dieser verschiedenen Szenen füllt den grössten Teil des Buches aus. Den Rest bildet die „Bagnio Correspondence" d. h. Briefe, die Phoebe von ihren zahlreichen männlichen und weiblichen Klienten empfängt und in denen die verschiedenen Passionen und Perversionen derselben zu Tage treten. Phoebe verliebt sich zuletzt in einen jungen Burschen, der sich Kapitän Jackson nennt, einen Spieler und Duellanten, und heiratet ihn, der sie schleunigst syphilitisch infiziert und ihr Vermögen durchbringt, worauf sie London verlässt und sich in ein stilles Dorf zurückzieht. [2])

---

[1]) Französische Uebersetzung: „Mémoires d'une Procureuse Anglaise. Traduits pour la première fois de l'anglais par les soins de la société des bibliophiles cosmopolites. Londres. Imprimerie de la société cosmopolite. MDCCCXCII." Kl. 8°, 136 Seiten.

[2]) Sellon schrieb ausser den erwähnten drei Eroticis noch eine Erzählung „Adventures of a Gentleman", deren Manuskript im Besitze Dugdale's war, wahrscheinlich aber später vernichtet wurde. Pisanus Fraxi besass vier von Sellon her-

Ein Spezialist auf dem Gebiete der Flagellations-schriftstellerei war St. George H. Stock, ein früherer Lieutenant im zweiten oder Queen's Royal Regiment. Er schrieb unter den Pseudonymen Expert, Major Edgar Markham, und Dr. Aliquis. Seine Schriften [1])

rührende Aquarelle zu dieser Schrift („Catena" S. 427). Ebenso existieren 6 obscöne Aquarelle von Sellon zu den „Memoirs of Rosa Bellefille" (ibidem S. 141). — Endlich soll noch eine erotische Erzählung von Sellon ohne Illustrationen, betitelt „The Delights of Imagination" im Manuskript vorhanden sein. — Von Sellon stammen auch die 8 obscönen Bilder zu „The Adventures of a School Boy" (London 1866) und dieselbe Zahl solcher Bilder zu „The New Ladies' Tickler" (London 1866). — Nach Sellon's autobiographischer Erzählung „The Ups and Downs of Life" scheint auch der Titel des folgenden Eroticums gebildet worden zu sein: „Private Recreations, or the Ups and Downs of Life. By One who has been behind the scenes, and Taken part in the performance. Printed by permission, for private circulation only. Belfort: 1870." 8⁰, 41 Seiten. (Gedruckt um 1879). Vier Kapitel. Ein Fragment. Lord L., ein wollüstiger Edelmann, hat zwei Maitressen, Lottie und Sue und lässt sich gern von ihnen ihre Liebesabenteuer und andere schmutzige Geschichten erzählen, wozu er sie durch Demonstration von obscönen Bildern und Photographieen ermuntert. Hauptsächlich drehen sich diese Erzählungen um den Verlust ihrer Virginität.

[1]) „Plums without Dough; or 144 Quaint Conceits, within the bounds of becoming mirth. By Doctor Aliquis, 2 Crampton Quay, Dublin etc." 8⁰, 64 Seiten (Dublin 1870). „The Charm, The Night School, The Beautiful Jewess and The Butcher's Daughter — All Rights reserved." 12⁰, 30 Seiten (Brüssel, 1874; vier flagellantistische Gedichte) — „The Sealed Letter, by Doctor Aliquis, 2 Crampton Quai, Dublin. All rights reserved." 8⁰, 20 S. (Dublin, 1870) — „The Nameless Crime, A Dialogue on Stays, Undue Curiosity, The Doll's Wedding, The Way to Peel, The Jail and The Stiff Dream. All Rights reserved." Kl. 8⁰, 31 S. (Juli 1875 bei Hartcupp & Co. in Brüssel) — „The Romance of Chastisement; or, the Revelations of Miss Darcy etc." Illustrated with Coloured Drawings. London: Printed for the Booksellers. 8⁰, 112, 8 schlechte kolorierte Lithographieen (London, Dugdale, 1866) — „The Romance of Chastisement; or Revelations of the School and Bedroom. By an Expert etc." 1870." Gr. 8⁰, 128 S. und Frontispiz (Dublin 1870, gedruckt vom Autor in 1000 Exemplaren) Ausserdem existieren zahlreiche Manuskripte flagellantistischer Erzählungen Stock's, meist im Besitze von Londoner Bibliophilen wie z. B. „Harry's

verbreiten sich in eintönigster Weise immer über dasselbe Thema: die Flagellation, deren leidenschaftlicher Anhänger er auch im Leben war. Auch pflegte er oft zweideutige Annoncen in die Zeitungen einrücken zu lassen. So erschien 1871 mehrere Wochen lang in den „Day's Doings" die folgende Annonce: „Man erzählt, dass Xerxes denjenigen eine Belohnung anbot, die ihm einen neuen Genuss angeben könnten. Portofreie Adressen an Aliquis, 2 Crampton Quay, Dublin. Postkarten verweigert."

Mit Unrecht ist der berühmte Verfasser der „Geschichte der Civilisation in England," Henry Thomas Buckle, in den Verdacht des Sammelns erotischer, speciell flagellantistischer Bücher gekommen. 1872 vereinigte nämlich der Verleger J. C. Hotten sieben Schriften über Flagellation zu einer Sammlung, der er den Titel gab: „Library Illustrative of Social Progress. From the Original Editions collected by the late Henry Thomas Buckle, Author of „History of Civilization in England." Auf einem beigegebenen Prospekt behauptete Hotten, dass Buckle als Sammler zahlreicher Curiosa besonders die flagellantistische Litteratur bevorzugt habe. Aus dieser angeblichen Geheimbibliothek Buckle's sollten die in der obigen Kollektion vereinigten 7 Flagellantistica stammen.[1]) An alledem war kein

Holidays", „A Dip in the Atlantic", „Castle Cara", „Sam's Story", „The German Lessons", „Did he ought to do it?" „Tales out of School", „The Reckoning Day, or Rival Recollections" u. s. w., u. s. w.

[1]) Es waren 1. Exhibition of Female Flagellants. 2. Part Second of the Exhibition of Female Flagellants. 3. Lady Bumtickler's Revels. 4. A Treatise of the Use of Flogging in Venereal Affairs (von Meibom). 5. Madam Birchini's Dance. 6. Sublime of Flagellation. 7. Fashionable Lectures.

wahres Wort. Buckle hatte niemals diese Bücher ge-
sammelt oder besessen. Sie stammten vielmehr aus der
Bibliothek eines bekannten Londoner Sammlers, wo sie,
in der Reihenfolge ihrer späteren Veröffentlichung durch
Hotten, in einem Bande zusammengebunden waren.
Hotten lieh diesen Band von jenem Bibliophilen und
liess den Nachdruck ohne Wissen und Erlaubnis des
Eigentümers herstellen. [1]

Mit Uebergehung einer grossen Zahl unbedeutender
Erotica, die um 1860 bei J. und W. Dugdale erschienen,
und von denen nur eine Kollektion von 11 höchst obscönen Erzählungen unter den Titel „Lascivious
Gems; Set to suit every Fancy, By Several Hands etc.
London: Printed for the Booksellers." (8⁰, 90 S.,
8 kolor. Lithographieen, bei W. Dugdale) Erwähnung
verdient, weisen wir noch kurz auf die wichtigsten
Erotica der letzten Decennien hin, die bekanntere Männer
zu Verfassern haben, wie James Campbell, den Autor
der „Amatory Experiences of a Surgeon"[2] und den
berühmten Journalisten, George Augustus Sala,

---

[1] P. Fraxi „Index" S. 241.

[2] „The Amatory Experiences of a Surgeon, with
Eight Coloured Plates. Printed for the Nihilists. Moscow 1871."
8⁰, 89 Seiten, 8 obscöne colorirte Lithographieen, gedruckt in
London in 150 Exemplaren. Preis £ 3. 3 s. Das Buch schildert
die erotischen Abenteuer des natürlichen Sohnes eines Edelmannes,
der auf der Schule bereits mit der Päderastie bekannt gemacht
wird, dann als Wundarzt sich in einer kleinen Stadt in der Nähe
seines Vaters niederlässt, wo seine „Erfahrungen" (experiences)
beginnen. Seine erste Liaison ist diejenige mit der Maitresse
seines Vaters, bis er sich von ihr abwendet, als er sie in den
Armen ihres Dieners überrascht. Dann tröstet er eine junge un-
verheiratete Dame und beseitigt die unerwünschten Folgen dieses
Verkehrs durch verbrecherischen Abort. Alle seine Patientinnen
werden der Reihe nach von ihm gemissbraucht, sogar unreife Kinder.

der einen Teil der „Mysteries of Verbena House" [*)]
schrieb.

Eine eigentümliche Erscheinung der englischen
erotischen Litteratur, die wir zum Schlusse noch kurz
betrachten wollen, sind die erotischen Zeitschriften,
welche in der Litteratur keines anderen Landes so
zahlreich vertreten sind wie in England.

Die erste dieser erotischen Zeitschriften erschien
1774. Es war:

1. The Convent Garden Magazine, or Amorous
Repository, calculated solely for the entertainement of
the polite world." 1774.

Enthält Skandalprozesse, Dirnenlisten, erotische
Poesieen.

2. The Rambler's Magazine; or the Annals of
Gallantry, Glee, Pleasure, and the Bon Ton; calculated
for the entertainment of The Polite World; and to
furnish The Man of Pleasure with a most delicious
banquet of Amorous, Bacchanalian, Whimsical, Humorous,
Theatrical and Polite Entertainment. Vol. I. For the
Year 1783. London: Printed for the Author, and sold

[1)] „The Mysteries of Verbena House; or, Miss Bellasis
Birched for Thieving. By Etonensis. Price Four Guineas. London.
Privately Printed. MDCCCLXXXII. 8⁰, 148 Seiten, 4 obscöne
kolorierte Lithographieen. S. 1—96 stammt aus der Feder Sala's,
der zweite wurde von einem anderen Londoner Bibliophilen verfasst. Wie Pisanus Fraxi mit Recht bemerkt, ist die Schrift
das treueste Gemälde der englischen Flagellomanie, welches durchaus wirkliche Zustände schildert, wie sie in englischen Töchter-
seminaren noch heute vorkommen. Miss Sinclair, die Leiterin
eines solchen Institutes in Brighton wird von dem Reverend Arthur
Calvedon, ihrem geistlichen Berater, in die Geheimnisse der aktiven
Flagellation eingeführt und aus einer keuschen „maid-matron"
binnen kurzem in die „lascivious Lady of Verbena House" verwandelt, die die Rute mit wahrer Leidenschaft handhabt.

[*)] Vergl. Gay a. a. O. Bd. II, S. 375.

by G. Lister, No. 46, Old Bailey; Mr. Jackson, at Oxford etc." 8°, mit zahlreichen erotischen Kupfern.

Von dem manichfaltigen Inhalt dieser Zeitschrift giebt schon die Aufzählung einer ausgewählten Zahl der Artikel eine Vorstellung. U. a. finden sich darin eine „Vorlesung über die Fortpflanzung," ein „Essay über das Weib" (in Prosa), ein „Essay über die Mannheit," ein Artikel über den „Arzt des Liebhabers," Notizen und Briefe über Dr. Graham[1]), Beschreibungen von Hochzeitsceremonien in verschiedenen Ländern, Briefe über Flagellation, ein „Dialog über Ehescheidung" und „Cytherische Discussionen". Ferner Denkwürdigkeiten aus dem Liebesleben von Cecil, Lord Burleigh, Peter Abälard, der Miss Bellamy, der Herzogin von Kingston, Miss Ann Catley; Mitteilungen über Ehebruchs- und Scheidungsprozesse und endlich eine grosse Zahl von erotischen Erzählungen, wie „Abenteuer eines Tanzlehrers", „Der Zigeuner", „Abenteuer eines Eunuchen", „Denkwürdigkeiten eines englischen Serails," „Abenteuer eines Lebemannes", „Abenteuer eines Sophas" u. s. w. u. s. w. Auch Dramen fehlen nicht, wie „The Coffee-House Medley, a comedy".

3. „The Bon Ton Magazine; or, Microscope of of Fashion and Folly, (For the year 1791) Volume I. London. Printed for the Proprietors, and sold by D. Brewman, No. 18, New Street, Shoe Lane, and all Booksellers, and News-Carriers, in Town & Country."

8°, 5 Bände, von März 1791 bis März 1796. In jedem Bande ein Index. Zahlreiche schöne Kupfer.

Das „Bon Ton Magazine" ist das bei weitem wichtigste der galanten Zeitschriften in England und spielt

---

[1]) Vergl. über diesen berüchtigten Kurpfuscher Bd. II dieses Werkes S. 318—326.

für den „Skandal" und das High Life jener Zeit dieselbe Rolle wie sie das „Gentleman's Magazine" für
Dinge von grösserer und allgemeinerer Bedeutung gespielt hat. Die Herausgabe wird fälschlich John oder
Jack Mitford zugeschrieben.

Aus dem Inhalte des „Bon Ton Magazine" seien
hervorgehoben: Drei Abhandlungen „Der Abenteurer",
„Der Wollüstling", „Der Essayist"; ein „Wörterbuch
für den guten Ton" oder das „Savoir vivre-Vokabularium",
ein „Fashionables Wörterbuch der Liebe", „Die Liebschaften der Könige von Frankreich", Liebesanekdoten",
Biographien von Schauspielerinnen, Räubern, „Geschichte
des Theaters", eine Reihe von historischen Essays über
das Eunuchentum, Berichte über Skandalprozesse, erotische
Novellen wie „Elmina; or the flower that never fades",
„Life of a Modern Man of Fashion", „Adventures and
Amours of a Bar-Maid", „The Black Joke", „The Modern
Lovers, or the adventures of Cupid" u. a. m., Beschreibungen von Hochzeitsriten, Flagellationsszenen, selt-
samen Klubs, Schilderungen der Prostitution, erotische
Briefe und Gedichte.

4. „The Ranger's Magazine; or, the Man of
Fashion's Companion; being the Whim of the Month,
and General Assemblage of Love, Gallantry, Wit, Plea-
sure, Harmony, Mirth, Glee, and Fancy. Containing
Monthly list of the Covent-Garden Cyprians; or, the
Man of Pleasure's Vade Mecum — The Annals of
Gallantry — Essence of Trials for Adultery — Crim.
Con. — Seduction — Double Entendres — Choice Anec-
dotes — Warm Narratives — Curious Fragments —
Animating Histories of Tête-à-Têtes — and Wanton
Frollicks — To which is added the Fashionable Chit
Chat, and Scandal of the Month, from the Pharaoh Table

to the Fan Warehouse. Vol. I. For the Year 1795. London: Sold by J. Sudbury, No. 16 Tooly Street, and all Booksellers in Great Britain and Ireland."

4°, 1 Band, von Januar bis Juni 1795, 298 Seiten. In jeder Nummer ein Kupfer.

Der hauptsächliche Inhalt wird bereits im Titel angegeben.

Erst 27 Jahre später erschien eine neue erotische Zeitschrift unter einem alten Titel; nämlich:

5. The Rambler's Magazine; or, Fashionable Emporium of Polite Literature, The Fine Arts — Politics — Theatrical Excellencies — Wit – Humour — Genius — Taste — Gallantry — and all The Gay Variety of Supreme Bon Ton.

> From grave to gay, from lively to severe,
> Wit, truth and humour shall by turns appear.

Vol. I. London: Benbow, Printer, Byron's Head, Castle Street, 1822." 8°, 1 Band von 12 Nummern, von Januar bis Dezember 1822, VIII, 570 Seiten, 12 Kupfer. Der Herausgeber sagt in der Vorrede: „Unser Hauptthema ist die Liebe, weil, wie Moore sagt, die ganze Welt sich darum dreht." Aus dem sehr reichen poetischen und prosaischen Inhalte seien erwähnt: „London Hells Exposed", „The Cuckold's Chronicle" und „Fashionable Gallantry", Auszüge aus dem „goldenen Esel" und ein unvollendeter erotischer Roman „The Rambler; or the Life, Adventures, Amours, Intrigues and Excentricities of Gregory Griffin."

6. „The Rambler; or, Fashionable Companion for April; being a complete Register of Gallantry. Embellished with a beautiful engraved Frontispiece of The Venus de Medicis.

Art, Nature, Wit, and Love display
In every page a Rambler's (sic) gay.

London: printed and published by T. Holt, 1, Catherine-Street, Strand; and to be had of all Booksellers."

8°, 10 Nummern von April 1824 bis Januar 1825, wo die Zeitschrift wegen ihrer Unsittlichkeit verboten wurde. Ein Kupfer in jeder Nummer, darunter ein Portrait von Miss M. Tree. Verschiedene Nummern haben den Titel „The Rambler's Magazine."

Inhalt: Notizen über Theater, Skandalgeschichten, Processberichte, kurze Gedichte, Anekdoten über Schauspielerinnen, Canto XVII von Byron's „Don Juan" und eine Erzählung „Maria; or, the Victim of Passion."

7. „The Original Rambler's Magazine; or, Annals of Gallantry; an amusing miscellany of Fun, Frolic, Fashion and Flash. Amatory Tales Adventures, Memoirs of the most Celebrated Women of Pleasure, Trials for Crim. Con. and Seduction, Bon Ton, Facetiae, Epigrams, Jeu d'Esprit, etc. Vol. I. Enriched with elegant Engravings. London: Printed and Published by Edward Duncombe, 26, Fleet Market."

8°, ein Band, der während des Jahres 1827 erschien, 202 Seiten, Frontispiz und ein Kupfer in jeder Nummer, teilweise koloriert und erotisch. Enthält meist biographische Artikel, u. a. „Loves of Col. Berkeley", „Life, Amours, Intrigues, and professional career of Miss Chester", „Amours of the Duke of Wellington", „Amours of Mrs. Thompson", „Amour of Napoleon Buonaparte and Mrs. Billington", „Memoirs of Miss Singleton" (mit Porträt dieser „Schönheit von Arlington Street" im Zustande der Nacktheit), „Amorous Memoirs of Lady Grigsley." Ausserdem finden sich einige interessante Schilderungen Londoner Bordelle darin. Mehrere Artikel tragen die Unterschrift J. M. (Jack Mitford).

8. „The Rambler's Magazine; or, Annals of Gallantry, Glee, Pleasure, and Bon Ton: A Delicious Banquet of Amorous, Bacchanalian, Whimsical, Humorous, Theatrical, and Literary Entertainment.

> Our Motto is, be gay and free!
> Make Love and Joy your choicest treasure;
> Look on our Book with eyes of glee,
> And Ramble over scenes of Pleasure.

Embellished with Superb Engravings. Vol. I. London: Published by J. Mitford, 19 Little Queen Street, Holborn."

8°, 2 Bände, 286 und 284 Seiten. Von 1827 bis 1829. 19 Kupfer, zum Teil koloriert. Die einzelnen Nummern tragen den Titel: „New London Rambler's Magazine." Herausgeber war John (Jack) Mitford, ein Mann von vornehmer Abstammung und klassischer Bildung, der unter Hood und Nelson mit Ehren in der englischen Marine diente, bis zum Schiffskommandanten emporstieg, dann aber durch Ausschweifungen in Armut geriet und 1831 im St. Giles's-Arbeitshause zu London starb.[1]

Die Hauptartikel dieses neuen „Rambler's Magazine" sind die „Salondirnen" und die „Bazarschönheiten", zwei Serien von Biographien der freien Damen und Kurtisanen der Zeit, eine Abhandlung über Madame Vestris und ihr Porträt als Darstellerin im „Midas", die „Liebschaften des Lord Byron", die Skandalchro-

---

[1] Vergl. über ihn W. Howitt „Visits to remarkable places" London 1842. Bd. II. S. 394.

niken „Cuckold's Chronicle" und „Amatory and Bon Ton Intelligence" sowie die erotischen Novellen „Helen of Glenshiels; or, the Miseries of Seduction" (von J. Mitford), „Amours of London, and Spirit of Bon Ton", „The Confessions of a Methodist; or pictures of sensuality", „The Cambridge Larks."

9. The Crim. Con. Gazette; or, Diurnal Register of the Freaks and Follies of the Present Day."[1]

18 Nummern zu 2 Pence vom 20. November 1830 bis 30. April 1831, mit einigen Holzschnitten. Herausgeber E. Elliott. Von No. 8 ab lautet der Titel: „The Bon Ton Gazette" Die Zeitschrift enthält nicht nur Berichte über Skandalprozesse, sondern auch Poesie, Memoiren u. a., z. B. Denkwürdigkeiten von Sally Maclean, Madame Vestris, Clara Foote, Mrs. Jordan und einen Artikel über die geheimen Liebschaften des Herzogs von Wellington.

10. „The Quizzical Gazette and Merry Companion."

4°, 21 Nummern vom 27. August 1831 bis zum 14. Januar 1832. Rohe Holzschnitte im Text (zwei davon von R. Cruikshank). Zuerst herausgegeben von T. Major, Bell Yard, Strand, später in Elliot's „litterarischem Salon", 14, Holywell-Street.

Wertlose Sammlung von Facetien des Tages.

11. „The Exquisite: a collection of Tales, Histories, and Essays, Funny, fanciful and facetious, Interspersed with Anecdotes, Original and Select. Amorous Adventures, Piquant Jests, and Spicey Sayings, Illustrated with numerous Engravings, published weekly.

---

[1] Vergl. darüber auch Bd. I dieses Werkes S. 171.

30*

Volume the First. Printed and Published by H. Smith, 37 Holywell St., Strand."

4°, 3 Bände, 145 Nummern zu 4 Pence, von 1842 bis 1844. Zahlreiche freie und humoristische Illustrationen, Porträts von Schauspielerinnen, Lithographieen und Holzschnitten. Herausgeber W. Dugdale. Enthält hauptsächlich Romane und Erzählungen, aber eine grosse Menge erotischer Miscellaneen aller Art. Jede Nummer enthält auch Gedichte, darunter auch Wilkes' „Essay on Woman." Unter der Ueberschrift „Sterne der Salons," „Skizzen der Kurtisanen" und die „entschleierte Verführung" werden Namen, Wohnungen, Aussehen und Lebenslauf der beliebtesten Prostituierten aufgeführt, nach Art der berüchtigten Dirnenlisten von Harris.[1] Ferner enthält der „Exquisite" Memoiren der Madame Vestris, der Mrs. Davenport, Mlle. De. Brion, Madame Gourdan, der Königin Marie Antoinette, auch „Original Anecdotes and Sketches of Charles II. and the Duchess of Portsmouth."

Die „Ars amandi" wird in folgenden Essays behandelt: „Das Taschenbuch der Braut," „Ein sicherer Führer durch die Territorien der Venus," „Venus Physique," „Die neue Kunst zu lieben," „Eine physische Betrachtung von Mann und Frau im Zustand der Ehe," Auszüge aus Parent Du Chatelet über die Prostitution in Paris, eine malthusianische Abhandlung „Sieben Jahre Erfahrungen über die Praxis der Einschränkung der Kinderzahl nach der bestbekannten Methode," Briefe über Flagellation, Artikel über Eunuchen und Phalluskult, zahlreiche erotische Erzählungen aus dem

[1] Vergl. über diese Bd. I dieses Werkes S. 849—850.

Französischen und Italienischen, meist von James Campbell übersetzt, darunter auch die drei berüchtigten Romane von Andréa de Nerciat „Die Aphroditen,“ „Felicia“ und „Monrose.“ Von den originalen englischen Novellen seien erwähnt: Nights at Lunet; or a budget of amorous tales,“ „Where shall I go to-night?“, „The Loves of Sappho,“ „Wife and no Wife, A Tale from Stamboul,“ „The Child of Nature. Improved by chance,“ „The History of a Young Lady's Researches into the nature of the Summum Bonum,“ „The Practical Part of Love exemplified in the personal history of Lucy and Helen, eminent priestesses of the Temple of Venus,“ „The Illustrious Lovers; or, secret history of Malcolm and Matilda,“ „Julia, or, Miss in her Teens,“ „The London Bawd.“

12. „The Pearl, a Monthly Journal of Facetiae and Voluptuous Reading. Vol. I. Oxford: Printed at the University Press. MDCCCLXXIX.“

4°, 18 Teile von Juli 1879 bis Dezember 1882 in 3 Bänden zu je 192 Seiten, Titelblatt und Index. 36 obscöne, kolorirte Lithographieen. Druckort: London. Auflage 150 Exemplare zu 25 Pfund.

. „The Pearl“ ist die obscönste aller englischen erotischen Zeitschriften; sie enthält hauptsächlich Poesie, Facetien und obscöne Erzählungen. Von letzteren sind die wichtigsten „Lady Pokingham, or they all do it.“ „Miss Coote's Confession, or the voluptuous experiences of an old maid“ (eine Serie von Flagellationsszenen, deren „Heldin“ die Enkelin des berühmten, um Ostindien verdienten Generals Sir Eyre Coote ist); „Sub-Umbra, or sport among the she-noodles“ (ebenfalls eine Flagellationsgeschichte); „La Rose d'Amour, or the adventures

of a gentleman in search of pleasure;" „My Grand
mother's Tale, or May's account of her introduction to
the art of love;" „Flunkeyana, or Belgravian Morals."
Diese erotischen Novellen enthalten fast alle eine Reihe
scheusslicher Szenen à la „Justine et Juliette." Eine
Analyse der erstgenannten Erzählung „Lady Pokingham"
dürfte genügen, um eine Vorstellung davon zu geben.
Die Heldin Beatrice beginnt ihre Erzählung mit der
Schule, wo die gewöhnlichen onanistischen und triba-
dischen Unarten ausgeübt werden. Hierauf wird die
Geschichte der Verführung ihrer jungen Freundin Alice
Marchmont erzählt. Sie geht mit Alice zur Stadt und
wohnt bei einer katholischen Familie. Es wird dann eine
Episode aus Lord Beaconsfield's „Lothair" parodiert,
wobei der Name des Helden benutzt wird. Auch wird die
Kloster-Flagellationsszene aus „Gamiani" genau nachge-
ahmt. Dann wird eine pornologische Gesellschaft, der
„Paphische Cirkel" geschildert, in der von Frauen und
Männern alle möglichen Handlungen begangen werden.
Auch das „Berkeley-Pferd" spielt dabei eine Rolle (Bd. II
S. 50.) Wenn die vornehmen Herren bei diesen Orgien ver-
sagen, nehmen die Damen ihre Zuflucht zu den Bedienten.
Lady Beatrice Pokingham wird jetzt dem Earl of Crim-
Con vorgestellt, einem „alten Mann von dreissig," den
„man wenigstens für fünfzig gehalten haben würde."
Sir acceptiert ihn als Gatten, obgleich seine Inpotenz nur
noch durch die seltsamsten Stimulantien für den Augenblick beseitigt werden kann, und die Folgen dieser unnatürlichen Ehe bleiben nicht aus. — Seine Lordschaft
verlässt seine Gattin wegen seiner beiden Pagen!
Beatrice überrascht ihren Gemahl mit den Beiden, nimmt
aber an der Orgie teil, bei welcher Crim-Con stirbt. Sie

verführt dann seinen Bruder und Erben und auch ihre
Dienerschaft, eine Haushälterin, zwei Pagen und zwei
junge Dienerinnen. Durch diese Ausschweifungen wird
ihre Gesundheit derart untergraben, dass sie nach Madeira
geschickt wird, wohin sie aber nicht eher abreist, als
bis sie auch ihren Arzt, der ihr diesen Rat erteilt hat,
verführt hat. Auf der Fahrt flagelliert und verführt sie
zwei Seekadetten. Nach kurzem Aufenthalt in Madeira
kehrt sie nach England zurück, wo sie an der
galoppierenden Schwindsucht stirbt.

Als Supplement der „Pearl", ohne welche diese
Zeitschrift nicht als vollständig anzusehen ist, müssen
die folgenden vier Publikationen genannt werden:

„Swivia; or, The Briefless Barrister. The Extra
Special Number of The Pearl, Containing a Variety of
Complete Tales, with Five Illustrations, Poetry, Facetiae
etc. Christmas, 1879"

64 Seiten, vier kolorierte Bilder nach französischen
Originalen. Schildert eine wilde Orgie von vier jungen
Männern mit zwei Dienstmädchen. Auch werden eigenartige erotische Träume erzählt und obscöne Lieder gesungen.

„The Haunted House or the Revelations of
Theresa Terence. „An o'er true tale." „There are
more things in heaven and earth than are dreamt of in
our philosophy." Being the Christmas Number of „The
Pearl." Beautifully Illustrated with Six Finely Coloured
Plates. Dezember 1880. London: Privately Printed."

62 Seiten, sechs kolorierte Lithographieen. Preis
3 £ 3 s. — Die Schrift enthält die Schilderung der
sexuellen Ausschweifungen eines alten Flagellanten Sir
Anthony Harvey, der von drei jungen Männern dabei

überrascht wird, welche dann sich ebenfalls an der Orgie beteiligen. Defloration und Flagellation spielen die Hauptrolle. Die auf dem Titel angegebenen „Enthüllungen der Theresa Terence" fehlen.

„The Pearl, Christmas Annual 1881. Containing New Year's Day, The Sequel to Swivia, Vanessa, and other Tales, Facetiae, Songs etc. Six Coloured Plates. London: Privately Printed.

64 Seiten, 6 obscöne kolorierte Lithographieen. Preis £ 3. 3 s. — Enthält neben unbedeutenderen Artikeln die erotische Erzählung „Vanessa", deren Heldin Phoebe eine moderne Fanny Hill ist, deren Schicksale in der Ganz- und Halbwelt in sehr ansprechender Weise erzählt werden.

„The Erotic Casket Gift Book for 1882. Containing Various Facetiae omitted in the Pearl Christmas Annual for Want of Space. With Coloured Frontispiece. London: Privately Printed."

20 Seiten (in einigen Exemplaren nur 18 Seiten). Enthält acht sehr obscöne Anekdoten und kleine Erzählungen.

Nach der „Pearl" erschienen noch zwei andere erotische Zeitschriften:

13. „No. 1. Jan. 1851. The Cremorne; A Magazine of Wit, Facetiae, Parody, Graphic Tales of Love, Privately Printed. London; Cheyne Walk. MDCCCLI."

Die erste Nummer dieser falsch datierten Zeitschrift erschien im August 1882. Jede Nummer hat zwei obscöne kolorierte Lithographieen und kostete £ 1. 1 s. Aus dem Inhalte seien erwähnt: „The Secret Life of Linda Brent", „A Curious History of Slave Life and

Slave Wrongs"' „Lady Hamilton: or Nelson's Inamorata. The Real Story of her Life."

14. „The Boudoir; A Magazine of Scandal, Facetiae, etc."

Die erste Nummer erschien im Juni 1883, ohne Illustrationen. Preis jeder Nummer 10 s. 6 d. Auflage 500 Excemplare. Das „Boudoir" enthält zahlreiche kurze Anekdoten und „Eccentricities" in Prosa und Versen. Längere Erzählungen sind: „The Three Chums: A Tale of London Every Day Life", „Adventures and Amours of a Barmaid. A Series of Facts", „Voluptuons Confessions of a French Lady of Fashion" (nach der französischen „Confession Galante d'une femme de monde").

Elftes Kapitel.

Buchhandel, Bibliophilie und Bibliographie.

In keinem Lande hat (abgesehen von Frankreich) die Bücherliebhaberei so früh geblüht und so grosse Verbreitung gefunden wie in England. [1]) Wohl die älteste Monographie über die Bibliophilie, stammt von einem Engländer. Es ist Richard de Bury's, des Bischofs von Durham im Jahre 1344 verfasste Schrift „Philobiblon" [2]). Auch Chaucer erwähnt im Prolog zu den „Canterbury Tales" bereits die Bücherliebhaberei. Weiter sind als berühmte Bibliophilen älterer Zeit zu nennen; Roger Ascham (1515—1568), Lord Bacon (1561—1629), Samuel Daniel (1562—1619), William

---

[1]) „England ist das Eldorado der Bibliophilen und Bibliomanen" sagt Otto Mühlbrecht („Die Bücherliebhaberei am Ende des 19. Jahrhunderts" Berlin 1896 S. 81.)

[2]) Beste Ausgabe in englischer Uebersetzung: „Philobiblon, A Treatise on the Love of Books: By Richard de Bury, Bishop of Durham. Written in MCCCXLIV, and translated from the first edition, MCCCCLXXIII, with some collations. London: Printed for Thomas Rodd, 2 Great Newport Street, Leicester Square. MDCCCXXXII." 8⁰. (Uebersetzt von J. B. Inglis.)

Shakespeare (1564—1616), der im „Tempest" (Akt 1, Szene 2) sagt:

> Me, poor man, my library
> Was dukedom large enough.

Aehnlich heisst es in einem alten englischen Liede derselben Zeit:

> O for a Booke and a shadie nooke,
> eyther in-a-doore or ont;
> With the grene leaves whisp'ring overhede,
> or the Streete cryes all about.
> Where I maie Reade all at my ease,
> both of the Newe and Olde;
> For a jollie goode Booke whereon to looke,
> is better to me than Golde.[1]

Bezeichnend ist es, dass schon im 17. Jahrhundert der Typus des modernen Bücherprotzen existierte. Henry Preacham († 1640) spottet in seinem „Compleat Gentleman" über die Narren, die nur den Wunsch haben, möglichst viele Bücher zusammen zu bringen, nicht aber den, sie auch zu lesen, und vergleicht sie treffend mit dem Kinde, das die Kerzen auch neben sich brennen haben will, während es schläft.[2] Andererseits berichtet Macaulay, dass bereits im 17. Jahrhundert die Läden der grossen Buchhändler in der Nähe von St. Paul's Kirchhof jeden Tag und den ganzen Tag mit Lesern angefüllt waren, und dass einem bekannten Kunden häufig gestattet wurde, ein Buch mit nach Hause zu nehmen.[3] Der grösste Bücherliebhaber dieser Zeit war wohl Robert Burton (1576—1640),

---

[1] Alexander Ireland „The Book-Lover's Enchiridion etc." London 1883 S. 85. — Vergl. auch das enthusiastische Lob des Buches in John Fletcher's „The Elder Brother" Akt I. Szene 2.
[2] ibidem S. 45.
[3] Macaulay a. a. O. Bd. II. S. 125.

der berühmte Verfasser der „Anatomy of Melancholy."
Er sammelte alle ihm zugänglichen Bücher aus allen
Gebieten z. B. solche über Hochzeiten, Maskeraden,
Mummenschanz, Vergnügungen, Raubmorde, ungeheuer-
liche Schurkereien jeder Art, komische und tragische
Gegenstände u. s. w.[1])

Interessant ist die Bemerkung des Bischofs Burnet
über die Lektüre des berüchtigten Rochester. Dieser
las mit Vorliebe die komischen und humoristischen
Schriften der Alten und Neueren, die Römischen Klassiker
und naturwissenschaftliche Bücher, in den letzten Lebensjahren meist geschichtliche Werke.[2])

Um 1700 war der Buchhandel in London schon
recht lebhaft. Wir entnehmen dies den interessanten
Mitteilungen des grossen Bücherfreundes Zacharias
Conrad v. Uffenbach, der sich in London hauptsächlich zum Zwecke des Studiums des Bücherwesens aufhielt.
Als eine „Buchhändlerstrasse" von London erwähnt er Little
Britain „da sehr viele Antiquarii oder Buchhändler wohnen,
die mit nichts als alten Büchern handeln."[3]) Die
Bücherauktionen fanden gewöhnlich in den Kaffeehäusern statt. Uffenbach schildert eine solche: „Abends
fuhren wir in das sogenannte lateinische Caffee-Haus
bey der Paulskirche, um eine Auction von Büchern zu
sehen. Dieses ist sehr bequem. Man fährt des Abends

---

[1]) W. Y. Fletcher „English Book Collectors" London 1902.
S. 72—75.

[2]) „The Works of the Earls of Rochester etc." Bd. I.
S. XXXVIII.

[3]) Z. C. v. Uffenbach a. a. O. Bd. II. S. 485. — Die älteste
und noch heute als solche existierende, ausschliesslich dem Buchhandel gewidmete Strasse ist Paternoster Row bei der Pauls-
kathedrale, die schon von John Stow (1598) als solche erwähnt
wird. Vergl. Stow ed. Thoms, London 1842 S. 126.

hin, trinkt ein Cöpgen Thee oder Caffee, raucht eine
Pfeiffe Taback, und kan, wann ein gutes Buch vorkommt,
mitbieten. Ich kauffte verschiedene gute Bücher, viel
wohlfeiler als man sie in den Läden haben kan." [1]
Die Bücherliebhaberei war im 18. Jahrhundert in England
allgemein. Dafür spricht auch die interessante, von
Muther [2] hervorgehobene Thatsache, dass das Buch in
der englischen Malerei dieser Zeit eine grosse Rolle
spielt. „Bücher sind überhaupt jetzt das Vademecum.
Sie sind unter den Tischen aufgespeichert und stehen
an der Wand. Auf dem Schreibtisch sind Manuskripte
aufgeschlagen, und das Tintenfass steht daneben. Auch
die Künstler wie die Gelehrten arbeiten." Unter den berühmten Bibliophilen des 18. Jahrhunderts nenne ich als
die bekanntesten Samuel Johnson, über dessen Leidenschaft für Bücher Boswell ausführliche Nachrichten
giebt, Horace Walpole, der in Strawberry Hill
eine erlesene Bibliothek zusammenbrachte, Topham
Beauclerk, der in Muswell Hill bei Highgate 30000
Bände (Katalog im British Museum) sammelte und last
not least der Duke of Roxburghe (1740—1801), der
grösste englische Bibliophile. In seiner prachtvollen
Bibliothek in seinem Palaste am St. James's Square in
London befanden sich ein Dutzend Drucke des ältesten
englischen Druckers Caxton, ferner der berühmte Val-
dorfer „Boccaccio", viele Drucke von Pynson, Wynkyn
de Worde, Julian Notary u. a., die erste, zweite und
dritte Folioausgabe von Shakespeare, sämtliche Ausgaben der englischen Dramatiker aus der elisabethanischen Epoche, eine herrliche Sammlung seltener Balladen,

---

[1] Uffenbach a. a. O. Bd. III. S. 220.
[2] R. Muther „Geschichte der englischen Malerei" S. 28.

ein Manuskript von Chaucer's „Canterbury Tales"
u. s. w. Diese unschätzbare Bibliothek wurde 1812
von Mr. Evans im Speisesaal des Roxburghe'schen
Palastes öffentlich verkauft und brachte 23397 Pfund
Sterling. Der „Boccaccio", für den Roxburghe 100
Guineen bezahlt hatte, erzielte jetzt 2260 Pfund. Auf
Dibdin's, des bekannten englischen Bibliographen, der
auch diese Auktion in seinem „Bibliographical Decameron"
beschrieben hat, Veranlassung, wurde zum Andenken
an dieselbe noch an demselben Tage ein Diner in der
St. Alban's-Taverne, St. Alban's Street gegeben, an dem
Dibdin, der Earl Spencer und andere Bibliophilen
teilnahmen, und welches seitdem alljährlich wiederholt
wird. Die Teilnehmer bildeten den berühmten „Roxburghe Club", der noch heute besteht.[1])

Einen weiteren Ausdruck fand die Bücherliebhaberei
in der erstaunlichen Entwickelung des Leihbibliothek-
und Antiquariatswesens, dessen Anfänge in England,
wie wir sahen, bis ins 17. Jahrhundert zurückreichen,
das aber erst in der zweiten Hälfte des 18. Jahrhunderts
in einer bewunderungswürdigen Weise organisiert wurde,
die sich vor allem an den Namen von James Lackington knüpft.

Lackington, der sein Leben in einem sehr
interessanten Buche[2]) beschrieben hat, wurde zu

---

[1]) Interessante Mitteilungen über die englische Bibliophilie und
Bibliomanie in dieser Zeit finden sich bei Goede a. a. O. Bd. III.
8. 38—40. — Vergl. ferner Fletcher a a. O. 8. 251—253;
8. 259—263; W. Roberts „The Book-Hunter in London" London 1895.

[2]) „Anekdoten des noch jetzt lebenden Buchhändlers James
Lackington, welchen die Liebe zur Lektüre aus einem Schuster-
gesellen zu einem der reichsten Buchhändler Englands umschuf.
Von ihm selbst geschrieben. Aus dem Englischen der 5. Auflage
übersetzt, mit dem Portrait des Verfassers von Stötterup." Hamburg
bei J. G. Herold (dem Uebersetzer) 1795. Kl. 8º, VIII, 142 Seiten.

Wellington in Somersetshire 1746 geboren, wo sein Vater
Schuster war. Er selbst war zuerst Pastetenverkäufer,
dann Schusterlehrling, als welcher er Methodist wurde,
bis er mit 22 Jahren sich dem Buchhandel zuwendete
und mit einem Kapitale von noch nicht einer Guinee
durch geschickte Anwendung ganz neuer Geschäfts-
prinzipien in kurzer Zeit es zu einem Einkommen von
6000 Pfund jährlich brachte, für welchen Erfolg freilich
eine sehr pompöse und übertreibende Reklame mit in
Betracht gezogen werden muss. Berühmt und einzig
in seiner Art war schon sein grosses Bücherlager von
mindestens 150000 Bänden im „Musentempel" am
Finsbury Square. Goede[2]) schildert dasselbe folgendermassen:

„Der hier befindliche Vorrat von verkäuflichen Büchern ist
sehr ansehnlich und so vorteilhaft gestellt, dass der eintretende
Käufer ihn nicht nur mit einem Male übersieht, sondern die Anschauung seiner Grösse selbst angenehm erweitert wird. Wenn
man durch den Haupteingang in Lackington's Laden tritt, sieht
man zur Linken eine Reihe mit Büchern angefüllte Zimmer geöffnet, und befindet sich in einem zirkelrunden Saale, der von oben
erleuchtet wird, und von schneckenförmig bis in die Spitze des
vierten Stockwerkes zu laufenden Gallerien umgeben ist. Da die Höhe
und der Durchmesser der Gallerien bis zu der, von allen Seiten hell
erleuchteten Spitze, durch welche das Licht herabfällt, stufen-
weise abnehmen, so überschauet das Auge des untenstehenden das
Ganze mit einem Blicke, und die Anschauung selbst gewinnt durch
eine wohlgefällige optische Täuschung an überraschender Grösse.
Ein Kramladen von so erstaunlichem Umfange kann sich nur durch
eine ausserordentliche Anzahl Kunden und durch einen verhältnis-
mässigen, sehr schnellen Warenabsatz erhalten. Beides hat

---

[2]) Goede a. a. O. Bd. III, S. 35—37. — Eine Abbildung des
„Musentempels" nebst ausführlicher Schilderung findet sich auch in
der Zeitschrift „London und Paris." Weimar 1799 Bd. IV S. 287
bis 245.

Lackington dadurch erlangt, dass er seinen Büchervorrat stets sorgfältig erneuert, deshalb unaufhörlich in den grösseren englischen Städten Privatbibliotheken aufkaufen lässt, und alle Artikel zu einem beträchtlich geringeren Preise verkauft als alle übrigen Londoner Buchhändler."

Auch als Leihbibliothek übte Lackington's Musentempel eine grosse Anziehungskraft aus. Hierin machte ihm aber Hookham's Leseinstitut in Bond Street erfolgreiche Konkurrenz. „Jedes Mädchen in ganz Westminster und Zubehör bis an die Grenzen der City weiss ihn (Hookham) zu nennen, der von neuherausgekommenen Büchern 20—24 Exemplare anschafft, um der Nachfrage genug zu thun."[1]

Die Leihbibliotheken wurden bald ein beliebter Ort für galante Zusammenkünfte; namentlich war dies in den fashionablen Badeorten der Fall.[2]

Manche Leihbibliotheken führten auch verbotene Ware, pikante Lektüre. Hierzu scheint im 18. Jahrhundert Walker's Leihbibliothek in Maidstone gehört zu haben, in welcher z. B. Bücher wie der „Fruit-Shop" ausgeliehen wurden.[3] Ueber den sittlich verderblichen Einfluss der sentimentalen und galanten englischen Leihbibliotheks-Lektüre in neuerer Zeit macht Rémo bemerkenswerte Mitteilungen.[4] Ein Londoner Lesekabinet um 1810 mit seinen die verschiedenartigste Lektüre begehrenden Kunden schildert in höchst ergötzlicher Weise Jouy.[5] U. a. verlangt ein Mann ein Werk, betitelt

---

[1] „London und Paris" Bd. IV S. 280.
[2] „Paris, Wien und London" Rudolstadt 1811, Jahrgang I Bd. 2, S. 184—185.
[3] Fraxi „Catena" S. 112.
[4] Rémo a. a. O. S. 16—17.
[5] Jouy „L'Hermite de Londres" Bd. II, S. 149—155.

„Die herrische Frau", worauf ihm der Buchhändler die „Disziplin" empfiehlt. Kein Zweifel, dass es sich hier um zwei flagellantistische Schriften handelt.

Nach dieser allgemeinen Uebersicht über das englische Bücherwesen sei nunmehr das letztere in seinen Beziehungen zur erotischen und obscönen Litteratur betrachtet.

Wie das Aufkommen der eigentlichen erotischen Litteratur in England erst mit dem 18. Jahrhundert beginnt, so wendet sich auch der Buchverlag und Buchhandel erst in dieser Zeit jenem Gebiete zu.

Einer der frühesten Verleger obscöner Schriften war Edmund Curll. Bei ihm erschienen u. A. auch die schlimmsten Gedichte des Grafen von Rochester. Thornbury nennt ihn den „publisher of all the filth and slander of his age." [1]) Er stand im Jahre 1727 in Charing Cross am Pranger wegen des Druckes einer obscönen Schrift „Venus in a Cloyster, or the Nun in her mock", der englischen Uebersetzung des französischen Buches „Vénus dans le cloître, ou la Religieuse en chemise." Die Angabe Gay's [2]), dass ihm auch die Ohren abgeschnitten wurden, ist jedoch falsch. Im Gegenteil schützte das dem Curll wohlwollende Volk ihn vor jeder Misshandlung und geleitete ihn später im Triumph zu einer benachbarten Taverne. [3])

Als Verleger von John Cleland's „Memoirs of a Woman of Pleasure" verdient Ralph Griffiths eine Erwähnung, der seinem Buchladen in St. Paul's Church Yard den seltsamen Namen „Die Dunciade" gab. Er

---

[1]) Thornbury „Haunted London" London 1880 S. 212.
[2]) Gay „Bibliographie de l'Amour" Bd. VI S. 396.
[3]) Thornbury a. a. O. S. 212—213.

war der Herausgeber der „Monthly Review", in der er auch die „Fanny Hill" dem Publikum anpries. Nähere Mitteilungen über diesen äusserst betriebsamen und intelligenten Verleger finden sich in den Schriften von Knight[1]) und John Forster.[2])

Ueber einen interessanten Prozess wegen Verbreitung obscöner Schriften berichtet v. Archenholtz aus dem Jahre 1789:

„Der Generaladvokat trat im Juli im Tribunal der königlichen Bank als Kläger gegen die Buchhändler Morgan und M'Donald auf. Der erstere hatte ein obscönes verführerisches Buch, betitelt: „Die Schlachten der Venus"[3]) und der letztere die aus dem Italienischen des Antonio übersetzte „Schule der Venus" verlegt. Der General sagte, diese Bücher wären ganz dazu gemacht, die Leidenschaften junger Leute in Flammen zu setzen, die Sitten zu untergraben und alle Grundsätze der Tugend auszurotten. Er trug daher auf exemplarische Strafe an, und gab Nachricht von einer Gesellschaft angesehener Personen, die auf ihre Kosten den gegenwärtigen Prozess angefangen, und entschlossen wären alle Buchhändler, die ähnliche Schriften verkaufen würden, gerichtlich zu verfolgen. Die Sachwalter der Verklagten beriefen sich auf die Armut ihrer Klienten und auf ihre Unkenntnis der Schädlichkeit dieser Pamphlete, die sie ohne allen Argwohn unter

---

[1]) Charles Knight „Shadows of the Old Booksellers'' London 1865. S. 187.

[2]) John Forster „The Life and Times of Oliver Goldsmith" London 1854. Bd. I S. 170.

[3]) Gemeint ist „The Battles of Venus. A Descriptive Dissertation on the Various Modes of Enjoyment etc." Haag (London) 1760; 12⁰, 36 Seiten. — Ueber den Inhalt vergl. Bd. I dieses Werkes S. 852—354.

anderen Büchern verkauft hätten. Der vorsitzende Richter A s h u r s t aber verwarf diese Entschuldigungen, bezog sich auf die immer mehr einreissende Sittenverderbnis und behauptete daher die Notwendigkeit einer harten Strafe. Sie war es in der That. Die Buchhändler wurden zum Pranger und zu einem zwölfmonatlichen Gefängnis in Newgate verdammt; nach erhaltener Freiheit aber sollten sie für ihr künftiges Betragen Bürgschaft stellen." [1]

Einzelne Verleger wählten schon damals als besondere Spezialität das Vertreiben flagellantistischer Erotica, wie z. B. G e o r g e P e a c o c k und W. H o l l a n d, die beide gemeinschaftlich in No. 66 Drury Lane und No. 50 Oxford Street eine Reihe von Werken über Flagellation in den Jahren 1777 bis 1785 erscheinen liessen. [2]

Eine ganz erstaunliche Ausdehnung nahm der Handel mit obscönen Büchern und Bildern im ersten Drittel des 19. Jahrhunderts in England an. Dieser Geschäftszweig wurde von verschiedenen Personen in äusserlich respektabler Stellung gemeinsam betrieben. Die Agenten dieser Händler, meist Italiener, durchzogen als Hausierer das ganze vereinigte Königreich und besuchten meist in Gruppen von zwei bis drei Mann die grossen Städte wie Birmingham, Leeds, Liverpool, Manchester und die Hauptorte auf dem Lande. Sie liessen sich meist ihre Waren durch eigene Wagen nachsenden und führten nur grössere Proben mit sich. Auch weibliche Agenten beteiligten sich an diesem verbotenen Handel. Diese suchten meist unter dem Vor-

---

[1] v. A r c h e n h o l t z „England" Bd. III S. 36—37.
[2] P. F r a x i „Index" S. 874—875.

81*

wande, alte Kleider zu kaufen, Eintritt in die Häuser
zu erlangen. Die Gesamtzahl der bei diesem Geschäft
beteiligten Händler, Agenten und Hausierer wurde im
Jahre 1817 auf mehr als 600 geschätzt.[1]) Hauptsächlich
wurden derartige schmutzige Bücher in Schulen und
unter diesen wieder besonders in Mädchenschulen
eingeschmuggelt, meist durch das Dienstpersonal.[2]) Sie
wurden aber nicht immer an die Schüler oder Schülerinnen
verkauft, sondern auch an die Lehrer. So wurde der
der Päderastie angeklagte Rektor der Schule von Ew-
hurst in Essex auch beschuldigt, seine Zögling dadurch
verdorben zu haben, dass er ihnen die Bilder zu „Fanny
Hill" gezeigt habe.[3])

Eine sehr gute Absatzgelegenheit für obscöne Schriften und Bilder boten ferner die grossen Rennen, wo
selbst unter dem Titel „Sportlisten" den Damen schmutzige
Broschüren in den Wagen geworfen wurden.[4])

Von 1817 bis 1839 wurden 20 Buchhändler von
der „Society for the Suppression of Vice" wegen Verbreitung indezenter Bücher verfolgt, und von 1802 bis
August 1838 kamen im ganzen 80 Personen wegen
dieses Vergehens vor den Gerichtshof von King's Bench,
von denen 53 mit Geldstrafen und Pranger bestraft
wurden. Viele Tausende von obscönen Schriften und
Büchern wurden konfisziert und vernichtet. Allein in
den drei Jahren 1835 bis 1838 beschlagnahmte die

---

[1]) „Second Report of the Police of the Metropolis" London
1817 S. 479; „A Treatise on the Police and Crimes of the Metropolis etc. By the Editor of the Cabinet Lawyer" London 1829
S. 149—150.
[2]) Ryan a. a. S. 97.
[3]) „The Crimes of the Clergy" London 1823 S. 118.
[4]) Ryan a. a. O. S. 118.

„Society" 1162 obscöne Bücher und Broschüren, abgesehen von einer grossen Anzahl loser Druckbogen,
1495 schmutzigen Liedern und 10493 unanständigen
Bildern schlimmster Art.[1]) Letztere wurden zu einem
grossen Teil von ausländischen Kriegsgefangenen
hergestellt, wie dies ein Brief von Mr. Birtill an Mr.
Prichard, den Vorsitzenden der obengenannten Gesellschaft schildert (datiert Bristol, den 6. December 1808).
Es handelte sich darin um das Gefängnis in Stapleton.
Diese obscönen Bilder und Holzschnitzereien, meist
päderastische Akte („the new fashion") darstellend,
wurden von den Gefangenen jeden Abend zu einer bestimmten Zeit auf einem förmlichen „Markt" vor dem
Gefängnisse verkauft, und zwar an die Jugend beiderlei
Geschlechts und an Fremde.[2])

Ryan erfuhr von Prichard, dass im September 1838
in London 29 Firmen für den offenen Vertrieb obscöner
Schriften existierten, daneben aber derartige Dinge auch
in anderen Läden, Bazaren u. dgl. verkauft würden,
häufig sogar durch Frauen![3]) Unter diesen Buchhändlern
und Verlegern erotischer Schriften sind als die bekanntesten zu nennen: John Sudbury, der von 1820
bis 1830 ein derartiges Geschäft in 252, High Holborn
betrieb und kein Bedenken trug, seinen Namen auf den
Titeln derartiger Bücher mit abdrucken zu lassen,
ferner John Benjamin Brookes († 1839), der zuerst
in der Operncolonnade, später in New Bond Street
No. 9 einen Laden hatte. William West wurde bereits
früher erwähnt (S. 158). Ihm reihen sich als sehr bekannte

---

[1]) Ryan a. a. O. S. 110—112.
[2]) ibidem S. 99.
[3]) ibidem S. 117; S. 197.

Verleger derartiger Litteratur die beiden Brüder
Duncombe an. John Duncombe wurde in No. 10
Middle Row, Holborn geboren und starb dort 1852. Er
betrieb sein Geschäft unter dem Namen M. Mitford in
diesem Hause und in No. 19, Little Queen Street, Holborn
um 1830, später unter dem Namen J. Turner in No. 50
Holywell Street und als „John Duncombe & Co." in
No. 17, Holborn Hill. Er hatte einen Bruder Edward,
der unter dem Namen John Wilson obscöne Bücher in
den Läden 28, Little St. Andrew Street, Upper
St. Martin's Lane und No. 78, Long Acre verkaufte.[1]
Ferner sind zu nennen John Ascham in Chancery
Lane, London (zwischen 1825 und 1840), Anthony
Edward Dyer White † 1843) und sein Sohn Edward
(bis 1860), die in St. Martin's Church Yard, in Regent
Street No. 88 und in 24, Princes Street, Leicester Square
einen Handel mit erotischen Werken trieben,[2] Dickenson
(um 1820), der Kirchendiener (!) von St. Paul's, Covent
Garden, der mit dieser respektablen Stellung den Vertrieb von obscönen Büchern für vereinbar hielt[3] und
endlich William Dugdale, der berüchtigste aus dieser
ersten Generation, der über 30 Jahre lang als Verleger
zahlreicher alter und neuer Erotica thätig war. Er
wurde zu Stockport im Jahre 1800 geboren, war bereits 1819 in die Cato Street-Verschwörung verwickelt,
kam wiederholt ins Gefängnis, zuletzt in seinem Todes-
jahre. Er starb am 11. November 1868 im Korrektionshause. Unter den Namen Turner, Smith, Young und
Brown betrieb er ein höchst umfangreiches Geschäft

---

[1] P. Fraxi „Index" S. 137.
[2] Fraxi „Catena" S. 146 und S. 144.
[3] Fraxi „Index" S. 127.

in No. 23, Russell Court, Drury Lane, in No. 3, Wych
Street, in den No. 5, No. 16, und No. 37 der Holywell
Street[1]) und in No. 44, Wych Street. Er hatte einen
jüngeren Bruder John Dugdale, der unter den Namen
W. Johns, J. Turner u. a. in Rupert Court No. 23
und Holywell Street No. 35 und No. 50 ein ähnliches
Geschäft betrieb.[2])

Aber nicht blos solche Buchhändler zweiten und
dritten Ranges kultivierten diesen fragwürdigen Zweig
ihres Berufes, sondern auch höchst angesehene englische Verleger haben demselben ein fortdauerndes
Interesse zugewendet, welches teils materieller, teils
aber auch ideeller Natur war. Zu ihnen gehört vor
allem der geistreiche J. C. Hotten.

John Camden Hotten wurde am 12. September
1832 in einem alten Hause, nahe der Kirche St. John
of Jerusalem der Londoner Vorstadt Clerkenwell geboren. Er war ein Abkömmling des berühmten Erbauers
der St. Paulskathedrale, Sir Christopher Wren. Seine
Erziehung empfing er in dem Manor House, einer
Collegiatschule auf dem Gute des Marquis von Northampton. Schon früh hatte er eine Leidenschaft für Bücher,
sodass er mit 11 Jahren bereits im Besitze einer Bibliothek
von 450 Bänden war. Dieselbe steigerte sich bis zum
15. Jahre so sehr, dass er täglich einige Stunden in
dem Laden des Buchhändlers Petheram zubrachte, um
dessen grosses Lager alter und neuer Bücher zu durch-
stöbern. Ein anderer täglicher Gast dieses Buchhandlungs-
ladens war kein Geringerer als Lord Macaulay, der

---

[1]) Diese Strasse (seit 1901 beseitigt) bot 50 Jahre lang die
Hauptgelegenheit zum Kaufe der Erotica und Curiosa.

[2]) Fraxi „Catena" S. 180.

dort alte Bücher und Broschüren für seine englische Geschichte aussuchte. Hotten pflegte den berühmten Geschichtsschreiber in diesen Nachforschungen zu unterstützen, indem er das ihn Interessierende beiseite legte und ihm auch Notizen über Bücher, die er anderswo gesehen hatte, lieferte. Diese kleinen Aufmerksamkeiten erwarben ihm die Gunst Macaulay's, was diesen jedoch nicht hinderte, eines Tages, als er nicht schnell genug eine 5 Pfund-Note von Hotten gewechselt bekam, mit einem grossen Quartbande, den er gerade in der Hand hielt, nach ihm zu werfen. Bald nacher unternahm Hotten mit seinem älteren Bruder eine abenteuerliche Fahrt à la Robinson Crusoe nach Westindien und wurde von dort nach Galena in Illinois verschlagen, wo in der „Galena Gazette" seine ersten litterarischen Produkte veröffentlicht wurden. 1854 kehrte er nach England zurück und eröffnete 1855 in einem sehr kleinen Laden in No. 151 b, Piccadilly (gerade gegenüber dem späteren grösseren Geschäfte, welches unter seiner Leitung einen Weltruf erlangte) eine Buchhandlung.

Hotten war nicht nur ein sehr unternehmender Verleger, er war auch ein verdienter Schriftsteller, der auf diesem Gebiete noch Bedeutenderes geleistet hätte, wenn sein Geschäft ihn nicht so sehr in Anspruch genommen hätte. Die erotische Litteratur war im Buchhandel und im Verlag sein Steckenpferd. Er besass eine sehr reichhaltige Bibliothek erotischer Schriften, die nach seinem Tode von einem Londoner Amateur en bloc gekauft wurde.

Ein (ziemlich unvollständiges) Verzeichnis der Schriften, Ausgaben und Verlagswerke Hotten's findet sich bei Allibone[1]). Zahlreiche der von ihm neu herausgegebenen oder neu verlegten erotischen Schriften sind bereits in den beiden vorhergehenden Kapiteln erwähnt worden.

Hotten starb am 14. Juni 1873 in seiner Villa in Haverstock Hill, Hampstead bei London und wurde auf dem Friedhofe in Highgate bestattet, wo die Londoner Buchhändler ihm ein Denkmal errichteten. Ein warmer Nachruf aus der Feder eines Freundes Richard Herne Shepherd, findet sich im Jahrgang 1873 des „Bookseller," welcher besonders den eminenten Unternehmungsgeist dieses ohne das geringste Kapital binnen wenigen Jahren zu grossem Reichtum gelangten Mannes hervorhebt. Hotten hat zuerst den grossen amerikanischen Dichtern und Humoristen, einem Artemus Ward, Lowell, Holmes, Walt Whitman, Hans Breitmann, Bret Harte, Mark Twain u. A. in England die ihnen gebührende Beachtung verschafft, und auch in England als Mäcen der jüngeren Dichtergeneration sich unermessliche Verdienste erworben. Er allein war es, der den Mut hatte, die Gedichte Swinburne's zu verlegen, was alle anderen Londoner Buchhändler abgelehnt hatten. Hauptsächlich aber förderte er die kultur- und sittengeschichtliche Litteratur durch Herausgabe von Schriften über Flagellantismus, Phalluskultus, Aphrodisiaca, Geschichte Londons u. a. m.[2])

---

[1] Allibone „Critical Dictionary of English Literature" Bd. II S. 2325.

[2] Fraxi „Index" S. 249—256. — Interessant ist die Schilderung der enormen geschäftlichen Thätigkeit dieses erfolgreichen Buchhändlers: „What a faculty for work he had was a lasting wonder even to those who knew him best. He would reach Piccadilly at ten, read and answer a mass of correspondence,

Neben Hotten haben auch zwei bekannte Londoner Verleger deutscher Abkunft, Trübner und Bohn, der erotischen Litteratur ein grosses Interesse entgegengebracht. Trübner war der Schwiegersohn des bekannten belgischen, in London lebenden Bibliophilen Octave Delepierre, den er in seinen Forschungen über die erotische und maccaronische Litteratur ausgiebig unterstützte. Henry G. Bohn war der erste, der den prüden Engländern den vollständigen Martial in einer englischen Uebersetzung darbot.[1])

An die Verleger erotischer Schriften sind dann hier zum Schlusse die berühmten englischen „Erotobibliomanen" anzuschliessen, mit welchem letzteren treffenden Namen Octave Uzanne in seinen amüsanten „Caprices d'un Bibliophile" die hauptsächlich das Gebiet der erotischen und pornographischen Litteratur kultivierenden Bücherenthusiasten bezeichnet. Das Geschlecht derselben geht in England offenbar bis auf den Anfang des

---

sometimes extending to fifty or sixty letters in one morning; he would see customers, authors, artists, printers, stationers, binders, going into elaborate, complicated details with each, and then, snatching half-an-hour for a hasty meal in the neighbourhood, would go through the same programme again in the afternoon, rarely leaving his shop much before nine o'clock in the evening, and then frequently taking some young writer or artist half the way home with him, to discuss a new plan, or give instructions for fresh work. There was something heroic in all this, if of a degenerate modern kind. His fertile brain seemed never to be at rest. He overtasked it, and it has at last given way under the strain. Essentially „a man of the time" he felt he must keep pace with the railroad speed of the age, or leave others to outstrip him in the race. As a loyal servant to the public, untiring and unresting, he lived and died in harness." ibidem S. 256.

[1]) Henry G. Bohn. „The Epigrams of Martial. Translated into English prose. Each accompanied by one or more verse translations, from the works of English poets, and various other sources" London: Bell & Sons 1875. 8°. (Erschien zuerst 1868 in Bohn's „Classical Library").

19. Jahrhunderts zurück: denn schon James Caulfield geisselt in seiner 1814 erschienenen „Chalcographimania" scharf jene meist vornehmen Leute, die grosse Summen für indezente Bücher verschwenden:

> Nor pass we by that shameless band,
> Dispensing with a lib'ral hand,
> Large sums, indecent books to buy,
> And prints disgusting to the eye:
> Witness from Duke of first degree,
> E'en to old sporting Colonel T—:
> In fine, full many none suspect,
> On themes like these alone reflect,
> Disgracing thus the manly name,
> And blazon'd sons of guilt and shame.[1]

Nun sind aber in den meisten Fällen gerade bei den Erotobibliomanen jene von Caulfield vermuteten schmutzigen Motive zum Sammeln von erotischen Schriften nicht massgebend. Diese sind vielmehr lediglich bei dem jedes litterarischen und bibliophilischen Interesses baren Teile des Publikums anzutreffen, der in dieser Litteratur nur das rein Geschlechtliche sucht, und an den sich daher meist die Tagesfabrikanten mit einer Fülle von Machwerken eigner Feder oder elenden Ausgaben und Uebersetzungen besserer Erotica aus früherer Zeit wenden.[2]

Es ist möglich, ja wahrscheinlich, dass im Anfang der Erotobibliomane sich noch durch derartige Motive

---

[1] „Chalcographimania; or the Portrait-Collector and Printseller's Chronicle, with Infatuations of every Description. A Humorous Poem. In Four Books. With Copious Notes Explanatory. By Satiricus Sculptor, Esq. (James Caulfield) etc. London: Printed for R. S. Kirby etc. 1814." 8°. S. 177.

[2] Ich brauche wohl nicht hervorzuheben, dass leider vor allem die unreife Jugend ein grosses Contingent zu dieser Gattung von Lesern der Erotica liefert. Für diese sind dieselben, auch die besten, unter allen Umständen schädlich und verderblich.

sexueller Art beim Sammeln seiner Bücher bestimmen lässt. Späterhin tritt dieser Gesichtspunkt sicherlich hinter jenen höheren Interessen zurück, mit denen das Studium der erotischen Litteratur verknüpft ist und die auch alle grösseren Landesbibliotheken veranlassen, selbst diesen verrufenen Zweig des Bücherwesens zu kultivieren. Es ist nämlich nicht bloss die Seltenheit der Erotica in ihren Originalausgaben, welche sie für eifrige Büchersammler begehrenswert macht — es giebt in der That Bibliophilen, die nur aus diesem einzigen Grunde solche Werke sammeln, — sondern auch ihre eminente litteratur-, kultur- und sittengeschichtliche Bedeutung, indem gerade die besten und echten Schriften dieser Art neben dem rein Geschlechtlichen auch alle übrigen Beziehungen menschlichen Lebens und menschlicher Kultur zur Vita sexualis darstellen, und zwar in einer Weise, wie man dies nirgendwo sonst findet. So werden sie eine äusserst wertvolle Quelle zur Kenntnis ihrer Zeit. Man denke nur an Aretino's „Ragionamenti", an Restif de la Bretonne's zahlreiche pornographische Romane, an de Sade's erstaunliche Produkte, die aus dem Geiste ihrer Zeit d. h. der französischen Revolution geboren sind. Endlich bieten die Erotica auch ein erhebliches psychologisches und ärztliches Interesse dar, indem sie häufig treue Spiegelbilder der sexuellen Entwickelung einzelner Individuen sind — hier denke ich besonders an Restif de la Bretonne's autobiographische Romane („Le pied de Fanchette"; „Monsieur Nicolas" u. a. m.) — oder auch auf die Entstehung und die Erscheinungsweise aller möglichen geschlechtlichen Perversitäten ein bedeutsames Licht fallen lassen. Es liessen sich noch mehrere Ar-

gumente für den unzweifelhaften Nutzen der Erotica
in den Händen des Forschers und Menschenkenners
anführen. Doch ist dies nicht der Ort dafür.

Unstreitig der grösste englische „Bibliomane" auf
erotischem Gebiete war F r e d e r i c k H a n k e y, ein
„bibliophile d'une espèce particulière", wie er in einem
Nekrologe genannt wird.[1]) Er war der Sohn von
Sir F r e d e r i c k H a n k e y, dem englischen Gouverneur
der Jonischen Inseln, und einer Griechin. Er wurde
später Kapitän in der Garde und nahm bei seinem Aus-
tritt aus dem activen Dienste um 1850 seinen ständigen
Wohnsitz in Paris, wo er am 8. Juni 1882 starb.[2])

H a n k e y 's Sammlung war nur klein, aber höchst
erlesen.[3]) Sie umfasste ausser den erotischen Schriften
und Bildern auch andere erotische Objekte.[4]) Die

---

[1]) „Le Livre" August 1882 S. 518.

[2]) „Notre ami Hankey est mort subitement devant moi jeudi
dernier, il avait commencé à se soigner. Il ne pensait pas sa mort
si prochaine et il ne la craignait pas. Il a été suffoqué, sans
avoir éprouvé de douleur apparente. Nous étions très liés ensemble
depuis 30 ans, il était un de mes meilleurs amis." Brief eines
französischen Freundes von H a n k e y an P i s a n u s F r a x i. Vergl.
„Catena" S. LIII.

[3]) Der Baron R o g e r P o r t a l i s bemerkt in einem Artikel
„Trois Bons Livres" im „Annuaire 1888" der „Société des Amis
des Livres": „Bien peu d'amateurs ont donc consacré leur argent
et leurs loisirs à se créer une collection uniquement composée
d'ouvrages érotiques. C'était pourtant le cas d'un anglais,
M. Hankey, enlevé cette année à ses chers volumes et qui avait
réellement le sentiment du fin et du délicat, si l'on ose prononcer
un tel mot à propos de tels livres. La collection qu'il a laissée
dans cet ordre spécial est le modèle du genre."

[4]) So z. B. besass er eine wunderbare Marmorgruppe von
Pradier, die er scherzhaft sein „Hauszeichen" nannte und die
zwei Tribaden darstellte, ferner eine schöne Bronze (Satyrus opus
per linguam peragens), einen echten Keuschheitsgürtel, einen Dildo
aus Elfenbein u. a. m.

Schriften bestanden aus illustrierten Manuskripten, den
besten Ausgaben und kostbarsten Exemplaren der ge-
schätztesten erotischen Werke, oft durch Originalzeichnungen verschönert und in Einbänden berühmter französischer Buchbinder. Die Exemplare, die nicht in
unbeschädigten Einbänden ihrer Epoche vorhanden waren,
liess er von Trautz-Bauzonnet oder einem anderen
Buchbinder von Ruf einbinden und gab selbst die Verzierungen des Einbandes an. Ein „catalogue raisonné"
seiner geliebten Bücher, von dem er oft sprach, kam
nie zu Stande.

Hankey war auch in seiner Lebensweise ein
Original. Er stand niemals vor Mittag auf. Seine
Empfangsstunden waren nach 10 Uhr Abends, wo man
ihn zwischen seinen Büchern antraf. Er hatte blondes
Haar, blaue Augen und einen fast weiblichen Gesichtsausdruck und entsprach in mancher Beziehung den vom
Marquis de Sade überlieferten Beschreibungen. Dieser
war auch sein Lieblingsautor. Er erzählte Pisanus
Fraxi, dass er einst von einer schweren Krankheit
sofort genesen sei, als er eine lange vergeblich gesuchte
Ausgabe von de Sade's „Justine" erhalten habe. In
der Unterhaltung wiederholte er sich sehr oft, was dieselbe auf die Dauer sehr ermüdend machte. 1878 erschien in der „Caprices d'un Bibliophile" von Octave
Uzanne die Schilderung eines „Erotobibliomanen," genannt „le Chevalier Kerhany," unter welchem Namen
alle Welt unseren Hankey vermutete. Es war dies
aber nicht der Fall, denn zu jener Zeit hatte Uzanne
noch nicht die Bekanntschaft des berühmten „riche
amateur anglais" gemacht. Diese wurde ihm erst durch

Pisanus Fraxi vermittelt[1]), welcher Uzanne am
9. März 1882 bei dem Bibliophilen der Rue Laffitte einführte. Uzanne, Félicien Rops und Pisanus Fraxi
hatten zusammen zu Abend gespeist, als man den Vor-
schlag machte, Hankey zu besuchen und den Rest des
Abends bei ihm zu verbringen. Sie kamen kurz nach
10 Uhr in der Rue Laffitte No. 2 an und fanden Hankey
in seinem gewöhnlichen Désbabillé, kurzem Sammt-
Jacket, Hemd ohne Halsbinde, dünnen Hosen, noch
dünneren Socken und Pantoffeln. Trotz der draussen
herrschenden Kälte war nicht geheizt. Hankey war sichtlich geschmeichelt, den Besuch zweier so ausgezeichneter
künstlerischer Naturen wie Uzanne und Rops zu
empfangen, welche seine Schätze ebenfalls nach Gebühr
bewunderten, sodass der Besuch sich bis zum frühen
Morgen ausdehnte. [2])

Der „Clou“ der Hankey'schen Sammlung wurde
durch drei Werke, die „trois bons livres“ des erwähnten Artikels von Portalis, gebildet.

Das erste war ein überaus herrliches Exemplar der
„Liaisons dangereuses“ des Choderlos de Laclos
auf Velinpapier, mit Bildern „avant la lettre,“ den
Kupfern und 15 Originalzeichnungen von Monnet und
Marguerite Gérard, im blauen Maroquineinbande von
Köhler mit Verzierungen, für Armand Bertin her-
gestellt. [3])

---

[1]) Dieser war ein sehr häufiger Besucher und genauer Kenner
der Bibliothek Hankey's, wie er mir später brieflich mitteilte.

[2]) P. Fraxi „Catena“ S. LII.

[3]) Es ist die Ausgabe von 1796 in 2 Bänden. Das Exemplar
stammt aus der Sammlung Guilbert de Pixérécourt's, aus
der es 1839 verkauft wurde. Später kam es in den Besitz Armand
Bertin's. Hankey kaufte es Ende der 60iger Jahre vom Buchhändler Durand für 1100 Franken. 1878 wurde ihm bereits von

Das zweite Werk war ein „Unicum," nämlich die berühmten „Tableaux des moeurs du temps" von La Popelinière, im Originalmanuskript des Verfassers mit 20 herrlichen Miniaturen (16 farbigen), die man Monnet zuschreibt. Diese Perle der Hankey'schen Sammlung wurde von dem Pariser Bibliophilen Charles Cousin für 20000 Francs gekauft![1]) Das dritte Opus rarissimum in der Sammlung Hankey's war ein Manuskript der „Contes" von La Fontaine, „un manuscrit calligraphié avec soin sur peau de vélin en caractères imitant l'impression et orné de miniatures gouachées. Il est relié en deux volumes, en maroquin bleu à riches dentelles par Derôme le père. Ce remarquable exemplaire des contes si amusants de notre grand fabuliste avait été commandé en 1746, par Jean-Louis Gaignat, grand amateur de curiosités."[2])

Cohen erwähnt noch als Glanzstücke der Bibliothek Hankey's die sehr seltene Ausgabe sur grand papier velin in 8° von Le Meursius françois, ou Entretiens galans d'Aloysia. Cythère (Paris, Cazin) 1782, 2 Bände, Einband von Trautz[3]), die Ausgabe „avant la la lettre" von „Garçon et fille hermaphrodites, vus et dessinés" d'après nature par un des plus célèbres artistes et gravés avec tout le soin possible pour l'utilité des studieux A Paris; vers 1772, 8°,[4]). Endlich ist

einem Pariser Buchhändler die zehnfache Summe angeboten, was Hankey ausschlug. Vergl. H. Cohen „Guide de l'amateur de livres à vignettes etc. du 18e siècle" 4e édition, Paris 1880 Col. 82—88.

[1]) „Le livre moderne" Bd. I, S. 58.
[2]) Portalis a. a. O.
[3]) Cohen a. a. O. Col. 85.
[4]) ibidem. Col. 178.

noch der höchst interessante von Bérard verfasste
Katalog obscöner Bücher und Bilder[1]) zu erwähnen,
dessen einziges Originalmanuskript nach dem Tode des
Verfassers in den Besitz Hankey's kam, der nur
6 Kopieen davon anfertigen liess.

Ein zweiter Erotobibliomane eigener Art war James
Campbell (Pseudonym für J. C. Reddie), der am
4. Juli 1872 zu Crieff in Schottland in bejahrtem Alter
starb, nachdem er sich durch seine erschütterte Gesundheit und zunehmende Augenschwäche veranlasst gesehen
hatte, seine litterarischen Studien aufzugeben und London zu verlassen. Campbell besass, ohne eine akade-
mische Bildung genossen zu haben, beträchtliche Kenntnisse. Er las mit Leichtigkeit Lateinisch, Französisch
und Italienisch, und kannte trotz seiner geringen Ver-
trautheit mit der deutschen Sprache fast alle Erotica
der deutschen Litteratur. Seine Kenntnis auf diesem
Gebiete war so gründlich, dass kaum ein obscönes Buch
in irgend einer Sprache seiner Aufmerksamkeit entging.
Jedes Buch, jede neue Ausgabe wurde sofort nach der
Erwerbung kollationiert, bibliographisch festgestellt, und
Seite für Seite, Wort für Wort mit irgend einer anderen
Ausgabe desselben Buches verglichen. Von sehr seltenen
Büchern, die er nicht in seinen Besitz bringen konnte,
machte er oft mit eigener Hand Kopieen. Er betrachtete
die erotische Litteratur vom philosophischen Standpunkte

---

[1]) „Catalogne de Dessins, Manuscrits et Livres qu'on
est obligé de cacher: ou Notice sur des ouvrages libres, licencieux
ou même obscènes par un Bibliomane quelque peu Bibliographe." —
Vergl. Fraxi „Index" S. 449. — Ueber den Anteil Hankey's
an dem tribadischen Roman „L'Ecole des Biches" berichte ich in
meiner „Sittengeschichte Frankreichs unter dem zweiten Kaiserreich."

aus als die deutlichste Illustration der menschlichen
Natur und ihrer Schwächen. Er besass eine sehr grosse
Sammlung erotischer Bücher, die aber mehr umfangreich
als ausgewählt war, da er auf den Inhalt des Buches
mehr Wert legte als auf den äusseren Schmuck, wenn
er auch keineswegs eine derartige Beigabe verschmähte.
Da Campbell sich niemals weigerte, Bücher zu ver-
leihen, kam es nicht selten vor, dass ihm solche ab-
handen kamen. Auch in der Mitteilung seiner Kenntnisse war er ebenso freigebig und sparte weder Zeit
noch Arbeit, um bei etwaigen Nachforschungen behilflich
zu sein. Fast alle englischen Erotica, die man in Gay's
„Bibliographie de l'Amour" findet, wurden von J. Campbell mitgeteilt, wie dies auch in der Vorrede zur dritten
Ausgabe derselben erwähnt wird. Das Handexemplar
Campbell's, das später in den Besitz von Pisanus
Fraxi überging, weist zahlreiche Nachträge und Verbesserungen auf. Das Hauptresultat seiner bibliographischen Forschungen hat Campbell aber in einem
dreibändigen Manuskript niedergelegt, welches er kurz vor
seinem Tode Pisanus Fraxi übergab, der es für die
Ausgabe seiner „Catena librorum tacendorum" benutzte.[1]
Auch für Gay's „Iconographie des estampes à sujets
galants etc." (Genf 1868) lieferte Campbell Material.[2]
Endlich hat Campbell selbst für den Verleger William
Dugdale mehrere erotische Erzählungen verfasst, war
auch einer der Mitarbeiter der Zeitschrift „The Exquisite."

---

[1] Bibliographical Notes by James Campbell. 3 Bände.
Ms. Zwei Bände sind den erotischen Schriften im allgemeinen ge-
widmet. Der dritte enthält „Bemerkungen über die illustrierten
Ausgaben erotischer Werke in meiner Sammlung."

[2] Gay „Bibliographie de l'Amour" Bd. IV S. 109.

Er war mit Edward Sellon und den Autoren von „Cythera's Hymnal" intim befreundet.[1]

Endlich sind noch zwei englische Liebhaber von Erotica zu erwähnen, welche in ihrem äusseren Leben sehr ähnlich sind, da sie beide höchst erfolgreiche Kaufleute, eifrige Sammler und enthusiastische Reisende waren. Es sind dies William S. Potter und der berühmte Pisanus Fraxi.

Potter, geboren den 21. Januar 1805, gestorben den 16. Januar 1879 zu Catania, besass eine sehr grosse Sammlung von erotischen Bildern, Kupfern, Photographieen und zahlreichen anderen erotischen Objekten, die er auf seinen ausgedehnten Reisen gesammelt hatte. Er war ein grosser, schöner Mann, dem in den letzten Lebensjahren seine weissen Locken ein ehrwürdiges, patriarchalisches Aussehen gaben.[2] Das Glanzstück seiner Sammlung waren die berühmten erotischen Bilder, die Boucher auf Veranlassung der Marquise de Pompadour malte und die Ludwig XVI. später aus dem Palais de l'Arsenal mit dem Befehle entfernen liess: „Il faut faire disparaître ces indécences." Dieser Wunsch des Monarchen sollte erst 100 Jahre später wörtlich in Erfüllung gehen. Potter's Sammlung wurde nämlich von einem Buchhändler in Edinburgh für einen amerikanischen Amateur gekauft und nach Amerika gebracht. Im New Yorker Zollhause wurde die obscöne Natur dieser kostbaren Kunstwerke entdeckt. Sie wurden nach dem englischen Hafen, von wo sie gekommen waren, zurückexpediert und hier von den englischen Behörden vernichtet![3]

---

[1] Fraxi „Catena" S. XLVII—XLXI, mit Portrait Campbell's nach Photographie.
[2] Fraxi „Catena" S. XLIX—L.
[3] ibidem S. 188.

82*

Potter ist der Verfasser des sadistischen Romanes „The Romance of Lust," den er auf einer Reise nach Japan verfasste. Von Dezember 1875 bis April 1876 besuchte er Indien und schrieb während des Aufenthaltes daselbst einige interessante „Briefe," die er 1876 drucken liess „for private circulation."

Unstreitig der grösste Bibliograph und Bibliophile auf erotischem Gebiete, den es je gegeben hat, ist Pisanus Fraxi[1]), der gelehrte Verfasser des „Index," der „Centuria und der „Catena," dreier in ihrer Art einzig dastehender, bewunderungswürdiger bibliographischer Prachtwerke.

Fraxi (geboren den 21. April 1834, gestorben in seinem Landhause Fowlers zu Hawkhurst in Kent am 29. Juli 1900) war von Beruf ein Londoner Grosskaufmann und lange Jahre Chef der Weltfirma Charles Lavy & Co., Coleman Street, London, für welche er eine höchst erfolgreiche kaufmännische Thätigkeit entwickelte. Durch ausgedehnte Reisen in allen Erdteilen erwarb er sich eine überaus gediegene Welt- und

---

[1]) Dieses Anagramm ist leicht in seine beiden lateinischen Bestandteile aufzulösen, was ich dem Scharfsinn des Lesers überlasse. Als ich Fraxi von dem Plane des vorliegenden Werkes in Kenntnis setzte, den er billigte, schrieb er mir zugleich: „That you have no intention of associating my name with that of P. F. I am thankful. That must never be done." Es ist dies derselbe Standpunkt, den auch ich gegenüber meinem Pseudonym einnehme. Jedermann kann leicht erfahren, wer Pisanus Fraxi, wer Eugen Dühren ist. Keiner von uns hat jemals ein so strenges Geheimnis daraus gemacht. Das Pseudonym soll lediglich zum Ausdruck bringen, dass der Verfasser sich bei der Abfassung der Schrift ausserhalb seines eigentlichen Berufes befand. Dem Wunsche meines verstorbenen Freundes gemäss werde ich daher im Folgenden seinen wahren Namen nicht nennen, obgleich an vielen der von mir citierten Schriften und Nachrufe derselbe zu finden ist. Die Neugierde kann also leicht befriedigt werden.

Menschenkenntnis, die seinem grossen Hauptwerke in erfreulicher Weise zu gute gekommen ist. Er kannte alle Hauptstädte Europas, unternahm längere Reisen in Indien, China, Japan, Tunis, Cypern, Ägypten, Nord- und Südamerika und in noch anderen Ländern.[1] Vor allem aber zog ihn sein Herz nach Spanien, welches er so genau kannte wie seine Vaterstadt London, dessen Sprache er vollkommen beherrschte und mit dessen Litteratur, vor allem mit Cervantes, er sich besonders in dem letzten Decennium seines Lebens beschäftigte, was ihm auch die Ernennung zum Mitgliede der Königlich Spanischen Akademie in Madrid eintrug.[2]

Fraxi war einer der erfolgreichsten und glücklichsten Büchersammler des 19. Jahrhunderts, wozu ihn ein vornehmer, in künstlerischen und litterarischen Dingen feingebildeter Geist in besonderem Masse befähigte, der ihn jedoch nicht abhielt, sich auf dem Gebiete der Bibliophilie und Bibliographie als ein überaus gründlicher, kritischer Forscher zu bethätigen, dessen Angaben die denkbar zuverlässigsten sind.

Er hatte in seinem Hause in London, Bedford

[1] Die chinesische Reise ist sehr anschaulich beschrieben in: „A Ride to Peking" London 1881, und „The Metropolis of the Manchus" 1882. Die nach sorgfältiger antiquarischer und bibliographischer Vorbereitung mit Alexander Graham unternommene Reise zeitigte die „Travels in Tunisia" London 1887 und „A Bibliography of Tunisia" London 1889. Höchst anmutig ist auch die Schilderung „A Sunday at Coney Island" im „Temple Bar Magazine" 1882.

[2] Als Hauptfrucht dieser Beschäftigung mit der spanischen Litteratur sei hier nur die unvergleichliche „Iconography of Don Quixote" London 1895, 4⁰, XI, 202 S., mit den 23 vorher unveröffentlichten Originalkupfern von Alejandro Blanco erwähnt, von der ich als Geschenk des Verfassers und mit dessen eigenhändiger Widmung versehen eins der wenigen herrlichen Exemplare auf Japanpapier mit einem Extraportrait besitze, welch letzteres in den gewöhnlichen Exemplaren fehlt.

Square No. 53 eine herrliche Bibliothek und eine ausge-
wählte Sammlung von Gemälden zusammengebracht, die er
1895 zu einem grossen Teile nach seiner Villa in Hawkhurst
überführte. Er pflegte oft Bücherfreunde und die Mitglieder gelehrter Gesellschaften zur Besichtigung seiner
Schätze einzuladen und ihnen glänzende Diners zu geben.
Auch zu den französischen Bücherfreunden unterhielt
Fraxi innige Beziehungen. So war er eines der wenigen
ausländischen Mitglieder der „Société des Amis des
Livres" und hat uns im Maiheft 1882 des „Bibliographer"
das Jahresdiner dieser Gesellschaft vom 7. März 1882
in sehr anschaulicher Weise geschildert, an dem u. A.
der Herzog von Aumale, Eugène Paillet, Alfred
Piet, Octave Uzanne, Charles Cousin, A. Bégis,
Henri Houssaye, Baron Roger Portalis, Henri
Béraldi, Jules Brivois, Fernand Drujon und last,
but not least Gustave Brunet teilnahmen.

Was nun die Art und Weise seines Büchersammelns
betrifft, so hat er dieselbe kurz in einem Briefe vom
30. Juni 1900 an den Verfasser des vorliegenden Werkes
gekennzeichnet, als dieser ihm einige seltene Bücher, die
sich auf „Don Quixote" bezogen, gesandt hatte. „Unbound,
uncut, and with clean outer wrappers" d. h. ungebunden,
unbeschnitten und mit sauberen Umschlägen versehen
mussten die von ihm gesuchten Bücher sein, die er dann
selbst nach eigenen Angaben auf kostbare Weise einbinden und häufig mit Originalzeichnungen hervorragender französischer Künstler versehen liess, mit
völliger Erhaltung des Originalumschlages. [1]

---

[1] „Mais c'est un chercheur", sagt H. B. Gausseron in
einem geistreichen Artikel über Fraxi's Bibliothek, „et un nova-
teur, s'enfonçant hardiment dans les voies nouvellement ouvertes et
mettant son ambition à en ouvrir d'autres. Il collectionne surtout

Was nun den Inhalt der Bibliothek von Pisanus
Fraxi betrifft, so besass er wohl die grösste Sammlung
englischer Erotica des 18. u. 19. Jahrhunderts. Auch von den
wertvolleren erotischen Schriften des Auslandes dürften
wenige gefehlt haben. Alles, was er in den drei grossen
Bänden seiner Bibliographie beschreibt, war in seinem
Besitze. Ein grosser Teil davon ist in dem vorliegenden
Werke besprochen worden. Auch seine Kollektion erotischer Bilder und Zeichnungen ist namentlich in künstlerischer Hinsicht höchst bemerkenswert. Eine grosse
Zahl von Gemälden hervorragender englischer und ausländischer Maler ging nach dem Tode Fraxi's laut
testamentarischer Verfügung in den Besitz des South
Kensington Museum (wo sie in einem eigenen Saale vereinigt sind) und in denjenigen der Nationalgallerie über.
Prachtstücke der nichterotischen Bücherkollektion
Fraxi's sind Nichols' „Literary Anecdotes", die ursprünglich aus 9 Bänden bestanden, aber durch Beifügung von 5000 Bildnissen und Ansichten auf 34 von
Roger de Coverley herrlich gebundene Bände gebracht
wurden, ferner die von Chauvet, Paul Avril u. A. in
Fraxi's Auftrag mit Zeichnungen und Aquarellen ver-
sehenen Luxusausgaben der von der „Société des Amis
des Livres", von Uzanne's „Bibliophiles Contemporains"

les livres en langues étrangéres, et est au premier rang de ceux
qui maintiennent en Angleterre, les traditions et les goûts de la
bibliophilie française. S'il veut avoir les „Contes Rémois" — et il
les veut avoir, — il les lui faut illustrés, dans les marges, de
dessins à la plume par Chauvet. S'il tient à avoir tous les livres
récents — et il y tient — il les habille de reliures fantaisistes
dans l'examen desquelles Cobden-Sanderson, le théoricien de
la reliure en Angleterre, pourrait puiser plus d'une inspiration, et
a grand soin d'y faire insérer la couverture originale, dos compris."
B. H. Gausseron „Bibliophiles et Éditions en Angleterre" in:
Le Livre Moderne par Octave Uzanne 1890 Bd. II S. 157—158.

herausgegebenen französischen Werke. Die „Contes
Rémois" des Grafen de Chevigné liess Fraxi durch
Chauvet mit reizenden Bildern ausstatten, so dass
jedes Gedicht durch eine Zeichnung veranschaulicht wird.
Selten ist Sainte-Beuve's „Livre d'Amour", das mit
seinen „Portraits de Femmes" zusammengebunden ist;
das Exemplar Fraxi's enthält die eigenhändigen Verbesserungen des Verfassers. Einzig in ihrer Vollstän-
digkeit ist die Sammlung aller Ausgaben der Werke
des Cervantes und ihrer Illustrationen, ebenso giebt
es wohl kaum irgendwo eine so vollständige Kollektion
der Zeichnungen und Kupfer von Chodowiecki.

Fraxi, der den Winter gewöhnlich auf Reisen,
zuletzt fast immer in Spanien, verbrachte, führte im
Sommer in London ein sehr regelmässiges Leben. Ein
Morgenritt im Hyde Park, einige Stunden in seinem Ge-
schäftsbureau in der City, Mittagessen mit einigen Freunden in seinem Hause oder in einem der zahlreichen Klubs,
denen er angehörte, am Abend Teilnahme an den Sitzungen
der „Royal Society," der „Society of Antiquaries," der „Bibliographical Society," der „Ex Libris Society" u. a. m.
bildeten das gewöhnliche Tagesprogramm in London.

Fraxi war ein auffallend schöner Mann mit einem
sehr sympathischen Gesicht, welches einen gewinnenden
Ausdruck von Güte, Wohlwollen und Offenheit zeigte.
Auf seinen zahlreichen Bücherzeichen [1]), die meist sein
Bild nebst den aus seinem Namen zusammengesetzten
Symbolen (Biene und Esche) aufweisen, ist keine Porträt-

---

[1]) Es existieren solche von Chauvet, Paul Avril, Sherborn
u. A. Einige sind in dem „Journal of the Ex-Libris Society" Bd. IX
September 1900, S. 127, 128, 129 abgebildet. Vergl. auch die Abb. 101
auf S. 66 des Werkes über „Exlibris" von W. von zur Westen
(Bielefeld und Leipzig 1901).

ähnlichkeit vorhanden. Diese zeigt am meisten eine Photographie von Elliott und Fry in London (in meinem Besitze).

Fraxi's letzte Krankheit war ein Herzleiden, das als Folge einer Influenza und Lungenentzündung ziemlich plötzlich im Frühjahr 1900 sich entwickelt hatte und schon nach wenigen Monaten qualvoller Leiden am 29. Juli seinen Tod im · 67. Lebensjahr herbeiführte. Nach Einäscherung der Leiche im Crematorium wurde die Urne in Kensal Green, dem grossen Londoner Friedhofe beigesetzt. [1]

Ein durch die Methode der Bearbeitung, durch Zuverlässigkeit und Gründlichkeit, durch die prachtvolle Ausstattung für alle Zeiten vorbildliches bibliographisches Werk hat Pisanus Fraxi in den drei herrlichen Bänden seiner erotischen Bibliographie hinterlassen, die in dem vorliegenden Werke so vielfach benutzt worden ist. Es sind die folgenden drei Bände:

1. Index Librorum Prohibitorum: being Notes Bio-Biblio-Iconographical and Critical, on Curious and Uncommon Books. By Pisanus Fraxi. London: Privately Printed: MDCCCLXVII.

4°, LXXVI, 542 Seiten und 4 unnummerierte Seiten „Additional Errata" und „Contents." Gestochenes Frontispiz von Chauvet, eine Abbildung des „Berkeley Horse" zwischen S. XLIV und XLV. (Auflage: 250 Exemplare).

Hauptsächliche bibliographische Specimina: Sämt-

---

[1] Die vorstehenden Notizen beruhen teils auf Briefen Fraxi's und seiner Angehörigen, teils auf folgenden Quellen: Gausseron a. a. O. S. 157—158; „Ex-Libris Journal" a. a. O. S. 127—129; „Bookmen etc. in the United Kingdom." Rochdale. 1896, S. 9 Vossische Zeitung No. 476 vom 5. Oktober 1900.

liche Werke von E. Sellon, John Davenport,
Bibliographie des „Essay on Woman," zahlreiche Schriften
über Flagellation. [1])

2. Centuria Librorum Absconditorum: Being
Notes Bio-Biblio-Iconographical and Critical, on Curious
and Uncommon Books. By Pisanus Fraxi. London:
Privately Printed: MDCCCLXXIX.

4°, LX, 593 und 2 unnummerierte Seiten „Sodom"
und „Contents." Gestochenes Frontispiz von John
Lewis Brown, zwei Reproduktionen von Flagellations-
bildern „Molly's first Correction" (zwischen S. XVI und
S. XVII) und „Lady Termagant Flaybum" (zwischen
S. 456 und 457), 1 Facsimile von p. 227 der „Gynae-
cologia" von Martin Schurig (zwischen S. 6 und 7),
5 Facsimiles der Titelblätter von Ausgaben der „Historie
van B. Cornelis Adriaensen" (zwischen S. 214 und 215),
1 Facsimile von p. 97—100 des „Toast" von W. King
(zwischen S. 316 und 317). In nur sehr wenigen
Exemplaren, die der Verfasser einigen Freunden
schenkte (eins davon befindet sich in meinem Besitze)
sind zwischen S. 402 und 403 drei unnummerierte
Seiten eingeschaltet, welche die Beschreibung
eines Albums erotischer Aquarelle von C. A. Coypel
enthalten. Hierdurch wird der Wert des betreffenden
Exemplares bedeutend erhöht.

Aus dem Inhalte der „Centuria" ist besonders hervorzu-
heben die komplete Bibliographie der Werke des Polyhistors
Martin Schurig, zahlreiche Werke über katholische
Sexualcasuistik, King's „Toast," Rochester's „Sodom,"

---

[1]) Vergl. die Besprechung von G. Brunet im „Bulletin du
Bibliophile" August—September 1877.

Rowlandson's obscöne Bilder, Bibliographie der Flagellation.[1]

3. Catena Librorum Tacendorum; Being Notes Bio-Biblio-Iconographical and Critical, on Curious and Uncommon Books. By Pisanus Fraxi. London: Privately Printed: MDCCCLXXXV.

4°, LVII, 593 und 2 Seiten „Errata" und „Contents and Arrangement." Ein gestochenes Frontispiz von Félix Oudart, ein Portrait von Octave Delepierre auf S. XLIV und von James Campbell auf S. XLVII und Facsimile des Titels von Antonio de Sotomaior's „Polygamia" (vor Seite 1).

Inhalt: Bibliographie verschiedener Schriften des 17. und 18. Jahrhunderts über verschiedene sexuelle Verhältnisse, sodann fast ausschliesslich eine erschöpfende Bibliographie englischer Erotica des 18. und 19. Jahrhunderts (vor allem Cleland's Werke), ein Verzeichnis spanischer Erotica (S. 373—394) und Varia.

Niemand, der sich ernsthaft mit Bücherkunde beschäftigt, sollte diese drei herrlichen Musterwerke[2] ungelesen lassen, namentlich nicht die klassischen „Einleitungen" zu jedem Bande, deren Neudruck bei der

---

[1] Recensionen des „Index" und der „Centuria" in: „The Academy" 7. Februar 1880, S. 104; „Le Livre" 1880 S. 107 und S. 323; „The Saturday Review" 7. Februar 1880 S. 196; „Bulletin du Bibliophile" März—April und September—Oktober 1879; „The Bibliographer" 1884, S. 187; Grego „Rowlandson the Caricaturist" Bd. II, S. 412; „Utilité de la Flagellation" Brüssel, Gay et Doucé, 1879, S. 112—126 (Auszug der Bücher und Bemerkungen über Flagellation).

[2] Leider sind dieselben bei der geringen Auflage sehr selten geworden und figurieren in den Katalogen zwischen 450 und 700 Mark. Ich besitze wohl das wertvollste Exemplar, nämlich das eigene Handexemplar von Pisanus Fraxi, welches handschriftliche Verbesserungen enthält.

Seltenheit des Werkes dringend zu empfehlen wäre.
Fraxi hatte, bevor er sein Werk unternahm, die bibliographischen Methoden seiner Vorgänger gründlich studiert.
Er ist ein genauer Kenner und Kritiker der Schriften
eines Bayle, Quérard, Barbier, J. C. Brunet,
Peignot. Nodier, Paul Lacroix, G. Brunet, Gay,
Hayn, Dibdin, Lowndes, Watt, Allibone u. A. Er
erhebt mit begeisterten Worten echte „Bücherkunde"
zum Range einer vornehmen Wissenschaft[1]), die auch
eine wirkliche Kenntnis des Aeussern und des Innern
eines Buches liefern müsse.

Bei der Ausführung dieses Unternehmens kam ihm
eine sehr umfassende Bildung, die gründliche Kenntnis
der modernen Sprachen und Litteraturen, eine scharfe
Beobachtungsgabe und kritisches Unterscheidungsver-
mögen zu statten. Hierdurch gelangte er zu einer
höchst unbefangenen und rein wissenschaftlichen
Betrachtung des Erotischen in Litteratur, Kunst
und Leben, welche für alle Werke dieser Art vorbild-
lich sein sollte. Was er mit Energie für die relative
Berechtigung und die litterar- und kulturgeschichtliche
Bedeutung der Erotica vorbringt[2]), wird von jedem
ernsthaften und nicht in schädlicher Prüderie befangenen

---

[1]) „It was Southey, J believe, who said that next to writing
an epic poem was the talent to appreciate one; and this remark
may not inappropiately be applied to bibliography. It is not in
the competency of every one, however fond of books, adequately to
catalogue, describe, and classify them. But to extract from them
their pith and marrow, and to put the same in a useful, con-
venient, and readable form, so as to be a lasting and trustworthy
record (and this J take to be bibliography in its highest sense), is
a noble and elevating pursuit, which requires tact, delicacy, dis-
crimination, perspicuity, not to mention patience and untiring
assiduity." Index „Introduction" S. XII—XIV.
[2]) ibidem S. XIX—XXVII.

Forscher unterschrieben werden, zumal da er ausdrücklich die Schädlichkeit dieser Schriften für die unreife
Jugend und für ungebildete Individuen hervorhebt,
daher ihre Geheimhaltung vor diesen verlangt. Sehr
gut hat er alles dieses in den Versen „An den Leser"
auf dem Verso des Titelblattes der „Catena" ausgedrückt:

> Dear brother of the gentle craft
> Collector, student, „bouquiniste",
> Or book-worm, virtuoso daft
> As oft unletter'd dolts insist,
> For thee I've writ this bulky tome
> (And others twain). On topmost shelf
> For it I beg a secret home,
> Secure from idle, meddling elf,
> Who, wanting purpose, vainly pries,
> Or maiden green, or artless youth,
> Or him who would, Procrustes-wise,
> A limit set to search of truth,
> And make all letters his own size.
> No book exists, however bad,
> From which some good may not be had
> By him who understands to read.
> May this, oh brother, be my meed:
> That in thy calm, impartial sight
> I may be judged to read aright.

Sehr treffend vergleicht er die obscönen Bücher
mit Giften der Natur, die ja auch genau studiert werden,
aber nur denen anvertraut werden, die ihre schädlichen
Wirkungen genau kennen, beherrschen und paralysieren
können.

Dementsprechend hat Pisanus Fraxi die erotische
Litteratur nach diesen Gesichtspunkten bearbeitet, überall
auf das kulturgeschichtlich und psychologisch Interessante

in den einzelnen Schriften hingewiesen, sehr glücklich
auch oft die Natur derselben aus der Persönlichkeit
ihrer Verfasser oder aus deren Lebensumständen abgeleitet, sehr fein endlich auf die nationalen Eigentümlichkeiten hingewiesen, welche in diesem Zweige der
Litteratur vielleicht am allerdeutlichsten in die Erscheinung
treten. Sein Stil ist kurz, knapp, klar, überall auf die
Wiedergabe des Thatsächlichen, Wesentlichen gerichtet
und verrät in der eleganten, präzisen Ausdrucksweise
deutlich den feinen litterarischen und künstlerischen
Geschmack des Verfassers, so dass die Lektüre dieser
rein bibliographischen Bände einen wirklichen Genuss
bereitet, wobei man von dem beruhigenden Bewusstsein
begleitet wird, durchgängig es mit einem durchaus
zuverlässigen Forscher zu thun zu haben.

In der That ist Fraxi's Bibliographie die gründlichste mir bekannte Schrift dieser Art. Alle darin
besprochenen Werke kennt Fraxi aus eigener Anschauung, während viele frühere Bibliographen, so vor
allen der oft unzuverlässige Gay, nur nach Angaben in
Katalogen u. s. w. urteilten. Sodann geht Fraxi in
genauester Weise auf die Vergleichung der verschiedenen
Ausgaben derselben Schrift, auf deren Schicksale, Verfasser und Verleger ein, und sucht bei mangelnden Zeit-
angaben aus einer pragmatischen Kritik des Inhaltes die
Schrift chronologisch zu fixieren. Eine höchst wertvolle
Beigabe bildet das in jedem Bande befindliche umfang-
reiche Verzeichnis der bibliographischen Hülfsmittel
(„A List of Authorities consulted" im „Index" S. 439—476,
in der „Centuria" S. 477—518, in der „Catena" Seite
489—532), das zum Teil wieder eigene kritische Unter-
suchungen enthält und nach den folgenden vom Autor

in der „Catena" S. 488 in poetischer Form ausgesprochenen Grundsätzen angefertigt ist:

On Quoting Authorities.

Unless you've read it with your eyes
Set nothing down, nor ought surmise.
Imagination leads to lies
In Bibliography. The wise
Know well this golden rule to prize.
But if a beaten path you tread,
(You surely much if much you've read)
And needs must say what has been said
Give your Authority — be terse —
Quote Author, Title, chapter Verse,
That each one to the fountain head
At once and surely may be led,
And read himself what you have read.

Endlich dürfte der „General Alphabetical and Analytical Index", mit dem Fraxi jeden Band ausgestattet hat, in Beziehung auf Gründlichkeit und Uebersichtlichkeit seinesgleichen nicht haben. Er ist im wahren Sinne des Worts eine concise, abgekürzte Wiederholung des ganzen Inhaltes des betreffenden Bandes. Er umfasst die Namen (und Pseudonyme) der Autoren, Künstler, Verleger und Buchhändler, der gelegentlich erwähnten Personen, die Titel der ausführlich besprochenen oder beiläufig erwähnten Bücher, mit Bezug auf ihren Inhalt oder hauptsächlichen Charakter (unter verschiedenen Stichworten), die Untertitel, die zitierten Werke, Verlagsorte (wirkliche und fiktive), falsche Drucke und die Realien, die in den einzelnen Schriften enthalten sind. (Im „Index" S. 477—535, „Centuria" S. 519—585, „Catena" S. 533—593).

So hat Pisanus Fraxi die eigentliche Aufgabe des Bibliographen, dem Leser die genaueste Kenntnis der äusseren und inneren Form der Bücher zu verschaffen, in geradezu idealer Weise gelöst. Nach seinen schönen Schlussworten in der Einleitung zur „Centuria" ist der Bibliograph nicht der Gastgeber, sondern nur der Diener desselben, dessen Pflicht es ist, die Gäste vor diejenigen zu führen und sie mit denen genau bekannt zu machen, deren Pflicht es ist, ihre Gäste zu unterhalten.

Zwölftes Kapitel.

Soziologische Theorieen.

In Kürze soll in diesem Kapitel noch auf einige bemerkenswerte soziale Beziehungen des Geschlechts-lebens in England hingewiesen werden, die hier früher als in jedem anderen Lande in das Bewusstsein der Theorie übergegangen sind. Denn die britische Nation ist ja das eigentliche „nationalökonomische" Volk par excellence. Es konnte daher nicht ausbleiben, dass auch ein so wichtiges Gebiet wie das sexuelle, welches ja gewissermassen den Kern des gesellschaftlichen Lebens bildet, in den Bereich der soziologischen Theorieen gezogen wurde.

So hat schon Thomas Morus in der „Utopia" dem Verhältnisse der Geschlechter seine volle Aufmerksamkeit zugewendet. Er erkannte bereits die ungeheure soziale Bedeutung der geschlechtlichen Liebe in Hinsicht der Erzielung einer gesunden Nachkommenschaft, zum Zwecke welcher er sogar vor dem einen gewissen berechtigten Kern in sich schliessenden Vorschlage nicht zurückscheute, dass Jüngling und Jungfrau, in Gegenwart je eines älteren Mannes bezw. einer älteren Frau, vor der Hochzeit sich einander nackt zeigen sollten und erst

88

nach dem Ausfall dieser gewiss gründlichen Erforschung der
beiderseitigen Leibesbeschaffenheit die Frage der end-
gültigen Eheschliessung entschieden werden dürfe.[1]

Man muss gestehen, dass vom Standpunkt der Volks-
wohlfahrt — und nur ein solcher, nicht etwa ein rein
„poetisches" Motiv, wie es Gutzkow in seiner „Wally"
für einen ähnlichen Vorgang massgebend sein lässt,
kommt hier in Betracht — diese Idee durchaus nicht
zu verwerfen ist, wenn sie auch in anderer Form, z. B.
der einer getrennten ärztlichen Untersuchung beider
Teile verwirklicht werden könnte.

Wohl in keinem Lande ist in früheren und heutigen
Zeiten die Polygamie (meist in der Form der Bigamie)
so häufig vorgekommen wie in England.[2] Das Thema
war schon im 17. Jahrhundert aktuell, wie John Lyser's
berühmte Monographie über Polygamie[3] beweist, die im
Jahre 1682 erschien und eine glühende Apologie der
Vielweiberei darstellt. Lyser durchreiste, um Propa-
ganda für seine Ideen zu machen, einen grossen Teil
Europas, fand aber überall eine schlechte Aufnahme.
Christian V. von Dänemark liess Lyser's Werk

---

[1] Vergleiche Thomas Morus „Utopia," Leipzig (Reclam)
S. 109 ff.

[2] Schon Chaucer lässt humorvoll das Weib von Bath in
den „Canterbury Tales" sagen:
Doch weiss ich dies: Gott thät' express uns lehren,
Wir sollten fruchtbar sein und uns vermehren,
Das ist ein Text, den ich verstehen kann.
Auch sagt er dies: verlassen soll mein Mann
Vater und Mutter und nur mir anhangen.
Von einer Zahl hört' ich ihn nichts verlangen,
Sei's Bigamie oder Oktogamie.
Mit welchem Recht daher beschimpft man sie?

[3] Th. Alethaeus (John Lyser) „Polygamia triumphatrix"
London 1682, 4°.

öffentlich verbrennen und drohte, ihn zu hängen. Nach
Bayle sind die Phantasien Lyser's um so merkwürdiger,
als derselbe — impotent war und kaum ein einziges Weib
befriedigen konnte, geschweige denn mehrere. Zwei
andere englische Autoren sprachen sich später zu Gunsten
der Theorie von Lyser aus, nämlich Martin Madan,
Doktor der Theologie, in seinem Buche „Thelyphthora"
(1780, 3 Bände), worin er bewies, dass die vom mo-
saischen Gesetze autorisierte Polygamie den Christen
nicht verboten werden könne. Auch Madan's Werk
wurde konfisziert und blieb nur in wenigen Exemplaren
erhalten. Einen anderen Verteidiger fand Lyser später
in Sir Arthur Stephen Brookes in dessen „Sketches
of Spain and Morocco" [1].

Eine interessante Diskussion über Polygamie findet
sich auch in Mrs. Manley's „Atalantis", wo Hernando
dieselbe verteidigt, indem er sich dabei auf Sambrook's
Schrift zur Apologie der Vielweiberei beruft. [2]

Im 18. und 19. Jahrhundert kamen Fälle von
Bigamie sehr häufig in England vor, welcher auffällige
Umstand auch von verschiedenen neueren Schriftstellern
hervorgehoben wird. [3] v. Schütz [4] berichtet den folgenden
interessanten Fall von Umgehung des Gesetzes seitens
eines Polygamisten. „Weil alle Gesetze in England
buchstäblich erklärt werden, so ist es sehr leicht, sich
in allen Fällen der strafenden Gerechtigkeit zu ent-

---

[1] Vergl. Philomneste junior (G. Brunet) „Les fous
littéraires" Brüssel 1880, S. 4—6.

[2] „Atalantis" S. 726—727.

[3] Rémo a. a. O. S. 91ff; O'Rell a. a. S. 196 ff.

[4] v. Schütz a. a. O. S. 256.

38*

ziehen: denn ausser diesem buchstäblichen Sinne haben
die Gesetze in England gar keine Kraft, und wie bequem kann man solchen nicht ausweichen!.. So ist
z. B. die Todesstrafe darauf gesetzt, wenn einer zwei
Weiber geheiratet. In London war einer dieses Verbrechens überwiesen worden; weil er aber so klug war,
sogleich ein drittes Frauenzimmer zu heiraten, und
von der Dreiweiberei in den Gesetzen nichts gesagt
worden, so entging er glücklich dem Galgen. — Ein
nachheriger Parlamentsakt hat sich des Worts Polygamie
bedient, und seitdem lässt sich also die Drei- oder Vier-
weiberei in England nicht mehr exerzieren."

Der berühmteste Prozess wegen Bigamie in neuester
Zeit war derjenige gegen den Earl Russell, der 1901
vor dem Hause der Lords stattfand und mit der Ver-
urteilung des vornehmen Angeklagten zu einer Gefängnisstrafe endete.

Eine höchst eigentümliche Erscheinung auf dem
Gebiete der sexual-sozialen Theorieen bilden die Schriften
des Londoner Arztes Bernard de Mandeville (1670 bis
1733), der ein Apostel des Egoismus in seiner berühmten
„Bienenfabel" die sieben Todsünden canonisiert hat, wie
Baudrillart treffend bemerkt.[1] Diese Schrift erschien
zuerst 1706 unter dem Titel „The grumbling hive or
Knaves turned honest" (der summende Bienenstock oder
ehrlich gewordene Schelme), deren Tendenz durch die
folgende Nutzanwendung zur Genüge gekennzeichnet wird:

„Thörichte Sterbliche, lasst eure Klagen! Umsonst
sucht ihr Grösse und Rechtschaffenheit zu verbinden.
Nur Narren können sich schmeicheln, die Reize der Erde

[1] H. Baudrillart „Histoire du luxe" Paris 1878 Bd. I, S. 3.

zu geniessen, berühmt im Kriege zu werden, behaglich zu leben und doch zugleich tugendhaft zu sein. Steht ab von diesen leeren Träumereien! Trug, Ausschweifung und Eitelkeit sind nötig, damit wir aus ihnen süsse Frucht ziehen. Freilich ist der Hunger eine widerwärtige Unbequemlichkeit; aber könnten wir ohne ihn uns nähren, verdauen, gedeihen? Wie hässlich ist der Weinstock, aber wie lieblich sein Erzeugnis, der Wein. Das Laster ist für die Blüte eines Staates ebenso notwendig, wie der Hunger für das Gedeihen des Menschen. Es ist unmöglich, dass die Tugend allein ein Volk glücklich und ruhmreich mache. Wollen wir wieder in das goldene Zeitalter der Unschuld zurückkehren, so müssen wir auch darauf gefasst sein, wieder von wilden Eicheln zu leben, wie unsere Vorfahren."

In der zweiten Ausgabe, die unter etwas verändertem Titel als „The fable of the bees or private vices public benefits" (Die Bienenfabel oder Übelthaten Einzelner als öffentliche Wohlthaten) im Jahre 1714 erschien, verschärfte er noch diese radikale Ansicht von der Notwendigkeit des Lasters für den Fortschritt der Menschheit, welche Lehre besonders in Frankreich bei Voltaire und den Encyklopädisten Eingang fand und ihre extremste Fortbildung in den berüchtigten Schriften des Marquis de Sade erfuhr, dessen philosophische Deduktionen durchgängig eine solche Apologie des Lasters darstellen.[1]) Übrigens haben auch in England im An-

---

[1]) Vergl. über Mandevilles philosophische Lehren die Darstellung bei L. Noack, „Philosophie - geschichtliches Lexikon", Leipzig 1879, S. 580—581; W. Windelband, „Geschichte der Philosophie", Freiburg i. B. 1892, S. 413; K. Fischer, „Francis Bacon", Leipz. 1875, S. 686 – 687. .

schlusse an Mandeville einzelne Schriftsteller, wie
Lord Chesterfield in seinen Briefen und Swift in
der Schlussmoral des „Gulliver" ähnliche Anschauungen
entwickelt, die nach Adam Smith's Urteil über Mandeville zu den „zügellosen Systemen" (licentious systems)
gehören[1]) und die er in der „Theory of moral sentiments" (Teil VII Abschnitt III Kap. 1) einer scharfen
Kritik unterzieht.

Eine eigentümliche Anwendung der Theorieen
Mandevilles findet sich in dessen 1727 erschienener
Schrift „A Modest Defense of public stews" oder
auch betitelt „A conference upon whoring".[2]) Sie ist
sehr selten. Bekannter ist die französische Übersetzung, unter dem Titel:

„Vénus la Populaire ou Apologie des Maisons
de Ioie." A Londres (Holland). Chez A. Moore, 1727.
(Kl.-8°.) Neudruck 1751, 1767, 1796, und o. J. um 1800
in 12° oder 8° (Ausgabe von Mercier de Compiègne).
Die beste neuere Ausgabe ist die folgende, auch von mir
benutzte:

„Vénus la Populaire ou Apologie des Mai-
sons de Ioie. Bruxelles, Gay et Doucé 1881." Mit
Titelkupfer von J. Chauvet. 8°, 117 Seiten, davon
S. I—XI und S. 13—117 nummeriert.

Das Vorwort, das den „Membres de la société
établie pour la réformation des moeurs" gewidmet ist,
trägt die Unterschrift „Phil-Pornix" und wendet sich

---

[1]) Vergl. August Oncken, „Das Adam Smith-Problem" in
Zeitschrift für Sozialwissenschaft 1898, Bd. I S. 103.

[2]) Gay sagt davon (Bd. I S. 5): „Ouvrage sérieux, fort
rare; son existence même a été niée et le seul ouvrage de Mandeville sur ce sujet que l'on ait retrouvé est intitulé: „A conference upon whoring."

gegen die Bestrebungen dieser Gesellschaft auf Ausrottung der Prostitution und Beseitigung der Bordelle. Der Verfasser beruft sich auf die alten Philosophen, deren erotische Neigungen dabei aufgezählt werden. Die Prostitution sei eine Notwendigkeit, um grössere Übel zu verhindern.

Der Text ist eine nähere Ausführung dieser Idee. Mandeville hält die Hurerei für weit unschädlicher als den Alkoholismus, weil die Menschen bei der ersteren ihre Kaltblütigkeit bewahren, die ihnen durch einen Rausch verloren geht (S. 23). Die Vorteile der Bordelle bestehen darin, dass sie Orte sind, wo der Mann seinen plötzlich sich regenden Trieb ohne Gefahr beseitigen kann, oder wenigstens mit geringerer Gefahr als bei den vagierenden Dirnen (S. 46—47), die Bordelle verhindern ferner eine Mesalliance (S. 51), sie verhindern die Onanie, das Übermass und die grosse Häufigkeit des geschlechtlichen Verkehrs mit clandestinen Prostituirten oder mit Privatpersonen, sie verhüten die venerische Ansteckung (S. 59—61).

Eine starke Abneigung gegen die Ehe durchzieht die ganze Schrift. Der Verfasser erklärt z. B. auf S. 59, dass alle, auch die besten Männer durch die Ehe enttäuscht und bald ihrer Frauen mindestens in physischer Beziehung überdrüssig werden. Ein wirksamer Schutz gegen das Eintreten dieser Enttäuschung ist daher der vorherige Verkehr mit Prostituierten! „Un preuve de cette vérité, c'est la maxime établie chez les femmes que les débauchés sont les meilleurs maris" (S. 62). Die Bordelle müssen also folgerichtig als die besten Vorbereitungsinstitute zur Ehe, ja als die eigentlichen Fundamente derselben betrachtet werden (S. 64),

auch insofern, als sie die Keuschheit der anständigen
Frauen schützen (S. 65 ff.). Denn die Keuschheit der
Frauen ist nach Mandeville nur eine künstliche und
konventionelle. In Wahrheit haben nach ihm die
Frauen dasselbe heftige Bedürfnis des sexuellen Verkehrs wie die Männer (S. 67), weshalb ihre Wider-
standsfähigkeit gegen die Anstürme der Männer eine
sehr geringe ist, wobei sie allerdings sehr vorsichtig zu
Werke gehen, um ihren „Ruf" zu wahren, während sie
ihre „Keuschheit" unter dieser Voraussetzung leicht
preisgeben (S. 71—77). Es folgen dann sehr cynische
Auseinandersetzungen über die verschiedenen Arten, die
Keuschheit der Frauen anzugreifen (S. 77—79).

Da man mit Geld- und Prügelstrafen die Männer
nicht hindern kann, den ehrbaren Frauen und Mädchen
nachzustellen, muss man ihnen anderswo Befriedigung
verschaffen (S. 83 ff). Die Bordelle bieten sich als solch
eine Art von „évacuatif légal" dar (S. 89). Mandeville will die Prostitution nur auf diese beschränkt
sehen und empfiehlt deshalb, die nichtbordellierten Dirnen
entweder zwangsweise zum Eintritt in die öffentlichen
Häuser zu bewegen oder sie nach Bridewell oder Caro-
lina zu transportieren (S. 33). Den Vorteil der Bordelle
erblickt er in dem ruhigen, geregelten Leben der In-
sassinnen, in der strengen, sanitären Beaufsichtigung,
der sie darin unterworfen werden können, und in der
Möglichkeit, etwaige venerisch Infizierte gründlich zu
behandeln und zu heilen, zu welchem Zwecke er unent-
geltliche Aufnahme in die Hospitäler vorschlägt (S. 36 ff.,
S. 47—48). Er glaubt, dass etwa 100 Lupanare, in
einem besonderen Viertel Londons, mit 2000 Mädchen,
für die Bedürfnisse der Londoner Männerwelt aus-

reichend sein würden. Jedes Bordell stände unter der Aufsicht einer Matrone von Erfahrung und Energie, die im stande wäre, 20 Mädchen zu überwachen und für ihr körperliches Wohlbefinden zu sorgen. Die Bordelle sollen gleichzeitig auch als Restaurationen eingerichtet werden, wo zu mässigen Preisen Speisen und Getränke geliefert werden. Ausserdem sollen zwei Aerzte, drei Chirurgen und drei Kommissare den weiteren Apparat dieser Einrichtung bilden. Mandeville will eine Einteilung der Bordelle in vier Klassen, nach der Schönheit der Mädchen und dem Preise. In der ersten, niedrigsten, kostet der Besuch 1 Schilling und 3 Pence, in der zweiten 3 Schillinge, in der dritten $1/2$ Guinee, in der vierten 1 Guinee. Hiervon müssten die Mädchen eine geringe Steuer zahlen (S. 27—31). Bezüglich der Rekrutierung der Bordelle schlägt Mandeville den Import ausländischer Dirnen vor (S. 100).

Am Schlusse begegnet der Verfasser den religiösen und moralischen Einwänden gegen seine Vorschläge. Dem moralischen Satze: Man darf sich nicht schlechter Mittel zu einem guten Zwecke bedienen, hält er einen andern entgegen: Von zwei Übeln muss man das kleinere wählen. Das Allgemeinwohl steht über dem Individualwohl. Geschlechtliche Freiheit ist besser als das ewige Verbot, das zum Übertreten geradezu anspornt. Nach einer interessanten Übersicht der sittlichen Korruption in England, schliesst er mit den Worten: „En un mot, c'est une chose sûre que, dans le moment où j'écris, nous sommes aussi corrompus que nous le pouvons être, et que j'ai enseigné un bon moyen de devenir meilleurs (S. 117).

Ganz kurz sei noch an dieser Stelle auf einen

anderen englischen Theoretiker des Sexuallebens aus dem Ende des 18. Jahrhunderts hingewiesen, der aber mehr die natürlichen Folgen des geschlechtlichen Verkehrs in ihrer sozialen Bedeutung gewürdigt hat. Das ist Robert Malthus, der in seinem 1798 erschienenen „Essay on Population" zuerst in wissenschaftlicher Weise die Beziehungen der Volksvermehrung zu ihrer Ernährung untersucht hat und dabei zu dem bekannten, eine sehr pessimistische Perspektive eröffnenden Satze gelangte, dass die Bevölkerung sich in geometrischer, die für sie vorhandene Nahrung aber sich nur in arithmetischer Progression vermehre. Wenn die Volkszahl auf einem gegebenen Raume in 100 Jahren im Verhältnis von 1:16 wächst, kann die Nahrung in derselben Zeit nur in demjenigen von 1:4 zunehmen. Hieraus ergiebt sich, dass die Bevölkerungszahl nur durch dezimierende Einflüsse, wie Laster, Elend, Krankheit und die sogenannte moralische Enthaltsamkeit in und vor der Ehe, der Ernährungsmöglichkeit proportional bleiben kann. Obgleich diese Theorie im allgemeinen als falsch erkannt worden ist, da sie die technischen Fortschritte in der Bodenbearbeitung und der Vermehrung der Nahrungsmittel gar nicht berücksichtigt, auch die Möglichkeit einer besseren Verteilung der Güter nicht ins Auge fasst,[1] so ist sie doch vielfach für gewisse soziale Verhältnisse der neueren Zeit zutreffend. Als Hauptmittel empfahl Malthus die Enthaltung vom Geschlechtsverkehr (moral restraint) vor der Ehe und verspätetes Eingehen dieser letzteren.

---

[1] Vergl. darüber G. Schmoller, „Grundriss der allgemeinen Volkswirtschaftslehre", Leipzig 1901, Teil I S. 175 ff.; F. Oppenheimer, „Das Bevölkerungsgesetz des T. R. Malthus und der neueren Nationalökonomen". Berlin 1900.

Diese Anschauung fand in England frühzeitig Anhänger unter den Nationalökonomen und Soziologen, wie Chalmers, Ricardo, J. St. Mill, Say, Thornton u. a. Sie wurde auch in weiteren Volkskreisen lebhaft diskutiert, so dass bereits um 1825 die „Disciples of Malthus" eine typische Erscheinung des englischen Lebens waren, wie denn der Verfasser der „Doings in London" einen solchen dem Peregrin einen ergötzlichen Vortrag halten lässt.[1]

Eine weitere Entwickelung des Malthusianismus nach der praktischen Seite hin stellt der sogenannte „Neo-Malthusianismus" dar, d. h. die Lehre von den Mitteln zur Einschränkung der Kinderzahl, die von Francis Place 1822 zuerst vor der Öffentlichkeit erörtert wurde, aber erst durch die am 17. Juli 1877 erfolgte Gründung der „Malthusian League" weitere Verbreitung fand, besonders auch in Holland und Frankreich.

Die hauptsächlichsten Vorkämpfer des Neu-Malthusianismus in England sind John Stuart Mill, Charles Drysdale, Bradlaugh und Mrs. Beasant.[2] In ihrem Buche „Industrial Democracy" schreiben Sidney und Beatrice Webb: „Ohne Zweifel hat der Brauch, mit voller Ueberlegung eine Beschränkung der Grösse der Familie anzustreben, unter den Fabrikarbeitern und qualifizierten Handwerkern Grossbritanniens während der letzten 20 Jahre sehr an Verbreitung gewonnen. Wir dürfen den Leser daran erinnern, dass die malthusianische Propaganda Francis Place's und J. S. Mill's durch Charles Bradlaugh und Mrs. Annie Besant

[1] „Doings in London", S. 310.
[2] Ein originelles Spottlied auf diesen Zweig der Thätigkeit der Beasant findet sich in der Zeitschrift „The Pearl" London 1879. Bd. II S. 87.

sehr befördert und überhaupt zum ersten Male in die grosse Masse des Volkes getragen wurde. Es ist zum mindesten ein interessantes Zusammentreffen, dass das Fallen der Geburtenziffer (1877) genau mit dem Zeitpunkte beginnt, wo dieser Gegenstand durch die gerichtliche Verfolgung der genannten Propagandisten eine ungeheure Oeffentlichkeit fand."

Die bekannten Mittel des Neo-Malthusianismus sind die Anwendung des Condomes, des sogenannten Pessarium occlusivum (zur Herbeiführung der „fakultativen Sterilität"), von Insufflationen von Pulvern oder antiseptischen Flüssigkeiten in die Vagina ante oder post coitum u. a. m. Die Periode der unbedingten Verwerfung des Neomalthusianismus durch Frömmler und moralische Heuchler ist endgiltig vorüber. Nicht bloss Aerzte (aus individuell-hygienischen), sondern auch Nationalökonomen von Ruf (aus mehr socialpolitischen Rücksichten) erkennen die relative Berechtigung dieser Lehren an.[2])

Zum Schlusse sei noch einer überall beobachteten socialen Beziehung des Geschlechtslebens gedacht, die auch in England deutlich in die Erscheinung getreten ist. Das ist der Reflex desselben in dem religiösen und kirchlichen Leben, in Form der „Sexualmystik" und anderer erotisch nüancierter religiöser Phänomene. Gerade das Studium der hierauf sich beziehenden englischen Verhältnisse lehrt zur Evidenz, dass keineswegs

---

[2]) Es giebt zu denken, wenn ein Mann von der wissenschaftlichen Bedeutung Schmoller's sagt: „Man hat früher solche Vorschläge als unsittlich und strafbar angesehen und sie strafrechtlich verfolgt, sie als Eingriff in die göttliche Schicksalslenkung verurteilt. Das geht zu weit. Menschliche Voraussicht und planmässiges Handeln muss, wie überall, so auch hier erlaubt sein." Schmoller a. a. O. S. 176.

die katholische Kirche das Privilegium auf diese Sexualmystik hat, wie man aus der natürlich auch hier von
den Chronisten, Geschichtsschreibern u. A. berichteten
mittelalterlichen Unzucht in Mönchs- und Nonnenklöstern
schliessen zu können glaubt, sondern dass auch der
Protestantismus, ja jede Confession dieselben Erscheinungen aufweist. Unter den puritanischen Sekten des
17. Jahrhunderts war auch die erotische Besessenheit
durch psychische Contagion nichts Seltenes,[1] von den
Quäkern und Methodisten gilt das Gleiche. James
Lackington erzählt von den Letzteren: „Einige junge
Brüder versuchten es einmal sich als verkleidete Weiber
in den Schwestern-Bund einzuschleichen, um die naiven
Bekenntnisse der jungen Schwestern zu hören ... Vor
allem drängen sich alte Jungfern hinzu, um aufgenommen
zu werden, und diese werden, wie Lavater in seiner
„Physiognomik" sagt: „da ihre Nerven durch viele
Ursachen weit reizbarer sind als die der Frauen auch
weit enthusiastischer als die letzteren."[2] Unter den
Methodisten-Predigern waren Hunt[3] und Henley[4]
bekannt durch die Anziehungskraft, die sie ausschliesslich
auf das weibliche Geschlecht ausübten. Auch in England
hat es protestantische Sekten gegeben, die ähnlich den
„Königsberger Muckern" fast ihr ganzes religiöses Cere-
moniell in Sexualmystik aufgehen liessen. Die wichtigsten Thatsachen darüber hat W. H. Dixon in seiner
kulturgeschichtlich interessanten Schrift „Seelenbräute"
(Berlin 1868, 2 Bände) gesammelt. Er hat uns die

---

[1] Taine a. a. O. Bd. I S. 610—611.
[2] „Anekdoten des noch jetzt lebenden Buchhändlers James
Lackington u. s. w." S. 37; S. 40.
[3] Hüttner „Sittengemälde von London" S. 195 ff; S. 208.
[4] Thornbury a. a. O. S. 889.

„Stätte der Liebe" bei Bridgewater, das Treiben der Lampeter-Brüder, des Bruders Prince, das „grosse Mysterium" u. a. in so anschaulicher Weise geschildert, dass über den wahren Charakter dieser religiösen Zusammenkünfte kein Zweifel mehr bestehen kann. Aehnliche Ausschreitungen religiös-sexueller Natur beging die Sekte „Army of the Lord" in Brighton, worüber sich eine ausführliche Mitteilung im „Daily Telegraph" vom 20. April 1887 findet. Ihr Gottesdienst in der „Assembly Hall" der Edward Street in Brighton artete in wahre erotische Orgien aus.

Bibliographie.

Verzeichnis einiger häufiger benutzter Werke.

I. Bibliographische und kulturgeschichtlich-litterarische Werke.

1. **P. Fraxi's** grosse Bibliographien „Index", „Centuria", „Catena" siehe S. 505—507.

2. **(J. Gay,)**, Bibliographie des ouvrages relatifs à l'Amour, aux Femmes, au Mariage et des Livres Facétieux, Pantagruéliques, Scatologiques, Satyriques etc. Par M. Le C. d'J . . . 3me Edition. Turin J. Gay et Fils 1871; 8°, 6 Bände (Bd. VI, San Remo 1878). [Besser als die 4. Auflage, 1897—1900, in der alles Obscöne fehlt!]

3. **Hugo Hayn**, Bibliotheca Germanorum Erotica. Verzeichniss der gesammten deutschen erotischen Literatur mit Einschluss der Uebersetzungen, nebst Angabe der fremden Originale. Zweite durchaus umgearbeitete, sehr stark vermehrte, durch Beifügung der Berliner und Münchener deutschen erotischen Bücherschätze bereicherte und mit Antiquar-Preisen versehene Auflage. Bearbeitet von Hugo Hayn. Leipzig. Verlag von Albert Unflad. 1885; gr. 8°, IV, 484 S. Als Supplement gehört dazu: Bibliotheca Germanorum Gynaecologica et Cosmetica. Leipzig, Unflad, 1886, 8°, 158 S.

4. **Eduard Grisebach**, Weltlitteraturkatalog eines Bibliophilen mit litterarischen und bibliographischen Anmerkungen. Berlin, Ernst Hofmann & Co., 1898; 8°, XII, 340 S. — Dazu „Ergänzungsband", Berlin, Hofmann & Co., 1900; 8°, IV, 141 S.

   [Dem Bücherfreunde wird das Studium der Grisebach-schen Kataloge eine unerschöpfliche Quelle des Genusses und mannigfachster litterarischer Anregung. Hier redet aus blossen Büchertiteln ein Meister und ein Denker auf dem Gebiete der Bibliographie und Litteraturgeschichte zu uns.]

5. **Thomas Babington Macaulay's** Geschichte von England seit dem Regierungsantritte Jacob's II. Deutsch von Wilhelm Beseler. Mit dem Portrait Macaulay's. Zweite Stereotypauflage. Erster Band. Braunschweig, G. Westermann, 1852; 8°, VIII, 208 S. Zweiter Band; 8°, 482 S.

6. **Thomas Wright,** A History of Domestic Manners and Sentiments in England During the Middle Ages. By—. Esq., M. A. F. S. A. etc. With Illustrations from the Illuminations in Contemporary Manuscripts and other Sources, Drawn & Engraved. By F. W. Fairholt Esq. F. S. A. — London, Chapman and Halle, 198, Piccadilly, 1862; 4°, XIV, 502 S.

7. **Thomas Wright,** A History of English Culture. From the earliest known period to modern times. With numerous woodcut illustrations from authentic sources. New Edition. London, Trübner & Co., 57 & 59, Ludgate Hill, 1874; gr.-8°, XVI, 511 S.

8. **Johannes Scherr,** Geschichte der englischen Literatur Zweite verbesserte und vermehrte Auflage. Leipzig, Verlag von Otto Wigand, 1874; 8°, VII, 264 S.

9. **H. Taine,** Geschichte der englischen Literatur. Von ——. Autorisicrte deutsche Ausgabe. Leipzig, Ernst Julius Günther, 1878—1880; 8°, 3 Bände.
I. Bd. übersetzt von Leopold Katscher: XVI, 780 S.
II. u. III. Bd. übers. von Gustav Gerth: 503 und 559 S.
[Unentbehrliches Werk für das Studium der englischen Kultur- und Sittengeschichte.]

10. **Edw. Forbes Robinson,** The Early History of Coffee Houses in England. With Some account of the first use of Coffee and a bibliography of the subject. With Illustrations. London, Kegan Paul, Trench, Trübner & Co. Ltd. Paternoster House, Charing Cross Road 1898; 8°, XVI, 240 S.

11. **J. D'Israeli,** Curiosities of Literature, London, George Routledge and Sons, Limited, Broadway, Ludgate Hill. Manchester and New-York 1895; 8°, XV, 582 S.
[Eins der Lieblingswerke Arthur Schopenhauers.]

12. Untrodden Fields of Anthropology, by a French Army-Surgeon. Paris 1898; Bd. I, 8°, XL, 348 S.; Bd. II. 502 S.

84

18. **Georgiana Hill, Women in English Life.** From Mediaeval to Modern Times. By —, Author of „A History of English Dress". In two volumes. Vol. I. London: Richard Bentley & Son, New Burlington Street, Publishers in Ordinary to Her Majesty. M. DCCCC. XCVI; 8°, XX, 350 Seiten und Portrait der Lady Ann Fanshaw.

Vol. II. 362 Seiten, mit Portrait von Georgiana, Duchess of Devonshire.

14. **Iwan Bloch**, Beiträge zur Aetiologie der Psychopathia sexualis. Mit einer Vorrede von Geh. Medicinalrath Prof. Dr. Albert Eulenburg in Berlin. Erster Teil. Dresden, Verlag von H. R. Dohrn, 1902, 8°, XVI, 272. Zweiter Teil, Dresden 1903, 8°, XVIII, 400 Seiten.

[Der erste wissenschaftliche Versuch einer anthropologischen Grundlegung der geschlechtlichen Verirrungen.]

II. Londinensia.
(In chronologischer Folge).

15. **John Stow**, A Survey of London, written in the year 1598. A New Edition, edited by William J. Thoms, Esq. F, S. A. Secretary of the Camden Society. London: Whittacker and Co., Ave Maria Lane. 1842; 8°, XII, 222 S.

16. **[Misson de Valbourg]**, Mémoires et Observations faites par un Voyageur en Angleterre, Sur ce qu'il y a trouvé de plus remarquable, tant à l'égard de la Religion que de la Politique, des moeurs, des curiositez naturelles, et quantité de Faits historiques. Avec une Description particulière de ce qu'il y a de plus curieux dans Londres. A la Haye, Chez Henri van Bulderen etc. 1698; 8°, VI, 422 u. Table des Matières u. Abbildungen.

17. **The Foreigner's Guide**, or a necessary and instructive Companion Both for the Foreigner and Native in their Tour through the Cities of London and Westminster etc. London Printed for J. Pote and Sold by J. Batley, at the Door in Pater-Noster Row etc. 1730; 8°, XX, 215 S.

18. **The Midnight Spy**, or, a View of the Transactions of London and Westminster, From The Hours of Ten in the Evening,

till Five in the Morning; Exhibiting a great Variety of Scenes in High and Low Life, With the Characters of some Well known of both Sexes. Also, the Humours of

Round Houses	Gaming Tables
Night Houses	Routes, and other
Bagnios	Places of Mid-
Jelly Houses	night Resort.

With

General and Particular Descriptions of Women of the Town. London: Printed for J. Cooke, at the Shakespeare's Head in Paternoster Row. 1766; 8⁰, 151 S. (Mit Titelbild: A Night Scene in Russell Street.)

19. **L'Observateur français à Londres,** ou lettres sur l'état présent de l'Angleterre, relativement à ses forces, à son commerce et à ses moeurs. Avec des Notes et des Remarques Historiques, Critiques et Politiques de l'Editeur.

Felix qui potuit rerum cognoscere causas. Virgile.

Premiere Partie. Tome Premier. A Londres, Et se trouve à Paris, chez Merlin, Libraire, rue de la Harpe, vis-à-vis de la rue Poupée. 1769; 8⁰, 435 S. — Bd. II, 431 S. — Bd. III, 432 S. — Bd. IV, 430 S.

20. **Richard King,** The Frauds of London detected, or a new Warning-Piece against the iniquitous practices of that Metropolis etc. By . . ., London, Printed for Alex. Hogg, at No. 16, Paternoster-Row [Price only One Shilling] ca. 1770 oder 1760; 8⁰, XII, S. 15—108; 4 Kupfer.

21. **J. W. v. Archenholtz,** (vormals Hauptmann in K. Preuss. Diensten) England und Italien. Erster Theil. Leipzig, im Verlage der Dykischen Buchhandlung 1787. — 8⁰, XIV, 282 S. — Bd. II, 270 S. — — Bd. III, 435 S. (Bd. IV u. V behandeln Italien).

22. **Offenherzige Schilderung der Müssiggänger und Taugenichtse in London** zur Warnung für deutsche Müssiggänger und Taugenichtse. Erster Theil. London 1787 bey Wilhelm Adlard. No. 10 in Salisbury-Square Fleet-Street; 8⁰, XIV, 166 S. — Zweyter Theil, London 1788; 8⁰, 144 S. (Ein dritter Theil fehlt dem in meinem Besitze befindlichen äusserst seltenen Werke, das besonders im zweiten Theile Einzelheiten aus King's „Frauds of London" entnommen hat.)

23. **Thomas Pennant's** Beschreibung von London vorzüglich in Rücksicht auf ältere Geschichte, Sitten und Kunstmerkwürdigkeiten dieser Stadt. Aus dem Englischen übersetzt und mit einigen Anmerkungen begleitet von Johann Heinrich Wiedemann, Doktor der Philosophie. Mit Churfürstl. Sächs. Privilegio. Nürnberg, in der Felsseckerschen Buchhandlung, 1791; 8°, XXVIII, 669 S.

24. **Les Sóraíls de Londres** ou les Amusements nocturnes etc, Traduit de l'Anglais. Sur l'imprimé de Paris, chez Barba (1801), Chez Henry Kistemaeckers, Bruxelles, o. J. 8°, XV, 249 Seiten.

25. **Sittengemälde von London.** Nebst einer vergleichenden Charakteristik seiner Bewohner von H*** (J. Chr. von Hüttner) in London. Mit Kupfern. Gotha, bei J. Perthes 1801; 12°, XXIV, 255 S. (4 Kupfer).

26. **Johann Christian Hüttner,** Englische Miscellen. Fünfter Band. Herausgegeben von —. Tübingen in der J. G. Cotta'schen Buchhandlung. 1801; 8°, 216 S. Sechster Band. I. 1802; 8°, 288 S.

27. **Christian August Gottlieb Goede,** England, Wales, Irland und Schottland. Erinnerungen an Natur und Kunst aus einer Reise in den Jahren 1802 und 1803. Zweite vermehrte und verbesserte Auflage. Dresden 1806, in der Arnoldischen Buch- und Kunsthandlung. 5 Theile. kl.-8°., XVI, 237; VIII, 407; 288; VIII, 215; VIII, 367.

28. **James Peller Malcolm,** Anecdotes of the Manners and Customs of London. During the eighteenth Century; including the charities, depravities, dresses, and amusements of the citizens of London, During that Period. with a review of the State of Society in 1807 etc. Illustrated by Forty-Five Engravings. The Second Edition. Vol. I. London Printed for Longman, Hunt, Rees and Orme, Paternoster Row. 1810; 8°, XXIX, 432 S. — Vol. II; IV, 443 S.

29. **Wilhelm Bornemann,** Einblicke in England und London im Jahre 1819 von —, General-Lotterie-Director. Ausführliche Bearbeitung der in öffentlichen Blättern schon mitgetheilten Bruchstücke. Berlin 1819. Bey Ernst Siegfried Mittler, Stechbahn No. 3; 8°, IV, 243 S.

30. **L'Hermite de Londres,** ou Observationes sur les moeurs et usages

des Anglais au commencement du XIXe siècle etc. Par M. de Jouy, Paris, Pillet Ainé, 1820; 8°, 3 Bände.

31. **Santo Domingo**, London wie es ist, oder Gemälde der Sitten, Gebräuche und Charakterzüge der Engländer; Anekdoten und Anmerkungen, diese Nation und ihre Regierung betreffend. Eine Fortsetzung der Sittengemälde „Rom" und „Paris wie es ist". Von —. Frei übersetzt von M—r. Leipzig, 1826. Magazin für Industrie und Literatur. 8°, VIII, 196 S.

32. **Adrian**, Skizzen aus Englund. Zwei Theile. Mit Kupfern. Frankfurt am Main. Gedruckt und verlegt bei J. D. Sauerländer, 1830; 8°, Bd. I; IV, 316 S.; Bd. II; III, 360 S.

33. **A. v. Treskow**, Leiden zweier Chinesen in London. Herausgegeben von —. Quedlinburg und Leipzig. Druck und Verlag von Gottfr. Basse 1838; 2 Bände, 8°, XII, 240 und VI, 248 Seiten. (Mit Abbildungen.)

34. **Michael Ryan**, Prostitution in London, with a Comparative View of that of Paris and New York etc. London: H Baillière, 219, Regent Street. o. J. (1889); 8°. XX, 447 S.

35. **Max Schlesinger**, Wanderungen durch London. Berlin; Franz Duncker, 1852; 8°, 2 Bände XII, 396 und IX, 426 S.

36. **J. Venedey**, England. Leipzig, F. A. Brockhaus 1845; 3 Bände; 8°, XVII, 580 S. VIII, 626 S.; VIII, 670 S.

37. **Julius Rodenberg**, Kleine Wanderchronik. Hannover, Carl Rümpler 1858. Zwei Bände, 8°, 180 und 276 S.

38. **Julius Rodenberg**, Tag und Nacht in London. Ein Skizzenbuch zur Weltausstellung. Mit Zeichnungen nach der Natur von William M'Connell. 2. Auflage. Berlin 1862, Oswald Seehagen; 8°, IV, 268 S.

39. **John Timbs**, F. S. A., Curiosities of London exhibiting the most rare and remarkable objects of interest in the metropolis. With nearly sixty years' personal recollections. A New Edition, Corrected and Enlarged. London Virtue and Co., Limited, 294, City Road. o. J. (Vorrede datirt vom Dez. 1867) lex. 8°, VII, 871 S. (Die erste Auflage in 8° erschien 1855. Timbs' „Curiosities" sind neben Wheatley das inhaltreichste Nachschlagewerk über die Geschichte Londons).

40. **Julius Rodenberg**, Studienreisen in England. Bilder aus Vergangenheit und Gegenwart. Leipzig, F. A. Brockhaus. 1872; 8°, IX, 362 S.

41. **Gustav Rasch**, London bei Nacht, Culturbilder von —. **Berlin** 1878. Wedekind & Schwieger; 8⁰, 191 Seiten.

42. **Julius Rodenberg**, Ferien in England. Berlin, Verlag von Gebrüder Paetel. 1876. 8⁰, VI, 184 S.

43. **Walter Thornbury**, Haunted London, Edited by Edward Walford, M. A. Illustrated by F. W. Fairholt, F. S. A. London, Chatto & Windus, Piccadilly 1880; 8⁰, XV, 479 S.

44. **Jacob Larwood**, The Story of the London Parks. A New Edition, with Illustrations. London, Chatto & Windus. Piccadilly 1881; 8⁰, III, 490 S.

45. **La Société de Londres**. Par un Diplomate Etranger. 3e édition. Paris. E. Dentu Libraire-Editeur. 1885; 8⁰, XIV, 325 S.

46. **Max O'Rell**, Les Filles de John Bull. Par L'Auteur de John Bull et son Ile. Quarante-Troisième Édition. Paris, Calmann Lévy, Éditeur. Maison Michel Lévy Frères. 3, Rue Auber, 1884; 8⁰, II, 325 S.

47. **Max O'Rell**, John Bull und sein Inselheim. Englische Sittenbilder von —. Nach der 47. Auflage des franz. Originals. Berlin, Otto Janke o. J. 8⁰, IV, 285 S. und Inhaltsverzeichnis (5 S.)

48. **Hector France**, Les Va-Nu-Pieds de Londres. Paris, G. Charpentier et Cie, Éditeurs, 13 Rue de Grenelle, 1884; 8⁰, VI, 332S.
    Derselbe. La Pudique Albion. Les Nuits de Londres. Paris, Bibliothèque Charpentier, Eugène Fasquelle, Éditeur 11 Rue de Grenelle, 1900; 8⁰, IV, 332 S.

49. **Hector France**, En „Police-Court", Paris, Bibliothèque-Charpentier, 11 Rue de Grenelle, 1891; 8⁰, X, 283 S.

50. **H. D. Traill**, Social England. A Record of the Progress of the People in Religion Laws Learning Arts Industry Commerce Science Litterature and Manners from the earliest Times to the present day. By Various Authors. Edited by —. Vol. I, London 1893. (Cassell & Comp.) — 6 Bände.

51. **Gustaf F. Steffen**, Aus dem modernen England. Eine Auswahl Bilder und Eindrücke. Vom Verfasser erweiterte und bearbeitete deutsche Ausgabe. Mit 134 Textabbildungen und 11 Tafeln. Aus dem Schwedischen von Dr. Oskar Reyher. Zweite Auflage. Stuttgart, Hobbing & Büchle 1896; 8⁰, IV, 436 Seiten.

52. **Warwiok Wroth**, F. S. A. of the British Museum, assisted by
Arthur Edgar Wroth, The London Pleasure Gardens
of the Eighteenth Century. With Sixty-Two Illustrations.
London, Macmillan and Co. Ltd. New York: The Mac-
millan Co. 1896; 8°, XVIII, 335 S.
[Reich illustriertes, jetzt vergriffenes Prachtwerk über die
Londoner Vergnügungsgärten des 18. Jahrhunderts].

53. **Walter Besant**, M. A. F. S. A., London, A New Edition. With
125 Illustr. London, Chatto & Windus 1898; 8°, XVI, 343 S.

54. **H. Barton Baker**, Stories of the Streets of London. With
Portraits and numerous Illustrations by Charles G. Harper.
„Truly the universe is full of ghosts; not sheeted churchyard
spectres, but the inextinguishable elements of individual life, which
having once been, can never die, though blend and change and
change again for ever." Rider Haggard.
London, Chapman and Hall, Limited, 11 Henrietta Street,
Covent Garden, W. C. 1899; 8°, XVIII, 426 S.
[Interessante kulturgeschichtliche Plaudereien].

55. **Pierce Egan**, Life in London, or the Day and Night Scenes of
Jerry Hawthorn, Esq., and his elegant friend Corinthian
Tom in Their Rambles and Sprees Through the Metropolis.
A New Edition with an Indroduction by John Camden
Hottèn and a coloured Frontispiece. London, Chatto &
Windus 1900; 8°, XII, 406 S.
(S. 1—26 die ausführliche litterarhistorische Einleitung von
J. C. Hotten, datirt 74 Piccadilly, 27. November 1869).

56. **Arthur H. Beavan**, Imperial London. With sixty illustrations
by Hanslip Fletcher.
„That great Babylon, that mighty city."
London: J. M. Dem & Co. New York: E. P. Dutton & Co. 1901.
Lex. 8°, XII, 250 Seiten.
[Interessante Beschreibung des modernsten London].

57. **Walter Besant**, M. A. F. S. A., East London. With an
etching by Francis S. Walker, R. E. and 54 Illustrations
by Phil May, Joseph Pennell, and L. Raven Hill. London,
Chatto & Windus 1901; 8°, VIII, 366 S.

58. **Charles Dickens**, Londoner Skizzen. Aus dem Englischen von
Julius Seybt Leipzig. Verlag von Philipp Reclam jun.
o. J.; 12°, 505 S.

Druckfehler.

Band II.

Professor Dr. **J. Pagel** schreibt in der Deutschen-Aerztezeitung 1903, H. 116, folgendes:

Der pseudonyme Verf., der durch seinen, mit grossem Beifall aufgenommenen „Marquis de Sade und seine Zeit" sich fast mit einem Schlage einen europäischen Ruf erworben hat, liefert in dem vorliegenden Bande die Fortsetzung seiner „Studien zur Geschichte des menschlichen Geschlechtslebens." Wie die bisher erschienenen Bände, enthält auch dieser eine erdrückende Fülle kulturhistorischer und für die Geschichte der Medizin wichtiger und lehrreicher Daten, besonders zur Litteraturgeschichte der Aphrodisiaka, zur Geschichte der Abtreibung, des Kurpfuschertums in England etc. Verf. beherrscht seinen Stoff in bewundernswerter Weise und zwar nicht nur auf Grund umfassender litterarischer, sondern auch während eines Aufenthaltes in London an Ort und Stelle angestellter Studien. Er versteht es, die Thatsachen fesselnd zu erzählen und durch geistreiche geschichtsphilosophische Betrachtungen, die gleichsam das Binde- oder Einhüllungsmittel für jene abgeben, geschickt zu verknüpfen. Auch wer erotisch angehauchte Lektüre liebt, wird in dem Buch durchaus auf seine Kosten kommen. Vieles ist übrigens neu und vom Verf. mit wunderbarer Findigkeit originaliter ermittelt. Manches ist aus Moll, Eulenburg und ähnlichen Quellen entnommen resp. mit Erzählungen aus diesen glaubhaft belegt. Ein dritter, den Gegenstand abschliessender Band ist für die allernächste Zeit bereits gesichert.   P a g e l - Berlin.

Breslauer Morgenzeitung vom 23. 3. 1903:

Dr. Eugen Dühren — ein Pseudonym, hinter welchem sich ein bekannter Berliner Arzt verbirgt — hat nunmehr den zweiten Teil seines auf drei Bände berechneten Werkes über das Geschlechtsleben in England der Oeffentlichkeit übergeben. Der Autor, der sich durch seine Studien zur Geschichte des menschlichen Geschlechtslebens rasch einen ersten Platz unter den Kulturhistorikern erworben hat, beschäftigt sich in dem vorliegenden Bande mit dem Einflusse äusserer Faktoren auf das englische Geschlechtsleben. Als solche sieht er an die „vornehme Gesellschaft" (das „High Life"), „die Mode" u. a. m. Vom menschlichen wie vom kulturhistorischen Standpunkte sind wohl am interessantesten die Kapitel, in denen er sich mit den Aphrodisiaca, Kosmetica, Geheimmitteln und besonders mit dem speziell dem englischen Volke eigentümlischen Laster der Flagellomanie beschäftigt. Wie in seinen früheren Werken, wird man auch dieses Mal dem sittlichen Ernste und der kritischen Klarheit der Darstellung besonders die erdrückende Fülle des Materials und die Objektivität, mit der unzählige Quellenwerke verwertet sind, anerkennen. Kein Leser — und der Autor wendet sich nicht mit Pikanterien an Lebemänner, sondern an ernst und gediegen veranlagte bildungsbeflissene Naturen — wird sich dem Eindrucke entziehen können, dass hier in ernster ehrlicher Arbeit ein vollkommen getreues Bild der englischen Zustände, wie sie waren und wie sie sind, geliefert wird."

Ein bemerkenswertes kulturgeschichtliches Dokument nennt Dr. J. Bloch in seiner „Aetiologie der Psychopathia" sexualis das sensationelle Gedichtbuch:

Dolorosa
Confirmo te chrysmate.
=== **Preis elegant gebunden Mk. 3.—** ===

Geheimrat Professor Alb. Eulenburg hat diesem Buche in der „Zukunft" vom 6. 12. 1902 einen vier Seiten langen Artikel gewidmet. Hier heisst es!

„Wir liebten die Schmerzen nur", dieses schöne und tiefe, aber kranke Wort könnte als ein einheitliches Motto dem ganzen Gedichtbande vorgedruckt stehen, zu dessen Perlen auch ein „Kranke Liebe" überschriebenes Gedicht zählt. Eine schmerzvoll traurige Muse, eine heidnisch-christliche „Dolorosa" ist es, die diese eigenartigen Schöpfungen mystischer Erotik oder erotischer Mystik inspiriert hat; Perversität und Lüsternheit liegt hier vollständig fern; eher mit den tieftrauernden Einzelgestalten gewisser Bilder Böcklins oder mit Klingers herbschöner Kassandra möchte diese Muse Verwandtschaft oder Aehnlichkeit haben. Und dem entspricht auch die Wirkung auf Gefühl und Gemütsstimmung des Lesenden etc.

Bohemia, Prag: Eine Schmachtende, ein von tollen Gluten verzehrtes Weib hat dieses Buch geschrieben. Wenn man die Verse liest, die in Höllenqualen toben und alle Grausamkeiten erotischer Extase mit vollendeter Kunst schildern, so gerät man in eine seltsame Verwirrung. Man weiss nicht, soll man entsetzt sein oder bewundern, soll man verdammen oder Mitleid empfinden? Jedenfalls ist ein ungewöhnliches Talent hier in einem dunklen Mysterium aufgegangen und ringt mit fieberheissen Händen um den Lorbeer des Dichters. Was weiss einem diese Frau nicht alles zu erzählen! Die flimmernden Träume verliebter Poeten, ihr zitterndes Verlangen und ihre nervöse Sehnsucht sind farblose Blüten neben diesen Feuerrosen der Leidenschaft. Sündenschwüle Dämmerungen, aufgerissene Lippen, die in ungelöschtem Durst verbrennen, Geisselhiebe, die wie feurige Schlangen den Körper foltern, sind die Motive, welche das krankhafte Empfinden der anonymen Dichterin beschäftigen . . . .

M. Lilienthal, Verlag, Berlin NW. 7

Druck von Reinhold Berger in Lucka S.-A.